Pour mes petits-enfants,
comme ça ils sauront.

« L'esprit du débutant
contient beaucoup de possibilités,
mais celui de l'expert
en contient peu. »

Shunryu Suzuki,
Esprit zen, esprit neuf

L'AUBE

Je m'étais levé avant tout le monde à la maison, avant les oiseaux, avant le soleil. J'ai pris une tasse de café, avalé une tartine, mis un short et un sweat avant de lacer mes chaussures de running vertes. Je suis sorti sans faire un bruit par la porte de derrière.

Je me suis étiré les mollets, les ischios, le bas du dos et je me souviens d'avoir grogné lors des toutes premières foulées dans le brouillard. Pourquoi est-il toujours aussi difficile de se lancer ?

Il n'y avait aucun signe de vie, ni voiture ni âme qui vive. J'étais tout seul au milieu des arbres qui semblaient savoir que j'étais là. Le monde m'appartenait. J'étais de retour dans mon Oregon natal. Les arbres semblaient avoir toujours su. Les arbres ont toujours été protecteurs.

En courant, je me suis dit que j'avais de la chance d'être originaire d'un si bel endroit. Un endroit calme, vert, tranquille. J'étais fier d'être de l'Oregon, fier de pouvoir dire que j'étais né à Portland. Mais il me restait un regret : l'Oregon avait beau être magnifique, pour beaucoup c'était le genre d'endroit où jamais rien d'important ne se passait et il n'y avait pas de raison que ça change. Si les habitants de l'Oregon étaient célèbres pour quelque chose, c'était surtout pour avoir réussi à se frayer une voie terrestre franchissant les Rocheuses, la Piste de l'Oregon. Les choses avaient été plutôt fades depuis.

Le meilleur enseignant que j'aie eu, l'un des hommes les plus brillants que j'aie eu la chance de rencontrer, parlait souvent de cette piste. Il grommelait que c'était notre acte fondateur, que cela avait contribué à façonner notre personnalité et notre destin, et que cela faisait partie de notre ADN. Il disait : « Les lâches n'ont jamais essayé et les faibles sont morts en chemin. Il ne reste que nous. »

Ce professeur croyait qu'un esprit pionnier particulièrement fort s'était développé lors des premiers franchissements de cette piste et que cela avait à la fois décuplé notre sentiment que tout était possible et nous avait rendus moins sujets au pessimisme. Pour lui, il relevait de notre devoir de résidents de l'Oregon de perpétuer cet esprit.

Je hochais la tête lors de ses discours, lui témoignant tout le respect que je lui devais. J'adorais ce type. Mais je me disais parfois : « Bon Dieu, c'est juste un chemin de terre ».

Lors de ce mémorable matin brumeux de 1962, mon esprit s'est attardé sur le fait que j'étais de retour à la maison après un exil de sept longues années. C'était étrange d'être revenu, étrange d'être à nouveau quotidiennement fouetté par la pluie. Il était encore plus étrange de vivre à nouveau avec mes parents et mes sœurs jumelles et de dormir dans le lit de mon enfance. La veille au soir, j'avais regardé mes livres de cours et mes trophées du lycée, en me demandant : suis-je toujours la même personne ?

J'ai accéléré la foulée. Ma respiration formait des bouffées rondes dans le brouillard. J'ai savouré ce premier éveil physique, ce moment lumineux avant que l'esprit ne soit parfaitement clair, quand les membres et les articulations commencent à s'assouplir et que le corps commence à fondre. De l'état solide à l'état liquide.

Je me suis dit qu'il fallait que j'accélère encore.

J'ai pensé : « Sur le papier, je suis un adulte ». J'étais diplômé d'une bonne université, l'Université de l'Oregon. J'avais décroché le master dans une excellente *business school*, Stanford. J'avais survécu à un contretemps d'un an dans l'armée, à Fort Lewis puis Fort Eustis. Mon CV disait que j'étais un jeune homme bien éduqué de vingt-quatre ans et un soldat accompli… Pourquoi avais-je encore le sentiment d'être un gamin ?

Pire, d'être le même gamin timide, pâle et tout maigre que j'avais toujours été.

Peut-être était-ce parce que je n'avais encore rien expérimenté de fort dans la vie. Je n'avais jamais cédé à aucune tentation. Je n'avais jamais fumé de cigarette, ni essayé de drogue. Je n'avais enfreint aucune règle, et encore moins de loi. Les années 1960, l'âge d'or de la contestation, battaient leur plein et j'étais la seule personne en Amérique qui ne s'était jamais rebellée. Je ne pouvais pas me rappeler une seule fois où je m'étais brouillé avec quelqu'un ou avais fait quelque chose d'inattendu.

Je n'avais jamais eu de petite amie.

Si j'avais tendance à m'éterniser sur tout ce que je n'étais pas, la raison en était simple. J'avais du mal à définir qui j'étais, ou qui je pourrais devenir. Comme tous mes amis, je voulais réussir. Mais contrairement à eux, je ne savais pas ce que cela signifiait. L'argent ? Peut-être. Le mariage ? Les enfants ? Une maison ? Bien sûr, avec de la chance. C'étaient les objectifs qu'on m'avait appris qu'il fallait atteindre, et une partie de moi y aspirait, instinctivement. Mais au fond de moi, je cherchais quelque chose d'autre, quelque chose de plus. J'avais la sensation aigüe que la vie était courte, plus courte qu'elle ne l'a jamais été, courte comme un jogging matinal, et je voulais que la mienne ait un sens. Qu'elle soit passionnée, créative et importante. Et par-dessus tout… différente.

Je voulais laisser une trace dans ce monde.

Je voulais gagner. Enfin, je voulais surtout ne pas perdre.

Et c'est ce qui est arrivé. Mon cœur commençait à cogner très fort, mes poumons gonflaient, les arbres n'étaient plus que des taches vertes et je voyais apparaître devant moi exactement ce que je voulais que ma vie soit.

Je voulais jouer. Oui, c'est le mot. J'avais toujours soupçonné que le secret du bonheur, l'essence de la beauté, de la vérité ou de tout de ce qui vaut la peine d'être vécu, repose quelque part dans ce moment pendant lequel la balle est en suspension, quand les boxeurs sentent que la cloche va bientôt sonner, quand les coureurs s'approchent de la ligne d'arrivée et que le public se lève comme un seul homme. Il y a une sorte de clarté exubérante dans cette demi-seconde qui détermine les vainqueurs et les perdants. C'est ça que je voulais que ma vie soit au quotidien.

J'ai fantasmé à plusieurs reprises sur la possibilité de devenir un grand romancier, un grand journaliste ou même un homme d'État. Mais mon rêve ultime a toujours été d'être un grand athlète. Malheureusement, le destin a voulu que je sois un bon sportif, pas un grand sportif. À vingt-quatre ans, je m'étais déjà résigné. J'ai fait de la course à pied sur piste dans l'Oregon et je me suis distingué en remportant quelques titres locaux trois ou quatre ans de suite. Mais c'est tout. Ce n'est pas allé plus loin. Alors que j'enchaînais les miles en six minutes et que le soleil commençait à poindre sur les aiguilles de pin, je me suis demandé : « Et s'il y avait un moyen de ressentir ce que les athlètes ressentent sans en être un ? Est-il possible de passer sa vie à jouer, plutôt que de travailler ? Et de s'épanouir dans son travail à tel point que les deux deviennent pratiquement la même chose. »

Les guerres, la douleur et la misère avaient rendu le monde si triste, et le train-train quotidien était tellement épuisant et émaillé d'injustices que je me suis dit que la seule réponse était peut-être de trouver ce rêve prodigieux et improbable, suffisamment fun et noble pour essayer de le réaliser avec le dévouement et la détermination d'un athlète. Qu'on aime l'idée ou non, la vie est un jeu. Quiconque nie cette vérité, quiconque refuse de jouer se retrouve sur la touche et, plus que tout, je voulais échapper à cela.

Tout cela m'a guidé vers mon Idée Folle. Je me suis dit que, peut-être, je dis bien peut-être, je devrais la reconsidérer une dernière fois. Peut-être qu'après tout, mon Idée Folle pourrait, qui sait… fonctionner ?

Peut-être. J'ai pensé : non, non, il faut courir plus vite, plus vite, courir comme si j'étais à la poursuite de quelqu'un et que j'étais moi-même poursuivi en même temps. J'allais réussir. Avec l'aide de Dieu, cette idée réussirait. Il n'y avait plus de « peut-être ».

Je m'étais soudainement mis à sourire, et même presque à rire. Trempé dans mon sweat, me mouvant plus facilement que jamais, j'ai vu que mon Idée Folle brillait devant moi et qu'elle n'avait d'ailleurs plus l'air si folle. Cela ne ressemblait même pas à une idée mais plutôt à une personne, ou une forme de vie qui existait bien avant moi, qui m'était extérieure, mais faisait tout de même partie de moi. Elle m'attendait, tout en se cachant.

Cela peut paraître un peu extravagant, un peu *fou*. Mais c'est ce que j'ai ressenti à l'époque.

Ou peut-être pas, peut-être que ma mémoire hypertrophie ce moment « Eurêka » ou qu'elle condense de nombreux moments similaires en un seul. Ou peut-être que si ce moment a existé, ce n'était rien de plus que de bonnes sensations de course. Je ne sais pas, je ne saurais le dire. Tant de choses de ces jours, de ces mois et de ces années se sont dissipées, un peu comme ces bouffées rondes dans le brouillard. J'ai oublié tous les visages, les chiffres et les décisions qui semblaient pourtant importantes et irrévocables à l'époque.

En revanche, je me souviens très bien d'une certitude réconfortante, une vérité fondamentale dont je ne devais jamais me défaire. À vingt-quatre ans, j'avais eu cette Idée Folle, et, malgré ma peur du futur et mes doutes sur moi-même, comme tous les jeunes gens dans leur vingtaine, je me suis dit que le monde était fait d'idées folles. Les choses que j'aimais le plus – les livres, le sport, la démocratie, l'entrepreneuriat – sont nées à partir d'idées folles.

L'histoire est une longue succession d'idées folles. Par ailleurs, on trouve peu de choses aussi folles que ma passion : courir. C'est difficile. C'est douloureux. C'est risqué. Les satisfactions et les récompenses sont rares et loin d'être garanties. Il n'y a pas de réelle destination lorsque l'on court sur une piste d'athlétisme ou sur une route déserte. Du moins, il n'y en a pas qui justifie pleinement l'effort. En lui-même, l'acte de courir devient la destination. Ce n'est pas juste qu'il n'y a pas de ligne d'arrivée. Quelles que soient les satisfactions que l'on tire de la course, il faut les chercher au plus profond de soi. Il s'agit plutôt de se construire, de se convaincre, de se surpasser.

Tous les coureurs le savent. On court encore et encore, kilomètre après kilomètre, et on ne sait jamais vraiment pourquoi. On se dit que l'on court après un objectif ou un chrono, mais on ne court en réalité que parce que s'arrêter est effrayant.

Ce matin de 1962, je me suis dit qu'il fallait que je laisse les autres dire que mon idée était folle… Qu'il fallait juste ne pas s'arrêter. Il ne fallait même pas considérer l'abandon, et ne pas trop penser à la destination finale. Quoiqu'il arrive, il ne fallait pas s'arrêter.

C'est le conseil précoce que je me suis donné et que j'ai plus ou moins réussi à suivre. Un demi-siècle plus tard, je crois que c'est le meilleur conseil – peut-être le seul, d'ailleurs – que chacun de nous devrait se permettre de donner.

PARTIE UNE

« Ici, vois-tu, on est obligé de courir tant qu'on peut pour rester au même endroit. Si tu veux te déplacer, tu dois courir au moins deux fois plus vite ! »

Lewis Carroll, *De l'autre côté du miroir*

1962

Lorsque j'ai voulu aborder le sujet avec mon père, une fois trouvé le courage de lui parler de mon Idée Folle, j'ai décidé de le faire tôt dans la soirée. C'était toujours le meilleur moment avec Papa. Il était détendu, repu, allongé dans son fauteuil inclinable dans le coin télé. Quand je ferme les yeux et que je me concentre, je peux encore entendre les rires du public et les jingles sonores de ses programmes préférés, *Wagon Train* et *Rawhide*.

Mais il aimait *Red Buttons* par-dessus tout. Chaque épisode commençait avec Red chantant « Ho ho, hee hee… d'étranges choses sont en train de se produire. »

J'ai installé une chaise à côté de lui, j'ai fait un grand sourire et j'ai attendu la publicité suivante. J'avais répété mes répliques encore et encore dans ma tête, l'entrée en matière en particulier. « Papa, tu te souviens de l'Idée Folle que j'avais eue à Stanford… ? »

C'était l'un de mes derniers cours, un séminaire sur l'entrepreneuriat. J'avais écrit un devoir de recherche sur les chaussures, et le papier est passé du stade de travail ordinaire à celui d'obsession absolue. En tant que coureur, j'en connaissais un rayon sur les chaussures. Passionné par le monde des affaires, je savais que les appareils photo japonais avaient révolutionné ce marché, dominé jusque-là par les Allemands. J'avais donc soutenu dans mon papier que les chaussures de course japonaises pourraient faire la même chose. L'idée m'intéressait, puis elle m'a inspiré et captivé. Cela paraissait si évident, si simple, et le potentiel était si grand !

J'avais passé des semaines et des semaines sur ce papier. J'avais squatté la bibliothèque et dévoré tout ce que je pouvais trouver sur l'import-export et la création d'entreprise. Comme le voulait la règle, j'ai finalement présenté mon papier à mes camarades de promotion, ce qui a semblé les ennuyer profondément. Pas un seul d'entre eux n'a posé de question. Ils ont salué ma passion et mon engagement avec des soupirs et des regards vides.

Le professeur, lui, a trouvé que mon Idée Folle était intéressante : il m'a mis un A. Je n'ai jamais cessé de penser à ce papier. Tout au long du temps qu'il me restait à passer à Stanford, lors de chaque jogging matinal, jusqu'à ce moment précis dans le coin télé, j'avais réfléchi au fait d'aller au Japon, de trouver une entreprise de chaussures, de lui exposer mon Idée Folle, dans l'espoir qu'elle l'accueille avec un peu plus d'enthousiasme que mes camarades de promo, et qu'elle accepte de s'associer avec un gamin timide, pâle et tout maigre de cet État assoupi qu'est l'Oregon.

Je pourrais aussi profiter de ce voyage au Japon pour faire un détour exotique, à l'aller comme au retour. Comment pouvais-je laisser ma trace dans ce monde sans le connaître un tant soit peu ? Avant de disputer une course importante, on veut toujours aller tester la piste. Un voyage autour du monde avec mon sac à dos serait sans doute la meilleure chose à faire. À l'époque, personne ne parlait des « choses à faire avant de mourir », mais ce que j'avais en tête s'y apparentait. Avant de mourir ou d'être trop vieux et usé par les petites choses de la vie quotidienne, je voulais visiter les plus beaux et les plus merveilleux endroits de la planète.

Et les plus sacrés. Je voulais évidemment goûter les autres cuisines, entendre d'autres langues, m'immerger dans d'autres cultures, mais ce dont j'avais terriblement envie, c'était la connexion avec un C majuscule. Je voulais expérimenter ce que les Chinois appellent *tao*, les Grecs, *logos*, les hindous, *jñna*, les bouddhistes, *dharma*. Ce que les chrétiens appellent l'esprit. Avant de m'établir pour de bon, je devais d'abord mieux comprendre l'humanité, explorer les plus grands temples, églises et sanctuaires. Je devais ressentir la présence de… Dieu ?

Oui. Faute d'un meilleur mot, Dieu.

Mais j'avais d'abord besoin de l'accord de mon père.

J'avais en fait surtout besoin de son argent.

L'année précédente, j'avais déjà évoqué la possibilité de faire un grand voyage et mon père semblait plutôt ouvert à cette idée. Mais il avait sûrement dû oublier. Et cette fois-ci, j'en demandais probablement trop : en plus de faire ce voyage onéreux au Japon, créer une entreprise ? Il allait sûrement prendre ça pour un nouveau caprice.

Ce serait sûrement la goutte qui ferait déborder le vase.

Un vase qui coûterait beaucoup d'argent. J'avais quelques économies grâce à mon passage dans l'armée et à différents jobs d'été. J'avais également prévu de vendre ma voiture, une MG noire de 1960 avec des pneus de course et un moteur *twin-cam* (la même voiture que celle que conduisait Elvis dans *Sous le ciel bleu d'Hawaï*). Tout cela me permettrait de récolter 15 000 dollars, ce qui, comme je l'expliquais à mon père, était loin d'être assez. Il a fait oui de la tête, a bougonné un peu, puis son regard s'est décollé de la télé pour se poser sur moi alors que je lui exposais mon projet.

« Papa, tu te souviens de notre discussion ? Quand je t'ai dit que je voulais découvrir le monde ?

L'Himalaya ? Les Pyramides ?

La mer Morte, Papa ? La mer Morte ?

Eh bien, ha ha, je pense aussi m'arrêter au Japon, Papa. Tu te souviens de mon Idée Folle ? Les chaussures de course japonaises ? Ça peut être énorme, Papa. Énorme ! »

J'exagérais volontairement, j'en faisais des tonnes pour défendre mon projet, alors que j'avais toujours détesté vendre et que ce type de vente, en particulier, ne marche quasiment jamais. Mon père venait juste de débourser des milliers de dollars pour l'université d'Oregon, puis des milliers de dollars de plus pour Stanford. Il était l'éditeur de l'*Oregon Journal*, un excellent poste qui nous permettait de satisfaire tous nos besoins matériels et de vivre dans une maison blanche spacieuse sur Claybourne Street à Eastmoreland, dans la banlieue la plus paisible de Portland. Mais il n'était pas riche.

Et puis, nous étions en 1962. Le monde paraissait plus grand à l'époque. Certes, des êtres humains commençaient à tourner en orbite autour de la Terre dans des capsules ; mais 90 % des Américains n'avaient encore jamais pris l'avion. La plupart des gens ne s'étaient même jamais aventurés à plus de cent cinquante kilomètres de chez eux, donc la simple évocation d'un voyage en avion autour du monde aurait donc déconcerté n'importe quel père, et en particulier le mien, dont le prédécesseur au journal était mort dans un crash aérien.

Même en mettant de côté l'argent et les questions de sécurité, le projet dans son ensemble paraissait peu réaliste. Je savais que vingt-six nouvelles entreprises sur vingt-sept échouaient. Mon père connaissait lui aussi ces statistiques et l'idée de prendre un tel risque allait à l'encontre de tous ses principes. Mon père était un membre très conventionnel de l'Église épiscopale ; il était très croyant. Mais il vénérait aussi une autre divinité secrète, la respectabilité. Il appréciait le fait d'avoir une grande maison coloniale, une jolie femme, des enfants obéissants, mais il aimait encore plus que ses amis et ses voisins sachent qu'il avait tout cela. Il aimait être admiré. Il ne voyait pas l'intérêt de s'amuser à faire le tour du monde. Ce n'était pas quelque chose à faire. Surtout pas par les enfants respectables d'hommes respectables. Les enfants des autres ne faisaient pas ce genre de choses. C'était réservé aux beatniks et aux hipsters.

Il est possible que la principale raison de l'obsession de mon père pour la respectabilité ait été la crainte de son propre chaos intérieur. De temps à autre, ce chaos pouvait exploser soudainement. Sans avertissement, tard dans la nuit, le téléphone dans l'entrée sonnait, et j'entendais la même voix rocailleuse quand je décrochais. « Viens chercher le Vieux. »

J'enfilais alors mon imperméable – ces nuits-là, il y avait bien souvent une pluie fine – et prenais la voiture jusqu'au club de mon père. Je me souviens de ce club aussi clairement que je me souviens de ma propre chambre. Avec sa bibliothèque en chêne qui allait du sol au plafond et ses fauteuils bergères, ce club centenaire ressemblait au salon d'une maison de campagne anglaise. Bref, éminemment respectable.

Je trouvais toujours mon père assis à la même table, dans le même fauteuil. Je l'aidais à se lever.

« Ça va, Papa ? » « Bien sûr que ça va. » Je le guidais vers la voiture et nous faisions toujours comme si de rien n'était sur le chemin du retour. Il se tenait parfaitement droit, presque majestueux, et nous parlions de sport. Parler de sport était ma façon de me distraire, de me détendre quand j'étais stressé.

Mon père aimait le sport, lui aussi. Le sport était toujours respectable.

Pour toutes ces raisons et pour bien d'autres encore, je m'attendais à ce que mon père réagisse à mon exposé par un plissement de front et une pirouette. « Ha ha, en voilà une idée complètement folle. Tu rêves, Buck. » (Mon prénom est Philip mais mon père m'appelait toujours Buck. En fait, il m'appelait Buck avant même ma naissance. Ma mère m'a raconté qu'il avait l'habitude de toucher son ventre lorsqu'elle était enceinte et de demander : « Comment va le petit Buck aujourd'hui ? ».) Cependant, lorsque j'ai fini de présenter mon plan, mon père a redressé son fauteuil inclinable et m'a lancé un regard amusé. Il m'a dit qu'il avait toujours regretté de ne pas avoir voyagé davantage quand il était jeune. Il a ajouté qu'un voyage pourrait apporter la touche finale à mon éducation. Il a dit un certain nombre de choses, toutes davantage focalisées sur le voyage que sur mon Idée Folle, mais je ne me sentais pas de recentrer la discussion. Je ne me sentais pas de me plaindre, tout simplement parce qu'il était en train de donner son accord. Et son argent.

« OK, Buck. OK. »

Je l'ai remercié et j'ai quitté le coin télé avant qu'il ne change d'avis. Ce n'est que plus tard que j'ai réalisé dans un accès de culpabilité que le fait que mon père ait peu voyagé était l'une des raisons – inavouées – de mon envie de partir, peut-être la principale raison. Ce voyage, cette Idée Folle, était un moyen assez sûr de devenir une autre personne que lui. Quelqu'un de moins respectable.

Ou, du moins, quelqu'un de moins obsédé par la respectabilité.

Le reste de la famille se montra beaucoup moins enthousiaste. Lorsque ma grand-mère a eu vent de mon itinéraire, un élément en particulier l'a interpellée : « Le Japon, sanglotait-elle, pourquoi le Japon, Buck ? Il y a quelques années, les Japs voulaient nous tuer. Tu ne te souviens pas ? Pearl Harbor ! Les Japs ont essayé de conquérir le monde ! Certains d'entre eux ne savent même pas qu'ils ont perdu ! Ils se cachent ! Ils pourraient te faire prisonnier, Buck. Et te crever les yeux ! Ils sont connus pour ça. Ils crèvent les yeux de leurs prisonniers. »

J'aimais ma grand-mère maternelle, que nous appelions tous Maman Hatfield. Et je comprenais ses craintes. On ne pouvait pas imaginer de destination plus lointaine que le Japon pour une personne de Roseburg, la petite ville agricole de l'Oregon où elle est née et a vécu toute sa vie. J'y ai passé de nombreux étés avec elle et Papa Hatfield. Presque tous les soirs, nous nous installions sous le porche et nous écoutions les coassements des crapauds concurrencer la radio, qui, au début des années 1940, diffusait toujours les nouvelles de la guerre.

Elles étaient toujours mauvaises.

On nous disait que les Japonais n'avaient jamais perdu de guerre en vingt-six siècles et qu'ils n'allaient certainement pas perdre celle-là. Nous enchaînions les défaites. Finalement, Gabriel Heatter de la *Mutual Broadcasting* avait ouvert son journal de la nuit avec une voix stridente : « Bonsoir à tous – il y a de bonnes nouvelles ce soir ! » Les Américains venaient enfin de remporter une bataille décisive. Les critiques avaient étrillé Heatter pour avoir endossé sans s'en cacher un rôle de supporter, pour avoir abandonné tout sens d'objectivité journalistique, mais l'hostilité de l'opinion publique envers le Japon était si intense que la plupart des gens avaients salué Heatter comme un héros populaire. Par la suite, il avait débuté chacune de ses émissions de la même façon : « De bonnes nouvelles ce soir ! ».

C'est l'un de mes souvenirs les plus anciens. Maman et Papa Hatfield à côté de moi sous le porche, Papa qui pelait une pomme avec son canif, m'en donnait un morceau, puis en mangeait un morceau à son tour, et ainsi de suite, jusqu'à ce que la cadence à laquelle il pelait sa pomme ralentisse brutalement quand Heatter commençait son émission. « Chut ! » Je nous revois en train de mâchonner nos pommes et de scruter l'obscurité du ciel, si obsédés par le Japon que nous nous attendions presque à voir les avions de combat japonais surgir de Sirius. Cela explique sans doute pourquoi j'étais terrifié la première fois que j'ai pris l'avion, quand j'avais cinq ans : « Papa, est-ce que les Japs vont nous abattre ? »

Maman Hatfield avait la chair de poule mais je lui ai dit de ne pas s'inquiéter, que tout irait bien et que je lui rapporterais même un kimono.

Mes sœurs jumelles, Jeanne et Joanne, plus jeunes de quatre ans, ne faisaient même pas semblant de s'intéresser à ce que je pourrais faire, ni où je pourrais aller.

Ma mère, elle, ne disait rien. Elle parlait peu. Mais son silence semblait différent cette fois. Il y avait une forme de consentement, voire de fierté.

J'ai passé des semaines à lire, pour préparer et planifier mon voyage. Je faisais de longues sorties de course à pied, lors desquelles je restais songeur devant chaque détail du vol des oies sauvages au-dessus de ma tête. J'avais lu quelque part que les oies qui volaient à l'arrière de leurs formations en V travaillaient 20 % moins dur que les leaders. Tous les coureurs comprennent cela. Ceux qui sont en tête abattent toujours le travail le plus important et ce sont aussi ceux qui prennent le plus de risques.

Bien avant de présenter mon projet à mon père, j'avais pensé qu'il serait bon d'avoir un compagnon de voyage. J'avais pensé à Carter, mon camarade de classe de Stanford. Bien qu'il ait été un champion de basket au William Jewell College, Carter n'était pas un sportif typique. Il portait des grosses lunettes et lisait beaucoup. De bons livres. Il était facile de discuter avec lui et tout aussi facile de ne pas parler – des qualités aussi importantes l'une que l'autre pour un ami. Essentielles même pour un compagnon de voyage.

Mais Carter m'a ri au nez. Quand je lui ai fait la liste des endroits que je voulais voir – Hawaï, Tokyo, Hong Kong, Rangoun, Calcutta, Bombay, Saïgon, Katmandou, Le Caire, Istanbul, Athènes, la Jordanie, Jérusalem, Nairobi, Rome, Paris, Vienne, Berlin Ouest, Berlin Est, Munich, Londres –, Carter s'est esclaffé. Mortifié, j'ai regardé le sol et je me suis confondu en excuses. Mais toujours en riant, Carter m'a dit : « C'est une idée géniale, Buck ! »

J'ai relevé les yeux. Il n'était pas en train de se moquer de moi. Il riait de joie. J'étais impressionné. Il disait qu'un certain courage était nécessaire pour un itinéraire comme celui-là. Il voulait être de la partie.

Il a obtenu l'accord de ses parents quelques jours plus tard et son père lui a prêté de l'argent. Carter ne s'est jamais compliqué la vie. Il disait que lorsqu'une opportunité se présentait, il fallait foncer. Je me suis dit que je pouvais beaucoup apprendre d'un type comme lui en faisant le tour du monde. On a tous les deux pris une valise et un sac à dos. Seulement le strict nécessaire, nous nous étions promis : quelques paires de jean's, quelques T-shirts, des chaussures de course, des chaussures pour le désert, des lunettes de soleil. J'ai également emporté un beau costume, un deux-pièces vert de chez Brooks Brothers, au cas où mon Idée Folle aboutirait.

7 septembre 1962. Entassés dans sa vieille Chevrolet cabossée, Carter et moi roulions à toute vitesse à travers la Willamette Valley, après avoir dépassé les territoires boisés de l'Oregon. Nous avons accéléré en direction de la Californie, franchissant de hautes montagnes vertes, puis nous sommes parvenus à San Francisco bien après minuit. La ville était baignée par la brume. Nous sommes restés chez des amis pendant quelques jours, nous dormions par terre, avant de faire un crochet par Stanford, où Carter a récupéré quelques affaires. Finalement, nous avons fait un arrêt dans un magasin de spiritueux et nous avons acheté deux billets d'avion en promotion pour Honolulu. Aller simple, quatre-vingts dollars.

Carter et moi nous sommes très vite retrouvés sur le tarmac sablonneux de l'aéroport d'Oahu. Nous avons regardé le ciel. Ce n'était vraiment pas le même que chez nous.

Un groupe de jolies jeunes femmes s'est approché de nous. La peau mate, pieds nus, elles agitaient leurs jupes hawaïennes devant nous. Carter et moi nous sommes regardés en souriant béatement.

Nous sommes montés dans un taxi jusqu'à Waikiki Beach et pris nos quartiers dans un motel en face de la mer. En deux temps, trois mouvements, nous avons déposé nos sacs et enfilé nos maillots de bain. Direction, la plage ! J'ai crié de joie lorsque mes pieds ont atteint le sable et j'ai balancé mes baskets.

Je ne me suis arrêté qu'une fois l'eau jusqu'au cou. J'ai plongé jusqu'au fond puis je suis remonté à la surface, haletant et riant. Enfin, j'ai titubé vers le rivage et je me suis laissé tomber sur le sable, en souriant aux oiseaux et aux nuages. Je devais avoir l'air de m'être échappé d'un asile psychiatrique. Le visage de Carter, qui s'était assis à côté de moi, arborait le même genre d'expression hébétée.

« On devrait rester ici. Pourquoi se dépêcher de partir ?, ai-je démandé.

– Et le programme ?, a répondu Carter.

– Faire le tour du monde ? Le programme a changé.

– Chouette idée, Buck ! », dit Carter en souriant.

Nous nous sommes donc débrouillés pour trouver un boulot. Nous vendions des encyclopédies en porte-à-porte. Ce n'était pas très glamour, évidemment, mais tant pis. Nous ne travaillions pas avant 19 heures, ce qui nous laissait beaucoup de temps pour surfer. Tout d'un coup, il n'y avait rien de plus important que d'apprendre à surfer. Il ne m'a pas fallu trop longtemps pour être capable de rester debout sur la planche. J'étais même devenu plutôt bon après quelques semaines. Vraiment bon. Grâce à nos jobs, nous avons pu quitter le motel et signer le bail d'un appartement, un meublé avec deux lits, un vrai et un faux (une sorte de table à repasser qui se décrochait du mur). C'est Carter, plus grand et plus costaud, qui a eu le vrai lit, et moi qui ai eu la table à repasser. Je m'en fichais. Après avoir passé la journée à surfer et vendre des encyclopédies, et la fin de soirée dans les bars du coin, j'aurais pu dormir n'importe où. Nous partagions le loyer, soit cinquante dollars chacun par mois.

La vie était douce. C'était le paradis. À un détail près. Je n'arrivais pas à vendre d'encyclopédies.

Il semblait que plus je vieillissais, plus je devenais timide, et le fait que j'étais extrêmement mal à l'aise déconcertait souvent les clients. De plus, j'avais l'impression que j'aurais pu vendre n'importe quoi, mais pas des encyclopédies. À Hawaï, elles étaient aussi populaires que les moustiques et les continentaux ; les vendre était une épreuve. Peu importe l'habileté et l'énergie avec lesquelles j'arrivais à placer les phrases clés qu'on nous avait rabâchées pendant notre brève formation (« Les garçons, dites aux gens que vous ne vendez pas des encyclopédies mais un vaste recueil de la connaissance humaine… Les réponses aux questions de la vie ! »), la réponse était toujours la même.

« Va-t'en, gamin ! »

Ma timidité me rendait inapte à la vente d'encyclopédies, et mon ego ne le supportait pas. Je n'étais pas fait pour encaisser autant de rejets. Cela, je l'avais compris depuis le jour où j'avais été écarté de l'équipe de baseball au lycée. Ce n'était qu'un petit échec si l'on prend un peu de recul mais il m'a vraiment marqué. Pour la première fois, je prenais conscience du fait que tout le monde ne nous aimerait pas, que tout le monde ne nous accepterait pas. Nous nous faisons souvent exclure au moment où nous avons le plus besoin de nous intégrer. Je n'oublierai jamais ce jour. Je suis rentré à la maison en laissant traîner ma batte par terre et je me suis enterré dans ma chambre, où j'ai pleurniché pendant près de deux semaines, jusqu'à ce que ma mère s'asseye sur le coin de mon lit et me dise :

« Assez ! Pourquoi tu n'essaies pas autre chose ?

– Quoi d'autre ? ai-je grommelé dans mon oreiller.

– Pourquoi pas la course à pied ? a-t-elle répondu.

– La course à pied ?

– Tu peux courir vite, Buck.

– Tu crois ? »

Je me suis donc mis à la course. Et je me suis rendu compte que je pouvais courir vite. Personne ne pourrait me l'enlever.

J'ai abandonné la vente d'encyclopédies, et la dose de rejets qui allait avec, et j'ai consulté les offres d'emploi. J'ai tout de suite repéré une petite offre entourée d'un épais cadre noir. *Recherchons vendeur de produits financiers*. Je me suis dit que j'aurais certainement plus de chance en vendant des produits financiers plutôt que des encyclopédies. Après tout, j'avais un MBA et j'avais passé un entretien plutôt réussi avec Dean Witter avant mon départ. Après avoir fait quelques recherches, deux choses m'ont décidé à postuler. D'abord, il s'agissait de Investors Overseas Services, qui était dirigé par Bernard Cornfeld, l'un des hommes d'affaires les plus célèbres des années 1960. Ensuite, le travail était situé au dernier étage d'une tour donnant sur une plage magnifique. Des baies vitrées de plus de six mètres de haut surplombant la mer turquoise. Ces éléments m'ont séduit et m'ont poussé à me démener lors des entretiens d'embauche. Après avoir passé des semaines à ne pas trouver d'arguments pour vendre des encyclopédies, j'essayais de me vendre par tous les moyens à l'équipe de Cornfeld.

* * *

La réussite extraordinaire de Cornfeld et la vue sur l'océan à couper le souffle me faisaient oublier que cette entreprise n'était rien d'autre qu'une gigantesque chaufferie. Cornfeld était célèbre pour demander à ses employés s'ils voulaient *vraiment* devenir riches et une douzaine de jeunes loups lui prouvaient tous les jours que c'était bien le cas. Ils voulaient *vraiment* devenir riches. Ils fracassaient les téléphones, ils démarchaient inlassablement les prospects et se démenaient pour obtenir des entrevues en face-à-face.

Je n'étais pas un beau parleur. J'étais même un piètre orateur. Cela dit, j'étais doué avec les chiffres et je connaissais bien le produit : Dreyfus Funds. Encore mieux, j'avais tendance à dire la vérité, ce qui semblait être apprécié par les clients. J'ai même rapidement été en mesure de planifier quelques rendez-vous et de boucler quelques transactions. Je percevais suffisamment de commissions sur une semaine pour payer ma moitié de loyer pour six mois, avec pas mal de rab pour farter ma planche de surf.

Mais j'engloutissais la plupart de mes revenus dans les bars sur la côte. Les touristes avaient tendance à rester cantonnés dans les hôtels de luxe, ceux dont les noms sonnent comme des incantations – le Moana, le Halekulani – mais Carter et moi préférions les bars. Nous aimions traîner sur la plage avec nos copains beatniks, les surfeurs-clochards et les vagabonds, savourant les avantages de notre vie de bohème. « Ces pauvres crétins qui sont restés là-bas, répétions-nous. Ces morts-vivants ballottés par le vent et la pluie, subissant leur quotidien monotone. Pourquoi ne font-ils pas comme nous ? Pourquoi ne profitent-ils pas du moment présent ? »

Notre sensibilité épicurienne était exacerbée par le fait que le monde semblait approcher de sa fin. Une confrontation nucléaire avec l'URSS se profilait depuis des semaines. Les Soviétiques avaient trois douzaines de missiles à Cuba, que les Américains voulaient leur faire retirer, et chaque camp avait déjà formulé son ultime proposition. Les négociations étaient rompues et la Troisième Guerre mondiale pouvait être déclenchée à tout moment. Selon les journaux, les missiles pouvaient décoller d'une minute à l'autre. Le monde était une sorte de Pompéi, dont le volcan était déjà en train de cracher les cendres. Dans les bars, tout le monde était d'accord pour dire que nous nous trouvions au parfait endroit pour observer les champignons atomiques. *Aloha*, la civilisation.

Et puis, de façon surprenante, le monde a été épargné. La crise est passée. Le ciel semblait pousser un ouf de soulagement, devenant plus net et plus calme. Un bel automne hawaïen s'en est suivi. Il y avait dans l'air une sorte d'apaisement, voire de béatitude.

Puis une grande nervosité m'a envahi. Alors que nous nous trouvions dans un bar, j'ai posé ma bière sur le comptoir et je me suis tourné vers Carter : « Le temps est peut-être venu de quitter Shangri-La. »

Je n'ai pas fait de long discours car je ne pensais pas cela nécessaire. C'était le moment de se recentrer sur notre plan. Mais Carter a fait la moue et s'est frappé le menton : « Buck, je ne sais pas… »

Il avait rencontré une fille. Une jeune et belle Hawaïenne avec de longs cheveux bruns et des yeux noirs, ressemblant à celles qui nous avaient accueillis à notre descente de l'avion, le genre de filles que je rêvais d'avoir et que je n'aurais jamais. Il voulait rester à Hawaï. Que pouvais-je répondre ?

Je lui ai dit que je comprenais, mais ça m'a sapé le moral. J'ai quitté le bar et fait une longue marche sur la plage. Pour moi, la partie était terminée.

Rentrer dans l'Oregon était la dernière chose que je voulais, mais je ne me voyais pas non plus faire le tour du monde tout seul. Une petite voix à l'intérieur de moi disait : « Rentre à la maison. Trouve un boulot normal. Sois une personne normale. »

Puis j'ai entendu une autre petite voix, tout aussi catégorique : « Ne rentre pas à la maison. Continue ton voyage. N'abandonne pas. »

Le jour qui a suivi, j'ai présenté ma démission à la chaufferie. « Dommage, Buck. Tu avais un vrai avenir en tant que vendeur ici », m'a dit l'un des patrons. J'ai marmonné : « Dieu m'en préserve. »

L'après-midi même, j'ai acheté dans une agence de voyage un billet d'avion « ouvert », valable un an avec n'importe quelle compagnie et pour n'importe quelle destination. Une sorte de pass Eurail[1] du ciel. J'ai fait mon sac le jour de Thanksgiving 1962. J'ai serré la main de Carter, qui m'a dit : « Buck, sois prudent. »

Le capitaine s'est adressé aux passagers dans un japonais ultrarapide et j'ai commencé à transpirer. J'ai vu le cercle rouge sur l'aile en regardant par la fenêtre. Je me suis dit que Maman Hatfield avait peut-être raison. Nous étions en guerre avec ces gens-là il n'y avait pas si longtemps. La bataille de Corregidor, la Marche de la mort de Bataan, le massacre de Nankin – et maintenant, j'allais là-bas pour faire des affaires ?

Idée Folle ? Je me suis demandé si ce n'était en fait pas moi qui étais fou.

---

1 Billet de train « ouvert » permettant de visiter 28 pays européens, très prisé des étudiants américains en voyage en Europe, notamment.

Si c'était le cas, il était trop tard pour consulter. L'avion s'éloignait de la piste de décollage, passait au-dessus des plages de Hawaï. J'ai regardé les imposants volcans devenir de plus en plus petits. Il était impossible de faire marche arrière.

Comme c'était Thanksgiving, le repas servi dans l'avion était composé de dinde farcie avec de la sauce de canneberge. Mais il y avait aussi du thon, de la soupe miso et du saké chaud. J'ai tout dévoré, en lisant les livres de poche que j'avais dans mon sac à dos. *L'Attrape-Cœurs* et *Le Festin Nu*. Je m'identifiais à Holden Caulfield, l'adolescent introverti cherchant sa place dans le monde, mais Burroughs me dépassait complètement. « *Le trafiquant ne vend pas son produit au consommateur, il vend le consommateur au produit.* »

C'était trop pour moi. Je me suis endormi. Quand je me suis réveillé, l'avion entamait sa descente. En dessous de nous, Tokyo était illuminée. Le quartier de Ginza, en particulier, faisait penser à un sapin de Noël.

Pourtant, tout était sombre sur la route de mon hôtel. De grandes étendues de la ville étaient plongées dans l'obscurité. « La guerre, m'a dit le chauffeur de taxi. De nombreux bâtiments sont encore détruits. »

Lors de l'été 1944, plusieurs nuits durant, des vagues de B-29 américains avaient largué plus de 340 tonnes de bombes, la plupart remplies d'essence et de liquide inflammable. De très nombreux bâtiments de Tokyo, l'une des villes

les plus anciennes du monde, étaient construits en bois, et les bombes avaient allumé un immense brasier. Au moins trois cent mille personnes avaient été brûlées vives sur le coup, soit quatre fois le nombre de personnes décédées à Hiroshima. Plus d'un million avaient été blessées, souvent dans des conditions atroces. Près de 80 % des immeubles étaient partis en fumée. Le chauffeur de taxi et moi sommes restés silencieux pendant de longues minutes. Tout ce que nous aurions pu dire aurait été dérisoire.

Le chauffeur s'est arrêté à l'adresse que j'avais notée sur mon cahier. Un hôtel miteux. Pire que ça, même. J'avais réservé à l'aveuglette via American Express et j'ai vite réalisé que c'était une belle erreur. L'immeuble semblait être sur le point de s'effondrer.

À la réception, une vieille dame japonaise m'a salué de la tête. Enfin, c'est ce que je croyais, elle était en réalité juste courbée par l'âge, comme un arbre qui aurait connu de nombreuses tempêtes. Elle m'a lentement mené à ma chambre, qui était une sorte de boîte. Il y avait un tapis, une table pas très droite, rien d'autre. Je m'en fichais. Je n'ai même pas remarqué que le tapis était très élimé. J'ai salué de la tête la vieille dame courbée et lui ai souhaité une bonne nuit. *Oyasumi nasai*. Je me suis étendu sur le tapis et me suis endormi rapidement.

J'ai été réveillé quelques heures plus tard par de la lumière qui inondait la pièce. Je suis allé voir à la fenêtre ce qu'il se passait. Je me trouvais apparemment dans un quartier industriel en périphérie de la ville. Avec ses usines et ses docks, le quartier avait visiblement été une cible prioritaire pour les B-29. Tout n'était que désolation. Les bâtiments encore debout étaient fissurés ou partiellement détruits. Rien n'avait été épargné.

Heureusement pour moi, mon père avait des connaissances à Tokyo, dont un groupe d'Américains travaillant pour United Press International. Ils m'ont accueilli comme si je faisais partie de la famille. Ils m'ont offert le petit-déjeuner. Inutile de préciser qu'ils ont franchement rigolé lorsque je leur ai dit où j'avais passé la nuit. Ils m'ont réservé une chambre dans un hôtel plus correct et indiqué une liste d'endroits où aller manger.

« Bon Dieu, mais que viens-tu faire ici ? » Je leur ai expliqué que je faisais le tour du monde. Et j'ai mentionné mon Idée Folle. Ils ont parlé de deux anciens GI qui géraient un mensuel qui s'appelait *Importer*. « Avant de commettre une imprudence, parle aux gars de *Importer* » m'ont-ils recommandé.

J'ai promis de suivre leur conseil. Mais je voulais d'abord visiter la ville.

Muni de mon guide et de mon appareil photo Minolta, je suis parti à la recherche des rares endroits qui avaient survécu à la guerre, et notamment des plus vieux temples et sanctuaires. J'ai passé des heures sur les bancs des jardins clos, à lire sur les religions dominantes du Japon, le bouddhisme et le shintoïsme. Je m'émerveillais du concept de *kensho*, ou *satori* – l'illumination qui vient en un éclair soudain de compréhension intime et profonde, une révélation aveuglante. J'aimais cette idée. C'était ce à quoi j'aspirais.

Mais j'avais d'abord besoin de changer mon approche générale. Je pensais de façon linéaire, ce qui, dans la pensée zen, rend malheureux. La réalité est différente. Tout est question du moment présent. Pas du passé, ni de l'avenir.

Il me semblait que le moi était un obstacle, un ennemi dans chacune des religions. Cependant, la pensée zen considère que le moi n'existe pas. Le moi est un mirage, un rêve enfiévré, et notre croyance tenace dans cette réalité ne fait pas que gâcher la vie, elle la rend plus courte. Le moi est un mensonge pur et simple auquel nous nous accrochons quotidiennement, et le bonheur requiert qu'on dépasse ce mensonge, qu'on le brise. Dogen, maître zen du XIIe siècle, a dit : « Apprendre qui nous sommes, c'est oublier le moi. » Voix intérieure, voix extérieure, cela revient au même. Pas de démarcation.

En particulier, en matière de compétition. Le zen dit que la victoire vient quand nous oublions le moi et l'adversaire, qui ne sont que deux moitiés d'un même ensemble. Tout est exposé avec une extrême clarté dans *Le Zen dans l'art chevaleresque du tir à l'arc* : « La perfection de l'art de l'épée est atteinte lorsque le cœur de l'épéiste n'est plus troublé par aucune pensée de moi ou de toi, de l'adversaire et de son épée, de sa propre épée et de la manière d'en user, par aucune pensée de vie ou de mort…

Tout est “vide” : soi-même, le sabre étincelant et les bras qui le tiennent. Même la pensée du vide n’est plus. »

La tête pleine d’images, j’ai décidé de faire une pause, de visiter un symbole non zen, sans doute le lieu le moins zen du Japon, une enclave où les hommes se concentraient sur eux-mêmes et sur rien d’autre – la Bourse de Tokyo, aussi appelée Tosho. Installé dans un bâtiment en marbre avec de grosses colonnes grecques, le Tosho ressemblait depuis la rue à une banque guindée d’une ville tranquille du Kansas. En revanche, à l’intérieur, tout n’était que pagaille. Des centaines d’hommes agitaient les bras en l’air, en se tirant les cheveux et en criant. Une version encore plus dépravée que la chaufferie de Cornfeld.

Je n’arrivais pas à détourner mon regard. Je les ai observés très longtemps, en me demandant : « Est-ce que je vois vraiment ce que je vois ? Est-ce la réalité ? » Moi aussi, je voulais gagner de l’argent mais je ne voulais pas que ma vie soit cantonnée à cela.

J’avais besoin de tranquillité après le Tosho. Je me suis enfoncé dans le cœur silencieux de la ville, dans le jardin du XIXe siècle de l’empereur Meiji et de son épouse, un espace extrêmement spirituel. Je me suis assis, contemplatif et respectueux, sous les ginkgos qui se balançaient, à côté d’une magnifique porte *torii*. J’ai lu dans mon guide que les portes *torii* étaient généralement considérées comme des portails donnant sur des lieux sacrés.

Je me suis laissé envahir par le caractère sacré et la sérénité des lieux, essayant de m'en imprégner autant que possible.

Le lendemain matin, j'ai lacé mes chaussures de course et je suis allé courir en direction de Tsukiji, le plus grand marché de poisson du monde. On aurait pu se croire au Tosho, sauf qu'on y échangeait des crevettes plutôt que des actions. J'ai regardé les vieux pêcheurs déverser leurs prises dans des cagettes en bois et marchander avec des négociants aux visages effrayants. Cette nuit-là, j'ai pris un bus pour la région des lacs, vers les montagnes Hakone, un endroit qui a inspiré de nombreux grands poètes zen. Bouddha a dit « Vous ne pouvez pas parcourir le chemin sans devenir le chemin lui-même » et je suis tombé en admiration devant cette route qui serpentait entre les lacs glacés pour atteindre le mont Fuji perdu au milieu des nuages, ce triangle parfait orné de neige qui me faisait vraiment penser au mont Hood, chez moi dans l'Oregon. Les Japonais considèrent l'ascension du mont Fuji comme une expérience mystique, un acte rituel de célébration, et à ce moment précis, j'étais submergé par le désir d'y grimper. Je voulais le gravir et me retrouver au milieu des nuages, mais j'ai décidé que je reviendrais lorsque j'aurais quelque chose à célébrer.

Je suis rentré à Tokyo et me suis présenté chez *Importer*. Au premier abord, les deux anciens GI à la tête de la société, deux types au physique impressionnant, donnaient l'impression de vouloir me passer un savon à cause du temps que je leur faisais perdre. Mais ils sont devenus plus accueillants et bienveillants au fil de la conversation, ravis de rencontrer un compatriote. Nous avons essentiellement parlé de sport : « Vous vous rendez compte que les Yankees ont encore gagné ? », « Et Willie Mays, vous en pensez quoi ? », « Y a pas mieux, mon gars. »

Ils en sont ensuite arrivés à me raconter leur histoire.

Ils étaient les premiers Américains que je rencontrais à vraiment aimer le Japon. Envoyés dans ce pays après la guerre, ils étaient tombés sous le charme de la culture, de la cuisine, des femmes, et ils n'avaient tout simplement pas pu se résoudre à rentrer au pays une fois leur mission terminée. Ils avaient donc lancé un magazine sur l'importation, à une époque où personne n'était intéressé par l'importation de produits japonais, et cela faisait dix-sept ans que l'aventure durait.

Je leur ai parlé de mon Idée Folle et ils m'ont écouté avec intérêt. Ils m'ont fait un café et m'ont invité à m'asseoir, me demandant s'il y avait une ligne de chaussures japonaises en particulier que je souhaitais importer.

Je leur ai répondu que j'aimais Tiger, une marque élégante produite par Onitsuka Co. à Kobe, la plus grande ville du sud du Japon.

« Oui, oui, on connaît. » m'ont-ils dit.

Je leur ai confié que j'avais le projet de me rendre à Kobe et de rencontrer les représentants d'Onitsuka.

Les gars m'ont dit que, dans ce cas, il valait mieux que j'apprenne deux ou trois petites choses sur la façon dont les Japonais font des affaires.

« L'idée est de ne pas être trop pressant. N'arrive pas comme le petit con américain de base, comme un typique *gaijin* – malpoli, lourd, agressif, qui ne s'arrête pas quand on lui dit non. Les Japonais ne réagissent pas très bien aux techniques de vente agressives. Ici, les négociations sont plutôt douces mais sinueuses. Regarde combien de temps il a fallu aux Américains et aux Russes pour parvenir à la capitulation de Hirohito. Même après sa capitulation, quand son pays était réduit en cendres, qu'a-t-il dit à son peuple ? "L'évolution de la guerre n'a pas tourné à l'avantage du Japon." C'est une culture de l'entre-deux. Personne ne t'envoie balader. Personne ne te dit jamais directement "non". Mais ils ne disent pas "oui" non plus. Ils noient le poisson, ils font des phrases qui n'ont pas vraiment de sujet ni d'objet. Ne te décourage pas, mais ne sois pas trop sûr de toi. Il pourrait t'arriver de quitter le bureau d'un homme en pensant que tu as tout foiré, alors qu'il est prêt à accepter un deal. À l'inverse, il pourrait t'arriver de penser que tu feras affaire, alors que ça ne verra jamais le jour. On ne sait jamais. »

Tout cela ne me disait rien qui vaille car je n'étais pas un grand négociateur, même lorsque les circonstances étaient en ma faveur. Et il faudrait désormais que je prenne part à ce jeu de miroirs déformants ? Où nos règles traditionnelles sont chamboulées ?

Après une heure à écouter leur tutoriel déconcertant, j'ai serré la main des deux anciens GI et je les ai quittés. Sentant soudainement que je ne pouvais plus attendre, qu'il fallait que j'agisse vite, tant que leurs paroles étant encore fraîches dans ma tête, je me suis dépêché de rentrer à l'hôtel. J'ai jeté toutes mes affaires dans mon sac et téléphoné à Onituska pour obtenir un rendez-vous.

J'ai pris un train pour le sud un peu plus tard dans l'après-midi.

Le Japon était réputé pour son ordre et son extrême propreté. La littérature, la philosophie, la mode, la vie domestique des Japonais étaient merveilleusement pures et dépouillées. Minimalistes. « N'attends rien, ne cherche rien, ne gaspille rien. » Les vers des poètes japonais ancestraux semblaient avoir été aiguisés encore et encore jusqu'à ce qu'ils soient affûtés comme la lame d'un sabre de samouraï. Impeccables.

Je me suis alors demandé comment ce train pour Kobe pouvait être aussi sale.

Le sol était jonché de mégots de cigarettes. Les sièges étaient couverts d'écorces d'orange et de journaux abandonnés. Pire, chaque voiture était pleine à craquer. Il y avait à peine la place pour tenir debout. J'ai trouvé une sangle à côté de la fenêtre et je m'y suis tenu pendant sept heures. Le voyage était long mais ni mes jambes ni ma patience ne m'ont lâché. J'étais bien trop occupé à ressasser les conseils des anciens GI.

J'ai pris une petite chambre dans un *ryokan* pas cher à mon arrivée. Mon rendez-vous chez Onitsuka étant prévu tôt le lendemain matin, je me suis immédiatement étendu sur le tatami de la chambre. Mais j'étais bien trop excité pour dormir. Je me suis agité dans tous les sens une bonne partie de la nuit. À l'aube, je me suis réveillé exténué et je me souviens d'avoir pris peur en voyant ma tête dans le miroir. Après m'être rasé, j'ai enfilé mon costume vert Brooks Brothers et j'ai prononcé mon discours d'auto-encouragement.

« Tu en es capable. Tu es sûr de toi. Tu peux le faire. Tu peux le FAIRE. »

Mais je me suis rendu au mauvais endroit. Je me suis présenté à la salle d'exposition Onitsuka alors que j'étais en fait attendu à l'usine Onitsuka, de l'autre côté de la ville. J'ai hélé un taxi et je me suis dépêché comme jamais. Malgré cela, je suis arrivé avec une demi-heure de retard. Impassibles, quatre responsables de l'usine sont venus à ma rencontre à l'accueil. Ils ont incliné la tête pour me saluer. J'ai fait de même. L'un d'entre eux s'est avancé vers moi, m'a dit s'appeler Ken Miyazaki et m'a proposé de visiter les locaux.

C'était la première fois de ma vie que je voyais une usine de chaussures. J'ai trouvé chaque détail de la visite extrêmement intéressant. C'était presque musical. À chaque fois qu'une chaussure était moulée, la chute de métal tombait au sol en faisant un léger tintement, un « CLING-*clong* » mélodique. À intervalles de quelques secondes, on entendait « CLING-*clong* », « CLING-*clong* », une sorte de concerto pour cordonnier.

Les responsables semblaient apprécier ce spectacle également. Ils me souriaient et se souriaient entre eux. Nous sommes passés par le service comptabilité. Toutes les personnes présentes dans la pièce, hommes et femmes, se sont levées de leurs chaises, et ont, à l'unisson, incliné la tête pour me saluer. Un geste de *kei*, une marque de respect pour le *tycoon* que j'étais. J'avais lu que le mot *tycoon* venait du japonais *taikun*, qui signifie « seigneur de guerre ». Je ne savais pas comment réagir à ce *kei*. Incliner la tête pour saluer ou non, telle est la question au Japon. J'ai esquissé un sourire timide, j'ai fait un demi-salut de la tête puis j'ai poursuivi la visite.

Les responsables m'ont expliqué qu'ils produisaient quinze mille paires de chaussures par mois. J'ai lâché un « Impressionnant ! », sans réellement savoir si ce chiffre était élevé ou faible. Ils m'ont ensuite mené dans une salle de réunion et m'ont montré le siège en bout de table. « Ici, monsieur Knight » m'a indiqué l'un d'entre eux.

Le siège d'honneur. Très *kei* dans l'esprit. Ils ont pris place autour de la table, ont ajusté leurs cravates et se sont mis à m'observer. Le moment de vérité était arrivé.

J'avais répété cette scène de très nombreuses fois dans ma tête, tout comme j'avais répété chacune des courses que j'avais faites dans ma vie bien avant que ne soit tiré le coup de feu du départ. Cependant, j'ai réalisé qu'il ne s'agissait pas d'une course. Il nous arrive souvent de ressentir l'irrépressible envie de tout comparer à une course : la vie, les affaires ou toutes sortes d'aventures. Mais cette métaphore a ses limites et se révèle souvent inadaptée.

J'étais incapable de me rappeler ce que je voulais dire, ni même pourquoi j'étais là. J'ai pris de grandes inspirations. Tout dépendait de ma réussite ou non à ce moment précis. Tout. Je savais qu'en cas d'échec, je serais condamné pour le restant de mes jours à vendre des encyclopédies, des produits financiers ou je ne sais quelle camelote qui ne m'intéresserait pas vraiment. Dans cette hypothèse, je serais devenu la honte de mes parents, de mon école, de ma ville natale.

J'ai regardé un à un les visages autour de la table. Lorsque j'avais imaginé cette scène auparavant, je n'avais pas pris en compte un élément crucial : je n'avais pas imaginé à quel point la Seconde Guerre serait présente dans la salle. La guerre était avec nous, entre nous, instillant de possibles sous-entendus dans chacune de nos paroles. « Bonsoir à tous – il y a de bonnes nouvelles ce soir ! »

En même temps, de l'eau avait coulé sous les ponts. Les Japonais avaient clairement été de l'avant, grâce à leur résilience et leur acceptation stoïque de leur défaite totale, et avec la reconstruction héroïque de leur nation. De plus, les responsables présents dans la salle de réunion étaient jeunes comme moi, et on pouvait comprendre que la guerre n'avait pas fait partie de leur vie.

La situation était compliquée : leurs pères et leurs oncles avaient essayé de tuer les miens, mais le passé était le passé. La grande question de savoir qui gagne et qui perd, qui complique tellement de négociations, devient encore plus compliquée quand les proches des vainqueurs et des perdants potentiels ont été impliqués récemment dans un conflit mondial.

Toutes ces considérations contradictoires au sujet de la guerre et de la paix ont donné naissance à un bourdonnement dans ma tête et à une gêne à laquelle je n'étais pas préparé. Le réaliste en moi le reconnaissait, l'idéaliste voulait l'occulter. J'ai toussé dans ma main pour m'éclaircir la voix et je me suis lancé : « Messieurs... »

Monsieur Miyazaki m'a tout de suite interrompu :

« Monsieur Knight, pour quelle entreprise travaillez-vous ?

– Ah, oui, bonne question. »

J'ai senti une décharge d'adrénaline dans mon sang, qui a déclenché chez moi une réaction de fuite. J'ai eu envie de courir et d'aller me cacher dans ce qui était pour moi l'endroit le plus sûr du monde : la maison de mes parents. Cette maison avait été construite il y avait des décennies par des personnes qui avaient bien plus de moyens financiers que mes parents, et l'architecte avait inclus les quartiers des domestiques à l'arrière de la maison. Ces quartiers étaient devenus ma chambre, que j'avais décorée avec des cartes de baseball et des posters, et qui était pleine de livres – des choses sacrées pour moi. J'avais également couvert un mur de rubans bleus[2], remportés à la course à pied, la seule chose de ma vie dont j'étais profondément fier. Et j'ai lâché « Blue Ribbon. Messieurs, je représente Blue Ribbon Sports de Portland, Oregon. »

Monsieur Miyazaki a souri, tout comme ses collègues. Un murmure s'est fait entendre dans la salle. « Blueribbon, Blueribbon, Blueribbon. » Ils ont fini par croiser les bras et sont redevenus silencieux, leurs regards étant à nouveau posés sur moi. « Bien. Messieurs, le marché de la chaussure est énorme aux États-Unis et encore relativement peu de gens s'y sont attaqués. Dans l'hypothèse où Onitsuka pénétrerait le marché, arriverait à placer ses Tigers dans les magasins américains et adopterait une stratégie de prix permettant d'attaquer Adidas, la marque la plus portée actuellement, le succès pourrait être énorme. »

J'ai tout simplement récité ma présentation de Stanford, mot pour mot. J'ai récité les chiffres et les conclusions auxquels j'avais abouti après de longues semaines de recherche. Cela a pu créer une illusion d'éloquence. J'ai eu l'impression que les responsables d'Onitsuka étaient impressionnés. Mais un silence assourdissant s'est installé dès la fin de ma présentation. Puis l'un d'eux a pris la

---

2 Dans certaines compétitions sportives américaines, les vainqueurs reçoivent un ruban bleu, ou « blue ribbon » en anglais, qu'on pourrait assimiler à une médaille d'or. Le deuxième d'une course reçoit un ruban rouge et le troisième un ruban jaune.

parole, puis un autre, puis tous se sont mis à parler très fort avec des voix plutôt excitées. Ils discutaient entre eux et ne m'adressaient pas la parole.

Soudain, ils se sont levés et ont quitté la pièce.

Était-ce la façon japonaise habituelle de rejeter une Idée Folle ? Se lever tous en même temps et partir ? Avais-je dilapidé mon *kei* comme ça, en un instant ? Étais-je congédié ? Que devais-je faire ? Partir ?

Ils sont revenus quelques minutes plus tard, avec des croquis et des échantillons, que monsieur Miyazaki a disposés devant moi.

« Monsieur Knight, nous réfléchissons au marché américain depuis longtemps, a-t-il déclaré.

– Vraiment ?

– Nous vendons déjà des chaussures de lutte aux États-Unis. Dans le Nord-Est, je crois. Mais nous discutons de l'opportunité de placer d'autres lignes ailleurs en Amérique. »

Ils m'ont montré trois modèles de Tigers différents.

Une chaussure d'entraînement, qu'ils ont appelée Limber Up. « Super. »

Une chaussure de saut en hauteur, qu'ils ont appelée Spring Up. « Très belle. »

Une chaussure pour le lancer du disque, qu'ils ont appelée Throw Up[3]. Je me suis dit : « Ne ris pas… ne ris pas. »

---

3 « To throw » signifie « lancer » dans le contexte sportif alors que « to throw up » signifie « vomir ».

Ils m'ont assailli de questions sur les États-Unis, sur la culture américaine et sur les tendances de consommation, mais aussi sur les différents types de chaussures de sport disponibles dans les magasins américains. Ils m'ont demandé à combien j'estimais le marché de la chaussure dans mon pays, ce que je pensais de son développement potentiel et je leur ai répondu que cela pourrait se chiffrer à un milliard de dollars à terme. Aujourd'hui encore, j'ignore d'où provenait cette somme. Ils se sont penchés en arrière, se sont regardés, comme choqués par ce chiffre. À partir de ce moment, à mon grand étonnement, ce sont eux qui se sont mis à essayer de me convaincre. « Est-ce que Blue Ribbon... pourrait être intéressé... par le fait de représenter les chaussures Tigers ? Aux États-Unis ? » « Sans aucun doute » leur ai-je répondu.

Je leur ai tendu la Limber up. « C'est une très bonne chaussure. Je pense que je peux réussir à la vendre. » Je leur ai demandé de m'envoyer des échantillons dès que possible. Je leur ai donné mon adresse et demandé de m'envoyer une facture d'un montant de cinquante dollars.

Ils se sont levés et ont fait une révérence très marquée. J'en ai fait de même. Puis nous nous sommes serré la main et ils ont à nouveau fait une révérence. Nous avions tous le sourire. Comme si la guerre n'avait jamais eu lieu. Nous étions devenus des associés, des frères. Le rendez-vous, dont je pensais qu'il allait durer quinze minutes, avait finalement duré deux heures.

À ma sortie de chez Onitsuka, je suis allé au bureau American Express le plus proche et j'ai écrit une lettre à mon père. « Cher Papa, urgent. Fais un virement de cinquante dollars à Onitsuka Corp de Kobe. »

Ha ha, il s'en passait, de drôles de choses !

De retour à l'hôtel, j'ai fait les cent pas autour de mon tatami, tentant de me décider. Une partie de moi voulait se dépêcher de rentrer dans l'Oregon, récupérer les échantillons et monter mon entreprise le plus vite possible.

La solitude me rendait fou, j'étais loin de tout ce que je connaissais. La vue occasionnelle d'un *New York Times* ou d'un *Times Magazine* me serrait la gorge. J'étais un naufragé, un Robinson Crusoé moderne. Je voulais rentrer à la maison tout de suite.

Et pourtant… Je brûlais encore de curiosité, je voulais encore explorer le monde, tout voir.

La curiosité l'a emporté.

Je suis allé à Hong Kong et j'ai erré dans les rues chaotiques, horrifié à la vue des mendiants estropiés, des vieillards agenouillés dans la saleté, aux côtés des orphelins suppliants. Les vieillards restaient silencieux tandis que les enfants répétaient en pleurant : « Hé, homme riche, hé homme riche, hé, homme riche ! » avant de frapper le sol. Le fait que je leur donne tout l'argent que j'avais dans mes poches n'a pas fait cesser leurs supplications.

Je suis allé en périphérie de la ville, tout en haut du Pic Victoria. À l'université, j'avais lu les *Entretiens de Confucius* – « L'homme qui déplace une montagne commence par les petites pierres. » – et maintenant, je prenais profondément conscience que je n'avais jamais eu l'occasion de déplacer une montagne. Cela me rendait immensément triste. Je ressentais un grand vide.

Je suis allé aux Philippines, où l'on pouvait retrouver toute la folie chaotique de Hong Kong, mais aussi deux fois plus de pauvreté. Je me déplaçais lentement dans Manille, comme dans un cauchemar, à travers les foules infinies et les embouteillages à perte de vue. Je suis allé voir l'hôtel où MacArthur a occupé une chambre avec terrasse. J'étais fasciné par tous les grands généraux, d'Alexandre le Grand à George Patton. Je détestais la guerre mais j'admirais l'esprit guerrier. Je détestais l'épée mais j'admirais le samouraï. Et de tous les grands combattants de l'histoire, c'est MacArthur que je trouvais le plus passionnant. Avec ses Ray-Ban et sa pipe en maïs, cet homme ne manquait pas de confiance en lui. Brillant tacticien, vrai meneur d'hommes, il a également dirigé le Comité olympique américain. Comment pouvais-je ne pas l'aimer ?

Bien sûr, il était loin d'être parfait. Mais il en avait totalement conscience. Il a dit un jour : « On se souvient de vous pour les règles que vous avez enfreintes. »

Je voulais réserver une nuit dans son ancienne suite mais je n'en avais pas les moyens.

Je me suis dit que je reviendrais un jour.

Je suis allé à Bangkok, où j'ai pris un bateau à longue queue à travers les canaux sombres pour parvenir à un marché en plein air, qui ressemblait à une version thaïe d'une peinture de Jérôme Bosch. J'ai mangé des oiseaux, des fruits et des légumes que je n'avais jamais vus auparavant et que je ne reverrais jamais par la suite. J'ai dû me frayer un chemin au milieu des pousse-pousse, des scooters, des touk-touks et des éléphants pour atteindre le Wat Phra Keo, où l'on peut admirer l'une des statues les plus sacrées d'Asie, un énorme Bouddha de six cents ans sculpté dans un bloc de jade. Lorsque je me suis retrouvé au-dessus de ce visage placide, je me suis demandé pourquoi j'étais là et quel était mon but.

J'ai attendu et je n'ai pas trouvé de réponse.

Ou alors, c'est le silence qui faisait office de réponse.

Je suis allé au Vietnam, où les rues grouillaient de soldats américains, et où tout le monde tremblait de peur. On savait que la guerre allait éclater et qu'elle serait particulièrement affreuse et très différente de ce que nous avions connu jusque-là. Ce serait une guerre à la Lewis Carroll, le genre de guerre où un officier américain déclare que la protection d'un village nécessite qu'on le détruise. Quelques jours avant Noël 1962, je suis allé à Calcutta, et j'ai loué une chambre de la taille d'un cercueil. Ni lit, ni chaise : il n'y en avait même pas la place. Il y avait juste un hamac au-dessus d'un trou bouillonnant, qui faisait office de toilettes. Il n'a fallu que quelques heures pour que je tombe malade. Probablement un virus attrapé pendant le vol ou une intoxication alimentaire. J'ai même cru que j'allais y rester, je sentais que mon heure était arrivée.

Et puis, je m'en suis remis petit à petit, je me suis forcé à sortir du hamac, et le lendemain, je marchais en tenant à peine sur mes jambes avec des milliers de pèlerins et des dizaines de singes sacrés vers les escaliers très raides du temple Varanasi. Les marches menaient directement aux eaux chaudes du Gange. Lorsque l'eau m'est arrivée à la taille, j'ai levé les yeux et je me suis demandé si la scène qui se déroulait devant moi était un mirage. Non, il s'agissait de funérailles qui se déroulaient en plein milieu du fleuve. Et même de plusieurs cérémonies de funérailles. Je regardais les proches des défunts patauger et placer les êtres chers sur des radeaux de bois, puis enflammer ces derniers. Cela n'empêchait pas d'autres personnes de se baigner paisiblement à quelques dizaines de mètres, ni d'épancher leur soif dans cette même eau.

Les Upanishad disent « Conduis-moi de l'irréel au réel ». J'ai donc fui l'irréel. J'ai pris l'avion pour Katmandou et je suis directement allé dans les montagnes blanches de l'Himalaya. Lors de la descente, je me suis arrêté dans un marché noir de monde et mangé un bol de viande de buffle. J'ai remarqué que les Tibétains présents sur le marché portaient des bottes faites de laine rouge et de flanelle verte, avec du bois au niveau de l'extrémité des orteils, ce qui n'était pas sans rappeler des patins de luge. Je me suis rendu compte que je m'étais mis à examiner les chaussures de tout le monde.

Je suis retourné en Inde, j'ai passé le Nouvel An à errer dans les rues de Bombay, en me faufilant entre les bœufs et les vaches à longues cornes, commençant à sentir le début d'une migraine mémorable – avec le bruit et les odeurs, les couleurs et les lumières éblouissantes. Je suis allé au Kenya, et j'ai fait un long trajet en bus dans les terres. Des autruches géantes essayaient de faire la course avec le bus, et des cigognes de la taille de pitbulls volaient juste de l'autre côté de la fenêtre. À chaque fois que le chauffeur s'arrêtait, au milieu de nulle part, pour prendre quelques guerriers masaï, un ou deux babouins essayaient de monter à bord. Le chauffeur et les guerriers les chassaient avec leurs machettes. Avant de descendre, les babouins se retournaient toujours et l'un d'eux m'a jeté un regard dans lequel on pouvait lire que sa fierté avait été blessée. Je me suis dit : « Désolé, vieux, si cela ne tenait qu'à moi… »

Je suis allé au Caire, sur le plateau de Gizeh, où j'ai fréquenté les nomades du désert et leurs chameaux drapés de soie au pied du grand Sphinx, nos yeux perdus dans les siens. Le soleil me tapait sur la tête, ce même soleil qui avait tapé sur la tête des milliers d'hommes qui avaient participé à la construction de ces pyramides, puis sur celles des millions de visiteurs venus les admirer. J'ai eu une pensée pour ces gens, dont personne ne se souvient. Tout est vanité, dit la Bible. Tout est maintenant, dit la pensée zen. Tout est poussière, dit le désert.

Je suis allé à Jérusalem, sur la montagne où Abraham projetait de tuer son fils et où Mahomet a commencé son ascension vers le ciel. Le Coran dit que la montagne voulait rejoindre Mahomet et a tenté de le suivre mais qu'il l'a stoppée en posant son pied sur elle. Certains disent que cette empreinte de pas est encore visible. Était-il pieds nus ? Ou portait-il des chaussures ? J'ai pris un déjeuner infâme dans une taverne sombre, au milieu d'ouvriers au visage recouvert de suie. Tous avaient l'air exténués. Ils mastiquaient lentement, absents, comme des zombies. Je me souviens m'être demandé pour quelle raison les hommes devaient travailler aussi dur. « Considérez comment croissent les lis des champs : ils ne travaillent ni ne filent. » Et pourtant le rabbin du Ier siècle Eleazar ben Azariah a dit que notre travail était ce qu'il y avait de plus sacré en chacun de nous. « Tous sont fiers de leurs métiers. Dieu parle de son travail, les hommes devraient en faire de même avec bien plus de vigueur. »

Je suis allé à Istanbul, je me suis mis au café turc, je me suis perdu dans les rues sinueuses proches du Bosphore. J'ai pris le temps d'admirer les minarets majestueux et emprunté les labyrinthes dorés du palais de Topkapi, lieu de résidence des sultans ottomans, là où l'épée de Mahomet est conservée de nos jours. Rm, poète persan du XIIIe siècle, a écrit : « Ne dors pas. Ce que tu souhaites le plus ardemment viendra à toi. Réchauffé par un soleil intérieur, tu verras des merveilles. »

Je suis allé à Rome et j'ai passé des journées à me cacher dans des trattorias étroites, à engloutir des montagnes de pâtes, à rêver devant les plus belles femmes et les plus belles chaussures que j'aie jamais vues. (À l'époque des empereurs, les Romains croyaient que mettre la chaussure droite avant la gauche apportait chance et prospérité.) J'ai été admirer les ruines vertes du Palais de Néron et celles magnifiques du Colisée, mais aussi les longues pièces et les longs murs du Vatican. Je quittais toujours ma chambre d'hôtel à l'aube, car je m'attendais à ce que les touristes soient très nombreux et je voulais être le premier dans la file d'attente. Mais il n'y avait pas de queue. Une vague de froid historique s'était abattue sur Rome. J'avais la ville pour moi tout seul.

Même chose pour la chapelle Sixtine. Seul sous le plafond de Michel-Ange, je pouvais me vautrer dans mon incrédulité. J'avais lu dans mon guide que Michel-Ange avait rencontré énormément de difficultés lorsqu'il avait peint son chef d'œuvre. Son dos et son cou lui faisaient mal. De la peinture lui tombait en permanence dans les yeux et dans les cheveux. Il avait dit à ses amis qu'il était impatient d'en finir. Je me suis demandé comment il était possible que l'on aime cette œuvre en sachant que Michel-Ange lui-même ne l'aimait pas.

Je suis allé à Florence, où j'ai passé des journées sur les traces de Dante, le misanthrope exilé et en révolté. Est-ce que sa misanthropie s'est développée avant, ou après ? Était-elle la cause ou l'effet de sa révolte et de son exil ?

Je suis resté bouche bée devant David, choqué par la colère dans ses yeux. Goliath n'avait aucune chance

J'ai pris le train pour Milan, communié avec Léonard de Vinci, examiné ses magnifiques carnets et me suis émerveillé de ses obsessions si particulières. Parmi celles-ci, on trouve le pied humain. Le chef d'œuvre de l'ingénierie, disait-il. Une œuvre d'art.

J'ai assisté à un opéra à La Scala lors de ma dernière nuit à Milan. J'y portais fièrement mon costume Brook Brothers au milieu des *uomini* portant des smokings faits sur mesure et des *donne* portant des robes ornées de bijoux. Nous avons assisté à *Turandot*. Lorsque Calaf a chanté « Nessun dorma » – « Dispersez-vous, étoiles ! À l'aube je vaincrai ! Je vaincrai ! Je vaincrai ! » – mes yeux sont devenus humides et j'ai sauté sur mes deux pieds lorsque le rideau est tombé. *Bravissimo !*

Je suis allé à Venise, j'ai passé quelques langoureuses journées sur les pas de Marco Polo, et un bon moment devant le Palazzo de Robert Browning. « Si vous avez la simple beauté et rien d'autre, vous avez à peu près ce que Dieu a fait de mieux ».

Il me restait peu de temps. L'heure de rentrer approchait. Je me suis pressé d'aller à Paris, voir les sépultures au sous-sol du Panthéon, poser la main sur les tombeaux de Rousseau et Voltaire. « Aime la vérité mais pardonne à l'erreur. » J'ai pris une chambre dans un hôtel miteux, j'ai regardé les trombes de pluie d'hiver nettoyer la ruelle sous ma fenêtre, j'ai prié à Notre-Dame et je me suis perdu au Louvre. J'ai acheté quelques livres chez Shakespeare and Company et je suis allé voir l'endroit où ont vécu Joyce et F. Scott Fitzgerald. J'ai erré lentement sur les quais de Seine, me suis arrêté prendre un cappuccino dans le café où Hemingway et Dos Passos se sont lu le Nouveau Testament à haute voix. Lors de mon dernier jour, je suis allé flâner sur les Champs-Élysées, en y imaginant la descente triomphale des libérateurs, avec George Patton toujours à l'esprit. « Ne dites jamais aux gens comment faire les choses. Dites-leur ce qu'il faut faire et ils vous surprendront par leur ingéniosité. » De tous les grands généraux, il était celui qui était le plus obsédé par les chaussures : « Un soldat qui porte des souliers n'est qu'un soldat. Mais en bottes, il devient un guerrier. »

J'ai pris un vol pour Munich. J'ai bu une chope de bière très fraîche au Bürgerbräukeller, où Hitler a tiré dans le plafond et où ses sinistres plans ont commencé à avancer. J'ai essayé de visiter

Dachau mais les badauds regardaient ailleurs ou faisaient semblant de ne pas savoir lorsque j'en ai demandé la direction. J'ai visité Berlin et suis allé à Checkpoint Charlie. Des gardes russes au visage plat et emmitouflés dans d'énormes pardessus ont examiné mon passeport, m'ont fouillé et m'ont demandé quel genre d'affaires je faisais à Berlin Est. « Rien du tout » ai-je répondu. J'étais terrifié qu'ils ne se rendent compte d'une façon ou d'une autre que j'avais fait Stanford car quelque temps auparavant, deux étudiants en provenant avaient essayé de faire sortir un adolescent dans une Volkswagen et se trouvaient encore en prison.

Mais les gardes m'ont laissé passer. J'ai marché un bon bout de temps et je me suis arrêté au coin de la Marx-Engels-Platz. J'ai regardé autour de moi, dans toutes les directions. Il n'y avait rien. Ni arbre, ni magasin, ni âme qui vive. Cela m'a fait repenser à toute la pauvreté que j'avais vue en Asie. C'était un type de pauvreté différent, plus délibéré et d'une certaine façon plus évitable. J'ai vu trois enfants jouer dans la rue. Je suis allé vers eux et je les ai pris en photo. Deux garçons et une fille âgés de huit ans. La fille, qui portait un chapeau de laine rouge et un manteau rose, m'a souri directement. Je ne l'oublierai jamais. Ni ses chaussures, qui étaient faites de carton.

Je suis allé à Vienne, ce carrefour de l'histoire, où Staline, Trotski, Tito, Hitler, Jung et Freud ont tous vécu en même temps et traînaient dans les mêmes cafés, planifiant comment ils allaient sauver (ou détruire) l'humanité. J'ai marché sur les mêmes pavés que ceux où avait marché Mozart, traversé le Danube sur l'un des plus beaux ponts de pierre que j'aie jamais vu, me suis arrêté devant les flèches démesurées de la cathédrale Saint-Étienne, où Beethoven a réalisé qu'il était sourd. Il avait levé les yeux, vu des oiseaux s'enfuir du clocher et s'était rendu compte avec effroi qu'il n'avait pas entendu les cloches.

Et pour finir, je suis allé à Londres. Je suis passé rapidement à Buckingham Palace, au Speakers' Corner, chez Harrods. À la Chambre des Communes, les yeux fermés, j'ai invoqué le grand Churchill. « Vous demandez quel est notre but ? Je peux répondre en un mot : la victoire, la victoire à tout prix, la victoire en dépit de la terreur, la victoire aussi long et dur que soit le chemin qui nous y mènera ; car sans victoire, il n'y a pas de survie. » Je cherchais désespérément à prendre un bus pour Stratford, voir la maison de Shakespeare. (Les femmes élisabéthaines portaient une rose en soie rouge au bout de chaque chaussure.) Mais il ne me restait plus suffisamment de temps.

J'ai passé ma dernière nuit à repenser à mon voyage et prendre des notes dans mon journal. Je me suis demandé quelle avait été l'apogée du voyage.

La Grèce. Incontestablement, la Grèce.

Quand j'ai quitté l'Oregon, les deux choses qui m'excitaient le plus dans mon programme étaient l'exposé de mon Idée Folle aux Japonais et la perspective de voir l'Acropole.

Quelques heures avant d'embarquer à Heathrow, j'ai médité sur ce moment.

En voyant ces colonnes stupéfiantes, j'avais ressenti un choc vivifiant, le genre de choc que l'on ressent devant une grande beauté, mais j'ai également éprouvé un fort sentiment de… « déjà vu » ?

Était-ce juste mon imagination ? Après tout, je m'étais trouvé à l'endroit où est née la civilisation occidentale. Peut-être voulais-je simplement que ce lieu me soit familier. Mais j'avais compris qu'il ne s'agissait pas de cela. J'avais eu une impression très claire : c'était comme si j'étais déjà venu à cet endroit.

Puis, en montant les escaliers, j'avais eu une autre pensée : c'est ici que tout commence.

Sur ma gauche, il y avait le Parthénon, dont Platon avait pu voir la construction par des armées d'architectes et d'ouvriers. Sur ma droite, il y avait le temple d'Athéna Niké. Selon mon guide, une frise de la déesse Athéna y avait été représentée il y avait vingt-cinq siècles, Athéna étant considérée comme apportant la victoire, la *Niké* en grec.

C'était l'un des nombreux attributs prêtés à Athéna. Elle récompensait les négociateurs. Dans l'Orestie, elle dit : « J'admire… les yeux de la persuasion. » En un sens, elle était leur déesse.

Je ne sais pas combien de temps j'avais passé là, à absorber l'énergie et la puissance de ce lieu historique. Une heure ? Trois heures ? Je ne sais pas combien d'années plus tard j'ai découvert la pièce d'Aristophane se déroulant dans le temple de Niké, dans laquelle le guerrier offre au roi un cadeau – une paire de chaussures neuves. Je ne sais pas quand j'ai réalisé que cette pièce était intitulée « Les Cavaliers » (« Knights » en anglais). En revanche, je sais qu'au moment de partir, j'avais remarqué la façade en marbre du temple. Les artisans grecs l'avaient décorée de plusieurs sculptures fascinantes, dont la plus célèbre représente la déesse se penchant inexplicablement… pour ajuster la sangle de sa chaussure.

24 février 1963. Mon vingt-cinquième anniversaire. Lorsque j'ai franchi le seuil de la maison, les cheveux m'arrivaient sur les épaules et je portais une barbe de presque dix centimètres. Ma mère a fondu en larmes. Mes sœurs ont écarquillé les yeux comme si elles ne me reconnaissaient pas, ou comme si elles n'avaient pas réalisé que j'étais parti. Des étreintes, des cris, des éclats de rire. Ma mère m'a fait m'asseoir et m'a préparé une tasse de café. Elle tenait à ce que je lui raconte tout. Mais j'étais exténué. J'ai laissé ma valise et mon sac à dos dans l'entrée et je suis allé dans ma chambre. J'ai regardé mes rubans bleus. « Monsieur Knight, quelle est le nom de votre entreprise ? »

Je me suis étendu sur mon lit et le sommeil est tombé, comme le rideau de la Scala.

Je me suis réveillé une heure plus tard quand ma mère a crié « À table ! ».

Mon père était rentré du travail, et nous nous sommes étreints dans la salle à manger quand je suis descendu. Lui aussi voulait entendre les moindres détails de mon périple. Je voulais tout raconter mais il fallait d'abord que je sache quelque chose : « Papa, est-ce que mes chaussures sont arrivées ? ».

1963

Mon père a invité nos voisins à prendre le café et un morceau de gâteau pour que nous leur montrions les « diapos de Buck ». J'ai passé les diapositives consciencieusement, savourant l'obscurité, en cliquant sur le bouton « avant » sans énergie et en décrivant les pyramides ou le temple de Niké. Mais je n'étais pas vraiment là. En fait, j'étais encore devant les pyramides ou le temple de Niké. Et je réfléchissais à mon histoire de chaussures.

Quatre mois après mon entretien chez Onitsuka, après que j'aie rencontré et convaincu leurs responsables – du moins, c'est ce que je croyais –, les chaussures n'étaient toujours pas arrivées. J'ai donc décidé de leur écrire. « Messieurs, suite à notre rendez-vous du printemps dernier, avez-vous pu envoyer les échantillons… ? »

J'ai pris quelques jours de repos, pour dormir, nettoyer mes vêtements, reprendre contact avec des amis.

J'ai reçu une réponse d'Onitsuka très rapidement. « Les chaussures arrivent dans *un peu plus de jours.* »

J'ai montré la lettre à mon père, qui a grimacé. *Un peu plus de jours ?*

Il a gloussé : « Buck, ces 50 dollars sont partis en fumée depuis longtemps. »

Mon nouveau look – ma coiffure de naufragé, ma barbe d'homme des cavernes – allait trop loin pour mes sœurs et pour ma mère. Je les surprenais en train de me regarder en fronçant les sourcils. Je les entendais penser que je ressemblais à un clochard. Je me suis donc rasé. Après quoi, je me suis regardé dans le petit miroir de mon bureau, en me disant : « C'est officiel, tu es de retour. »

Et pourtant, ce n'était pas vraiment le cas. Il y avait une partie de moi qui ne reviendrait jamais de ce tour du monde.

Ma mère a compris cela avant les autres. Un soir, au dîner, elle m'a lancé un long regard et m'a dit : « Tu sembles… avoir davantage l'expérience du monde. »

« Avoir l'expérience du monde », je me suis dit : « Ça alors ! »

J'avais besoin de trouver un moyen de gagner un peu d'argent avant que les chaussures n'arrivent, si toutefois elles arrivaient un jour. J'avais eu un entretien avec Dean Witter avant mon voyage. Peut-être était-ce une bonne idée de reprendre contact avec lui.

J'en ai parlé à mon père dans le coin télé. Il s'est allongé dans son fauteuil inclinable et m'a suggéré d'aller discuter avec son vieil ami Don Frisbee, qui était PDG de Pacific Power & Light.

Je connaissais monsieur Frisbee. J'avais fait un stage d'été avec lui quand j'étais à la fac. Je l'aimais bien et j'admirais le fait qu'il soit diplômé de la Harvard Business School. J'étais un peu snob en ce qui concernait les formations. De plus, j'étais très impressionné qu'il soit devenu, assez rapidement, le PDG d'une société cotée à la Bourse de New York.

Je me souviens qu'il m'a reçu chaleureusement un jour de printemps 1963 et qu'il m'a serré les deux mains avant de m'emmener dans son bureau. Il s'est installé dans son gigantesque trône en cuir et a haussé les sourcils. « Alors… qu'as-tu en tête ? »

« Honnêtement, monsieur Frisbee, je ne sais pas quoi faire… à propos de… ou avec… un travail… ou une carrière… »

J'ai ajouté avec une voix hésitante : « Dans la vie. »

J'ai dit que je réfléchissais à rejoindre Dean Witter. Ou peut-être à revenir dans sa société d'électricité. Ou peut-être à rejoindre une grande entreprise. La lumière provenant de la fenêtre de son bureau m'éblouissait et faisait scintiller ses lunettes sans monture. J'ai pensé au soleil qui se réfléchissait sur le Gange.

Il a asséné : « Phil, ce sont de mauvaises idées.

– Vous croyez, monsieur ?

– Je ne pense pas que tu devrais faire ce dont tu viens de parler.

– Ah…

– Tout le monde change de boulot au moins trois fois dans sa vie. Donc si tu commences par une société d'investissement, quand tu partiras tu repartiras de zéro dans ton job suivant. Fiston, ça sera la même chose si tu vas travailler dans une grande entreprise. Non, ce que tu as intérêt à faire, tant que tu es encore jeune, c'est décrocher ton CPA[4]. Si tu as ça en plus de ton MBA, tu es certain de pouvoir prétendre à de très bonnes rémunérations. Ensuite, crois-moi, tu maintiendras ton niveau de salaire quand tu changeras de boulot. Tu ne reviendras jamais en arrière. »

Ce conseil était très concret. Je ne voulais surtout pas revenir en arrière.

Cependant, je n'avais pas choisi la spécialité comptabilité. Je devais suivre neuf heures de cours supplémentaires, rien que pour avoir le droit de passer l'examen. Je me suis donc rapidement inscrit à trois cours de comptabilité à l'Université d'État de Portland. « Encore des études ? » a grogné mon père.

Pire, l'école en question n'avait pas le prestige de Stanford ou de l'Université d'Oregon. Il ne s'agissait que de la petite et peu renommée Université d'État de Portland.

---

4 Le CPA (*Certified Public Accountant*) est un diplôme de comptabilité. Cette certification est nécessaire dans de nombreux États américains pour pouvoir élaborer certains documents financiers.

Je n'étais pas le seul de la famille à être snob en matière de formation.

Après les neuf heures de cours, j'ai travaillé pour un cabinet d'expertise comptable, Lybrand, Ross Bros. & Montgomery. C'était l'un des huit plus gros cabinets du pays, même si leur bureau de Portland était plutôt petit. Il n'y avait qu'un associé et trois comptables junior. Je me suis dit que porter un costume m'allait bien. Par ailleurs, la taille modeste du cabinet rendait les relations plus directes et l'expérience plutôt formatrice.

Ma première mission m'envoyait dans une entreprise de Beaverton, Reser's Fine Foods. Étant donné que j'étais seul sur ce dossier, j'ai pu passer pas mal de temps en relation directe avec le PDG, Al Reser, qui n'avait que trois ans de plus que moi. J'ai bien aimé passer du temps à examiner ses dossiers et le côtoyer m'a apporté quelques enseignements importants. Mais ma charge de travail était bien trop lourde pour que je puisse apprécier pleinement l'expérience. Les petits bureaux régionaux des gros cabinets d'expertise comptable connaissent ce problème de façon récurrente : il n'y a pas suffisamment de personnel pour prendre le relais quand arrive une nouvelle mission. Pendant la haute saison, c'est-à-dire de novembre à avril, nous étions débordés de travail, à la tâche douze heures par jour et six jours sur sept, ce qui ne laissait pas beaucoup de temps pour apprendre.

De plus, notre travail était très contrôlé et nos minutes étaient décomptées, parfois même nos secondes. J'ai demandé à prendre un jour de congé lorsque le président Kennedy a été assassiné en novembre de cette année. Je voulais rester à pleurer devant la télé comme le reste du peuple américain. Mais mon chef a refusé : le travail d'abord, les pleurnicheries après. « Considérez comment croissent les lis des champs : ils ne travaillent ni ne filent. »

Ce travail m'offrait tout de même deux consolations. La première était l'argent. Je gagnais 500 dollars par mois, ce qui m'a permis de m'acheter une nouvelle voiture. J'ai opté pour une Plymouth Valiant. Fiable, mais avec du punch et une belle couleur. Le vendeur disait qu'elle était « vert écume de mer » mais mes amis disaient qu'elle était plutôt « vert vomi ».

En réalité, elle était de la couleur de l'argent fraîchement gagné.

Mon autre consolation était le déjeuner : chaque jour, à midi, je descendais la rue jusqu'à l'agence de voyages du coin et je restais planté là, comme Walter Mitty, devant les affiches disposées dans la vitrine. La Suisse. Tahiti. Moscou. Bali.

Je prenais une brochure et je la feuilletais assis sur un banc du parc, en mangeant mon sandwich à la confiture et au beurre de cacahuètes. Je demandais aux pigeons : « Est-ce que vous y croyez, que j'étais en train de surfer à Waikiki il y a tout juste un an ? » « Que j'ai mangé de la viande de buffle après une matinée d'ascension dans l'Himalaya ? »

Les meilleurs moments de ma vie étaient-ils derrière moi ?

Mon voyage avait-il constitué… l'apogée de mon existence ?

Les pigeons étaient encore moins prompts à répondre que la statue du Wat Phra Kaew.

Voilà comment j'ai passé mon temps en 1963. À poser des questions aux pigeons, à lustrer ma Valiant, à écrire des lettres.

« Cher Carter, as-tu finalement quitté Shangri-La ? Je suis comptable maintenant et je me demande si je ne vais pas me faire sauter la cervelle. »

1964

La notification est arrivée vers Noël et je crois que je suis allé à l'entrepôt de retrait au tout début de l'année 1964, je ne me rappelle plus très bien. Je me souviens qu'il était tôt dans la matinée et que j'étais arrivé avant l'ouverture des portes.

J'ai tendu la notification aux employés. Ceux-ci se sont rendus dans l'arrière-boutique et en sont revenus avec une grande boîte couverte d'inscriptions en japonais.

Je me suis empressé de rentrer à la maison, je me suis précipité au sous-sol et j'ai déchiré la boîte. Il y avait douze paires de chaussures, couleur crème, avec des bandes bleues sur les côtés. Mon Dieu qu'elles étaient belles. Elles étaient même bien plus que cela.

Je n'avais rien vu d'aussi beau à Florence ou à Paris. J'aurais voulu les mettre sur un piédestal en marbre, ou dans un cadre doré. Je les tenais sous la lumière, les caressais comme des objets sacrés, de la façon dont un écrivain pourrait traiter ses nouveaux carnets, ou un joueur de baseball ses nouvelles battes.

J'en ai envoyé deux paires à mon ancien entraîneur à l'Université d'Oregon, Bill Bowerman.

Je l'ai fait sans hésiter, notamment car Bowerman avait été le premier qui m'avait fait *réfléchir* – le mot n'est pas trop fort – à ce que les gens portaient aux pieds.

Bowerman était un entraîneur de génie, très doué pour motiver ses troupes, un leader naturel pour les jeunes. Pour lui, les chaussures étaient un élément crucial de l'équipement des athlètes. Il était obsédé par ce que les êtres humains portaient aux pieds.

Durant les quatre années pendant lesquelles j'ai couru sous ses ordres dans l'Oregon, il est souvent arrivé à Bowerman d'entrer discrètement dans les vestiaires pour piquer nos chaussures. Il passait des journées à les triturer et à y faire des points de couture. Puis, il nous les restituait avec des modifications mineures. Il n'a jamais cessé de le faire, que cela soit fructueux ou non. Il était déterminé à trouver de nouveaux moyens de soutenir la voute plantaire, de rembourrer la semelle intercalaire et de laisser plus de place pour l'avant-pied. Il avait toujours des idées pour rendre nos chaussures plus légères et plus souples. Il disait « Une once[5] retirée de la chaussure équivaut à 55 livres sur un mile. » Il prenait cela très au sérieux. Ses calculs tenaient la

---

5 Une once est l'équivalent de 28,3 grammes. Une livre est l'équivalent de 453,6 grammes. Un mile équivaut à 1 609,3 mètres.

route. Un homme d'un mètre quatre-vingts effectue en moyenne 880 pas sur un mile. En enlevant une once par pas, on arrive bien à 55 livres. Bowerman croyait que la légèreté ainsi gagnée se traduisait par davantage d'énergie et de vitesse. Et courir plus vite accroissait de fait les chances de gagner. Bowerman n'aimait pas perdre, (cela fait partie des choses qu'il m'a transmises). La légèreté était devenue son but permanent.

Dire qu'il s'agissait de son objectif est un euphémisme. En réalité, il était prêt à tout pour parvenir à alléger nos chaussures de course, prêt à recourir à n'importe quelle substance animale, végétale ou minérale si cela pouvait améliorer une chaussure standard. Il lui est par exemple arrivé d'utiliser de la peau de kangourou. Ou de morue. Je peux vous assurer que vous vous sentiez plus vivant que jamais lorsque vous couriez face aux plus rapides du monde avec, aux pieds, des chaussures en morue. Nous étions quatre ou cinq dans l'équipe de course à pied à faire partie de ses cobayes mais j'étais le seul à faire partie de son projet « animal ». Il faut croire que mes pieds et ma foulée l'inspiraient. Et comme je n'étais pas le meilleur de l'équipe, loin s'en faut, il pouvait se permettre de faire des erreurs avec moi. Il ne prenait évidemment pas de risques inconsidérés avec mes coéquipiers plus talentueux.

J'ai perdu un nombre incalculable de courses lors de mes premières années d'université avec des pointes modifiées par Bowerman. Quand j'étais en quatrième année, il fabriquait toutes mes chaussures à partir de rien. C'est donc tout naturellement que je me suis dit que ces nouvelles Tigers, ces petites chaussures amusantes qui avaient mis une année entière pour arriver du Japon, intéresseraient mon ancien entraîneur. Elles n'étaient évidemment pas aussi légères que ses chaussures à la morue. Mais elles avaient du potentiel : les Japonais promettaient de les améliorer. De plus, elles étaient vraiment bon marché. Je savais que ce point toucherait la frugalité innée de Bowerman.

Le nom des chaussures était lui aussi susceptible de l'interpeller. Il avait l'habitude d'appeler ses coureurs « les Hommes de l'Oregon », mais nous exhortait de temps à autre à devenir des « tigres ». Je le revois encore surgir dans le vestiaire avant une course et nous dire : « Soyez des TIGRES une fois dehors ! ». (Il appelait « hamburgers » ceux qui ne se transformaient pas en tigres.) De temps en temps, lorsque nous nous plaignions de nos maigres repas d'avant-course, il grognait : « Un tigre chasse mieux lorsqu'il a faim. »

Je me disais qu'avec un peu de chance, le coach commanderait quelques Tigers pour ses tigres.

Mais, que Bowerman passe commande ou non, le simple fait de l'impressionner était suffisant. En soi, cela aurait constitué un premier succès pour ma jeune entreprise.

Il est possible que tout ce que j'ai fait à cette période avait pour objectif principal d'impressionner Bowerman. À part mon père, il n'y avait pas d'homme dont l'assentiment m'importait autant.

Et à part mon père, il n'y avait pas d'homme qui le donnait aussi peu souvent. La frugalité transparaissait à tous les niveaux chez lui. Il était en particulier avare d'éloges.

Lorsque vous gagniez une course, Bowerman pouvait aller jusqu'à lâcher un « Belle course. » (En réalité, c'est le seul compliment qu'il a concédé quand l'un de ses coureurs est devenu le tout premier Américain à passer sous la barre des quatre minutes sur un mile). Mais la plupart du temps, Bowerman ne disait rien. Il se tenait devant vous dans son blazer en tweed et son gilet miteux, sa cravate virevoltante et sa vieille casquette enfoncée sur la tête, et il se contentait de hocher la tête. Il lui arrivait de vous regarder fixement. Ses yeux bleus très clairs ne rataient pas un détail mais ne trahissaient rien de sa pensée. Tout le monde parlait de son allure fringante, de ses cheveux coupés à ras à l'ancienne, de sa posture droite et de son menton plat, mais en ce qui me concerne, c'est la pureté de son regard bleu qui m'a toujours frappé.

J'ai adoré Bowerman dès le moment où je suis arrivé à l'Université d'Oregon, en août 1955. Mais je l'ai craint tout aussi vite. Ces sentiments ne se sont jamais dissipés. Je n'ai jamais cessé d'aimer cet homme mais je n'ai jamais réussi à me débarrasser de la crainte qu'il m'inspirait. Cette crainte était parfois moins intense, parfois plus. L'amour et la crainte, deux émotions binaires, caractérisaient aussi parfaitement les relations que j'entretenais avec mon père. Je me suis souvent demandé si c'était une simple coïncidence que Bowerman et mon père – tous deux cryptiques, tous deux impénétrables, tous deux des mâles dominants – soient tous deux prénommés Bill.

Pourtant, ces deux hommes étaient habités par des démons différents. Mon père, fils de boucher, était perpétuellement en quête de respectabilité tandis que Bowerman, dont le père avait été gouverneur de l'Oregon, s'en fichait complètement. Ses grands-parents, eux, étaient des pionniers légendaires, des hommes et des femmes qui avaient emprunté la Piste de l'Oregon à pied sur toute sa longueur. Une fois leur marche terminée, ils avaient fondé une toute petite ville dans l'est de l'Oregon, qu'ils avaient baptisée Fossil. Bowerman avait grandi là-bas et y retournait fréquemment. Une partie de son esprit était en permanence à Fossil, ce qui était drôle car il y avait quelque chose de clairement fossilisé chez lui. Dur au mal, il possédait une masculinité aux allures préhistoriques, un mélange de cran, d'intégrité et d'obstination qui était rare dans l'Amérique de Lyndon Johnson. Cela a complètement disparu de nos jours.

Bowerman était aussi un héros de guerre. Le contraire aurait été surprenant. En tant que commandant dans la 10e Division de Montagne, Bowerman avait notamment pris part à des fusillades dans les hautes Alpes italiennes (son aura était si intimidante que je ne me souviens pas d'avoir entendu quelqu'un lui demander s'il avait déjà tué quelqu'un). On pouvait notamment mesurer le rôle central que la guerre et la 10e Division de Montagne jouaient dans son paysage mental au chiffre romain X gravé en doré sur la tranche de son attaché-case en cuir.

Alors qu'il était le plus célèbre entraîneur de course à pied d'Amérique, Bowerman ne s'est jamais considéré comme tel. Il détestait qu'on l'appelle « coach ». Étant donné son vécu, il considérait naturellement la course à pied comme un moyen plutôt qu'une fin en soi. Il se décrivait comme un « professeur de réactions concurrentielles » et il décrivait souvent son travail comme une préparation aux batailles et aux compétitions qui se trouveraient sur notre chemin, bien au-delà de l'Oregon.

Malgré la noblesse de sa mission, ou plutôt en raison de celle-ci, les installations de l'Université d'Oregon étaient du genre spartiate. Les vestiaires, dont les murs en bois étaient humides et froids, n'avaient pas été peints depuis des décennies. Ils n'avaient d'ailleurs pas de portes et les emplacements des athlètes n'étaient séparés de ceux de leurs voisins que par quelques lattes. Nous accrochions nos vêtements à des clous. Des clous rouillés. Nous courions parfois sans chaussettes mais nous plaindre ne nous a jamais traversé l'esprit. Nous considérions notre entraîneur comme un général à qui il fallait obéir aveuglément. Pour moi, c'était un Patton avec un chronomètre.

Il avait même des allures divines.

Comme les dieux anciens, il vivait au sommet d'une montagne. Son ranch magnifique surplombait le campus. Quand il se reposait dans son Olympe à lui, il pouvait devenir vindicatif comme les dieux. Une anecdote, racontée par l'un de mes coéquipiers, le démontrait parfaitement.

Il y avait apparemment un chauffeur de camion qui osait régulièrement perturber le calme qui régnait sur la montagne de Bowerman. Il prenait ses virages trop rapidement et aurait plusieurs fois renversé sa boîte aux lettres. Bowerman a fini par l'attraper et le menacer de lui casser la figure, mais le chauffeur n'en a pas tenu compte. Il continuait à conduire comme bon lui semblait. Bowerman a donc décidé de dissimuler des explosifs dans sa boîte aux lettres. Ceux-ci ont explosé quand le chauffeur l'a renversée une nouvelle fois. Une fois la fumée dissipée, le chauffeur a trouvé son camion en morceaux, les pneus éclatés. Il n'a plus jamais touché la boîte aux lettres par la suite.

C'est le genre d'homme que vous préférez avoir avec vous plutôt que contre vous, d'autant plus quand vous êtes un jeune coureur de demi-fond originaire de la banlieue de Portland. J'étais toujours dans mes petits souliers avec Bowerman. Cela ne l'a pas empêché de perdre souvent patience avec moi, bien que je ne me rappelle l'avoir profondément agacé qu'une seule fois.

J'étais en deuxième année à l'époque, dépassé par mon emploi du temps. Cours le matin, entraînement tout l'après-midi, devoirs toute la nuit.

Un jour, ayant peur d'avoir attrapé la grippe, je suis passé par le bureau de Bowerman pour lui dire que je ne serais pas en mesure de m'entraîner l'après-midi. Il a maugréé : « Qui est l'entraîneur de cette équipe ?

– Vous.

– Bien, en tant qu'entraîneur de cette équipe, je te demande de ramener tes fesses cet après-midi. D'ailleurs, nous allons faire des entraînements chronométrés aujourd'hui. »

Je n'étais pas loin de pleurer. Mais j'ai tenu bon et j'ai canalisé toutes mes émotions dans ma course. J'ai fait l'un de mes meilleurs temps de l'année. En quittant la piste, j'ai lancé un regard noir à Bowerman, en pensant : « Tu es content, fils de.... ? ». Il m'a regardé, a consulté son chronomètre, puis m'a regardé à nouveau et a fait oui de la tête. Il venait de me tester. Il m'avait poussé à bout avant de me reconstruire, tout comme il avait l'habitude de le faire avec des paires de chaussures. Et j'ai tenu bon. Ce jour-là, je suis vraiment devenu un « Homme de l'Oregon. »

Bowerman m'a répondu tout de suite. Il m'écrivait qu'il allait venir à Portland la semaine suivante pour l'Oregon Indoor et il m'invitait à déjeuner au Cosmopolitan Hotel, où son équipe avait pris ses quartiers.

25 janvier 1964. J'étais terriblement nerveux au moment où la serveuse nous a indiqué notre table. Je me rappelle que Bowerman a commandé un hamburger et que j'ai dit à la serveuse d'une

voix rauque : « Faites-en deux. » Nous avons passé quelques minutes à nous donner des nouvelles. Je lui ai raconté mon voyage autour du monde : Kobe, la Jordanie, le Temple de Niké, etc. Bowerman s'est montré particulièrement intéressé par ma visite de l'Italie, dont il gardait un souvenir ému.

Ce n'est qu'ensuite qu'il en est venu à l'objet de notre rencontre.

« Ces chaussures japonaises, elles sont vraiment pas mal. Tu crois que je pourrais être dans l'affaire ? »

Je l'ai regardé. Il m'a fallu un moment pour digérer ce qu'il était en train de dire. Il ne voulait pas simplement acheter une douzaine de Tigers pour son équipe, il voulait devenir… mon associé ? Si Dieu m'avait demandé s'il pouvait devenir mon associé, je n'aurais pas été plus surpris. J'ai bégayé avant de bredouiller un oui.

Je lui ai tendu la main avant de la retirer : « Quel genre de partenariat avez-vous en tête ? J'osais négocier avec Dieu en personne. Cela l'a visiblement déconcerté.

– Cinquante, cinquante, a-t-il répondu.

– Donc, vous mettrez la moitié de l'argent.

– Bien sûr.

– J'évalue la première commande à 1 000 dollars. Vous devrez donc mettre 500.

– Ça me va. »

Lorsque la serveuse a apporté l'addition pour les hamburgers, nous avons partagé là aussi. Cinquante, cinquante.

Ma mémoire me dit que la réunion que j'ai eue avec Bowerman et son avocat John Jaqua eut lieu le lendemain, ou lors des jours ou semaines qui ont suivi. Cependant, les lettres, les carnets et les agendas, tout montre clairement que cela s'est produit bien plus tard. Il y a sûrement une raison : je revois Bowerman remettre sa casquette lorsque nous avons quitté le restaurant, réajuster sa cravate, et me dire : « Il faudrait que tu rencontres mon avocat, John Jaqua. Il peut nous aider à mettre tout cela par écrit. »

Quoi qu'il en soit, que la réunion ait eu lieu quelques jours ou quelques semaines plus tard, les choses se sont passées comme suit.

Je me suis arrêté devant la forteresse en pierre de Bowerman et je me suis émerveillé du cadre, comme à chaque fois. Peu de gens ont eu le privilège de passer par là. Le long de Coburg Road en direction de McKenzie Drive, il y avait un chemin de plusieurs kilomètres vers les montagnes à travers les bois. Au bout de ce chemin, il y avait une clairière avec des rosiers, des arbres solitaires et une jolie maison, petite mais solide, avec une façade en pierre. Bowerman l'avait construite de ses propres mains. À mesure que je m'enfonçais dans le parc avec ma Valiant, je me demandais comment il avait pu accomplir ce travail herculéen tout seul. « L'homme qui déplace une montagne commence par les petites pierres. »

Il y avait un large porche en bois – qu'il avait également construit tout seul – sur le flanc de la maison, où se trouvaient plusieurs chaises de camping. On pouvait y profiter d'une jolie vue sur la rivière McKenzie et il n'aurait pas été difficile de me convaincre que Bowerman avait lui-même creusé le lit de la rivière.

Bowerman se tenait sous le porche. Il a plissé les yeux et a descendu les quelques marches pour parvenir jusqu'à ma voiture. Je ne me souviens pas vraiment de ce que nous nous sommes dit lorsqu'il est monté. J'ai démarré et nous sommes partis en direction de chez l'avocat.

Jaqua n'était pas seulement l'avocat et le meilleur ami de Bowerman, il était aussi son voisin direct. Il possédait plus de 650 hectares en contrebas de la montagne de Bowerman. En roulant jusqu'à cet endroit, j'avais du mal à me figurer que les choses allaient bien se passer pour moi. Je m'entendais bien avec Bowerman, certes, et nous avions un accord, mais j'étais très méfiant des avocats. Pour moi, ils avaient le don de tout ficher en l'air. Alors imaginez ce que pouvait m'inspirer un avocat qui remplissait également la fonction de meilleur ami…

De plus, Bowerman ne faisait aucun effort pour me mettre à l'aise. Il était tout raide et regardait le paysage.

Le silence dans la voiture était assourdissant. J'ai gardé les yeux sur la route et je me suis mis à réfléchir à la personnalité excentrique de Bowerman.

Elle transparaissait dans tout ce qu'il faisait. Il était toujours à contre-courant. Toujours. Par exemple, il a été le premier entraîneur universitaire des États-Unis à souligner l'importance du repos, à donner autant de valeur à la récupération qu'au travail. Mais lorsque l'on travaillait avec lui, ce n'était pas pour rigoler. La stratégie de Bowerman pour courir le mile était simple : adopter un rythme rapide sur les deux premiers tours et courir le troisième le plus vite possible, puis tripler sa vitesse sur le quatrième. Il y avait quelque chose de zen dans cette stratégie, parce qu'elle était tout bonnement impossible à implémenter. Pourtant, elle fonctionnait car personne n'a réussi à amener autant de coureurs sous les quatre minutes au mile. Je n'en ai jamais fait partie et ce jour-là, je me demandais si j'allais encore m'effondrer dans le dernier tour.

Lorsque nous sommes arrivés, Jaqua était debout sous son porche. Il m'était déjà arrivé de le rencontrer, lors de meetings d'athlétisme, mais je n'avais jamais vraiment prêté attention à lui. Il avait beau porter des lunettes et être entre deux âges, il ne correspondait pas à l'idée que je me faisais des avocats. Il était trop costaud. Ce n'est que plus tard que j'ai appris qu'il avait été une star de football américain au lycée et l'un des meilleurs coureurs de 100 mètres qu'ait connu le Pomona College. On pouvait encore deviner sa puissance athlétique, notamment au niveau de la poignée de main. Il m'a agrippé le bras et m'a guidé dans le salon en me glissant : « Mon petit Buck, je voulais porter tes chaussures aujourd'hui mais j'ai marché dans une bouse de vache avec ! »

La météo était typique d'un mois de janvier dans l'Oregon. Nous avons pris place sur des chaises autour de la cheminée de Jaqua, la plus grosse que j'aie jamais vue, assez large pour faire rôtir un élan. Des flammes s'échappaient d'un tas de bûches qui avaient la circonférence de bouches d'incendie. L'épouse de Jaqua est arrivée par une porte latérale avec des tasses de chocolat chaud. Elle m'a demandé si je voulais de la crème fouettée ou des marshmallows. « Non merci, Madame. » Ma voix était deux octaves au-dessus de la normale. Elle a penché la tête et m'a lancé un regard plein de pitié, qui voulait dire : « Mon garçon, ils vont te dévorer tout cru. »

Jaqua a pris une gorgée de chocolat chaud, a essuyé la crème de ses lèvres et a pris la parole. Il a un peu parlé de l'athlétisme dans l'Oregon et de Bowerman. Il portait un jean sale et une chemise en flanelle froissée. Je n'arrêtais pas de me dire qu'il ressemblait à tout sauf à un avocat.

Jaqua s'est mis à expliquer qu'il n'avait jamais vu Bowerman aussi enthousiaste à propos d'une idée, ce qui était agréable à entendre pour moi. Puis il a jouté : « Mais le coach n'est pas si chaud pour se lancer à 50/50. Il ne veut pas être aux commandes, ni jamais entrer en conflit avec toi. Qu'est-ce que tu penses de l'idée de faire 51/49 ? Tu aurais le contrôle opérationnel. »

Sa façon de parler était celle d'un homme qui faisait de son mieux pour aider et pour que la situation soit gagnante pour tout le monde. J'avais confiance en lui.

J'ai répondu : « Très bien pour moi. C'est tout ?

– Deal ?

– Deal ! »

Nous nous sommes tous serré la main et nous avons signé les papiers. J'étais désormais officiellement l'associé du tout puissant Bowerman. Madame Jaqua m'a demandé si je souhaitais reprendre du chocolat chaud. « Oui, s'il vous plaît, Madame. Et finalement, je veux bien des marshmallows. »

* * *

Un peu plus tard ce jour-là, j'ai écrit à Onitsuka pour leur demander si je pouvais devenir le distributeur exclusif des chaussures Tigers dans l'Ouest des États-Unis. Et je leur ai demandé d'envoyer 300 paires de Tigers dès que possible. À 3,33 dollars la paire, la commande valait 1 000 dollars. Mais même avec les 500 dollars de Bowerman, je n'avais pas assez d'argent. Encore une fois, j'ai voulu mettre mon père à contribution. Mais il a refusé. L'idée que je me lance dans les affaires ne le dérangeait pas, mais il ne voulait pas devoir remettre au pot chaque année. Pour lui, cette histoire de chaussures était une farce. Il m'a dit qu'il ne m'avait pas envoyé à l'Université d'Oregon et à Stanford pour que je vende des chaussures en faisant du porte à porte. Pour lui, c'était « faire l'idiot ».

« Buck, combien de temps penses-tu que tu vas continuer à faire l'idiot avec ces chaussures ?

– Je ne sais pas, Papa » ai-je répondu en haussant les épaules.

J'ai regardé ma mère. Comme à son habitude, elle n'est pas intervenue. Elle s'est contentée de faire un joli sourire vague. C'est d'elle que j'ai hérité ma timidité. Souvent, j'osais espérer avoir également hérité de sa beauté physique.

La première fois que mon père a posé les yeux sur ma mère, il pensait qu'elle était mannequin. Il se promenait dans l'unique grande surface de Roseburg et elle était là, dans une vitrine, à poser dans une robe de soirée. En réalisant qu'elle était bien faite de chair et de sang, il s'est empressé de rentrer chez lui et il a supplié sa sœur de trouver le nom de la superbe fille qui était dans la vitrine. Celle-ci a fini par trouver : elle s'appelait Lota Hatfield.

Huit mois plus tard, son nom était devenu Lota Knight.

À l'époque, mon père était sur le point de devenir un avocat reconnu et d'échapper à la terrible pauvreté qui avait marqué son enfance. Il avait vingt-huit ans. Ma mère, qui venait d'avoir vingt et un ans, avait grandi dans des conditions encore plus difficiles (son père était conducteur de chemin de fer). La pauvreté était l'une des rares choses qu'ils avaient en commun.

Ils étaient par bien des aspects l'exemple typique des contraires qui s'attirent. Ma mère, grande et magnifique, amoureuse de la liberté, était en perpétuelle quête de paix intérieure. Mon père, lui, était petit et portait des grosses lunettes sans montures pour une vue très défaillante. Il était engagé dans une bataille quotidienne toxique pour vaincre son passé et devenir une personne respectable, par le travail et les études. Sorti deuxième de son école de droit, il n'a jamais cessé de se plaindre d'avoir reçu un C, qui avait selon lui souillé son dossier scolaire. (Il disait que le professeur en question l'avait pénalisé en raison de ses opinions politiques.)

Lorsque l'opposition de leurs personnalités était source de problèmes, mes parents se concentraient sur ce qu'ils avaient en commun, c'est-à-dire sur leur foi en la famille. Lorsqu'ils ne parvenaient pas à s'accorder, les journées – et les nuits – pouvaient être difficiles. Mon père se mettait à boire. Ma mère se refermait sur elle-même.

Toutefois, ce qu'elle laissait paraître en surface pouvait être trompeur. Certains déduisaient de son silence qu'elle était douce, et elle leur démontrait souvent de façon étonnante que ce n'était pas le cas. Je pense notamment à la fois où mon père avait décidé de ne pas diminuer sa consommation de sel malgré les avertissements de son médecin au sujet de sa tension. Ma mère avait tout simplement rempli les salières de lait en poudre. Je me remémore également la fois où mes sœurs et moi avions beuglé pour réclamer le déjeuner, bien qu'elle nous eût demandé de la laisser tranquille. Ma mère avait soudainement poussé un cri sauvage et avait lancé un sandwich aux œufs contre le mur. Elle était ensuite sortie de la maison et avait disparu dans le jardin. Je n'oublierai jamais l'image des œufs glissant le long du mur alors que la robe d'été de ma mère disparaissait au loin au milieu des arbres.

Mais peut-être que rien n'est aussi parlant au sujet de la vraie nature de ma mère que les fréquents exercices d'évacuation qu'elle nous faisait faire. Quand elle était petite, elle avait vu une maison de son quartier brûler totalement et une personne périr à l'intérieur. Elle accrochait donc souvent une corde à un pied de mon lit et me faisait descendre en rappel par la fenêtre du deuxième étage. Il lui arrivait même parfois de chronométrer. Je me demande ce qu'ont pu en penser les voisins. Personnellement, j'en avais retenu que la vie est dangereuse et qu'il vaut toujours mieux être préparé.

Et aussi, que ma mère m'aimait.

Quand j'avais douze ans, Les Steers et sa famille ont emménagé dans la rue, à côté de chez Jackie Emory, mon meilleur ami. Un jour, monsieur Steers a organisé un concours de saut en hauteur dans le jardin de Jackie ; et Jackie et moi nous affrontions. Nous étions à égalité à 1,37 mètre et nous n'arrivions pas à faire mieux. Monsieur Steers disait : « Peut-être que tu battras le record du monde un jour. » (Je n'ai appris que plus tard que monsieur Steers avait un temps détenu le record du monde, à 2,11 mètres.)

C'est alors que ma mère est sortie de nulle part. (Elle portait un pantacourt et un chemisier d'été.) Je me suis dit : « Oh, nous allons avoir des ennuis… » Elle nous a regardés, Jackie et moi, puis monsieur Steers et a fini par dire : « Montez la barre ».

Elle a retiré ses chaussures et a facilement passé une barre à 1,50 mètre.

Je ne sais pas si je l'ai aimée autant qu'à ce moment précis.

Sur le moment, je me suis dit qu'elle était cool. J'ai réalisé peu après qu'elle aimait aussi beaucoup la course à pied. Lors de ma deuxième année, une verrue très douloureuse s'est développée sous mon pied. Le podologue recommandait la chirurgie, ce qui revenait à faire une croix sur ma saison. La réponse de ma mère au médecin fut brève : « Inacceptable. » Elle s'est rendue à pied jusqu'à la pharmacie et a acheté un flacon de préparation contre les verrues, qu'elle a appliquée sur mon pied chaque jour. Ensuite, toutes les deux semaines, elle prenait un couteau de cuisine pour décaper la verrue, jusqu'à ce que celle-ci ait totalement disparu. C'est lors de ce printemps que j'ai fait les meilleurs temps de ma vie.

Je n'aurais donc pas dû être trop surpris par la réaction de ma mère lorsque mon père m'a accusé de faire l'idiot. Elle a ouvert son porte-monnaie nonchalamment et en a retiré sept dollars.

« J'aimerais acheter une paire de Limber Up, s'il te plaît » a-t-elle dit, assez fort pour que mon père l'entende.

Était-ce une façon pour ma mère de piquer mon père ? Ou une façon de prouver sa loyauté envers son fils ? Ou tout simplement le signe de son amour pour la course à pied ? Je n'en sais rien. Mais peu importe, car le fait de la voir préparer les repas ou faire la vaisselle dans la cuisine avec une paire de chaussures de running japonaises aux pieds n'a jamais cessé d'être une source de motivation pour moi.

* * *

Probablement parce qu'il ne voulait pas d'ennuis avec ma mère, mon père m'a prêté 1 000 dollars. Cette fois, les chaussures sont arrivées très rapidement.

Avril 1964. J'ai loué un camion et me suis rendu dans le quartier des entrepôts, et les employés de la douane m'ont remis dix énormes cartons. Je me suis dépêché de rentrer à la maison, je les ai descendus au sous-sol pour les ouvrir. Chaque carton comportait trente paires de Tigers, et chaque paire était enveloppée de cellophane. (Les boîtes à chaussures devaient coûter trop cher.)

En l'espace de quelques instants, le sous-sol fut jonché de chaussures. Je les admirais, je les étudiais, je jouais avec elles, je me roulais sur elles. Je les ai ensuite empilées pour libérer le chemin, en les disposant avec soin autour de la chaudière et sous la table de ping-pong, aussi loin que possible de la machine à laver afin que ma mère puisse encore faire la lessive. Et j'ai fini par en essayer une paire. Je courais en rond au sous-sol. Je sautais de joie.

J'ai reçu une lettre de monsieur Miyazaki quelques jours plus tard. Il disait que oui, je pouvais être le distributeur d'Onitsuka dans l'ouest des États-Unis.

C'était exactement ce que je voulais. Au grand désespoir de mon père, et à la grande joie subversive de ma mère, j'ai quitté mon emploi d'expert-comptable et je n'ai rien fait d'autre ce printemps-là que vendre des chaussures stockées dans le coffre de ma Valiant.

Ma stratégie de vente était simple, je la trouvais même plutôt brillante. Après avoir été éconduit par plusieurs magasins d'articles de sport (« Mon garçon, ce monde a besoin de tout sauf d'un nouveau modèle de chaussure de course à pied »), j'ai parcouru en voiture tout le nord-ouest des États-Unis pour assister à tout un tas de meetings d'athlétisme. Entre deux courses, j'allais discuter avec les entraîneurs, les coureurs et les spectateurs, et je leur montrais ma marchandise. La réponse était toujours positive. Je ne disposais pas de suffisamment de temps pour prendre toutes les commandes.

En rentrant à Portland, je me creusais la tête au sujet de mon succès soudain en matière de vente.

J'avais été incapable de vendre des encyclopédies et j'avais même détesté cette expérience. J'avais été un peu meilleur pour vendre des fonds d'investissement mais je m'étais senti mort à l'intérieur. Pourquoi vendre des chaussures était-il si différent pour moi ? J'ai tout simplement réalisé qu'il ne s'agissait pas uniquement de vendre. Je *croyais* en la course à pied. Je croyais que le monde se porterait mieux si les gens sortaient de chez eux et allaient courir quelques kilomètres tous les jours, et je croyais vraiment que ces chaussures étaient meilleures que les autres pour cela. Je devais avoir l'air de croire pur et dur en ce que je disais, et les gens voulaient sans doute s'approprier une partie de cette foi.

Je me suis mis en tête qu'y croire était irrésistible.

Parfois, certains tenaient tellement à se procurer mes chaussures qu'ils m'écrivaient ou me téléphonaient, disant qu'ils avaient entendu parler des nouvelles Tigers et qu'ils voulaient absolument en obtenir une paire, et me demandaient si je pouvais la leur envoyer. C'est ainsi que je me suis lancé dans la vente par correspondance, sans même avoir fait quoi que ce soit pour cela.

Parfois, certains se pointaient à la maison de mes parents. Régulièrement, quelqu'un sonnait le soir, mon père se levait de son siège inclinable et éteignait la télé en grommelant, en se demandant qui pouvait bien oser venir nous déranger à pareille heure. Bien souvent, il trouvait sous le porche un gamin décharné avec des jambes étrangement musclées et le regard fuyant, qui pouvait faire penser à un junkie en manque. « Est-ce que Buck est là ? » Mon père m'appelait alors à travers la cuisine en direction de ma chambre. Je sortais, j'invitais le gamin à entrer et lui demandais de s'asseoir sur le sofa, puis je m'agenouillais devant lui pour mesurer sa pointure. Incrédule, mon père, les mains dans les poches, ne ratait pas une miette de la transaction.

La plupart des gens qui sont passés à la maison avaient entendu parler de moi par le bouche à oreille. Il s'agissait d'amis d'amis. Mais quelques-uns sont venus à moi grâce à ma première tentative de publicité : un prospectus que j'avais réalisé moi-même et que j'avais produit à l'imprimerie du coin. En haut de celui-ci, en gros caractères, était écrit : « Bonne nouvelle si vous aimez les chaussures de course ! Le Japon remet en cause la domination des chaussures européennes ! » Le prospectus expliquait ensuite : « Le faible coût du travail au Japon permet à une jeune entreprise dynamique de proposer ces chaussures au faible prix de 6,95 dollars. » Mon adresse et mon numéro de téléphone étaient écrits tout en bas. J'en ai affiché un peu partout dans Portland.

J'ai envoyé ma première commande le 4 juillet 1964. J'ai écrit à Onitsuka pour commander 900 paires de plus. Cela correspondait à un montant d'environ 3 000 dollars, ce qui aurait épuisé les fonds de mon père et sa patience. À contrecœur, il a malgré tout accepté de rédiger une lettre de garantie, que j'ai apportée à la First National Bank of Oregon. Cette banque a accepté de m'octroyer un prêt sur la base de la réputation de mon père. Uniquement sur cette base. La fameuse respectabilité de mon père avait fini par servir à quelque chose, tout du moins en ce qui me concernait.

J'avais un vénérable associé, une banque digne de ce nom et un produit qui se vendait comme des petits pains. J'étais sur un petit nuage.

En réalité, les chaussures se vendaient si bien que j'ai décidé de recruter un autre vendeur. Peut-être deux. En Californie.

Il me fallait cependant trouver un moyen de me rendre en Californie. Je n'avais pas les moyens d'acheter un billet d'avion et je n'avais pas le temps de faire le trajet en voiture. Alors, un week-end sur deux, je remplissais un sac de sport avec des Tigers, je mettais mon plus bel uniforme de l'armée et je partais pour la base aérienne locale. En voyant mon uniforme, les gardiens de la police militaire me trouvaient une place dans le vol militaire suivant pour San Francisco ou Los Angeles sans poser de question. J'économisais encore plus quand j'allais à Los Angeles car je dormais chez Chuck Cale, un ami de Stanford. Un très bon ami, même. Cale était venu assister à la présentation de mon travail sur les chaussures de running que j'avais faite à Stanford afin de me soutenir moralement.

Durant l'un de ces week-ends à Los Angeles, j'ai assisté à un meeting à l'Occidental College.

Comme pour les autres compétitions, je me postais sur le gazon au milieu de la piste, laissant les chaussures produire leur effet. Tout à coup, un type s'est planté devant moi et m'a tendu la main. Ses yeux pétillaient et son visage était beau. Très beau, en fait, même s'il était également plutôt triste. Malgré le calme de son expression, il y avait quelque chose de quasi tragique dans son regard. Et aussi de vaguement familier.

Il a lâché : « Phil.

– Oui ?

– Jeff Johnson.

Johnson ! Évidemment ! Je l'avais rencontré à Stanford. Jeff avait été un coureur lui aussi, plutôt bon sur l'épreuve du mile et nous avions couru l'un contre l'autre lors de plusieurs manifestations sportives. Nous allions parfois courir ensemble, avec Cale, après les meetings.

– Jeff, qu'est-ce que tu deviens ?

– La fac. Anthropologie.

Son objectif était de devenir assistant social.

– Sérieusement ? ai-je dit en relevant les sourcils.

Johnson ne ressemblait pas aux assistants sociaux typiques. Je n'arrivais pas à l'imaginer conseiller des drogués et chercher des familles d'accueil pour des orphelins. Il ne ressemblait pas non plus à l'anthropologue type. Je ne pouvais pas l'imaginer en train de discuter avec les cannibales en Nouvelle Guinée, ni en train de fouiller des sites Anasazi avec une brosse à dents, à tamiser le crottin de chèvre à la recherche d'éclats de poteries.

Mais Johnson m'a expliqué qu'il ne s'agissait que de ses corvées de la semaine. Il n'y avait que les week-ends où il faisait ce qu'il aimait réellement, à savoir vendre des chaussures.

– C'est pas vrai ! ai-je dit.

– Des Adidas, m'a-t-il répondu.

– Ah, non, pas des Adidas ! Tu devrais travailler pour moi et m'aider à vendre ces nouvelles chaussures de running japonaises.

Je lui ai tendu des Tigers, je lui ai parlé de mon voyage au Japon et de ma rencontre avec Onitsuka. Johnson a plié la chaussure et a examiné la semelle. Il m'a dit qu'il les trouvait pas mal et qu'il était intrigué mais a décliné mon offre.

– Je vais me marier. Pas sûr que ce soit le bon moment pour prendre des risques. »

Je n'ai pas été trop peiné par son refus. Il s'agissait de la première fois depuis des mois que j'entendais le mot « non ».

La vie était belle, magnifique même ! Je voyais même une fille, enfin quand j'en avais le temps. J'étais heureux, peut-être plus heureux que je ne l'avais jamais été, or le bonheur peut se révéler dangereux. Cela endort les sens.

En tout cas, je n'étais pas préparé à recevoir cette lettre épouvantable.

Elle provenait d'un entraîneur de lutte d'un lycée d'une ville de l'Est dont je n'avais jamais entendu parler, un petit bourg sur Long Island qui s'appelait

Valley Stream. J'ai dû la lire deux fois avant de comprendre.

L'entraîneur prétendait revenir du Japon, où il aurait rencontré le top management d'Onitsuka, qui l'aurait désigné comme son distributeur exclusif aux États-Unis. Ayant entendu que je vendais des Tigers, il considérait que je n'étais pas dans mon bon droit et il m'ordonnait – m'ordonnait ! – d'arrêter.

Le cœur battant à cent à l'heure, j'ai appelé mon cousin Doug Houser. Il était diplômé de la Stanford Law School et travaillait désormais dans un cabinet réputé. Je lui ai demandé de se renseigner sur ce monsieur Manhasset, de trouver de quoi il était capable, puis de lui écrire une lettre de réponse. « Une lettre qui dirait quoi ? » m'a demandé Houser. « Que toute tentative d'interférer avec Blue Ribbon expose à des représailles juridiques immédiates. »

Mon « entreprise » n'avait que deux mois et je serais déjà englué dans une bataille juridique ? Me voilà puni d'avoir osé me dire que j'étais heureux.

Je me suis assis et me suis mis à l'écriture d'une lettre frénétique à Onitsuka.

« Chers messieurs, j'ai été très surpris de recevoir une lettre d'un homme, dans l'État de New York, qui prétend… »

J'ai attendu une réponse.

Rien reçu.

Je leur ai écrit une nouvelle fois.

Nani mo.

Rien.

Le cousin Houser a découvert que monsieur Manhasset jouissait d'une petite célébrité. Il avait été mannequin – égérie des publicités Marlboro Man – avant de devenir entraîneur de lutte dans un lycée. Il ne manquait plus que ça, une bataille avec un cow-boy qui incarnait le mythe américain.

Cette histoire m'a plongé dans un état de découragement profond. Je me suis mis à tellement râler, à être de si mauvaise compagnie, que ma petite amie m'a quitté. Je dînais tous les soirs avec ma famille, à triturer le bœuf braisé de ma mère dans mon assiette. Ensuite, je m'asseyais avec mon père dans le coin télé, en regardant l'écran, apathique. Mon père m'a dit : « Buck, tu ressembles à quelqu'un qui a pris un mauvais coup sur la tête. Il faut que tu te ressaisisses. »

Mais je ne pouvais pas m'y résoudre. Je n'arrêtais pas de penser à ma visite chez Onitsuka. La direction de l'entreprise avait fait preuve de tant de *kei* à mon égard. Ils m'avaient salué en inclinant la tête, et j'en avais fait de même. J'avais été franc avec eux, honnête – dans l'ensemble. « Techniquement », je ne possédais pas d' « entreprise » appelée « Blue Ribbon » à l'époque. Mais c'était tout comme. J'en possédais une désormais et elle seule avait propagé des Tigers sur la côte Ouest. Mieux, elle était capable de vendre des Tigers deux fois plus vite si Onitsuka me laissait ma chance. Au lieu de cela, il était question de se passer de mes services ? De m'évincer au profit de Marlboro Man ?

* * *

À la fin de l'été, je n'avais toujours pas reçu de nouvelles d'Onitsuka et j'avais presque renoncé à l'idée de vendre des chaussures. Toutefois, j'ai changé d'avis lors du Labor Day[6]. Je ne pouvais pas abandonner. Pas encore. Mais ça nécessitait que je retourne au Japon. Il fallait instaurer un rapport de force avec Onitsuka.

J'ai fait part de l'idée à mon père. Cette histoire de chaussures ne lui plaisait toujours pas mais il aimait encore moins l'idée que quelqu'un puisse maltraiter son fils. Il a plissé le front et a lâché : « Tu devrais probablement y aller. »

J'en ai également parlé à ma mère. Elle m'a dit : « Laisse tomber le “probablement”. »

C'est elle qui m'a conduit à l'aéroport.

Cinquante ans plus tard, je peux encore nous voir dans cette voiture. Je peux me souvenir de chaque détail. C'était une belle journée ensoleillée, il faisait un peu moins de trente degrés et le temps était plutôt sec. Nous sommes restés silencieux, à regarder le soleil à travers le pare-brise. Ce silence qui s'était installé entre nous était le même que

---

6 Le *Labor Day* est un jour férié aux États-Unis, il a lieu le premier lundi de septembre.

celui qui régnait les nombreuses fois où elle m'avait conduit à mes meetings d'athlétisme. J'étais bien trop occupé à calmer mes nerfs pour parler et elle comprenait cela mieux que personne. Elle respectait les lignes que les gens tracent autour d'eux lorsque ça ne va pas.

Elle a brisé le silence alors que nous approchions de l'aéroport.

« Tu n'as qu'à être toi-même. »

Je regardais par la fenêtre. Être moi-même, vraiment ? Était-ce ma meilleure option ?

« *Apprendre qui nous sommes, c'est oublier le moi.* »

J'ai baissé les yeux. Je ne me reconnaissais pas dans mon nouveau costume gris anthracite, ma petite valise à la main. J'y avais placé un nouveau livre dans la poche latérale : *Comment faire des affaires avec les Japonais*. Dieu seul sait où et comment j'en avais entendu parler. Je grimace encore aujourd'hui en me rappelant ce dernier détail : je portais un chapeau melon noir. Je l'avais acheté spécialement pour ce voyage, avec l'idée que celui-ci donnerait l'impression que j'étais plus vieux. En réalité, j'avais juste l'air dingue. Austère et dingue. Un peu comme si je m'étais échappé d'un asile de fous ou d'un tableau de Magritte.

* * *

J'ai passé l'essentiel du voyage à mémoriser *Comment faire des affaires avec les Japonais*.

Quand mes paupières sont devenues lourdes, j'ai fermé le livre et j'ai regardé par le hublot. J'ai essayé de me parler, de me coacher. Je me suis dit que je devais mettre de côté mon amour-propre et le sentiment d'injustice que j'avais pu ressentir, car l'émotion m'empêcherait de réfléchir clairement. Tomber dans ce registre me serait fatal. Je devais rester détendu.

J'ai repensé à ma carrière de coureur à l'Université d'Oregon. J'avais couru avec et contre des hommes bien meilleurs, bien plus rapides et bien plus doués physiquement que moi. Nombre d'entre eux ont fini par participer aux Jeux olympiques. Pourtant, je m'étais entraîné à oublier cette malheureuse vérité. Les gens font très souvent l'hypothèse que la compétition est toujours une bonne chose, que cela mobilise le meilleur en chacun de nous. Mais cela n'est vrai que lorsque l'on est capable d'oublier la compétition. De l'athlétisme, j'avais appris que l'art de la compétiton, c'était l'art d'oublier ses limites, ses doutes, sa douleur et son passé. C'est exactement ce qui me passait par la tête à ce moment précis. Il faut oublier la petite voix intérieure qui supplie : « Pas un pas de plus ! » Enfin, il faut apprendre à gérer ce qu'il n'est pas possible d'oublier. J'ai repensé à toutes les courses lors desquelles mon corps et mon esprit voulaient deux choses différentes, ces ultimes tours de piste quand le cerveau répond aux muscles : « Vous avez raison, mais continuons quand même… »

Cette capacité à oublier n'est jamais venue naturellement et j'avais peur de ne plus pouvoir la retrouver. Alors que l'avion descendait vers l'aéroport Haneda, je me suis dit que je devais convoquer cette capacité rapidement, sinon je perdrais. Et je ne pouvais pas supporter l'idée de perdre.

Les Jeux olympiques de 1964 étaient sur le point de débuter au Japon, et il m'a donc été relativement facile de trouver un hébergement tout neuf à un prix raisonnable à Kobe. J'ai trouvé une chambre en plein centre, qui avait un restaurant tournant au dernier étage, comme celui situé tout en haut du Space Needle[7] – repenser au Grand Nord-Ouest américain m'a fait du bien. Avant de déballer mes affaires, j'ai téléphoné à Onitsuka et j'ai laissé un message : « Je suis en ville et j'aimerais obtenir un entretien. »

Puis je me suis assis sur le bord du lit et j'ai fixé le téléphone. Celui-ci a fini par sonner.

Une secrétaire pincée m'a informé que mon contact chez Onitsuka, monsieur Miyazaki, ne travaillait plus dans l'entreprise. C'était un mauvais signe. Son remplaçant, monsieur Morimoto, ne souhaitait pas que je me rende au siège de l'entreprise. C'était un très mauvais signe. Elle m'a dit qu'en revanche, monsieur Morimoto accepterait de

---

7 Le Space Needle est une tour futuriste située à Seattle, non loin de l'Oregon natal de Phil Knight.

me rencontrer pour prendre le thé au restaurant tournant de mon hôtel le lendemain matin.

Je me suis couché tôt, et je me suis réveillé plusieurs fois. J'ai rêvé de poursuites en voiture, de prison, de duels – les mêmes rêves qui avaient habité mes nuits la veille de mes compétitions d'athlétisme, de rendez-vous avec les filles, ou d'examens. Je me suis levé à l'aube, j'ai pris un petit-déjeuner composé d'un œuf cru disposé sur du riz chaud, et j'ai fait passer tout ça avec une grande quantité de thé vert. Je me suis ensuite rasé en récitant les passages de *Comment faire des affaires avec les Japonais* que j'avais mémorisés. Je me suis coupé deux fois et je n'ai pu arrêter le saignement qu'avec difficulté. Ma tête devait être un sacré spectacle. Enfin, j'ai enfilé mon costume et je me suis dirigé vers l'ascenseur, plein de doutes. En appuyant sur le bouton du dernier étage, j'ai pu m'apercevoir que ma main était blanche comme un linge.

Morimoto est arrivé à l'heure. Il avait à peu près mon âge, mais il était bien plus mature et bien plus sûr de lui que je ne l'étais. Son costume était froissé, et son visage donnait la même impression. Nous nous sommes assis à une table à côté de la fenêtre. Je me suis immédiatement lancé dans mes explications, avant que le serveur ne vienne prendre notre commande. Et je lui ai dit tout ce que je m'étais promis de ne pas dire. J'ai dit à Morimoto à quel point j'étais perturbé par le fait que le Marlboro Man marche sur mes plates-bandes, que j'avais l'impression d'avoir développé de bonnes relations avec les responsables d'Onitsuka rencontrés l'année précédente, que cette impression avait été confirmée par une lettre de monsieur Miyazaki expliquant que la vente dans les treize États de l'Ouest était sous ma responsabilité et donc que j'avais du mal à comprendre ce traitement. J'en appelais au sens de la justice de Morimoto, à son sens de l'honneur. Cela a eu l'air de le mettre mal à l'aise, alors j'ai respiré un grand coup et j'ai marqué une pause. Je suis passé du registre personnel au registre professionnel. J'ai parlé de mes bons chiffres de vente. J'ai cité le nom de mon associé, l'entraîneur légendaire dont la réputation n'était plus à faire, même de l'autre côté du Pacifique. J'ai mis l'accent sur tout ce que je pourrais faire pour Onitsuka dans le futur, si l'entreprise m'en laissait l'opportunité.

Morimoto a bu une gorgée de thé. Lorsqu'il est devenu clair que j'avais dit tout ce que j'avais à dire, il a posé sa tasse et a regardé par la fenêtre. Nous tournions lentement au-dessus de Kobe. « Je vous recontacte. »

Autre nuit agitée. Je me suis levé plusieurs fois, je me suis mis à la fenêtre et je regardais les bateaux danser sur l'eau dans la baie sombre de Kobe. Je me suis dit que c'était vraiment un bel endroit et qu'il était dommage que toutes les belles choses me soient hors d'accès.

Le monde paraît laid lorsque l'on perd, et j'étais sur le point de perdre pour de bon. J'étais sûr que Morimoto me dirait le matin suivant qu'il était désolé, que cela n'avait rien de personnel, qu'il ne s'agissait que de business, mais qu'ils allaient désormais travailler avec le Marlboro Man uniquement.

À neuf heures du matin, le téléphone à côté de mon lit a sonné. C'était Morimoto : « Monsieur Onitsuka… lui-même… souhaite vous rencontrer. »

J'ai mis mon costume et j'ai pris un taxi en direction du siège d'Onitsuka. Dans la salle de conférence, que je connaissais déjà, Morimoto m'a indiqué une chaise au milieu de la table. En milieu de table, pas en bout de table cette fois. Il n'y avait plus de *kei*. Il s'est assis à côté de moi et petit à petit, les responsables de l'entreprise ont rejoint la salle. Une fois que tous se furent installés, Morimoto m'a regardé et m'a dit : « *Hai.* »

Je me suis lancé dans mon exposé, principalement en répétant ce que j'avais dit à Morimoto la veille. Alors que je déroulais mes arguments, toutes les têtes se sont tournées vers la porte et je me suis arrêté au milieu de ma phrase. L'atmosphère était devenue glaciale. Le fondateur de l'entreprise, monsieur Onitsuka lui-même, venait d'arriver.

Dans son costume italien bleu foncé, avec ses cheveux noirs aussi épais que de la moquette, il inspirait de la peur à tous les hommes présents dans la salle, même s'il n'avait pas vraiment l'air de s'en rendre compte. Il avait beau être très puissant et très riche, monsieur Onitsuka était révérencieux. Il est arrivé de façon hésitante, ne montrant aucun signe qu'il était le boss des boss, le *shogun* des chaussures. Il a lentement fait le tour de la table, établissant un contact visuel avec chacun des responsables. Enfin, il s'est avancé vers moi.

Nous nous sommes salués en inclinant la tête et nous sommes serré la main. Il a ensuite pris place en bout de table et Morimoto a essayé de résumer la raison de ma présence parmi eux. Monsieur Onitsuka a levé la main et l'a interrompu. Il s'est alors lancé dans un long monologue passionné. Il nous a raconté avoir eu une vision quelque temps auparavant, une sorte d'aperçu merveilleux du futur : « Dans ce monde, tout le monde portera des chaussures de sport tout le temps. Je sais que ce jour viendra. » Il s'est arrêté, a regardé chaque personne autour de la table afin de vérifier si sa vision était partagée. Son regard s'est arrêté sur moi. Il a souri, j'en ai fait de même. Il a cligné des yeux deux fois.

« Vous me faites penser à moi quand j'étais jeune a-t-il dit doucement.

Il m'a regardé fixement. Une seconde. Puis deux. Et il a détourné son regard vers Morimoto.

– C'est au sujet des treize États de l'Ouest, c'est bien ça ? lui a-t-il demandé.

– Oui.

– Hummm, hummm…

Onitsuka a plissé les yeux, il a regardé vers le bas. Il semblait être en train de méditer. Puis son regard s'est posé sur moi à nouveau.

– Oui, d'accord, les treize États de l'Ouest sont pour vous. »

Monsieur Onitsuka a précisé que le Marlboro Man pourrait continuer à vendre des chaussures de lutte partout aux États-Unis mais uniquement sur la partie Est en ce qui concerne les chaussures de running. Il a expliqué qu'il écrirait personnellement au Marlboro Man pour l'informer de sa décision.

Il s'est levé. J'en ai fait de même. Puis tout le monde s'est levé. Nous nous sommes tous salués en inclinant la tête et Onitsuka a quitté la salle.

Tous ceux encore présents ont exhalé un soupir. Morimoto a dit : « Donc… c'est décidé. »

Il a ajouté que cette décision était valable un an et que le sujet serait étudié à échéance.

J'ai remercié Morimoto et je lui ai assuré que Onistuka ne regretterait pas de m'avoir fait confiance. J'ai fait le tour de la table pour serrer la main et saluer tout le monde. Quand est venu le tour de Morimoto, j'ai volontairement donné une poignée de main extrêmement vigoureuse. J'ai ensuite suivi un secrétaire dans une salle un peu plus loin, dans laquelle j'ai signé plusieurs contrats. J'ai passé une commande de 3 500 dollars, ce qui était énorme pour moi.

J'ai couru sur le trajet du retour à mon hôtel. Je me suis arrêté en chemin à une balustrade pour admirer la baie. Le souvenir de la beauté de ce paysage est encore parfaitement ancré dans ma mémoire. Je regardais les bateaux voguer et j'ai décidé d'en louer un. Je voulais naviguer sur la mer intérieure de Seto. Une heure plus tard, j'étais sur la proue d'un bateau, les cheveux au vent, naviguant au large. Je me sentais bien.

J'ai pris un train pour Tokyo le lendemain. Je me suis dit que le moment était venu de faire l'ascension au milieu des nuages.

Tous les guides conseillaient de grimper le mont Fuji la nuit. Ils disaient que toute ascension qui se respecte connaissait son apogée par la vue du lever du soleil depuis le sommet. Je suis donc arrivé au pied de la montagne à la tombée de la nuit.

La journée avait été humide, mais l'air se faisait de plus en plus frais et j'ai vite regretté ma décision de faire l'ascension uniquement vêtu d'un bermuda, d'un T-shirt et de Tigers. J'ai eu la chance de croiser un homme qui descendait de la montagne avec un ciré. Je l'ai arrêté et je lui en ai proposé trois dollars. Il m'a regardé, a regardé son manteau puis a fait oui de la tête.

Je rencontrais un certain succès lors de mes négociations au Japon !

La nuit tombant, des centaines d'autochtones et de touristes sont apparus sur le sentier du sommet. J'ai remarqué que tous transportaient de longs bâtons de bois sur lesquels étaient attachées des petites clochettes. J'ai fait la connaissance d'un couple de Britanniques un peu plus âgés et je leur ai demandé à quoi servaient ces bâtons.

« Ils éloignent les mauvais esprits, a répondu la dame.

– Il y a des mauvais esprits sur cette montagne ? ai-je alors demandé.

– Il paraît. »

Donc j'ai acheté un bâton moi aussi.

Ensuite, j'ai remarqué que des gens achetaient des chaussures en paille sur le bord de la route. La dame britannique m'a expliqué que le volcan était encore actif et que les cendres volcaniques et la suie abîmaient les chaussures. C'est la raison pour laquelle les grimpeurs portaient des sandales en paille jetables.

J'ai donc acheté des sandales.

Mon portefeuille était un peu moins bien garni, mais j'étais bien mieux équipé.

Selon mon guide, il y avait beaucoup de chemins permettant de descendre le mont Fuji mais il n'y en avait qu'un seul pour le monter. Je me suis dit qu'on pouvait tirer une belle leçon de vie de tout cela. Les panneaux sur le chemin de la montée, écrits dans de nombreuses langues, disaient qu'il y avait neuf stations avant le sommet, et qu'il était possible de se restaurer et de se reposer dans chacune d'elles. Pourtant, je suis passé plusieurs fois devant la station numéro trois en l'espace de deux heures. Je me suis demandé si les Japonais comptaient différemment et, dans ce cas, si par treize États de l'ouest, les responsables d'Onitsuka n'en entendaient pas juste trois.

Je me suis arrêté à la station sept, où j'ai pris une bière japonaise et des *noodles*. Au cours de mon repas, je me suis mis à discuter avec un autre couple. Ils étaient américains, plus jeunes que moi – des étudiants, sans doute. Lui était habillé de façon BCBG mais son apparence générale était plutôt ridicule. Il portait un pantalon de golf, un polo de tennis et une ceinture en tissu – toutes ces couleurs faisaient penser à un œuf de Pâques. Elle était une pure beatnik. Elle portait des jean's déchirés et un T-shirt délavé ; et elle était coiffée en pétard.

Tous les deux étaient en nage à cause de l'ascension et ont remarqué que ce n'était pas mon cas. J'ai haussé les épaules et je leur ai dit que j'avais fait de l'athlétisme à l'Université d'Oregon. « Coureur de demi-mile. » Le jeune homme m'a fusillé du regard. Sa petite amie, elle, a lâché un « Wow » d'admiration. Nous avons fini nos bières et repris l'ascension ensemble.

Elle s'appelait Sarah. Elle était du Maryland, « le pays du cheval » m'a-t-elle dit. « Un pays riche », ai-je pensé. Elle avait passé son enfance à pratiquer le saut d'obstacles et elle passait encore beaucoup de temps dans les écuries et les hippodromes. Elle parlait de ses poneys et chevaux préférés comme s'il s'agissait de ses amis les plus proches.

Je lui ai demandé ce que faisait sa famille.

« Papa possède une entreprise qui fabrique des bonbons. »

J'ai ri quand elle m'a donné le nom de l'entreprise car j'avais déjà mangé des tonnes de leurs bonbons, parfois juste avant une course. Elle m'a expliqué que l'entreprise en question avait été fondée par son grand-père, avant de m'assurer avec empressement qu'elle n'était aucunement intéressée par l'argent.

J'ai aperçu son petit ami me fusiller du regard à nouveau.

Elle étudiait la philosophie au Connecticut College, « Pas une grande école » s'est-elle excusée. Elle voulait initialement aller au Smith College, où sa sœur était en quatrième année, mais son dossier n'avait pas été accepté.

« On dirait que tu n'as toujours pas encaissé ce rejet, lui ai-je dit.

– Loin de là.

– Le rejet n'est jamais évident.

– Tu l'as dit ! »

Sa voix était très particulièrc. Elle prononçait certains mots d'une façon étrange et je n'arrivais pas à savoir si elle avait un accent du Maryland ou si elle avait un problème d'élocution. Quoi qu'il en fût, c'était craquant.

Elle m'a demandé ce qui m'amenait au Japon. Je lui ai expliqué que j'avais fait le voyage afin de sauver mon entreprise de chaussures. Surprise, elle a lâché : « Ton "entreprise" ? » Il était clair qu'elle devait penser aux hommes de sa famille, des créateurs d'entreprises, des capitaines d'industrie. Des entrepreneurs.

« Oui, mon "entreprise".

– Et as-tu réussi… à la sauver ?

– Oui.

– Au pays, tous les garçons vont dans les écoles de commerce et veulent devenir banquiers. Tout le monde fait la même chose – c'est tellement ennuyant.

– L'ennui me fait peur, ai-je répondu.

– Ah, ça, c'est parce que tu es un rebelle ! »

Je me suis arrêté et j'ai planté mon bâton de marche dans le sol.

Moi, un rebelle ? Je suis devenu tout rouge.

Le chemin est devenu de plus en plus étroit au fil de l'ascension. J'ai raconté que cela me rappelait un parcours que j'avais effectué dans l'Himalaya. Sarah et son petit ami étaient interloqués. Elle était maintenant vraiment impressionnée et lui, exaspéré. Alors que nous pouvions discerner le sommet de plus en plus distinctement, la montée devenait périlleuse et insidieuse. Elle a saisi ma main. Sans se retourner, le petit ami nous a crié : « Les Japonais ont un dicton : "Celui qui gravit le mont Fuji une fois est un sage, celui qui le fait deux fois est un fou." »

Personne n'a ri. Ce n'était pas l'envie qui me manquait, mais cela aurait été à cause de son accoutrement d'œuf de Pâques. Tout en haut, nous sommes tombés sur une porte *torii*. Nous nous sommes assis à côté et nous avons patienté.

L'air était étrange. Ni trop sombre, ni trop clair. Enfin, le soleil a franchi l'horizon. J'ai indiqué à Sarah et à son petit ami que les Japonais placent des portes *torii* à l'endroit de frontières sacrées, qu'il s'agissait de portails entre le monde physique et le monde spirituel. Je leur ai dit : « On trouve une porte *torii* partout où l'on quitte le profane pour rejoindre le sacré. » Cette idée plaisait à Sarah. Je lui ai dit que les maîtres zen croyaient que les montagnes « coulaient » mais que nous ne pouvions pas toujours percevoir cela avec nos sens limités. À ce moment précis, nous avons eu l'impression que le mont Fuji coulait, comme si nous surfions sur une vague à travers le monde.

Contrairement à la montée, la descente ne nous a demandé aucun effort et a été très rapide.

Tout en bas, j'ai dit au revoir à Sarah et à l'œuf de Pâques.

« *Yoroshiku ne*. Ravi de vous avoir rencontrés.

– Où vas-tu ? a demandé Sarah.

– Je pense que je vais rester au Hakone Inn ce soir.

– Eh bien, je viens avec toi. »

J'ai fait un pas en arrière. J'ai regardé son petit ami. Il me lançait un regard noir. Ce n'est qu'à ce moment-là que j'ai compris qu'il n'était pas son petit ami. Joyeuses Pâques !

Nous avons passé deux jours à l'hôtel, à rire et à discuter, bref à commencer quelque chose. Nous voulions que ça ne se termine jamais mais cela finit par arriver. Je devais retourner à Tokyo pour prendre mon avion de retour, et Sarah tenait à continuer son voyage et visiter le reste du Japon. Nous n'avons pas élaboré de plans pour nous revoir. Elle avait l'esprit libre et ne croyait pas aux plans. Elle m'a dit « Au revoir ». Je lui ai répondu « *Hajimemashite* » et lui ai dit qu'il avait été charmant de la rencontrer. Quelques heures avant que mon avion décolle, je me suis arrêté au bureau American Express. Je savais qu'elle devrait s'y arrêter à un moment pour recevoir de l'argent de sa famille. Je lui ai laissé un mot : « Il faut que tu prennes un avion pour Portland pour venir voir la côte Est… Pourquoi ne pas t'arrêter pour me rendre visite ? »

Lors de ma première soirée à la maison, au dîner, j'ai raconté la bonne nouvelle à ma famille, à savoir que j'avais rencontré une fille. Puis je les ai tenus au courant des autres bonnes nouvelles, et en particulier du fait que j'avais sauvé mon entreprise. J'ai regardé mes sœurs jumelles avec insistance. Elles passaient la moitié de la journée accroupies à côté du téléphone, prêtes à bondir sur lui à la première sonnerie. Je leur ai dit : « Elle s'appelle Sarah. Si elle appelle, s'il-vous-plaît, soyez gentilles… »

* * *

Quelques semaines plus tard, alors que je revenais de mon footing, je l'ai trouvée dans le salon, assise à côté de ma mère et de mes sœurs. « Surprise ! »

Elle avait bien reçu mon mot et avait décidé d'accepter ma proposition. Elle avait téléphoné depuis l'aéroport et ma sœur Joanne avait répondu. Cette dernière avait tout de suite pris la voiture jusqu'à l'aéroport pour aller chercher Sarah.

Je riais comme un fou. Nous nous sommes étreints devant ma mère et mes sœurs, embarrassés. Je lui ai dit : « Allons marcher un peu. »

Je lui ai trouvé une veste et nous avons marché sous une pluie fine en direction d'un bois des alentours. Apercevant le mont Hood de loin, Sarah a admis que celui-ci ressemblait furieusement au mont Fuji. Cela nous a rappelé notre périple.

Je lui ai demandé où elle logeait. « Idiot », m'a-t-elle répondu. Ainsi, elle s'invitait dans mon espace pour la deuxième fois.

Elle est restée deux semaines dans la chambre d'amis de mes parents, comme si elle faisait partie de la famille, ce qui devenait une hypothèse de plus en plus probable pour moi. Je ne revenais pas de la facilité avec laquelle elle avait charmé les Knight, pourtant difficiles. Mes sœurs protectrices, ma mère timide et mon père autoritaire ne collaient a priori pas avec elle. Surtout mon père. Pourtant, on aurait dit qu'elle avait décoincé quelque chose chez lui lorsqu'elle lui a serré la main. Elle avait un degré de confiance en elle que l'on ne croise qu'une fois ou deux dans sa vie – qui provenait peut-être du fait d'avoir grandi dans une famille qui avait réussi dans les affaires.

C'est certainement la seule personne que j'aie rencontrée de ma vie qui était capable de caser Babe Paley[8] et Herman Hesse dans la même conversation. Elle admirait les deux. Mais surtout Hesse. Elle parlait d'écrire un livre sur lui un jour. Un soir, au dîner, alors que les Knight mâchaient leur bœuf braisé, elle a lancé : « Comme le dit Hesse, "Le bonheur, c'est comment, et non quoi." » Mon père a réagi en disant : « Très intéressant. »

J'ai emmené Sarah au siège mondial de Blue Ribbon, c'est-à-dire au sous-sol, et je lui ai expliqué comment tout fonctionnait. Je lui ai offert une paire de Limber Up. Elle les portait le jour où nous avons pris la voiture pour aller sur la côte. Nous sommes allés grimper sur la montagne Humbug, attraper des crabes sur les bords escarpés du littoral et cueillir des baies dans les bois.

Je me suis senti perdu quand a sonné l'heure de son retour dans le Maryland. Je lui ai écrit tous les deux jours. Il s'agissait de mes toutes premières lettres d'amour. « Chère Sarah, je pense à quand j'étais assis à côté de la porte torii avec toi… » Elle répondait toujours tout de suite, en exprimant toujours des sentiments amoureux impérissables.

Sarah est revenue à Noël 1964. Cette fois, c'est moi qui suis allé la chercher à l'aéroport. Sur le chemin de la maison, elle m'a confié qu'un différend l'avait opposé à ses parents avant qu'elle ne

8 Babe Paley était une icône de la mode.

prenne l'avion. Ils lui avaient interdit de venir car ils n'approuvaient pas sa relation avec moi. Elle m'a dit : « Mon père a crié. »

Elle a imité sa voix : « Tu ne peux pas fréquenter un type qui n'arrivera jamais à rien, rencontré sur le mont Fuji. »

Mon visage s'est décomposé. J'ai compris qu'il y avait deux éléments négatifs à mon égard dans la phrase de son père mais j'étais surpris que le fait d'avoir grimpé le mont Fuji puisse jouer contre moi. Quel était le problème ?

« Comment t'en es-tu sortie ? lui ai-je alors demandé.

– C'est grâce à mon frère. Il m'a exfiltrée de la maison tôt ce matin et m'a conduite à l'aéroport. »

Je me suis demandé si elle m'aimait vraiment ou si elle ne voyait dans cette situation qu'un moyen de se rebeller.

En journée, lorsque j'étais trop occupé à m'occuper de Blue Ribbon, Sarah sortait se promener en compagnie de ma mère. La nuit, elle et moi sortions en ville pour dîner et boire des verres. Le week-end, nous allions skier sur le mont Hood. Quand est venu pour elle le temps de rentrer, je me suis à nouveau senti perdu.

« Chère Sarah, tu me manques, je t'aime. »

Elle m'a répondu en me disant que je lui manquais et qu'elle m'aimait, elle aussi.

Puis, avec les pluies d'hiver, ses lettres se sont rafraîchies. Elles étaient moins démonstratives.

Je me suis demandé si c'était bien le cas ou si ce n'était pas juste mon imagination. Je voulais savoir ce qu'il en était et je lui ai donc téléphoné. Il ne s'agissait pas de mon imagination. Elle m'a dit qu'elle y avait beaucoup réfléchi et qu'elle n'était pas sûre que nous soyons faits l'un pour l'autre. Elle n'était pas sûre que je sois suffisamment raffiné pour elle. « Raffiné », c'est bien le mot qu'elle a employé. Elle a raccroché avant que je ne puisse protester ou essayer d'arranger les choses.

J'ai pris une feuille de papier et je lui ai écrit une longue lettre, la suppliant de reconsidérer la question. Elle a répondu tout de suite. Cela s'est soldé par un échec.

La nouvelle livraison de chaussures est arrivée. Mais je n'arrivais pas à m'y mettre. Je suis resté dans un profond état d'abattement pendant plusieurs semaines. Je me suis caché au sous-sol et dans ma chambre, je restais allongé sur mon lit, à regarder mes rubans bleus.

Dans ma famille, tous avaient compris sans même que je ne les informe explicitement. Ils ne m'ont pas demandé de détails. Ils n'en voulaient pas.

Sauf ma sœur Jeanne : un jour, alors que je n'étais pas à la maison, elle s'est introduite dans ma chambre et a trouvé les lettres de Sarah dans mon bureau. Lorsque je suis rentré à la maison, Jeanne m'a rejoint au sous-sol. Elle s'est assise à côté de moi sur le sol et elle m'a avoué avoir lu les lettres attentivement, toutes les lettres jusqu'à la dernière, dans laquelle Sarah rompait avec moi. J'ai détourné le regard. Jeanne a dit : « Tu seras mieux sans elle. »

Mes yeux sont devenus humides. Je l'ai remerciée. Ne sachant quoi dire, j'ai demandé à Jeanne si cela lui dirait de travailler pour Blue Ribbon à temps partiel. J'avais pris du retard et je me disais qu'un peu d'aide ne me ferait pas de mal.

« Puisque tu es si intéressée par le courrier, peut-être que tu aimerais faire un peu de secrétariat pour moi. Un dollar et demi de l'heure ? » Elle a gloussé. Et ma sœur est devenue la toute première employée de Blue Ribbon.

1965

J’ai reçu une lettre de mon camarade de promo Jeff Johnson en début d’année. Après notre rencontre fortuite, je lui avais envoyé une paire de Tigers et il m’écrivait pour me raconter qu’il les avait essayées, était allé courir avec et qu’il les aimait vraiment beaucoup. Il écrivait également que des gens l’arrêtaient sans cesse pour lui demander où ils pouvaient acheter une paire.

Johnson m’annonçait aussi qu’il s’était marié et que sa femme attendait un enfant. En conséquence, il cherchait une façon de mettre du beurre dans les épinards et il lui semblait que les Tigers avaient plus de potentiel que les Adidas. Je lui ai répondu et je lui ai proposé un poste de « vendeur à commission ». Je lui verserais 1,75 dollar pour chaque paire de chaussures de running vendue et 2 dollars pour chaque paire de pointes. Je venais juste de commencer à monter une équipe de vendeurs à temps partiel et cela correspondait aux rémunérations que je leur proposais.

Il a accepté sans tarder mon offre.

Les lettres ont été de plus en plus nombreuses. Plus longues, aussi. De deux pages au début, elles sont passées à quatre, puis à huit. Une lettre par semaine au début mais la fréquence a augmenté encore et encore, pour devenir quasiment quotidienne. Dans la boîte aux lettres, toutes les enveloppes avaient la même adresse de retour : P.O. Box 492, Seal Beach CA 90740. Je me suis demandé pourquoi j'avais recruté ce type.

Bien sûr, j'aimais son énergie. Et il était difficile de ne pas apprécier son enthousiasme. Mais je commençais à craindre qu'il ait trop de l'un et de l'autre.

À la vingtième ou vingt-cinquième lettre, j'ai commencé à me demander s'il n'était pas sérieusement dérangé. Sera-t-il un jour à court de choses à me raconter ou à me demander en urgence ?

Johnson m'écrivait dès qu'une idée lui passait par la tête. Pour m'informer de combien il avait vendu de Tigers dans la semaine, ou même dans la journée. Pour me dire qui portait des Tigers aux meetings d'athlétisme et à quelle place les personnes en question avaient terminé. Pour me dire qu'il voulait étendre son territoire de vente au-delà de la Californie, et qu'il ciblait l'Arizona, voire le Nouveau Mexique. Pour suggérer d'ouvrir un magasin à Los Angeles. Pour me dire qu'il envisageait de disposer des encarts publicitaires dans les magazines de running et pour me demander ce que j'en pensais. Puis pour m'avertir que les retours étaient bons. Pour me demander pourquoi je n'avais pas répondu à ses lettres précédentes. Pour quémander des encouragements. Pour se plaindre parce que je n'avais pas répondu à ses demandes d'encouragements.

Je me suis toujours considéré comme un correspondant consciencieux (j'avais écrit un nombre incalculable de lettres et de cartes postales pendant mon voyage autour du monde. J'avais écrit à Sarah très régulièrement). Et j'ai toujours eu l'intention de répondre aux lettres de Johnson. Mais une nouvelle lettre arrivait avant que j'aie le temps de répondre à la précédente. Quelque chose dans sa demande d'attention démesurée m'a fait passer l'envie de l'encourager. À de nombreuses reprises, je me suis assis la nuit devant ma machine à écrire Royal au sous-sol, j'ai commencé à taper « Cher Jeff » et je me suis retrouvé bloqué. Je ne savais pas par où commencer, à laquelle de ces cinquante questions je devais répondre en premier donc je me levais et m'attelais à d'autres choses. Le lendemain, une nouvelle lettre de Johnson m'attendait. Voire deux. J'avais même parfois trois lettres de retard.

J'ai demandé à Jeanne de s'occuper du dossier Johnson. Elle a accepté, mais elle a jeté l'éponge au bout d'un mois : « Tu ne me paies pas assez » a-t-elle justifié.

Au bout d'un certain temps, j'ai cessé de lire les lettres de Johnson avec attention. En les lisant en diagonale, j'ai appris qu'il ne vendait les Tigers qu'en supplément de son emploi d'assistant social dans le comté de Los Angeles, sur son temps libre et les week-ends. Je n'y comprenais rien. Je n'avais pas l'impression qu'il était très intéressé par les gens. En fait, il m'avait toujours paru un peu misanthrope, et c'était l'une des choses que j'aimais chez lui.

En avril 1965, il m'a écrit pour m'informer qu'il avait quitté son emploi d'assistant social, en précisant qu'il avait toujours détesté ce travail. La goutte d'eau qui avait fait déborder le vase fut son histoire avec une femme désespérée de San Fernando Valley. On lui avait demandé d'aller lui rendre visite car elle avait menacé de se suicider. Avant d'y aller, il lui avait téléphoné pour lui demander « si elle allait vraiment se suicider ce jour-là » car il ne comptait pas gaspiller son temps et son essence si ce n'était pas le cas. La femme et les supérieurs de Johnson n'avaient pas du tout apprécié sa façon de faire. Pour eux, cela donnait l'impression que Johnson ne prenait pas la situation sérieusement. C'était la stricte vérité : il n'en avait rien à faire. Comme il me l'expliquait dans sa lettre, c'est à ce moment qu'il a compris sa destinée, que le travail social n'était pas fait pour lui et qu'il n'était pas sur terre pour aider les gens à résoudre leurs problèmes. Il préférait s'occuper de leurs chaussures.

Au plus profond de son cœur, Johnson croyait que les coureurs étaient des élus de Dieu et que le running, s'il était pratiqué comme il se doit, dans l'esprit et dans la forme, était un exercice mystique n'ayant rien à envier à la méditation et à la prière. Il sentait que son devoir était d'aider les coureurs à atteindre leur nirvana. Moi qui avais passé une bonne partie de ma vie parmi les coureurs, je n'avais jamais rencontré auparavant un romantisme ainsi poussé à l'extrême. Même le pape de la course à pied, Bowerman, n'était pas aussi pieux dans son rapport au sport que l'emploi à temps partiel n° 2 de Blue Ribbon.

En réalité, en 1965, la course à pied n'était même pas un sport. Ce n'était ni populaire ni impopulaire, car ça n'intéressait personne. Il ne devait y avoir qu'une poignée d'excentriques, ou de maniaques, pour s'infliger des joggings de plusieurs kilomètres, ce que l'on attribuait souvent au besoin de se défouler. Personne ne parlait de la possibilité de courir pour le plaisir, ou faire de l'exercice, sécréter des endorphines ou encore pour vivre mieux et plus longtemps. Les coureurs étaient l'objet de moqueries récurrentes.

Les automobilistes ralentissaient et klaxonnaient. Ils criaient « Achète-toi un cheval ! » et jetaient une bière ou un soda sur le coureur. C'était souvent arrivé à Johnson. Il voulait que tout cela change. Il voulait aider les coureurs opprimés de toute la planète, les mettre sur le devant de la scène et créer une communauté. Peut-être avait-il vraiment l'âme d'un assistant social au final. Mais il semblait vouloir réserver ses actions au cercle des coureurs.

Par-dessus tout, Johnson voulait gagner sa vie à se battre pour cette cause, ce qui était quasiment impossible à l'époque. Mais il pensait qu'il y avait un moyen d'y parvenir grâce à Blue Ribbon et moi.

J'ai fait tout ce que j'ai pu pour décourager Johnson. Dans mon intérêt et dans celui de l'entreprise, j'ai essayé de refroidir son enthousiasme dès que j'en ai eu l'occasion. En plus de ne pas répondre à ses lettres, je ne l'appelais jamais, je ne lui rendais jamais visite et je ne l'ai pas non plus invité à venir me voir dans l'Oregon. Je n'ai jamais manqué une opportunité de lui dire la vérité sans fard. Dans l'une de mes rares réponses à ses lettres, je lui ai expliqué : « Bien que la croissance de l'entreprise ait été satisfaisante, je dois 11 000 dollars à la First National Bank of Oregon… Les flux de trésorerie sont négatifs. »

Sa réponse fut immédiate. Il me demandait s'il pouvait travailler pour moi à temps plein. « Je veux être à fond pour les Tigers. Cela ne m'empêchera pas de faire d'autres choses, comme courir ou aller en cours. » J'ai secoué la tête. Je lui disais que Blue Ribbon était en train de couler comme le Titanic et il me répondait qu'il voulait une couchette en première classe.

Je me suis dit : « Peine partagée est divisée. »

À la fin de l'été 1965, je lui ai donc écrit pour accepter son offre, ce qui a fait de lui le premier employé à temps plein de Blue Ribbon. Nous avons négocié son salaire dans nos échanges épistolaires.

Il gagnait 460 dollars par mois en tant qu'assistant social mais il disait pouvoir vivre avec 400. J'ai accepté, un peu à contrecœur. La somme paraissait exorbitante pour l'entreprise mais Johnson était si dispersé et inconstant et Blue Ribbon si fragile que je me suis dit que, d'une façon ou d'une autre, l'aventure serait temporaire.

Comme toujours, le comptable en moi identifiait le risque et l'entrepreneur la possibilité. Mais j'ai préféré continuer à aller de l'avant.

J'ai complètement cessé de penser à Johnson ensuite. J'avais des problèmes plus sérieux. Mon banquier me causait des soucis. Alors que les ventes s'étaient élevées à 8 000 dollars sur la première année, je m'attendais à ce qu'elles atteignent 16 000 la deuxième. Mais mon banquier trouvait cette tendance très inquiétante.

« Vous trouvez qu'une augmentation des ventes de 100 % est inquiétante ?

– Votre taux de croissance est trop rapide par rapport à vos capitaux propres.

– Comment peut-on considérer qu'une petite entreprise croît trop rapidement ? Si une petite entreprise croît rapidement, cela conduit à développer ses capitaux propres.

– Le principe est le même quelle que soit la taille de l'entreprise : la croissance du chiffre d'affaires sans croissance des fonds propres est dangereuse.

– La vie, c'est la croissance. Le business, c'est la croissance. On croît ou on meurt.

– Ce n'est pas comme cela que nous voyons les choses.

– C'est comme si on disait d'un participant à une course qu'il court trop vite.

– Vous mélangez les choux et les carottes. »

J'avais envie lui dire que c'est sa tête qui était pleine de choux et de carottes.

C'était un cas d'école pour moi. Pour une entreprise, des ventes en hausse, de la rentabilité et un potentiel infini d'expansion étaient synonymes de bonne santé. Mais, à l'époque, les banques commerciales étaient très différentes des banques d'investissement. Elles ne se focalisaient que sur le solde de trésorerie et souhaitaient que celui-ci ne soit absolument jamais négatif.

Inlassablement, j'ai essayé d'expliquer poliment le business de la chaussure à mon banquier. J'ai essayé de lui faire comprendre que je ne pourrais pas convaincre Onitsuka que j'étais l'homme de la situation si mon entreprise était dans l'incapacité de grandir. Je lui ai dit que dans ce cas, il trouverait un Marlboro Man pour prendre ma place. Sans parler de la lutte avec Adidas, qui était le concurrent le plus sérieux.

La position de mon banquier ne changeait pas d'un poil. Contrairement à Athéna, il n'admirait pas les yeux de la persuasion. Il répétait : « Monsieur Knight, vous devez ralentir. Vous n'avez pas assez de capitaux propres pour ce genre de croissance. »

Des capitaux propres : je me suis mis à détester ces mots. Mon banquier ne parlait que de cela, à tel point que je n'arrivais plus à avoir autre chose en tête. Je pensais aux capitaux propres quand je me brossais les dents le matin ou même la nuit, la tête enfoncée dans mon oreiller. J'ai atteint le point où je refusais de dire « capitaux propres » à haute voix, parce que ce n'étaient pas des mots de la vraie vie et qu'il s'agissait pour moi d'un jargon bureaucratique, un euphémisme pour parler d'argent liquide. Je n'en avais pas. C'était un choix délibéré. Je remettais dans l'entreprise chaque dollar qui ne servait pas à rembourser le prêt. Était-ce trop imprudent ?

Ne pas utiliser les liquidités disponibles n'avait pour moi aucun sens. Cela aurait été sans doute une stratégie plus prudente et conservatrice mais trop d'entrepreneurs prudents et conservateurs avaient échoué. Je voulais garder le pied sur l'accélérateur.

Mais je me taisais lors de mes entrevues avec mon banquier. J'acquiesçais à chacune de ses demandes. Mais je faisais exactement comme bon me semblait ensuite, passais une nouvelle commande à Onitsuka, d'un montant deux fois supérieur à la précédente, et je me présentais à la banque avec un air innocent pour demander une lettre de crédit pour la couvrir. Mon banquier était systématiquement choqué (« COMBIEN voulez-vous ? ») et je faisais toujours mine d'être choqué par le fait qu'il le soit. « Je pensais que vous vous tiendriez à carreau... » Je me vautrais par terre, je le flattais, je négociais et il finissait toujours par m'accorder le prêt convoité.

Après avoir vendu les chaussures, je remboursais intégralement le prêt et je recommençais immédiatement : je passais une énorme commande à Onitsuka, d'un montant deux fois supérieur à la précédente, puis je me rendais à la banque vêtu de mon plus beau costume et arborant l'air le plus angélique possible.

Mon banquier s'appelait Harry White. Dans la cinquantaine, il avait des airs d'oncle parfait et sa voix faisait penser au son du gravier qu'on aurait mis dans un mixeur. Il ne donnait pas l'impression d'avoir voulu être banquier, et encore moins le mien.

Il n'aurait normalement pas dû s'occuper de mon dossier. Mon premier banquier, Ken Curry, avait tout de suite téléphoné à mon père lorsque celui-ci avait refusé de se porter garant pour moi.

« Entre nous, Bill, si l'entreprise de ton fils faisait défaut, tu le soutiendrais encore financièrement, n'est-ce pas ?

– Bien sûr que non » avait répondu mon père.

Et Curry avait donc décidé de ne pas prendre part à cette guerre intestine père-fils et de passer mon dossier à White.

White avait le titre de manager chez First National, mais c'était trompeur car il n'avait en réalité qu'assez peu de pouvoir. Les responsables remettaient toujours en cause ses décisions. Le plus haut gradé, Bob Wallace, menait la vie dure à White et cela n'était pas sans conséquence sur moi. C'était Wallace qui portait aux nues les capitaux propres et rejetait l'idée de croissance.

Solidement bâti, avec un visage de voyou et mal rasé, Wallace avait dix ans de plus que moi mais se voyait comme le jeune prodige de la finance. Il était déterminé à devenir le prochain président de la banque et considérait tous les crédits un peu risqués comme le principal obstacle pour parvenir à cet objectif. Quelle que soit la personne, quel que soit l'objet, il renâclait à accorder des prêts. Avec mon compte toujours proche de zéro, il me voyait comme une catastrophe imminente. Il suffisait d'une baisse de mes ventes pour que mon activité soit stoppée par Wallace et que le hall de sa banque soit rempli de mes chaussures invendues. Son objectif sacré de devenir le président de la banque partirait en fumée. Comme Sarah au sommet du mont Fuji, Wallace me voyait comme un rebelle mais cela n'était pas un compliment pour lui et finalement, j'en étais arrivé à penser que ce n'en était pas un pour elle non plus.

Évidemment, Wallace ne me disait pas toujours tout cela directement. Il déléguait cette tâche à White, son homme de main. White croyait en moi et en Blue Ribbon, mais il me répétait sans cesse avec une mine déconfite que c'était Wallace qui prenait les décisions et signait les dossiers. White m'avait confié que Wallace n'était pas fan de Phil Knight. Je trouvais cela logique et révélateur, mais aussi porteur d'espoir, que White ait utilisé le mot « fan ». White était grand et mince, laissant deviner qu'il avait été un athlète. Il aimait parler de sport. En revanche, il était facile de voir que Wallace n'avait jamais mis un pied sur un terrain de sport, sauf peut-être pour saisir l'équipement.

Quelle satisfaction cela aurait été de dire à Wallace où il pouvait se fourrer ses capitaux propres, et de le quitter pour aller dans une autre banque. Mais en 1965, c'était impossible. First National Bank était la seule banque de la ville et Wallace le savait pertinemment. L'Oregon était plus petit à l'époque et il n'y avait que deux banques, First National et U.S. Bank. La seconde m'avait déjà tourné le dos et être rejeté de la première aurait signifié la fin de l'aventure pour moi. (Aujourd'hui, on peut vivre dans un État et avoir sa banque dans un autre mais à l'époque, les régulations bancaires étaient beaucoup plus strictes.)

Un jeune entrepreneur ambitieux n'avait que très peu d'endroits où aller. Malheureusement, ces endroits étaient gardés par des cerbères averses au risque et dotés d'une imagination proche du zéro. En d'autres termes, des banquiers. Wallace était la règle, pas l'exception.

Pour rendre les choses encore un peu plus compliquées, les livraisons d'Onitsuka étaient toujours en retard. Cela réduisait le temps que j'avais pour vendre et donc pour rembourser mon prêt. Onitsuka ne me donnait aucune réponse lorsque je me plaignais de ses retards. À plusieurs reprises, je lui ai envoyé un Telex direct, demandant des nouvelles du dernier envoi mais je n'obtenais souvent en retour qu'un message désespérément obtus. *Quelques jours de plus.* C'était comme appeler les urgences et entendre quelqu'un bâiller à l'autre bout du fil.

En raison de tous ces problèmes et de l'avenir incertain de Blue Ribbon, j'ai décidé de trouver un vrai emploi à côté, quelque chose de sûr dans l'hypothèse où cela tournerait mal. Au moment où Johnson se consacrait entièrement à Blue Ribbon, je souhaitais prendre un peu de recul.

J'avais réussi les quatre modules du CPA et j'ai envoyé mes résultats et mon CV à plusieurs entreprises du coin. J'ai passé trois ou quatre entretiens et Price Waterhouse m'a embauché. Que cela me plaise ou non, j'étais désormais officiellement un gratte-papier. Mes déclarations de revenus pour cette année-là ne m'enregistraient pas en tant chef d'entreprise, ni entrepreneur, ni même en tant que travailleur à mon compte mais comme Philip H. Knight, comptable.

Cela ne me posait aucun problème. Pour commencer, j'investissais une grande partie de mon salaire sur le compte en banque de Blue Ribbon, étoffant ainsi les capitaux propres de l'entreprise. Contrairement à Lybrand, le bureau de Price Waterhouse à Portland était de taille moyenne. Il y avait une trentaine de comptables dans l'effectif, contre quatre quand j'étais chez Lybrand, ce qui me convenait bien mieux.

Ma mission me convenait mieux également. Price Waterhouse disposait d'une grande variété de clients, un mélange de start-ups intéressantes et d'entreprises établies, qui vendaient tout ce que l'on peut imaginer – du bois, de l'eau, de l'énergie, de l'alimentation. En auditant ces entreprises, en décortiquant leurs façons de fonctionner, en les comparant les unes aux autres, j'en apprenais beaucoup sur ce qui leur avait permis de survivre ou les avait amenées à la faillite. Beaucoup aussi sur ce qui leur avait permis ou non de vendre, sur les problèmes qu'elles avaient rencontrés, comment elles s'en étaient sorties. Je constatais ce qui faisait réussir ou échouer les entreprises.

À maintes reprises, j'ai pu voir que le manque de capitaux propres était une cause récurrente d'échec.

Les comptables travaillaient généralement par équipe. L'équipe principale était dirigée par Delbert J. Hayes, le meilleur comptable du bureau et de loin son personnage le plus flamboyant. Hayes, qui faisait 1,90 mètre pour 135 kilos et qui portait des costumes en polyester de très mauvaise qualité, était doté d'un grand talent et d'une vive intelligence, mais aussi d'un appétit gargantuesque. Rien ne lui plaisait davantage que de dévorer un sandwich accompagné d'une bouteille de vodka, sauf peut-être étudier des tableaux de chiffres. Il fumait avec autant d'appétence. Qu'il pleuve ou qu'il vente, il avait besoin de nicotine, consommant au moins deux paquets par jour.

J'ai rencontré d'autres comptables agiles avec les chiffres, mais Hayes était né pour jouer avec ces derniers. Il parvenait à discerner de la beauté dans une colonne de chiffres que le commun des mortels aurait trouvée ennuyeuse à mourir. Il regardait les chiffres comme un poète regarderait les nuages ou comme un géologue regarderait les roches. Il aurait pu en extraire une rhapsodie ou des vérités éternelles.

Et des prévisions troublantes : Hayes savait comment triturer les chiffres pour prédire l'avenir.

Jour après jour, j'observais Hayes faire quelque chose que je n'aurais jamais cru possible : il faisait de la comptabilité un art. Cela faisait de lui, et donc de moi et de nous tous, des artistes. C'était une idée merveilleuse, une idée noble.

Intellectuellement, j'ai toujours pensé que les chiffres avaient quelque chose de beau. J'ai compris qu'ils représentaient une sorte de code secret, que derrière chaque ligne de chiffres se cachent des formes de Platon. Les cours de comptabilité que j'avais suivis m'avaient plus ou moins enseigné cela, mais le sport également. La course à pied inculque un grand respect des chiffres, car nous ne sommes ce que les chiffres disent de nous. Ni plus, ni moins. Il pouvait y avoir des raisons au fait que je réalise un mauvais temps – blessure, fatigue, peine de cœur – mais peu importait car c'était de mes chiffres dont tout le monde se souviendrait.

J'ai vécu cette réalité mais Hayes l'artiste m'avait fait prendre plus conscience de tout cela.

Hélas ! Je me suis mis à craindre que Hayes soit le type d'artiste tragique, du genre de ceux qui se sabordent, un Van Gogh. Il sabotait sa carrière en s'habillant mal, se tenant mal, en ayant un mauvais comportement. Il avait également toute une série de phobies – des serpents, des insectes, du vide, des endroits confinés – qui pouvaient être rebutantes pour ses collègues et ses supérieurs.

Mais sa plus grande phobie était les régimes. Price Waterhouse aurait certainement fait de Hayes un associé, malgré ses nombreux vices, s'il n'avait pas été aussi gros. L'entreprise n'était pas prête à accepter un partenaire de 135 kilos. Malheureusement, Hayes mangeait énormément, quelle qu'en fût la raison.

En 1965, il s'est mis à boire autant qu'il mangeait. Mais il refusait de boire seul. En fin de journée, il insistait pour que tous ses subordonnés l'accompagnent.

Il parlait comme il buvait, c'est-à-dire non-stop, et certains des autres comptables se sont mis à l'appeler Oncle Remus. Pas moi. Je ne me suis jamais ennuyé lors des speechs de Hayes. Chacune des histoires qu'il racontait contenait des trésors en matière de connaissances des affaires – pourquoi les entreprises réussissaient, ce que les livres de comptes révélaient vraiment à leur sujet. Ainsi, de nombreuses nuits, j'ai fait la tournée des bars de Portland avec Hayes, en le suivant verre après verre. Le matin, je me réveillais encore plus malade que je ne l'étais dans le hamac de Calcutta, et toute mon autodiscipline n'était pas de trop pour être d'une quelconque utilité chez Price Waterhouse.

Quand je n'étais pas fantassin dans l'armée de Hayes, je continuais à servir dans l'Armée de réserve des États-Unis (un engagement de sept ans). Les mardis soir, de 19 à 22 heures, je devais changer de peau et devenir le premier lieutenant Knight. Mon unité était composée de dockers et nous étions souvent stationnés dans le quartier des entrepôts, à quelques hectomètres de l'endroit où je réceptionnais les livraisons d'Onitsuka. La plupart du temps, mes hommes et moi chargions et déchargions des bateaux et effectuions des opérations de maintenance sur des jeeps ou des camions. Nous faisions aussi très souvent des exercices d'entraînement physique. Des pompes, des tractions, des abdos et de la course. Je me souviens d'avoir dirigé ma compagnie lors d'un footing de cinq kilomètres, afin de transpirer tout l'alcool ingéré avec Hayes : j'avais instauré un rythme très élevé, que j'ai augmenté petit à petit, amenant mes hommes et moi-même jusqu'à la rupture. J'ai surpris un soldat haletant dire à un autre : « J'ai bien écouté le lieutenant Knight mener la cadence. Incroyable, il n'est jamais essoufflé ! » Voilà peut-être mon seul triomphe de 1965.

Dans l'armée de réserve, nous passions certains soirs dans des salles de classe. Les instructeurs nous parlaient de stratégie militaire, ce que je trouvais captivant. Ils commençaient souvent la session en disséquant une bataille célèbre. Mais dérivaient invariablement vers le Vietnam. Le conflit y devenait de plus en plus intense. Les États-Unis étaient tout proches d'une intervention. L'un des instructeurs nous a dit de mettre nos vies privées en ordre, d'embrasser nos femmes et nos petites amies et leur dire adieu, à car nous allions être « dans la merde très bientôt ».

J'avais développé une certaine haine contre cette guerre et pas seulement car j'avais le sentiment qu'elle n'était pas juste. Je trouvais aussi qu'elle était stupide, un véritable gâchis. Je détestais la stupidité et le gâchis. Par-dessus tout, cette guerre, plus que les autres, semblait être menée selon les mêmes principes que ceux de ma banque : ne pas combattre pour gagner mais pour éviter de perdre. Une stratégie perdante à tous les coups.

Mes camarades soldats pensaient la même chose. Faut-il s'étonner que nous allions au pas de course vers le bar le plus proche dès qu'on nous libérait ?

Entre l'Armée de réserve et Hayes, je n'étais pas sûr que mon foie me laisserait voir 1966.

Assez régulièrement, Hayes prenait la route pour aller voir des clients un peu partout dans l'Oregon et j'étais souvent du voyage. De tous les comptables sous ses ordres, je fus sans doute un de ses préférés, tout particulièrement quand il voyageait.

J'aimais bien Hayes, beaucoup même, mais j'ai été stupéfait de découvrir qu'il se laissait complètement aller quand il était en déplacement. Comme pour le reste, il s'attendait à ce que ses équipes suivent son exemple. On ne buvait jamais assez à son goût. Il voulait toujours qu'on le suive à la goutte près. Il comptait les verres aussi attentivement qu'il comptait les débits et les crédits dans les livres de compte. Il disait souvent qu'il croyait en l'esprit d'équipe et qu'il valait donc mieux finir ses verres lorsque l'on faisait partie de la sienne.

Un demi-siècle plus tard, mon estomac se retourne quand je me remémore nos déplacements à Albany dans l'Oregon, dans le cadre de missions pour l'entreprise Wah Chung Exotic Metals. Chaque soir, après avoir trituré les chiffres de l'entreprise, nous nous rendions dans un bar en périphérie de la ville, où nous faisions la fermeture. J'ai également un souvenir vague et brouillé de nos déplacements à Walla Walla, pour visiter l'entreprise Birds Eye, qui étaient ponctués par une série de verres jusqu'au bout de la nuit au City Club. Walla Walla était une « ville sèche »[9], mais les bars contournaient la loi en prenant le nom de « clubs ». La carte de membre au City Club était à un dollar et Hayes en était membre – jusqu'à ce que je me conduise mal et nous fasse mettre dehors. Je ne me rappelle plus de ce que j'ai fait, mais je suis certain que c'était

9 Aux États-Unis, les « villes sèches » ou les « comtés secs » sont des juridictions dont les autorités locales interdisent la vente de boissons alcoolisées.

épouvantable. Je suis tout aussi sûr que j'avais du mal à tenir debout. Mon sang devait être à moitié composé de gin.

Je me souviens vaguement d'avoir vomi par la fenêtre de la voiture de Hayes, de l'avoir entendu me dire calmement et patiemment que je devrais nettoyer. Ce dont je me souviens très clairement, c'est de l'indignation de Hayes envers le City Club, même s'il ne faisait aucun doute que j'étais en tort. Très fâché, il a résilié son abonnement sur le champ. C'est à partir de ce moment, et notamment en raison de cette loyauté déraisonnable et injustifiée envers moi, que je me mis à adorer Hayes. J'admirais cet homme pour sa capacité à analyser les chiffres en profondeur mais j'appréciais aussi le fait qu'il voyait quelque chose de spécial en moi.

Lors d'un de nos déplacements, lors de l'une de nos conversations alcoolisées de fin de soirée, j'ai parlé à Hayes de Blue Ribbon. Il voyait du potentiel dans cette aventure mais il la considérait également comme très incertaine. Il disait que les chiffres ne mentaient pas. « Lancer une nouvelle entreprise avec cette économie ? Et une entreprise de chaussures en plus ? Avec une trésorerie de zéro ? » Il s'est voûté et a hoché sa grosse tête. Puis il a souligné que j'avais un élément en ma faveur : Bowerman. Pour lui, avoir une légende comme associé était un atout inestimable.

Mieux, la valeur de cet atout ne cessait de grimper. Bowerman était allé au Japon pour les

Jeux olympiques de 1964, soutenir les membres de l'équipe de course à pied qu'il avait entraînés. Deux de ses coureurs, Bill Delinger et Harry Jerome, avaient été médaillés. Après les Jeux, Bowerman avait changé de casquette pour devenir ambassadeur de Blue Ribbon. Lui et sa femme, dont le compte en banque avait fourni les cinq cents dollars initiaux que Bowerman m'avait donnés lorsque nous nous étions associés, avaient visité Onitsuka, où ils avaient charmé tout le monde. Ils avaient reçu un accueil royal et eu droit à une visite VIP de l'usine. Morimoto les avait même présentés à monsieur Onitsuka lui-même. Évidemment, les deux vieux lions ont tissé des liens affectifs. Après tout, tous les deux avaient été taillés dans le même bois et avaient été façonnés par la même guerre. Ils abordaient la vie quotidienne comme une bataille. Monsieur Onitsuka avait la ténacité propre au vaincu, ce qui a impressionné Bowerman. Le premier a raconté au deuxième comment il avait fondé son entreprise de chaussures au milieu des ruines du Japon, alors que toutes les grandes villes fumaient encore à cause des bombes américaines. Il avait conçu ses premiers modèles, pour une ligne de chaussures de basketball, en versant de la cire chaude de bougies bouddhistes sur ses propres pieds. Le fait que ses chaussures de basketball n'aient pas rencontré le succès commercial ne l'a pas fait abandonner. Monsieur Onitsuka a simplement décidé de se tourner vers les chaussures de running, ce qui a fonctionné du tonnerre. Comme Bowerman me l'a raconté, tous les coureurs japonais portaient des Tigers lors des Jeux de 1964.

Monsieur Onitsuka a également raconté à Bowerman que l'inspiration pour les semelles uniques des Tigers lui était venue en mangeant des sushis. En baissant le regard sur son plateau en bois et en voyant la partie intérieure d'une tentacule de pieuvre, il s'est dit que des ventouses de ce type pourraient fonctionner sur la semelle de pointes d'un coureur. Cette idée s'est immédiatement gravée dans la tête de Bowerman : l'inspiration peut venir de choses de la vie quotidienne, même de ce que l'on mange.

Revenu dans l'Oregon, Bowerman s'était mis à correspondre avec enthousiasme avec son nouvel ami, monsieur Onitsuka, et avec toute l'équipe de production de l'usine. Il leur envoyait des idées de nouveaux modèles et de modifications de leurs produits. Si tous les hommes sont égaux, Bowerman s'était mis en tête que les pieds des hommes ne l'étaient pas. Pour lui, les Américains avaient un corps différent de celui des Japonais – plus long, plus lourd – et ils avaient donc besoin de chaussures différentes. Après avoir disséqué une douzaine de paires de Tigers, Bowerman a vu comment elles pouvaient être ajustées pour satisfaire les clients américains. Dans ce but, il avait réalisé un certain nombre de croquis et pris des notes, qu'il envoyait directement au Japon.

Malheureusement, Bowerman a fait la découverte, comme moi un peu plus tôt, qu'avoir de très bonnes relations avec Onitsuka au Japon n'était pas une garantie une fois revenu de notre côté du Pacifique. La plupart des lettres de Bowerman restaient sans réponse. Lorsqu'il y en avait une, elle était énigmatique, sèche ou dédaigneuse. Cela m'a fait de la peine de penser que les Japonais étaient en train de traiter Bowerman comme je traitais Johnson.

Mais Bowerman avait un caractère différent du mien. Cela ne l'a pas freiné. Tout comme Johnson, voyant que ses lettres restaient sans réponse, il s'est mis à écrire davantage. En soulignant encore plus de mots, avec encore plus de points d'exclamation.

Il n'a pas non plus cessé ses expérimentations. Il a continué à triturer les Tigers et à utiliser ses coureurs comme rats de laboratoire. Lors de la saison de course de l'automne 1965, Bowerman a mesuré deux types de performances pour chaque course, celles de ses coureurs et celles de leurs chaussures. Il prenait des notes sur comment la cambrure avait résisté, comment les semelles avaient adhéré à la piste et comment les orteils pinçaient le sol. Il envoyait ensuite ses notes et ses résultats au Japon.

Cela a fini par porter ses fruits. Onitsuka a réalisé des prototypes qui se conformaient à la vision de chaussures plus américaines qu'avait eue Bowerman : une semelle intérieure plus légère, davantage de soutien de la voûte plantaire, une cale de talon pour réduire l'impact sur le tendon d'Achille. Ils ont envoyé le prototype à Bowerman, qui en a raffolé mais en a demandé encore plus. Il a ensuite apporté ces chaussures expérimentales à tous ses coureurs, qui s'en sont servi pour écraser leurs compétitions.

La soif du succès était toujours présente dans l'esprit de Bowerman. À cette époque, il essayait également des élixirs pour sportifs, des potions magiques et des poudres pour donner davantage d'énergie à ses coureurs et améliorer leur résistance. Quand j'étais encore dans son équipe, il parlait de l'importance de régénérer le sel et les électrolytes des coureurs. Il nous avait forcés à ingérer une potion qu'il avait inventée, une matière poisseuse ignoble faite de bananes bouillies, de limonade, de thé, de miel et d'autres ingrédients mystère. Désormais, en plus de trafiquer des chaussures, il s'amusait aussi à élaborer des recettes de boissons pour sportifs, très mauvaises mais censées améliorer les performances. Ce n'est que des années plus tard que j'ai compris que Bowerman essayait d'inventer le Gatorade.

Sur son « temps libre », Bowerman aimait aussi trafiquer la piste de Hayward Field. Hayward était un terrain vénérable, qui s'inscrivait dans la tradition de l'athlétisme. Mais Bowerman croyait qu'il fallait dépasser les traditions pour aller plus vite. Quand il pleuvait, ce qui arrivait tout le temps à Eugene, les lignes délimitant les couloirs se transformaient en canaux vénitiens. Bowerman pensait qu'une matière caoutchouteuse prendrait moins de temps à sécher et à nettoyer. Une matière caoutchouteuse serait aussi moins traumatisante pour les pieds des coureurs. Il a donc acheté une bétonneuse, l'a remplie avec des vieux pneus déchiquetés et y a rajouté des produits chimiques, passant des heures à rechercher la bonne consistance et la bonne texture. Plus d'une fois, il s'est senti mal à force d'inhaler les fumées de sa mixture de sorcière. Son perfectionnisme lui a valu plusieurs séquelles durables : migraines ophtalmiques, boitillement prononcé, perte de vision. Une fois encore, il m'a fallu des années pour réaliser ce que Bowerman était en train de faire. Il était tout simplement en train d'inventer le polyuréthane.

Je lui ai demandé une fois comment il arrivait à faire tout cela, les journées n'étant constituées que de vingt-quatre heures. Entraîner, voyager, expérimenter, élever une famille. Il m'a répondu d'un grognement, comme pour dire « ce n'est rien du tout. » Puis il m'a confié, *soto vocce*, qu'il était en train d'écrire un livre, en plus de tout le reste.

« Un livre ? ai-je demandé.

– Sur le jogging » a-t-il répondu d'un ton bourru.

Bowerman se plaignait sans arrêt que les gens faisaient l'erreur de penser que seuls les grands champions étaient des athlètes. Il disait que nous étions tous des athlètes : « À partir du moment où on a un corps, on est un athlète. » Il était maintenant déterminé à diffuser ses idées à un public plus large.

J'ai répondu : « C'est intéressant », mais j'ai pensé que mon vieux coach avait pété un plomb. Qui donc aurait envie de lire un livre sur le jogging ?

1966

Mon contrat avec Onitsuka était sur le point de prendre fin. J'attendais donc le courrier chaque jour avec impatience, dans l'espoir d'une lettre dans laquelle les Japonais m'annonceraient qu'ils souhaitaient le renouveler. Ou pas, d'ailleurs : je serais soulagé de savoir, que le dénouement me soit favorable ou non. Bien sûr, j'espérais aussi une lettre de Sarah dans laquelle elle me dirait qu'elle avait changé d'avis. Et je me préparais aussi à l'éventualité d'un courrier de ma banque m'informant que notre collaboration devait prendre fin. Mais les seules lettres que je recevais provenaient de Johnson. Tout comme Bowerman, cet homme semblait ne pas dormir la nuit. Je ne voyais pas d'autre explication au flot ininterrompu de ses courriers. Beaucoup de ces lettres étaient tout à fait inutiles. Au milieu de bribes d'informations dont je n'avais absolument pas besoin, elles contenaient de longues digressions et quelques blagues décousues.

Il y avait parfois des illustrations faites à la main, des paroles de chanson. Parfois même un poème.

Johnson y rapportait souvent des histoires qui lui étaient arrivées. Le terme « parabole » est sans doute plus approprié. Il racontait comment il avait vendu une paire de Tigers à telle personne, que celle-ci disait être intéressée par davantage de paires, et qu'il avait un plan pour les lui vendre… Il racontait comment il avait harcelé l'entraîneur en chef de tel et tel lycées, et qu'il avait réussi à lui en refourguer une douzaine de paires…

Johnson racontait souvent avec une précision insoutenable la dernière publicité qu'il avait l'intention de placer dans la dernière page de *Long Distance Log* ou *Track & Field News*. Ou alors il décrivait la photo d'une Tiger qu'il avait incluse dans la publicité. Il avait pour cela construit un studio photo de fortune chez lui et il disposait soigneusement les chaussures sur le sofa, en créant un contraste avec un pull noir. En ce qui me concernait, je trouvais que cela s'apparentait à une sorte de fétichisme malsain, mais je ne voyais surtout pas l'intérêt de placer des publicités dans des magazines lus exclusivement par des mordus de running. Cela dit, Johnson semblait prendre du plaisir et il prétendait que cela marchait. Je ne me voyais donc pas l'arrêter.

Ses lettres se terminaient invariablement par des lamentations, soit sarcastiques soit extrêmement sérieuses, au sujet de mon absence de réponse à sa dernière lettre, et à celle qui l'avait précédée, etc. Il y avait toujours un post scriptum, souvent un deuxième post scriptum et parfois une ribambelle de post scriptum. Et un dernier appel aux encouragements. Je ne lui en prodiguais jamais, je n'en avais pas le temps. Et puis ce n'était pas mon genre.

Aujourd'hui, en repensant à cette époque, je me demande si j'étais vraiment moi-même ou si j'essayais d'imiter Bowerman, ou mon père, ou les deux. Essayais-je d'adopter un style de management austère ? Est-ce que je copiais les hommes que j'admirais ? À l'époque, je lisais tout ce que je pouvais trouver sur les généraux, les samouraïs et les shoguns, en plus des biographies de mes trois principaux héros : Churchill, Kennedy et Tolstoï. Je n'avais aucune admiration pour la violence, mais j'étais fasciné par le leadership dans les conditions les plus extrêmes. La guerre est par définition la situation la plus extrême, mais il existe un parallèle avec le milieu des affaires. Un jour, quelqu'un a dit quelque part que les affaires étaient une guerre sans balles. J'avais tendance à être d'accord.

Cela n'avait rien d'original. À travers l'histoire, les hommes ont souvent considéré le guerrier comme un modèle de vertus cardinales et d'élégance (Hemingway lui-même a écrit la majeure partie de *Paris est une fête* devant la statue du maréchal Ney, le commandant préféré de Napoléon). L'une des leçons que j'ai apprises de mon étude des héros de guerre est qu'ils ne parlaient pas beaucoup. Ce n'étaient pas des pipelettes. Ils ne s'impliquaient pas non plus dans la gestion des détails. « *Ne dites jamais aux gens comment faire les choses.*

Dites-leur ce qu'il faut faire et ils vous surprendront par leur ingéniosité. » C'est en partie pour cela que je ne répondais pas à Johnson. Après lui avoir dit ce qu'il fallait faire, j'espérais qu'il me surprendrait.

Peut-être par son silence.

À son crédit, Johnson, qui avait un besoin avide de communication, ne s'est jamais laissé décourager par son absence. Au contraire, cela le motivait. Bien qu'il ait aimé se plaindre (auprès de moi, de ma sœur ou d'amis communs), il se rendait bien compte que mon style managérial lui laissait beaucoup de liberté. Libre d'agir à sa guise, il faisait preuve d'une créativité et d'une énergie sans bornes. Il travaillait sept jours sur sept, à réaliser des ventes et à faire la promotion de Blue Ribbon. Et lorsqu'il n'était pas en train de vendre, il travaillait d'arrache-pied pour construire ses fichiers clients.

Il avait créé une fiche pour chaque nouveau client avec ses informations personnelles, sa pointure et ses préférences en termes de chaussures. Cette base de données permettait à Johnson de garder le contact avec tous ses clients, n'importe quand, et de les faire se sentir spéciaux. Il leur envoyait des cartes de Noël et des messages de félicitations lorsqu'ils avaient terminé une grande course ou un marathon. Les lettres qu'il m'envoyait faisaient toujours partie d'un gros paquet. Il avait des centaines et des centaines de correspondants-clients, qui allaient des lycéens champions d'athlétisme aux joggeurs octogénaires du dimanche. Beaucoup devaient penser comme moi lorsqu'ils recevaient une nouvelle lettre de Johnson : « Où ce type trouve-t-il le temps ? ».

Contrairement à moi, la plupart des clients sont devenus accros aux lettres de Johnson. Beaucoup lui répondaient. Ils lui racontaient leurs vies, leurs problèmes, leurs blessures et Johnson passait un temps considérable à les consoler, les conseiller et à sympathiser avec eux. Ses conseils en matière de blessure étaient très précieux. Dans les années 1960, très peu de gens avaient les connaissances, même basiques, des blessures liées à la course ou au sport en général. Il y avait donc dans les lettres de Johnson des informations qu'il était impossible de trouver ailleurs. Je me suis brièvement inquiété des questions de responsabilité que cela pouvait soulever, puis beaucoup plus sérieusement quand Johnson m'a révélé avoir loué un bus pour tous les emmener chez le médecin.

Quelques clients lui ont donné leur avis sur les Tigers, et Johnson s'est mis à agréger leur feedback, en s'en servant pour proposer des adaptions à nos modèles. Par exemple, un homme s'était plaint du fait que les Tigers n'avaient pas suffisamment d'amorti. Il souhaitait courir le marathon de Boston mais ne pensait pas que les Tigers puissent tenir quarante-deux kilomètres. Johnson avait donc recruté un cordonnier du coin pour greffer aux Tigers des semelles de caoutchouc provenant de tongs. Rien que ça. Les chaussures

Frankenstein avaient une semelle intermédiaire futuriste sur toute la longueur du pied (aujourd'hui, toutes les chaussures d'entraînement des coureurs en disposent). Les semelles bricolées de Johnson avaient tant de répondant et étaient si légères que son client avait réalisé son meilleur temps à Boston. Johnson m'avait transmis les résultats et pressé de les communiquer à Tiger. Bowerman m'avait demandé d'en faire de même avec ses notes quelques semaines auparavant. Je me suis dit : « Mon Dieu ! Un génie à la fois. »

De temps à autre, je rédigeais une note mentale pour demander à Johnson de faire attention à l'inflation du nombre de ses correspondants. Blue Ribbon était supposé se cantonner aux treize États de l'Ouest, et l'employé à temps plein n° 1 qu'il était ne respectait pas scrupuleusement cette règle. Il avait des clients dans trente-sept États, dont la totalité de la côte Est. Ceux-ci constituaient le cœur du territoire de Marlboro Man mais il n'en faisait rien et les incursions de Johnson semblaient sans risque. Mais il fallait éviter de lui donner des idées.

Je n'ai jamais fait part de mes inquiétudes à Johnson. Comme d'habitude, je préférais ne pas lui écrire du tout.

Au début de l'été, j'ai décrété que le sous-sol de chez mes parents n'était plus assez grand pour faire office de siège de Blue Ribbon. Je manquais également d'espace dans ma chambre. J'ai donc loué un studio en centre-ville, dans un gratte-ciel tout neuf. Le loyer était de 200 dollars, ce qui me paraissait plutôt élevé, mais tant pis. J'ai également loué quelques meubles – une table, des chaises, un grand lit, un canapé – et j'ai essayé de donner un peu de style à l'appartement. Ce n'était pas forcément une réussite mais je m'en fichais car mon véritable mobilier, c'était mes chaussures. Mon tout premier appartement était rempli de chaussures du sol jusqu'au plafond. J'ai souri à l'idée de ne pas donner ma nouvelle adresse à Johnson, mais j'ai fini par le faire.

Ma nouvelle boîte aux lettres a commencé à se remplir. Toutes avec la même adresse de retour : P.O. Box 492, Seal Beach, CA 90740.

Je n'ai répondu à aucune d'entre elles.

Mais Johnson a fini par m'écrire deux lettres que je n'ai pu ignorer. Dans la première, il m'a dit que lui aussi était en train de déménager. Sa femme et lui se séparaient. Il avait pour projet de rester à Seal Beach mais de prendre un appartement plus petit.

Quelques jours plus tard, il m'a écrit qu'il avait eu un accident de la route.

C'était arrivé tôt le matin, quelque part au nord de San Bernardino. Il se rendait à une course où il avait l'intention de courir et de, bien sûr, vendre des Tigers. Il s'était assoupi au volant et s'était réveillé quand sa Volkswagen Bug 1956 faisait des tonneaux. Puis il était parvenu à briser la vitre et à s'extraire de l'habitacle. Quand il avait repris ses esprits, il se trouvait allongé sur le dos, avec le pied, la clavicule et le crâne fracturés. Il avait également une fuite du liquide céphalo-rachidien.

Pire, jeune divorcé, il n'avait personne pour s'occuper de lui durant sa convalescence.

Le pauvre avait failli y passer.

Malgré ses mésaventures, Johnson était optimiste. Il m'a assuré dans une série de lettres enthousiastes qu'il honorerait toutes ses obligations. Il arrivait à se traîner hors de son nouvel appartement pour préparer des commandes, envoyer des chaussures et correspondre le plus rapidement possible avec tous ses clients. Un ami lui apportait son courrier et il me disait de ne pas s'inquiéter au sujet de l'adresse P.O. Box 492 : elle était totalement opérationnelle. Pour conclure, il me demandait comment je voyais l'avenir à long terme de Blue Ribbon, car il avait désormais à sa charge des pensions alimentaires et d'innombrables factures de soins. Il voulait savoir comment je voyais le futur.

Je n'ai pas menti… Du moins, pas complètement. Peut-être par pitié, peut-être hanté par l'image de Johnson célibataire, solitaire et plâtré, j'ai adopté un ton résolument optimiste. Je lui ai dit que Blue Ribbon allait probablement évoluer en entreprise généraliste d'articles de sport dans les années à venir et que nous aurions probablement des bureaux sur la côte Ouest et peut-être même au Japon. « Ça peut paraître farfelu mais ça vaut le coup de le tenter. »

La dernière phrase était particulièrement vraie. Cela valait vraiment le coup de viser cet objectif. Si Blue Ribbon faisait faillite, je n'aurais plus d'argent et je serais broyé. Mais dans cette hypothèse, je disposerais d'une certaine sagesse que je pourrais mettre à profit dans une autre entreprise. La sagesse pouvait justifier de prendre des risques. Lancer ma propre entreprise faisait passer les autres risques de la vie – le mariage, Las Vegas, les combats contre des alligators – comme mineurs. Si je devais échouer, alors autant échouer tout de suite pour avoir suffisamment de temps pour profiter des leçons que je pouvais en tirer. Je n'aimais pas beaucoup me fixer des buts, mais celui-là m'a traversé l'esprit tous les jours, à tel point que c'en est devenu une sorte de mantra : « Si tu te plantes, plante-toi vite. »

En conclusion de ma lettre, j'ai dit à Johnson que s'il parvenait à vendre 3 250 paires de Tigers avant la fin juin 1966 – ce qui me paraissait complètement impossible selon mes calculs – je l'autoriserais à ouvrir la boutique au sujet de laquelle il me harcelait. J'ai même laissé un post scriptum à la fin, dont je savais qu'il serait dévoré comme un bonbon par Johnson. Dedans, je lui rappelais qu'il vendait tellement de chaussures, tellement vite, que cela pourrait valoir la peine de rencontrer un fiscaliste, les impôts sur le revenu arrivant à grands pas.

Il m'a remercié de façon sarcastique pour le conseil fiscal. Il m'a dit qu'il ne ferait pas de déclaration d'impôts car « ses revenus totaux étaient de

1 209 dollars et ses dépenses de 1 245 dollars. » Autant dire qu'en plus d'avoir une jambe cassée et le cœur brisé, il était complètement à sec. Sa lettre se terminait par : « Envoie-moi des encouragements, s'il-te-plaît. »

Je ne l'ai pas fait.

Je ne sais pas comment il a fait, mais il a rempli son objectif : fin juin, il avait vendu 3 250 paires de Tigers. Il allait bien mieux et m'a demandé de tenir mes engagements. Peu avant le Labor Day, il a loué un petit local au 3 107 Pico Boulevard, à Santa Monica, et il a ouvert notre tout premier point de vente.

Il voulait faire du magasin la Mecque des coureurs. Il a acheté les chaises les plus confortables qu'il a pu trouver dans ses moyens (dans des vide-greniers, donc) et créé un superbe espace où les coureurs pouvaient venir passer du temps et discuter. Il a construit des étagères et les a remplies de livres que tout coureur qui se respecte devait avoir lus. Il a couvert les murs de photos de coureurs portant des Tigers au pied. Il a constitué un stock de T-shirts sur lesquels était imprimé Tiger qu'il offrait à ses meilleurs clients. Il avait également accroché des Tigers sur un mur peint en noir, mises en valeur par une rangée de spots lumineux. C'était très tendance. Il n'y avait jamais eu de tel sanctuaire des coureurs dans le monde auparavant. Ce n'était pas seulement un endroit où l'on vendait des chaussures, c'était un endroit où l'on célébrait les coureurs. L'aspirant chef de secte Johnson avait finalement son église. Les offices avaient lieu du lundi au samedi, de neuf heures à dix-huit heures.

Lorsque Johnson m'a décrit la boutique pour la première fois, j'ai pensé aux temples et aux monastères que j'avais vus en Asie. J'étais impatient de voir ce qu'il avait créé. Cela dit, entre mes heures chez Price Waterhouse, mes beuveries avec Hayes, mes nuits et mes week-ends à m'occuper de tous les petits détails en lien avec Blue Ribbon et mes quatorze heures par mois à servir pour l'Armée de réserve, j'étais sur les rotules.

Mais une lettre désastreuse de Johnson est arrivée : cette fois, je n'avais pas le choix, j'ai sauté dans le premier avion.

* * *

Le nombre de clients avec lesquels Johnson correspondait était désormais de plusieurs centaines. L'un d'entre eux, un lycéen de Long Island, lui avait révélé par inadvertance quelques informations troublantes. Le gamin disait que son entraîneur de course à pied avait récemment évoqué avec lui la possibilité d'acheter des Tigers à un nouveau fournisseur… un entraîneur de lutte basé à Valley Stream.

Le Marlboro Man était de retour. Il avait placé une publicité nationale dans un numéro de *Track and Field*. Johnson avait braconné sur le territoire du Marlboro Man et ce dernier était désormais en train de contre-attaquer. Johnson avait effectué un merveilleux travail de terrain, avait construit une base de données énorme, il avait fait connaître les Tigers un peu partout grâce à son obstination et à ses méthodes de marketing brut de décoffrage. Et nous aurions dû accepter que Marlboro Man se pointe et capitalise sur son travail ? Je ne savais pas ce que j'espérais en prenant cet avion. J'aurais pu téléphoner. Mais peut-être que, comme les clients de Johnson, j'avais besoin de me sentir en communauté, fût-elle de deux personnes.

La première chose que nous avons faite fut un footing long et éprouvant sur la plage. Nous avons ensuite acheté une pizza et l'avons rapportée dans son appartement, qui correspondait en tout point à l'appartement typique du jeune divorcé. Il était minuscule et sombre et me faisait penser à certains hôtels spartiates dans lesquels j'avais séjourné lors de mon tour du monde.

Évidemment, il y avait une touche Johnsonnienne : des chaussures partout. Mon appartement aussi en était rempli mais rien en comparaison de celui de Johnson. C'était comme s'il vivait dans une gigantesque chaussure de running. Il y en avait dans tous les coins, dont certaines à un stade avancé de décomposition.

Les rares espaces libres étaient occupés par des livres, notamment sur les étagères, qu'il avait fabriquées lui-même. Johnson ne lisait pas n'importe quoi. Sa bibliothèque comprenait de gros volumes de philosophie, de religion, de sociologie et d'anthropologie mais aussi des classiques de la littérature. Moi qui pensais être un bon lecteur, je trouvais que Johnson était au niveau au-dessus.

Ce qui m'a frappé le plus était la lumière violette étrange qui se diffusait dans tout l'appartement. Elle provenait d'un aquarium d'eau de mer de près de 300 litres. Après m'avoir libéré une place sur le canapé, Johnson a tapoté la citerne et s'est mis à m'expliquer. Contrairement à la plupart des jeunes divorcés qui passent leurs soirées dans les bars de célibataires, Johnson, lui, les passait à traquer les poissons rares sous l'embarcadère de Seal Beach. Il les capturait à l'aide d'un tube qui les aspirait, qu'il était désormais en train d'agiter sous mes yeux. Cela ressemblait à un aspirateur. Il m'a expliqué qu'il fallait placer le tuyau en eaux peu profondes et aspirer le poisson, puis le faire passer dans une petite chambre. Il suffisait ensuite de le mettre dans le seau et de le ramener à la maison.

Il avait réussi à réunir une grande variété de créatures exotiques – des hippocampes, des perches aux yeux bleus –, qui faisait sa fierté. Il m'a également montré le joyau de sa collection, un bébé pieuvre qu'il avait baptisé Stretch. « D'ailleurs, c'est l'heure de son repas », dit Johnson en sortant un crabe vivant d'un sac en papier. « Allez, viens, Stretch ! » en faisant pendre le crabe au-dessus de l'aquarium. La pieuvre ne bougeait pas. Johnson a déposé le crabe, dont les pattes remuaient, au fond du réservoir. Stretch n'a eu aucune réaction. J'ai demandé : « Il est mort ? ». Johnson a répondu : « Regarde. »

Le crabe dansait de gauche à droite, paniqué. Il cherchait un abri où se réfugier mais il n'y en avait aucun. Stretch le savait. Après quelques minutes, un tentacule s'est déployé vers le crabe et a lentement touché sa carapace. Johnson, qui souriait comme un père fier de son enfant, m'a expliqué : « Stretch vient d'injecter du poison au crabe. » Nous avons regardé le crabe s'arrêter de danser lentement, puis Stretch enrouler doucement son tentacule autour de lui et le tirer dans sa tanière, un trou qu'il avait creusé dans le sable sous un gros caillou.

C'était un spectacle de marionnettes un peu morbide, comme une sombre pièce de théâtre *kabuki*, avec une victime pas très maligne et un micro-*Kraken*[10] – était-ce un signe ou une métaphore de la situation dans laquelle nous nous trouvions ? Une créature vivante dévorée par une autre ? La nature est ainsi faite, cruelle et sauvage, et je ne pouvais m'empêcher de penser que l'histoire de Blue Ribbon et Marlboro Man allait ressembler à celle du crabe et de la pieuvre.

Nous avons passé le reste de la soirée assis à la table de la cuisine de Johnson, à relire encore et encore la lettre de notre informateur de Long

10 Le Kraken est une créature fantastique issue des légendes scandinaves médiévales. Il s'agit d'un monstre de très grande taille et doté de nombreux tentacules.

Island. Johnson la lisait à haute voix et moi silencieusement, puis nous débattions de la stratégie à adopter.

« Il faut que tu ailles au Japon, a fini par lâcher Johnson.

– Quoi ?

– Il faut que tu y ailles. Explique-leur tout le travail qu'on a effectué. Fais valoir tes droits. Défonce ce Marlboro Man une bonne fois pour toutes. Si on le laisse vendre des chaussures de running, il n'y aura plus moyen de l'arrêter. Si nous ne fixons pas des limites claires, c'est cuit. »

Je lui ai répondu que je revenais du Japon et que je n'avais pas suffisamment d'argent pour y retourner. J'avais investi toutes mes économies dans Blue Ribbon, et je ne pouvais probablement pas demander de prêt supplémentaire à Wallace. Cette idée me répugnait. Par ailleurs, je n'avais pas le temps de faire ce déplacement. Price Waterhouse accordait deux semaines de vacances par an – sauf pour les personnes qui, comme moi, avaient besoin de ces deux semaines pour l'Armée de réserve, et avaient droit à une semaine supplémentaire. Mais je l'avais déjà utilisée.

Par-dessus tout, j'ai dit à Johnson : « Cela ne sert à rien. La relation de Marlboro Man avec Onitsuka est plus ancienne que la mienne. »

Ne se laissant pas démonter, Johnson a sorti sa machine à écrire, celle dont il se servait pour me torturer, et s'est mis à taper des idées et des notes, dont je pourrais parler avec les responsables d'Onitsuka. Alors que Stretch finissait de dévorer le crabe, nous avons englouti notre pizza et nos bières et nous avons échafaudé des plans jusqu'à tard dans la nuit.

De retour dans l'Oregon, le lendemain après-midi, je suis allé directement voir le responsable du bureau de Price Waterhouse. « J'ai besoin de deux semaines off. Tout de suite. »

Il a détaché le regard des papiers qui étaient sur son bureau et m'a regardé avec colère. Pendant un moment diablement long, j'ai cru que j'allais me faire virer. Au lieu de cela, il s'est raclé la gorge et s'est mis à marmonner quelque chose… d'étrange. Je n'ai pas réussi à distinguer clairement ce qu'il disait mais il semblait croire… en raison de l'intensité qui m'animait et du caractère vague de ma demande… que j'avais mis une fille enceinte.

J'ai commencé à protester, puis je me suis tu et je l'ai laissé penser ce qu'il voulait. Je me fichais de ce qu'il pouvait imaginer, du moment qu'il m'accordait mes deux semaines.

Il a passé la main dans ses cheveux puis il a soupiré : « C'est d'accord. Bonne chance. J'espère que ça se passera bien. »

J'ai payé le billet d'avion avec ma carte de crédit. Cela me prendrait douze mois pour le rembourser. Contrairement à ma visite précédente au Japon, j'ai prévenu via un télégramme les responsables d'Onitsuka de mon arrivée avant mon départ et que je souhaitais prendre rendez-vous avec eux.

Ils m'ont répondu qu'ils m'attendaient. Leur télégramme disait que la personne que je rencontrerais ne serait pas monsieur Morimoto. Je me suis dit qu'il avait dû être viré ou qu'il était mort. Le télégramme expliquait que le nouveau responsable des exportations s'appelait monsieur Kitami.

Kishikan. C'est le mot japonais pour « déjà vu ». J'ai, une nouvelle fois, embarqué pour le Japon. J'ai, une nouvelle fois, essayé de mémoriser des passages de *Comment faire des affaires avec les Japonais*. J'ai, une nouvelle fois, pris le train pour Kobe. J'ai, une nouvelle fois, réservé une chambre à l'hôtel Newport.

J'ai pris un taxi pour me rendre dans les locaux d'Onitsuka. Je m'attendais à ce que nous allions dans la même salle de réunion que les fois précédentes mais une réorganisation des bureaux avait eu lieu depuis. Ils m'ont expliqué qu'il y avait une nouvelle salle de conférence. Celle-ci était plus grande, plus lumineuse, les vieux sièges recouverts de tissu avaient été remplacés par des chaises en cuir et la table était bien plus longue. La salle était plus impressionnante et moins intime. Je me sentais désorienté, intimidé. C'était comme se préparer pour un meeting d'athlétisme à l'Université d'Oregon et apprendre à la dernière minute que celui-ci était déplacé au Los Angeles Memorial Coliseum.

Un homme est entré dans la salle de conférence et m'a tendu la main. C'était Kitami. Ses chaussures noires étaient brillantes, tout comme l'étaient ses cheveux. Ils étaient parfaitement noirs, tirés vers l'arrière, sans une seule mèche qui dépassait. Il y avait un fort contraste avec Morimoto, qui donnait toujours l'impression de s'être habillé à l'aveugle. J'étais impressionné par la prestance de Kitami mais il m'a lancé un grand sourire chaleureux et m'a demandé de m'asseoir et me détendre. Je lui ai expliqué le pourquoi de ma visite et j'ai eu la nette impression que derrière son côté chic, il n'avait pas totalement confiance en lui. Après tout, il n'occupait ce poste que depuis peu.

Il se trouvait que mon dossier revêtait une importance particulière pour Kitami. Je n'étais pas un gros client mais pas un petit non plus. Dans mon cas, c'était surtout la localisation qui leur importait : je vendais des chaussures en Amérique, un marché crucial pour l'avenir d'Onitsuka.

Il est possible, je dis bien « possible », que Kitami ait eu peur de me perdre. Mais il était également possible qu'il ait souhaité me garder jusqu'à ce qu'ils aient fait la transition avec Marlboro Man. Pour le moment, j'étais à la fois un atout et une charge pour eux. Cela signifiait que j'avais peut-être de meilleures cartes en main que je ne le pensais.

Kitami parlait mieux anglais que ses prédécesseurs mais avec un accent plus prononcé. Mon oreille a utilisé, pour s'adapter, les quelques minutes pendant lesquelles nous avons discuté de mon vol et de la météo. Au fil de cette conversation, les autres responsables nous ont rejoints au compte-goutte autour de la table. Kitami s'est penché en arrière et a dit : « Monsieur Onitsuka ne sera pas en mesure de se joindre à nous aujourd'hui. »

Flûte. J'espérais tirer parti du fait que monsieur Onitsuka m'aimait bien, sans parler de ses liens affectifs avec Bowerman. Tant pis. Seul, sans allié, piégé dans une salle de conférence peu accueillante, je me devais d'aller de l'avant.

J'ai dit à Kitami et aux autres responsables que Blue Ribbon avait effectué un travail remarquable jusque-là et que nous avions réussi à écouler la totalité des commandes que nous avions passées. Je leur ai expliqué que nous avions développé une base de clientèle solide et que nous nous attendions à ce que cette croissance dynamique se poursuive. J'ai exposé le fait que nous avions réalisé 44 000 dollars de ventes en 1966 et que nous en attendions 84 000 pour 1967. Je leur ai décrit notre nouveau magasin à Santa Monica et j'ai évoqué le projet d'en ouvrir d'autres. Je me suis penché en avant : « Nous aimerions vraiment beaucoup devenir votre distributeur exclusif aux États-Unis pour la ligne de chaussures de course à pied. »

« Et je pense que cela serait vraiment dans l'intérêt de Tiger. »

Je n'ai même pas mentionné le Marlboro Man.

J'ai regardé les personnes autour de la table. Les visages étaient grimaçants. Personne ne grimaçait davantage que Kitami. De façon très succincte, il m'a expliqué que cela ne serait pas possible car

Onitsuka voulait que son distributeur aux États-Unis soit plus gros, plus développé, une entreprise capable d'assumer une forte charge de travail. Onitsuka voulait aussi et surtout une entreprise avec des locaux sur la côte Est.

« Mais, mais Blue Ribbon a des bureaux sur la côte Est, ai-je bafouillé.

Kitami s'est balancé en arrière dans sa chaise.

– Oh ?

– Oui, nous sommes sur la côte Est, la côte Ouest, et nous nous établirons prochainement dans le Midwest. Nous pouvons assumer et gérer la distribution à l'échelle nationale, sans aucun souci.

J'ai à nouveau regardé les personnes autour de la table. Les visages grimaçaient un peu moins.

Kitami a alors dit :

– Eh bien, cela change tout. »

Il m'a assuré qu'ils étudieraient ma proposition très attentivement. *Hai*. Fin de la réunion.

Je suis rentré à mon hôtel à pied et j'ai passé la nuit à faire les cent pas. À la première heure le lendemain, j'ai reçu un appel me convoquant dans les bureaux d'Onitsuka, où Kitami m'a accordé les droits de distribution exclusifs aux États-Unis.

Le contrat portait sur trois ans.

J'ai essayé de paraître détendu au moment de la signature du contrat qui m'engageait à commander 5 000 paires de chaussures supplémentaires, ce qui allait me coûter 20 000 dollars. Que je n'avais pas. Kitami m'a indiqué qu'il les enverrait à mes bureaux de la côte Est. Que je n'avais pas non plus.

Je leur ai promis de leur envoyer un télégramme avec l'adresse exacte.

Lors de mon vol retour, j'ai regardé les nuages qui surplombaient l'océan Pacifique par le hublot et j'ai repensé à quand j'étais assis au sommet du mont Fuji. Je me suis demandé ce que Sarah penserait de moi, après le coup que je venais de faire. Je me suis demandé ce que Marlboro Man allait ressentir quand il apprendrait d'Onitsuka qu'ils l'évinçaient.

J'ai rangé mon exemplaire de *Comment faire des affaires avec les Japonais* dans ma valise, qui était remplie de souvenirs. Des kimonos pour ma mère, mes sœurs et maman Hatfield, un petit sabre de samouraï à accrocher au-dessus de mon bureau. Il y avait surtout un petit bijou, une petite télévision japonaise. Je me suis dit en souriant qu'il s'agissait de butins de guerre. Ce n'est que plus loin au-dessus du Pacifique que j'ai pris la pleine mesure de ma « victoire ». J'imaginais la tête que Wallace allait faire quand j'allais lui demander de couvrir cette gigantesque commande. Je ne savais pas ce que j'allais faire s'il disait non, ou plutôt quand il dirait non.

Pire, s'il disait oui, comment allais-je faire pour ouvrir un bureau sur la côte Est ? Et comment allais-je pouvoir le faire avant que les chaussures n'arrivent ? Et qui gérerait ce bureau ?

J'ai regardé l'horizon rougeoyant. Il n'y avait qu'une seule personne sur cette planète qui était assez libre, assez énergique, assez enthousiaste, assez folle, pour relever le défi et se rendre sur la côte Est avant que les chaussures n'arrivent.

Je me suis demandé si Stretch allait aimer l'océan Atlantique.

1967

Je n'ai pas bien géré la situation. Loin de là.

Anticipant ce que serait sa réaction, et craignant celle-ci, je n'ai volontairement pas raconté la totalité de l'histoire tout de suite à Johnson. Je lui ai envoyé une note rapide, lui disant que la rencontre avec Onitsuka s'était bien passée et que j'avais obtenu les droits de distribution nationaux. Mais je n'en ai pas dit davantage. Je pense que j'ai dû nourrir l'espoir dans un coin de ma tête que je serais capable de recruter quelqu'un d'autre pour s'occuper de l'Est. Ou que Wallace ferait tout tomber à l'eau.

J'ai effectivement recruté quelqu'un d'autre. Un ancien coureur de fond, évidemment. Mais celui-ci a changé d'avis et fait marche arrière quelques jours après m'avoir donné son accord. Agacé, distrait et embourbé dans un cycle d'anxiété et de procrastination, je me suis focalisé sur le problème beaucoup plus simple de trouver un remplaçant à Johnson pour le magasin de Santa Monica. J'ai approché John Bork, entraîneur de course à pied d’un lycée de Los Angeles, qui était l’ami d’un ami. Celui-ci a sauté sur l’occasion. Impossible d’être plus enthousiaste.

Comment aurais-je pu deviner qu’il le serait autant ? Le lendemain matin, il s’est rendu au magasin de Johnson et s’est présenté comme le nouveau boss.

« Le nouveau quoi ? a demandé Johnson.

– J’ai été recruté pour vous remplacer, comme vous partez dans l’Est, a répondu Bork.

– Je pars où ? »

Johnson m’a immédiatement téléphoné. J’ai mal géré cette conversation, elle aussi. J’ai dit à Johnson que j’étais sur le point de l’appeler, que j’étais navré qu’il apprenne la nouvelle de cette façon et que j’avais été contraint de mentir à Onitsuka et de prétendre que nous avions déjà un bureau sur la côte Est. Bref, je lui ai dit que nous étions coincés. Je lui ai également expliqué que les chaussures allaient bientôt être livrées, une énorme livraison en route pour New York, et que personne d’autre que lui ne pourrait prendre en charge cette commande et monter un bureau. Le destin de Blue Ribbon reposait sur ses épaules.

Johnson fut abasourdi. Puis furieux. Puis effrayé. Tout cela en l’espace d’une minute. J’ai donc pris l’avion pour venir le voir à la boutique.

Johnson m’a expliqué qu’il ne voulait pas vivre sur la côte Est. Il adorait la Californie, il y avait passé toute sa vie. Il appréciait le fait de pouvoir courir toute l'année, et je savais que c'était plus important que tout le reste pour lui. Comment pourrait-il courir durant les hivers très rigoureux que connaît la côte Est ?

Subitement, son attitude a changé. Alors que nous étions au milieu de son magasin, son sanctuaire dédié aux baskets, Johnson a reconnu dans un marmonnement à peine audible qu'il s'agissait d'un moment décisif pour Blue Ribbon, entreprise dans laquelle il avait énormément investi sur les plans financier, émotionnel et spirituel. Il était d'accord sur le fait qu'il était le mieux placé pour monter un bureau sur la côte Est. Il s'est ensuite livré à un monologue long et décousu, disant que le magasin de Santa Monica tournait bien et qu'il pourrait former son remplaçant en une journée. Après tout, il lui était déjà arrivé de mettre sur pied un magasin dans une contrée lointaine et il était donc capable de le faire à nouveau. Il fallait faire vite, à cause des chaussures qui allaient être livrées et des commandes de début de saison qui allaient affluer. Il a ensuite pris un air pensif et a semblé demander aux murs, aux chaussures ou au Saint-Esprit s'il ne valait pas mieux pour lui se taire et faire ce que je lui demandais, et même se mettre à genoux pour me remercier de cette incroyable opportunité, alors que tout le monde pouvait se rendre compte qu'il était – il a pris le temps de bien choisir ses mots – « une merde sans aucun talent ».

J'aurais pu dire quelque chose comme : « Oh mais non, tu dis n'importe quoi. Ne sois pas aussi dur avec toi-même. » J'aurais pu. Mais je ne l'ai pas fait. Je me suis tu et j'ai attendu.

Nous sommes restés silencieux et il a fini par dire :

« OK, j'y vais.

– Génial. C'est génial. Incroyable. Merci.

– Mais où ?

– Comment ça, où ?

– Eh bien. Où veux-tu que j'aille ?

– Ah. Eh bien. N'importe quelle ville de la côte Est avec un port. Il faut juste ne pas aller à Portland dans le Maine.

– Pourquoi ?

– Une entreprise basée dans deux Portland différents ? Les Japonais seraient perdus. »

Nous avons décortiqué le problème et nous avons finalement décidé que New York et Boston étaient les endroits les plus logiques. Boston encore plus que New York. L'un de nous deux a dit : « C'est de là que viennent la plupart de nos commandes. »

Johnson a dit : « OK. Je vais à Boston. »

Je lui ai ensuite tendu un paquet de brochures de voyage sur Boston, jouant la carte des jolis feuillages d'automne, ce qui était un peu maladroit. Mais j'étais désespéré.

Il m'a demandé pourquoi j'avais ces brochures sur moi et je lui ai répondu que je savais qu'il prendrait la bonne décision.

Il a éclaté de rire.

L'attitude et le caractère démontrés par Johnson me faisaient ressentir de la gratitude et une affection nouvelle pour lui. Et peut-être une loyauté bien plus profonde. Je me suis mis à regretter la façon dont je l'avais traité, et notamment toutes ces lettres sans réponse. Johnson était vraiment le coéquipier idéal.

Et il a menacé de tout laisser tomber.

Via une lettre, évidemment. « Je pense que j'ai été à l'origine du succès que nous avons rencontré jusqu'à maintenant. Et du succès que nous pourrions rencontrer sur au moins les deux prochaines années », écrivait-il.

En conséquence de quoi, il m'imposait un ultimatum :

1) Faire de lui un associé à part entière de Blue Ribbon.

2) Augmenter son salaire et le faire passer à 600 dollars par mois plus un tiers des bénéfices au-delà de 6 000 paires de chaussures vendues.

Faute de quoi, il quitterait l'entreprise.

J'ai téléphoné à Bowerman et je lui ai dit que notre employé à temps plein n° 1 montait une mutinerie. Bowerman m'a écouté avec attention, avant d'énumérer toutes les réactions que nous pouvions avoir. Il a pesé le pour et le contre pour chacune d'elles, avant de rendre son verdict : « Qu'il aille se faire voir. »

Je lui ai dit que je n'étais pas sûr que lui dire d'aller se faire voir soit la meilleure stratégie et qu'il y avait probablement un moyen intermédiaire d'apaiser les tensions avec Johnson, par exemple de lui céder des parts de l'entreprise. Mais après en avoir discuté plus en détails, nous nous sommes rendu compte que cette solution ne tenait pas. Ni Bowerman ni moi ne voulions lâcher un seul morceau de notre participation. En conséquence, en dépit de ma bonne volonté, l'ultimatum de Johnson était voué à l'échec.

J'ai pris l'avion pour Palo Alto, où Johnson rendait visite à ses parents, et je lui ai demandé si nous pouvions nous rencontrer. Johnson a accepté mais il m'a dit qu'il souhaitait que son père, Owen, se joigne à nous. L'entrevue a eu lieu dans le bureau d'Owen. J'ai immédiatement été frappé par les ressemblances du père et du fils. Ils se ressemblaient physiquement, leurs voix étaient proches et ils partageaient de nombreux tics de comportement. Owen a été agressif d'emblée, parlant assez fort, et j'ai vite compris que c'était lui l'instigateur de la mutinerie.

Il était commercial de profession. Il vendait de l'équipement permettant de faire des enregistrements sonores, comme des dictaphones, et il était sacrément doué pour cela. Pour lui, comme pour la plupart des vendeurs, la vie n'était qu'une longue négociation, et il prenait du plaisir à cela. En d'autres termes, il était mon parfait contraire. Je me suis dit : « Et c'est parti. Encore une bataille avec un négociateur accompli ». Quand cela allait-il finir ?

Avant de rentrer dans le vif du sujet, Owen a tenu à me raconter une histoire. Les commerciaux procèdent toujours de la sorte. Étant donné que j'étais comptable, Owen a tenu à me raconter l'histoire d'un comptable qui avait parmi ses clients une danseuse topless. Je crois me souvenir que l'histoire avait tourné autour du fait que les implants en silicone de la danseuse étaient déductibles des impôts. Pour être poli, j'ai ri lorsqu'est arrivée la chute de l'histoire, puis j'ai saisi les accoudoirs de la chaise et j'ai attendu qu'Owen arrête de rire et passe à l'attaque.

Il a commencé par énumérer toutes les choses que son fils avait faites pour Blue Ribbon.

Il a insisté sur le fait que Blue Ribbon aurait cessé d'exister il y a bien longtemps si son fils n'avait pas été là. J'ai aquiescé de la tête et l'ai laissé parler, en résistant à l'envie pressante d'établir un contact visuel avec Johnson, qui était assis juste à côté. Je me suis demandé s'ils avaient répété tout cela au préalable, de la même façon que Johnson et moi avions répété avant mon dernier voyage au Japon. En conclusion de son monologue, Owen a expliqué qu'étant donné les faits, il était objectivement légitime que son fils devienne associé à part entière de Blue Ribbon. Je me suis alors raclé la gorge et j'ai concédé que Johnson avait été moteur dans la vie de l'entreprise et que son travail avait été vital et inestimable. Puis j'ai placé mon attaque : « La vérité est que nous avons un chiffre d'affaires de 40 000 dollars mais que notre dette est bien supérieure. Il n'y a tout simplement rien à partager, hélas. Nous sommes en train de nous battre pour les parts d'un gâteau qui n'existe pas. »

De plus, j'ai expliqué à Owen que Bowerman ne souhaitait pas abaisser d'un iota sa participation dans Blue Ribbon et que je ne pouvais donc pas le faire moi non plus, car cela aurait signifié que j'aurais perdu le contrôle de la société que j'avais créée. Cela n'était pas envisageable.

J'ai donc fait une contre-proposition, qui consistait en une augmentation de salaire de 50 dollars. Le regard d'Owen était figé. C'était un de ces regards durs et féroces, typiques des négociations difficiles. Il attendait que je plie et que j'améliore ma proposition, mais, pour une fois dans ma vie, je disposais d'un levier de négociation : je n'avais tout simplement rien d'autre à offrir. « À prendre ou à laisser. » Difficile de faire mieux.

Finalement, Owen s'est tourné vers son fils. Je crois que nous savions tous les deux depuis le départ que Johnson aurait le dernier mot, et je voyais que le visage de Johnson était habité de deux sentiments contradictoires. Il ne voulait pas accepter mon offre. Mais il ne voulait pas non plus partir. Il aimait Blue Ribbon et il en avait besoin. Il percevait Blue Ribbon comme l'endroit le plus adapté au monde pour lui, une réelle alternative aux entreprises molles qui avaient embauché tant de nos amis et camarades de promotion, quasiment toute notre génération à vrai dire. Il s'était plaint un million de fois de mon manque de communication, mais, en réalité, mon style de management très libre lui faisait pousser des ailes. Il était peu vraisemblable qu'il puisse trouver cette autonomie ailleurs. Après quelques secondes, il m'a tendu la main et m'a dit : « *Deal ?* » Je lui ai serré la main et j'ai répondu : « *Deal !* »

Nous avons scellé notre nouvel accord en allant faire un jogging de dix kilomètres. Dans mes souvenirs, c'est moi qui ai gagné.

Avec Johnson sur la côte est et Bork qui avait repris son magasin, j'étais submergé d'employés. J'ai pourtant reçu un appel de Bowerman me suggérant d'en recruter un autre, l'un de ses anciens coureurs, Geoff Hollister.

J'ai emmené Hollister manger un hamburger et nous nous sommes bien entendus, mais il a surtout gagné son recrutement en ne bronchant même pas quand je me suis aperçu que j'avais oublié mon portefeuille pour payer le déjeuner. Je l'ai donc embauché pour vendre des Tigers dans l'Oregon. Il devenait l'employé à plein temps n° 3 dc Blue Ribbon.

Peu de temps après, j'ai reçu un nouvel appel de Bowerman. Il voulait que je recrute un autre employé. Quadrupler mon personnel en l'espace de quelques mois ? Je me suis demandé si mon vieux coach prenait l'entreprise pour General Motors ? J'aurais pu essayer de protester mais l'envie m'en est passée quand il m'a donné son nom.

Bob Woodell.

Je connaissais évidemment ce nom. Tout l'Oregon le connaissait. Woodell était sorti du lot de l'équipe de Bowerman de 1965. Même s'il n'était pas une star, Woodell était un compétiteur passionnant, qui avait du cran. Alors que l'Université d'Oregon défendait son deuxième titre national en trois ans, Woodell était sorti de nulle part pour remporter le saut en longueur, et ainsi vaincre l'épouvantail UCLA. J'étais présent, je l'avais vu faire et il m'avait bigrement impressionné.

Il y avait eu un flash d'information à la télévision le lendemain, qui mentionnait un accident lors des célébrations de la fête des mères dans l'Oregon. Woodell et une vingtaine de membres de sa fraternité portaient un char lors d'un défilé autour du campus. Ils étaient en train de le retourner lorsque l'un d'entre eux a perdu ses appuis. Quelqu'un avait crié et tout le monde s'était mis à courir. Le char s'était effondré et Woodell s'était retrouvé coincé en dessous, la première vertèbre lombaire bousillée. Il y avait peu d'espoir qu'il puisse remarcher un jour. Après quoi, Bowerman avait organisé un meeting d'athlétisme à Hayward Field afin de collecter des fonds pour couvrir les frais médicaux de Woodell. Désormais, son défi était de lui trouver une occupation. Bowerman racontait que le pauvre garçon passait ses journées à regarder les murs de la maison de ses parents, dans son fauteuil roulant. À plusieurs reprises, il avait tenté de devenir l'adjoint de Bowerman mais ce dernier m'avait confié : « Ça ne marchera pas. Il pourrait peut-être plutôt faire quelque chose pour Blue Ribbon ? »

J'ai décroché mon téléphone et j'ai appelé Woodell. J'avais envie de lui dire à quel point j'étais désolé pour son accident mais je me suis abstenu. Je n'étais pas sûr qu'il s'agisse de la meilleure chose à faire. Une demi-douzaine de choses se bousculaient dans ma tête et chacune me paraissait à côté de la plaque. Je ne m'étais jamais autant senti à court de mots. Que doit-on dire à une star de la course à pied qui ne peut subitement plus bouger les jambes ? J'ai donc décidé de me cantonner strictement à l'aspect professionnel. J'ai expliqué à Woodell que Bowerman l'avait recommandé et que je pourrais avoir un boulot pour lui dans ma nouvelle société de chaussures. Je lui ai proposé de déjeuner. Il était partant.

Nous nous sommes rencontrés le lendemain dans une sandwicherie du quartier de Beaverton, au nord de Portland. Woodell y était venu en voiture, il maîtrisait déjà parfaitement la conduite de sa Mercury Cougar, entièrement contrôlable avec les mains. Il était en avance et j'avais quinze minutes de retard.

S'il n'y avait pas eu son fauteuil roulant, je ne sais pas si j'aurais reconnu Woodell. Je ne l'avais rencontré qu'une fois auparavant, même si je l'avais vu plusieurs fois à la télé. Il était devenu affreusement maigre après toutes les épreuves et les opérations qu'il avait dû subir. Il avait perdu près de trente kilos, et son visage s'était considérablement émacié. Ses cheveux étaient toujours parfaitement noirs et poussaient en faisant de toutes petites bouclettes. Il ressemblait à une frise d'Hermès que j'avais vue quelque part en Grèce. Ses yeux étaient noirs, eux aussi, et de l'inflexibilité et de la perspicacité – peut-être même de la tristesse – passaient dans son regard. Il n'était pas sans me rappeler Johnson. C'était à la fois hypnotisant et attachant et j'ai regretté d'être en retard.

Le déjeuner était supposé être un entretien d'embauche mais nous savions tous les deux qu'il s'agissait d'une formalité. Les Hommes de l'Oregon prenaient soin les uns des autres. Loyauté mise à part, nous nous sommes bien entendus et fait rire mutuellement, essentiellement au détriment de Bowerman. Nous nous sommes remémorés toutes les tortures qu'il faisait subir à ses coureurs pour les endurcir, comme par exemple chauffer une clé sur une poêle et la presser sur leur peau. Nous en avions tous les deux été victimes. Je me suis vite dit que j'aurais volontiers donné le job à Woodell, même s'il m'avait été totalement étranger. C'était le genre de personne que j'aimais. Je n'étais pas sûr de savoir ce que Blue Ribbon était, ou pouvait devenir, mais j'espérais que cela ressemble un peu à l'esprit de cet homme.

Je lui ai offert un poste dans notre seconde boutique qui ouvrait à Eugene, sur le campus, pour un salaire mensuel de quatre cents dollars. Dieu merci, il n'a pas négocié.

« Marché conclu ? ai-je demandé.

– Marché conclu », m'a-t-il répondu en me serrant la main. Il avait encore la poignée de main ferme des athlètes.

La serveuse a apporté l'addition et j'ai dit à Woodell que, grand seigneur, je l'invitais. J'ai en vain cherché mon portefeuille dans mes poches. J'ai donc demandé à l'employé à temps plein n° 4 de Blue Ribbon s'il pouvait me dépanner. Juste jusqu'au jour de la paie.

Lorsqu'il n'était pas en train de m'envoyer de nouveaux employés, Bowermann m'envoyait les résultats de ses dernières expériences. En 1966, il avait remarqué que la semelle extérieure des Spring Up fondait comme du beurre, tandis que la semelle intermédiaire restait solide. Il avait donc recommandé à Onitsuka de prendre la semelle intermédiaire des Spring Up et de la fusionner avec la semelle extérieure des Limber Up, dans le but de créer les chaussures d'entraînement longue distance ultimes. Onitsuka nous avait envoyé un prototype en 1967 et celui-ci était étonnant. Avec son matelassage raffiné et ses lignes brillantes, elles ressemblaient aux chaussures du futur.

Onitsuka nous a demandé si nous avions une idée de nom pour ce modèle. Bowerman avait pensé à « Aztec », en hommage aux Jeux olympiques de 1968, qui se tenaient à Mexico. Cela me plaisait aussi. Onitsuka était d'accord. Ainsi sont nées les Aztec.

Adidas a menacé de porter plainte par la suite, car l'un de ses nouveaux modèles s'appelait Azteca Gold, des pointes qu'ils avaient l'intention de lancer lors de ces mêmes Jeux olympiques. Personne n'en avait jamais entendu parler, mais cela ne les a pas empêchés d'en faire toute une histoire.

Agacé, j'ai pris la voiture pour aller voir Bowerman sur sa montagne afin de discuter de tout cela. Nous nous sommes assis sous le porche, à regarder la rivière. Ce jour-là, elle scintillait comme un soulier neuf. Bowerman a réajusté sa casquette et s'est frotté le visage. Il m'a demandé :

« Comment s'appelle le gars qui a démoli les Aztèques ?

– Cortez.

Il a grogné puis m'a dit :

– OK, appelons-les Cortez. »

J'étais en train de développer un mépris malsain pour Adidas. Je n'aimais pas l'idée qu'une entreprise allemande domine le marché de la chaussure pendant des décennies ni qu'elle fasse preuve d'arrogance. L'arrogance reste à prouver, je vous l'accorde, mais j'avais besoin d'imaginer un monstre pour trouver de la motivation. Quelle que fut la réalité, je les méprisais. J'étais excédé de voir leur si grande avance sur nous et je ne supportais pas l'idée qu'elle puisse encore s'accroître.

Cette situation m'a fait penser à Jim Grelle. Au lycée, Grelle – que l'on appelait Grella ou parfois Gorilla – était le coureur le plus rapide de l'Oregon, et j'étais le deuxième, ce qui m'avait amené à ne voir que son dos pendant quatre ans. Puis, Grelle et moi sommes allés à l'Université d'Oregon, où sa domination a continué. Au moment où j'ai été diplômé, je me suis dit que je ne voulais plus jamais revoir le dos de Grelle. Des années plus tard, lorsque Grelle a remporté le 1 500 mètres dans le stade Lénine de Moscou, j'étais assis dans un canapé de la salle de vie commune à Fort Lewis, un uniforme militaire sur le dos. J'ai serré le poing devant l'écran, fier de mon ancien camarade, mais ça m'a quand même mis un coup. Je voyais désormais Adidas comme un deuxième Grelle. Le fait d'être derrière eux me rendait fou. Mais cela me motivait. Énormément.

Une fois encore, dans ma lutte chimérique pour vaincre un adversaire plus fort que moi, je savais que je pouvais compter sur Bowerman. À nouveau, il faisait tout son possible pour me mettre en position de gagner. J'ai souvent repensé à ses causeries d'avant course, tout particulièrement celles qui précédaient un affrontement avec nos rivaux d'Oregon State. J'ai souvent repensé à ses discours épiques, quand il disait qu'Oregon State n'était pas un adversaire comme les autres. Battre USC et Cal[11] était important mais battre Oregon State avait une saveur particulière. Personne n'avait le pouvoir de vous motiver autant que Bowerman, sans jamais élever la voix. Il savait comment

11 l'Université de Californie et l'Université de Californie du Sud.

faire passer des messages de façon subliminale, comment insérer des points d'exclamation de façon rusée, comme les clés chaudes sur la peau.

Lorsque je manquais d'inspiration, je repensais à la première fois que j'avais vu Bowerman se promener dans le vestiaire et distribuer de nouvelles chaussures. Lorsqu'il s'est avancé vers moi, je n'étais même pas sûr de faire partie de l'équipe. J'étais en première année et je n'avais pas encore fait mes preuves. Mais il m'a collé une nouvelle paire de pointes sur la poitrine, en disant juste : « Knight ». Juste mon nom, pas une syllabe de plus. J'ai examiné les chaussures. Elles étaient vertes avec des bandes jaunes, c'étaient les objets les plus époustouflants que j'aie jamais vu. Je les ai bercées et je les ai ensuite rapportées dans ma chambre, où je les ai rangées avec précaution sur la dernière étagère de ma bibliothèque.

Il s'agissait d'Adidas. Évidemment.

À la toute fin de 1967, Bowerman avait de nombreux nouveaux disciples. Le livre dont il m'avait parlé était en librairie. *Jogging*, qui faisait un peu plus d'une centaine de pages, était un prêche pour l'exercice physique à l'attention d'une nation qui n'avait que rarement entendu tel sermon auparavant, une nation avachie sur son canapé. Le livre a fait un tabac. Un million d'exemplaires ont été vendus. *Jogging* a lancé un mouvement et a complètement changé la signification du mot « running ». Bientôt, grâce à Bowerman et son livre, courir ne serait plus réservé à quelques excentriques. Nous n'étions plus une secte. Peut-être même allions-nous devenir… cool ?

J'étais heureux pour lui mais je l'étais aussi pour Blue Ribbon, car son best-seller nous ferait sûrement de la publicité et stimulerait nos ventes. Puis j'ai pris le temps de le lire, et je me suis senti mal. Dans les passages où il parlait d'équipement, Bowerman donnait des conseils de bon sens, suivis de recommandations déconcertantes. Il disait qu'il était important d'avoir de bonnes chaussures mais qu'elles pouvaient presque toutes convenir : « Les chaussures que vous portez pour faire le jardin ou pour bricoler feront probablement l'affaire. »

Quoi ?

En ce qui concerne l'habillement, Bowerman disait à ses lecteurs qu'un choix approprié « pourrait contribuer à l'esprit de la course à pied », mais qu'il ne fallait pas être obsédé par les marques.

Peut-être pensait-il cela pour le coureur du dimanche par opposition à l'athlète averti mais, bon sang, pourquoi avait-il ressenti le besoin de dire cela dans un livre ? N'étions-nous pas en train de nous démener pour créer une marque ? Surtout, je me suis demandé si cela révélait quelque chose sur sa vraie opinion de Blue Ribbon – et de moi-même ? Pensait-il que n'importe quelle chaussure ferait l'affaire ? Si tel était le cas, pourquoi nous embêtions-nous à vendre des Tigers ?

À cette période, je courais après Adidas, mais d'une certaine manière, je courais encore après

Bowerman, à la recherche de son admiration. Mais à la fin 1967, il semblait très improbable que j'arrive à saisir l'une ou l'autre.

Nous avons terminé l'année en trombe, en grande partie grâce à la Cortez de Bowerman. Nous avons atteint notre objectif de chiffre d'affaires : 88 000 dollars. J'avais presque hâte de rendre visite à mes banquiers de First National. J'espérais que Wallace se décrispe et qu'il reconnaisse les vertus de la croissance d'entreprise et se mette à nous prêter plus facilement de l'argent.

Blue Ribbon était devenu trop grand pour mon appartement. Il ressemblait désormais à la chambre de Johnson. Il ne manquait plus que la lumière violette et le bébé pieuvre. Cela ne pouvait plus durer, j'avais besoin d'un bureau digne de ce nom et j'ai donc décidé de louer un grand local dans la partie Est de la ville.

Rien d'extraordinaire. Il s'agissait d'un vieil espace de travail avec une grande hauteur sous plafond et de grandes fenêtres, dont plusieurs étaient cassées ou coincées en position ouverte, ce qui avait pour conséquence un thermomètre bloqué en permanence à dix degrés. Le local se trouvait juste à côté d'une taverne bruyante, le Pink Bucket, où le juke-box se mettait en marche tous les jours à partir de seize heures. Les murs étaient si fins que l'on pouvait entendre les passages les plus retentissants de chaque titre. On pouvait presque entendre le tintement des verres et le craquement des allumettes pour allumer des cigarettes. Santé ! *Salud !*

Mais le loyer était faible : cinquante dollars par mois.

Lorsque j'y ai emmené Woodell, celui-ci lui a trouvé un certain charme. Je voulais qu'il lui plaise car je souhaitais le transférer du magasin d'Eugene à ici. Il avait fait preuve de formidables compétences. En particulier, il disposait d'un certain flair pour l'organisation en plus d'une énergie sans borne, mais je pensais qu'il serait encore plus utile dans ce que j'appelais le « bureau principal ». Il a trouvé une solution pour les fenêtres bloquées dès le premier jour. Il a apporté l'un de ses vieux javelots pour attraper le crochet des fenêtres et les refermer.

Nous n'avions pas les moyens de remplacer les fenêtres cassées et notre solution était donc de porter une épaisseur supplémentaire lorsqu'il faisait froid.

J'ai érigé un mur en contreplaqué au milieu de la pièce, afin de créer un espace de stockage à l'arrière et un espace de vente à l'avant. Malheureusement, je n'étais pas bricoleur : le sol s'est retrouvé salement amoché et le mur n'était pas droit du tout. Woodel et moi nous sommes aperçus qu'il ondulait mais nous avons trouvé cela super tendance.

Nous avons acheté trois bureaux cabossés dans un magasin d'articles de bureau d'occasion : un pour moi, un pour Woodell et un pour « la prochaine personne assez stupide pour travailler avec nous ».

J'ai monté un panneau d'affichage en liège, où j'ai épinglé différents modèles de Tigers, en reprenant certaines des idées de décoration de Johnson à Santa Monica. Enfin, j'ai établi dans un coin un petit espace où les clients pouvaient s'asseoir pour essayer les chaussures.

Un jour, un lycéen est entré dans la boutique à six heures moins cinq. Il nous a dit timidement qu'il avait besoin de chaussures de running. Woodell et moi nous sommes regardés après avoir jeté un œil à l'horloge. Nous étions épuisés mais nous ne pouvions nous permettre de cracher sur aucune vente. Nous avons discuté avec le gamin de son cou-de-pied et de sa foulée et lui avons fait essayer plusieurs modèles. Il prenait tout son temps pour les lacer, les essayer puis déclarer pour chaque paire que « quelque chose n'allait pas ». Il est finalement parti à sept heures en disant qu'il « y réfléchirait ». Après son départ, Woodell et moi nous sommes retrouvés assis au milieu de boîtes vides et de chaussures dispersées un peu partout. Nous nous sommes regardés, dépités. Est-ce vraiment ainsi que nous allions bâtir une entreprise de chaussures ?

En transférant petit à petit les stocks de mon appartement à mon nouveau bureau, l'idée m'a traversé l'esprit qu'il pourrait être plus judicieux de quitter mon appartement pour emménager dans le bureau, puisque j'y passais de toute façon le plus clair de mon temps libre. Dans cette hypothèse, je serais à Blue Ribbon lorsque je ne serais pas à Price Waterhouse pour avoir de quoi payer le loyer, et vice versa. Et j'aurais pris ma douche à la salle de sport.

Mais je me suis dit qu'il faudrait être fou pour vivre dans son bureau.

Puis j'ai reçu une lettre de Johnson disant qu'il vivait dans son nouveau bureau.

Il avait décidé d'établir notre bureau de la côte Est à Wellesley, une ville de la banlieue de Boston. Il avait évidemment dessiné pour moi un croquis et un plan de la ville, et il me donnait plus d'informations que j'en aurais jamais besoin sur la topographie et les caractéristiques météorologiques de Wellesley. Il racontait également comment il en était venu à choisir cet endroit.

Il avait d'abord pensé à s'établir à Long Island. À son arrivée à New York, il avait eu un rendez-vous avec le lycéen qui l'avait alerté des manœuvres de Marlboro Man. Le gamin lui avait fait visiter la ville et Johnson en avait rapidement vu assez pour savoir que ce lieu n'était pas fait pour lui. Il avait donc emprunté la I-95 vers le nord et avait trouvé l'endroit sympathique en arrivant à Wellesley. Il y avait vu des gens courir le long de routes pittoresques et beaucoup de ces coureurs étaient des femmes, dont certaines ressemblaient à Ali MacGraw[12]. Or Ali MacGraw était le type de femme qu'appréciait Johnson. De plus, il s'était

12 Actrice américaine.

rappelé qu'Ali MacGraw avait étudié au Wellesley College.

Apprendre que le marathon de Boston passait en plein milieu de la ville a été l'argument définitif. Vendu.

Johnson avait alors fouillé dans son carnet d'adresses et avait retrouvé celle d'un client du coin, un autre lycéen star de la course. Il s'était rendu chez lui en voiture et avait frappé à la porte, sans avoir annoncé sa visite. Le gamin n'était pas là mais ses parents lui avaient dit qu'il était le bienvenu. Lorsque le lycéen était rentré chez lui, son vendeur de chaussures était attablé pour le dîner avec toute la famille. Le lendemain, après avoir été courir, Johnson avait réuni une liste de noms – des entraîneurs locaux, des clients potentiels, des contacts possibles – et une liste de voisins avec lesquels il pourrait bien s'entendre. En l'espace de quelques jours, il avait trouvé et loué une petite maison située derrière une chambre funéraire. Même s'il en avait fait son logement, Johnson avait loué la maison au nom de Blue Ribbon et voulait que je paie la moitié des 200 dollars du loyer.

Dans un post scriptum, il disait aussi que je devais lui acheter des meubles.

Je n'ai pas répondu.

1968

Je travaillais chez Price Waterhouse six jours par semaine et je consacrais mes débuts de matinée, toutes mes fins de soirée, tous mes dimanches et tous mes jours de congé à Blue Ribbon. Je ne voyais pas mes amis, je ne faisais pas d'exercice et je n'avais pas de vie sociale. Ma vie était clairement déséquilibrée mais je m'en fichais. En soi, cela ne me dérangeait pas mais je voulais que les choses changent.

Je voulais consacrer chaque minute de chaque journée à Blue Ribbon. Je n'avais jamais été doué pour faire plusieurs choses en même temps et je ne voyais pas de raison pour que cela change. Je voulais me focaliser à temps plein sur la seule chose qui comptait vraiment pour moi. Si ma vie ne devrait être que travail, je voulais que mon travail soit un jeu. Je voulais quitter Price Waterhouse. Ce n'était pas que je haïssais cette entreprise, c'était juste que cela ne me correspondait pas.

Je voulais ce que tout le monde veut : être moi à temps plein.

Mais cela n'était pas possible. Blue Ribbon ne pouvait subvenir à mes besoins. Bien que l'entreprise fût bien partie pour doubler son chiffre d'affaires pour la cinquième année consécutive, ce n'était pas encore suffisant pour lui permettre de verser un salaire à son cofondateur. J'ai donc décidé de faire un compromis et de trouver un autre travail de jour, qui me permettrait de payer mes factures mais qui m'accaparerait moins et me laisserait davantage de temps pour ma passion.

Le seul travail répondant à ces critères que j'ai pu trouver était l'enseignement. J'ai postulé à l'Université de Portland et j'ai obtenu un poste de professeur assistant, à 700 dollars par mois.

J'aurais dû être enchanté de quitter Price Waterhouse mais j'y avais beaucoup appris et j'étais triste à l'idée de ne plus voir Hayes. Plus de cocktails lors des *after-works*, plus de *Walla Walla*. Je lui ai dit : « Je vais me focaliser sur mon truc de chaussures. » Il a froncé les sourcils et il a grommelé quelque chose qui voulait dire que j'allais lui manquer et qu'il m'admirait.

J'ai demandé à Hayes ce qu'il allait faire et il m'a répondu qu'il allait persévérer chez Price Waterhouse. Son plan était de perdre trente kilos et devenir associé. Je lui ai souhaité bonne chance.

Dans le cadre de mon départ, je devais rencontrer le chef du bureau, un associé principal portant le nom de Curly Leclerc. Il était poli, impartial et calme. Il jouait à merveille une pièce de théâtre en un seul acte qu'il avait déjà jouée des centaines de fois auparavant : l'entretien de départ. Il m'a demandé ce que j'allais faire et ce qui m'avait poussé à renoncer à travailler pour l'un des cabinets d'expertise comptable les plus renommés du monde. Je lui ai répondu que j'avais monté ma propre entreprise et que j'espérais que celle-ci décolle, mais que j'allais enseigner la comptabilité quelque temps avant que cela ne se concrétise.

Il m'a regardé d'un air hagard. Il n'était absolument pas convaincu : « Pourquoi feriez-vous une chose pareille ? ».

J'ai eu droit à un deuxième entretien de départ, vraiment difficile, lorsque j'ai fait part de ma démarche à mon père. Lui aussi m'a regardé avec incrédulité. Il n'aimait toujours pas « l'idée que je fasse l'idiot avec cette histoire de chaussures. » Il m'a dit : « Et maintenant… ça… ». Pour lui, l'enseignement n'était pas respectable et être prof à l'Université de Portland était même carrément l'inverse. Il m'a dit : « Qu'est-ce que je vais raconter à mes amis ? »

L'université m'a attribué quatre cours de comptabilité, dont celui réservé aux débutants. J'ai passé quelques heures à le préparer et à revoir les concepts de base. À l'approche de l'automne, j'étais en train d'atteindre l'équilibre que je recherchais. Je n'avais pas encore tout le temps dont j'avais besoin pour Blue Ribbon mais j'en avais bien plus qu'avant. Je suivais une voie que je sentais être la mienne et, bien que ne sachant pas où elle me mènerait, j'étais prêt à poursuivre l'aventure. J'étais donc plein d'espoir lors du premier jour du semestre, début septembre 1967. En revanche, mes étudiants paraissaient beaucoup moins enthousiastes lors de ce premier cours. Ils ont lentement pris place dans la salle de classe et respiraient l'ennui et l'hostilité. Ils devaient sans doute être dépités à l'idée de se retrouver enfermés dans cette cage étouffante pendant une heure et d'être abreuvés de force de certains des concepts les plus austères jamais conçus. C'est pour cela que j'allais être la cible de leur ressentiment. Ils me toisaient, en fronçant les sourcils. Certains avaient l'air déçus.

J'avais l'intention de me montrer compréhensif mais je ne comptais pas non plus me laisser faire. Debout sur mon estrade, vêtu d'un costume noir et d'une cravate grise superfine, j'essayais de rester calme. Mais je ne pouvais m'empêcher d'être nerveux. À cette époque, il m'arrivait d'avoir des tics – comme enrouler des élastiques autour de mon poignet et jouer avec en les faisant glisser sur ma peau. J'aurais pu être très cassant très vite, en voyant les étudiants rentrer dans la salle comme s'ils étaient des prisonniers enchaînés.

Soudain, une jeune femme s'est approchée avec légèreté et a pris place au premier rang. Elle avait de longs cheveux blonds qui lui recouvraient les épaules, et de jolies boucles d'oreilles créoles. Nous avons échangé un regard. Ses grands yeux bleus étaient mis en valeur par un trait d'eyeliner noir, qui donnait un côté dramatique à son regard. Elle m'a fait penser à Cléopâtre, puis à Julie Christie[13]. Je me suis dit : « C'est incroyable, la petite sœur de Julie Christie s'est inscrite à mon cours de comptabilité. » Je me suis demandé quel âge elle pouvait avoir. En faisant rouler mes élastiques autour de mon poignet et en la regardant discrètement, je me suis dit qu'elle ne pouvait pas avoir plus de vingt ans. Il m'était très difficile de détourner mon regard d'elle, mais tout aussi difficile de la regarder. Elle semblait à la fois très jeune et très bien connaître le monde. Ses boucles d'oreilles faisaient très hippie mais son maquillage était très chic. Qui pouvait donc bien être cette fille ? Comment allais-je pouvoir me concentrer sur mon cours alors qu'elle était au premier rang ?

J'ai fait l'appel. Je me rappelle encore les noms.

« Monsieur Trujillo ?

– Présent.

– Monsieur Peterson ?

– Présent.

– Monsieur Jameson ?

– Présent.

– Mademoiselle Parks ?

– Présente » a répondu tout doucement la petite sœur de Julie Christie.

J'ai relevé les yeux et j'ai fait un demi-sourire. Elle en a fait de même. J'ai fait une petite croix

13 Actrice britannique.

à côté de son nom complet : Penelope Parks. Penelope, comme l'épouse fidèle d'Ulysse le voyageur.

J'ai décidé d'employer la méthode socratique. J'ai pris exemple sur les professeurs de l'Université d'Oregon et de Stanford que j'avais les plus appréciés. Par ailleurs, j'étais encore sous le charme de la civilisation grecque, encore enchanté par ma journée à l'Acropole. Je ne fis pas un cours magistral traditionnel. Au lieu de quoi, je posais beaucoup de questions aux étudiants, j'essayais de détourner l'attention de moi-même et de les forcer à participer. Une jolie étudiante en particulier.

« OK, imaginez que vous achetiez trois trucs quasiment identiques pour un, deux et trois dollars, et que vous en vendiez un à cinq dollars. Quel est le coût du truc vendu ? Et quel est le profit brut sur la vente ? »

Plusieurs mains se sont levées mais malheureusement pas celle de mademoiselle Parks. Elle baissait les yeux. Elle était apparemment plus timide que le professeur. Je me suis retrouvé dans l'obligation de donner la parole à Trujillo puis Peterson.

« OK. Monsieur Trujillo a enregistré ses stocks selon la méthode FIFO et a fait un profit brut de quatre dollars. Monsieur Peterson a, lui, utilisé la méthode LIFO et a réalisé un profit brut de deux dollars. Qui… a donc la meilleure entreprise ? »

Une discussion animée s'en est suivie, à laquelle quasiment tout le monde a participé sauf mademoiselle Parks. Je l'ai regardée, plusieurs fois. Elle ne parlait pas. Elle ne levait pas les yeux. Je me suis demandé si elle était timide ou juste pas très brillante. Quel dommage si elle devait quitter le cours ou si je devais la recaler.

J'ai très vite bassiné mes étudiants avec le principe de base de la comptabilité :

actifs = dettes + capitaux propres.

Cette équation fondamentale doit toujours être vérifiée, absolument toujours. Je leur ai expliqué que la comptabilité s'apparentait à de la résolution de problèmes et que la plupart des problèmes qui se posaient se résumaient à un déséquilibre de cette équation. Résoudre le problème revenait à équilibrer le bilan de l'entreprise. Je me sentais un peu hypocrite en disant cela car le ratio dettes sur capitaux propres de Blue Ribbon était de 9, ce qui est beaucoup trop. J'ai grimacé plus d'une fois en pensant à ce que Wallace dirait s'il assistait à l'un de mes cours.

Mes étudiants ne semblaient pas plus capables que moi de résoudre cette équation. Leurs devoirs étaient d'un niveau épouvantable, à l'exception notable de celui de mademoiselle Parks. C'est elle qui avait décroché la meilleure note.

Elle s'est clairement affirmée comme la meilleure étudiante du cours lors des devoirs suivants. Elle ne se contentait pas d'avoir juste à chaque question : son écriture était exquise, comme de la calligraphie japonaise. Elle était à la fois très jolie et très brillante.

C'est elle qui a obtenu la meilleure note lors de l'examen de mi-année. Je ne sais pas qui de mademoiselle Parks ou monsieur Knight était le plus heureux.

Elle s'est attardée à mon bureau à la fin du cours après que j'ai rendu les copies, et m'a demandé si nous pouvions nous parler. Je lui ai répondu que oui, évidemment. J'ai immédiatement saisi les élastiques entourant mon poignet et je me suis mis à les faire rouler sur ma peau de façon frénétique. Elle m'a demandé si j'accepterais de lui donner des conseils d'orientation. J'étais pris de court. « Oh. Je serais très honoré. »

« Que diriez-vous d'un emploi ? ai-je lâché.

– Un quoi ?

– J'ai une petite entreprise de chaussures… euh… en parallèle. Et on a besoin d'un peu d'aide pour la comptabilité.

Elle tenait ses livres de cours contre sa poitrine. Ses cils papillonnaient. Elle a répondu :

– Oh. Eh bien. C'est d'accord. Ça a l'air… fun. »

Je lui ai proposé deux dollars de l'heure. Elle a fait oui de la tête.

Elle est venue au bureau pour la première fois quelques jours plus tard. Woodell et moi lui avons donné le troisième bureau. Elle s'est assise, a posé ses mains sur le bureau et a regardé autour d'elle dans la pièce avant de demander : « Que voulez-vous que je fasse ? »

Woodell lui avait remis une liste de choses à faire – taper à la machine, de la comptabilité, de la gestion de planning, de la gestion des stocks et des factures – et il lui avait dit de choisir un ou deux éléments de celle-ci chaque jour.

Mais elle ne se ménageait pas et faisait tout tout de suite, rapidement et avec facilité. Au bout d'une semaine, ni Woodell ni moi ne nous rappelions comment nous faisions avant son arrivée.

Nous n'appréciions pas uniquement la qualité du travail de mademoiselle Parks, nous aimions aussi le cœur qu'elle mettait à l'ouvrage. Elle s'est montrée entièrement dévouée à l'entreprise dès le premier jour. Elle a tout de suite saisi ce que nous essayions de faire et de construire. Elle sentait que Blue Ribbon était unique et que cela pourrait devenir quelque chose de spécial. Elle voulait faire tout son possible pour nous aider. Et il se trouve que son apport a été considérable.

Elle savait remarquablement y faire avec les gens, en particulier avec les commerciaux, que nous continuions de recruter. Quand ceux-ci se présentaient au bureau, mademoiselle Parks les jaugeait rapidement puis les charmait ou les remettait à leur place, selon ce qu'elle jugeait bon de faire. Bien qu'elle fût timide, elle pouvait être ironique et drôle et les commerciaux qu'elle avait appréciés repartaient en riant, visiblement ravis du moment qu'ils venaient de passer.

L'impact de mademoiselle Parks sur Woodell a été spectaculaire. Celui-ci traversait une mauvaise passe à l'époque. Son corps se battait contre le fauteuil roulant et essayait de résister à cet emprisonnement à vie. Woodell était atteint par des escarres et d'autres maladies liées à son immobilité et il lui arrivait souvent d'être absent plusieurs semaines. Mais mademoiselle Parks lui redonnait le sourire quand il était au bureau. Elle avait un effet réparateur sur lui et assister à ces scènes m'enchantait.

Je proposais généralement, avec un certain enthousiasme, d'aller chercher à déjeuner dans la rue pour mademoiselle Parks et Woodell. C'était le genre de choses que nous aurions pu demander de faire à mademoiselle Parks, mais je l'ai fait de plus en plus spontanément au fil des jours. Était-ce de la galanterie ? Étais-je possédé ? Que m'arrivait-il ? Je ne me reconnaissais pas.

Pourtant, cette habitude n'a jamais pris fin. Mon esprit était tellement saturé d'histoires de crédits, de débits et de chaussures que je passais rarement les bonnes commandes pour le déjeuner. Mademoiselle Parks ne s'en est jamais plainte. Woodell non plus. Chaque jour, je leur donnais un sac en papier marron et ils échangeaient un regard complice. Woodell grommelait : « Voyons ce à quoi j'ai droit pour le déjeuner aujourd'hui. » Mademoiselle Parks passait la main devant sa bouche, pour dissimuler son sourire.

Je pense que mademoiselle Parks se rendait compte de l'effet qu'elle produisait sur moi. Nous avons échangé plusieurs longs regards et nous avons partagé plusieurs pauses, lors desquelles nous étions manifestement gênés tous les deux. Je me souviens notamment d'un éclat de rire particulièrement nerveux suivi d'un silence solennel. Je me souviens aussi d'un long contact visuel qui m'a obsédé toute la nuit qui a suivi.

Et ce qui devait arriver arriva. C'était lors d'un après-midi de novembre froid, alors que mademoiselle Parks n'était pas au bureau, j'ai remarqué que le tiroir de son bureau était ouvert. En m'approchant pour le refermer, j'y ai remarqué… une pile de chèques. Elle n'avait encaissé aucun des chèques que je lui avais faits.

Elle ne considérait pas cela comme un travail. Il y avait manifestement autre chose. Peut-être était-ce… moi ?

Peut-être.

(J'ai découvert plus tard que Woodell faisait de même.)

Une vague de froid record a touché Portland à Thanksgiving. La brise qui passait habituellement dans le bureau par les trous des fenêtres s'était muée en puissant vent glacial. Les rafales étaient parfois si fortes que des papiers s'envolaient des bureaux et que les lacets des échantillons voltigeaient. Les conditions de travail au bureau étaient devenues intolérables mais nous n'avions pas les moyens de faire réparer les fenêtres et encore moins de fermer boutique. Woodell et moi nous sommes donc repliés sur mon appartement, où mademoiselle Parks nous rejoignait chaque après-midi.

Un jour, après que Woodell fût rentré chez lui, mademoiselle Parks et moi sommes restés silencieux. Lorsqu'est venu le moment pour elle de partir, je l'ai raccompagnée jusqu'à l'ascenseur. J'ai appuyé sur le bouton. Nous souriions tous les deux avec beaucoup de nervosité. J'ai appuyé sur le bouton à nouveau. Je me suis éclairci la voix et je me suis lancé : « Mademoiselle Parks. Accepteriez-vous de… sortir vendredi soir ? »

Cléopâtre a écarquillé les yeux.

« Moi ?

– Je vois personne d'autre ici. »

L'ascenseur a sonné et les portes se sont ouvertes.

En regardant ses pieds, elle m'a dit : « Oh. Eh bien. OK. OK. » Et elle s'est dépêchée de rentrer dans l'ascenseur. Son regard n'a plus quitté le sol jusqu'à la fermeture des portes.

Je l'ai emmenée au zoo de l'Oregon. Je ne sais pas pourquoi. Je crois que je me suis dit que marcher et regarder les animaux serait une façon douce d'apprendre à se connaître. J'ai peut-être également pensé que les pythons birmans, les chèvres guinéennes et les crocodiles d'Afrique me donneraient de multiples occasions de l'impressionner avec mes récits de voyage. Je me suis senti obligé de me vanter d'avoir vu les pyramides et le temple de Niké. Je lui ai également raconté la fois où j'étais tombé malade à Calcutta. Je n'avais jamais raconté cette histoire à personne auparavant. Je ne savais pas pourquoi je lui confiais cela, sauf peut-être que ce séjour à Calcutta a été l'un des moments où je m'étais senti le plus seul de toute ma vie, et cela m'a fait du bien d'en parler avec elle.

Je lui ai également confié que Blue Ribbon était fragile et que tout pourrait s'écrouler à tout moment, mais que je ne me voyais pas encore faire autre chose. Je lui ai expliqué que j'avais créé cette petite entreprise de chaussures à partir de rien, que j'avais pris soin d'elle quand elle allait mal, que j'avais dû la sauver de la mort à plusieurs reprises et que je voulais désormais qu'elle vole de ses propres ailes et qu'elle grandisse. J'ai demandé : « Logique, non ? »

Elle a acquiescé.

Nous nous sommes promenés à côté des lions et des tigres. Je lui ai dit que je ne voulais vraiment pas travailler pour quelqu'un d'autre et que je voulais construire quelque chose à moi, quelque chose que je pourrais regarder et dont je pourrais dire : « C'est moi qui l'ai fait. » Il s'agissait du seul moyen de donner un sens à la vie.

Elle faisait oui de la tête. Tout comme pour les principes de comptabilité, elle saisissait tout tout de suite.

Je lui ai demandé si elle voyait quelqu'un. Elle m'a confessé que c'était le cas mais qu'il s'agissait d'un garçon et non d'un homme. Elle m'a dit que les garçons qu'elle avait fréquentés manquaient d'épaisseur et ne parlaient que de sport et de voitures (j'ai été assez malin pour ne pas dire que j'aimais les deux.) Puis elle a dit : « Mais toi, tu as vu le monde. Et maintenant, tu fais tout ce que tu peux pour monter cette entreprise… »

Sa voix est devenue inaudible. Je me suis redressé. Nous avons dit au revoir aux lions et aux tigres.

Pour notre deuxième rendez-vous, nous sommes allés chez Jade West, un restaurant chinois de l'autre côté de la rue, en face du bureau. C'est là, entre le bœuf à la mongole et le poulet à l'ail, qu'elle m'a raconté son histoire. Elle vivait encore chez ses parents et elle aimait beaucoup sa famille, même si c'était parfois compliqué. Son père était un avocat de la Marine, ce que je considérais comme un excellent boulot. Leur maison était certainement plus grande et plus belle que celle où j'avais grandi. Mais elle m'a fait comprendre que le fait qu'ils soient cinq frères et sœurs n'était pas de tout repos. L'argent était un problème récurrent. Le rationnement faisait partie du quotidien. Il n'y en avait jamais assez, il manquait souvent de produits de base, comme le papier toilette. C'était une maison marquée par l'insécurité et elle n'aimait pas l'insécurité. Elle préférait la sécurité. Elle a répété ce mot à plusieurs reprises : sécurité. C'est pour cette raison qu'elle avait été attirée par la comptabilité : c'était solide, fiable et sûr. Elle voyait cela comme une activité sur laquelle elle pourrait toujours compter.

Je lui ai demandé pourquoi elle avait choisi l'Université de Portland. Elle m'a dit qu'elle avait initialement commencé sa formation à l'Université de l'Oregon.

J'ai lâché un « Oh » comme si elle venait de m'avouer qu'elle avait fait de la prison.

Ça l'a fait rire. « Si cela peut vous consoler, j'ai détesté. » En particulier, elle ne pouvait pas supporter le fait que l'école obligeait tous les étudiants à sélectionner au moins un cours de prise de parole en public. Elle était bien trop timide pour cela.

« Je comprends, mademoiselle Parks.

– Appelez-moi Penny. »

Après dîner, je l'ai reconduite chez elle, où j'ai rencontré ses parents.

« Papa, Maman, je vous présente monsieur Knight.

Je leur ai serré la main, en leur disant :

– Ravi de vous rencontrer.

Nous n'avons rapidement plus su où poser le regard. Sur les murs… Sur le sol… Nous avons vaguement parlé du temps qu'il faisait.

– Bon, eh bien, il est tard, je ferais mieux de rentrer, ai-je finalement abrégé.

Sa mère a regardé l'horloge.

– Il n'est que neuf heures ! »

Juste après notre deuxième rendez-vous, Penny est partie à Hawaï avec ses parents pour Noël. Elle m'a envoyé une carte postale, ce que j'ai interprété comme un bon signe. Lorsqu'elle est revenue, je l'ai invitée à dîner dès son premier jour au bureau. C'était au début janvier 1968. Cette nuit était très froide. Nous sommes retournés chez Jade West mais cette fois, nous nous y sommes retrouvés directement. J'étais assez en retard, car je revenais de mon comité d'évaluation des Eagle Scout, le grade le plus élevé dans l'organisation des Boys Scouts. Cela lui a donné une occasion de se moquer de moi gentiment : « Eagle Scout ? Toi ? »

Pour moi, c'était un autre bon signe, elle était suffisamment à l'aise avec moi pour me taquiner.

Je me suis dit à plusieurs reprises que nous étions bien plus à l'aise l'un avec l'autre lors de ce troisième rendez-vous. Cela se présentait bien. Nos échanges sont devenus de plus en plus fluides lors des semaines qui ont suivi. Nous avons développé une certaine complicité et notamment une faculté à communiquer de façon non verbale, à laquelle seules deux personnes timides peuvent parvenir. Je sentais lorsqu'elle était mal à l'aise et selon la situation, je lui laissais de l'air ou j'essayais de la faire se livrer. Quand j'avais l'esprit ailleurs, empêtré dans mes réflexions à propos de business, elle savait s'il valait mieux me taper doucement sur l'épaule ou attendre que je ré-émerge.

Penny n'avait pas l'âge légal pour boire de l'alcool mais il nous est souvent arrivé d'emprunter le permis de conduire de l'une de mes sœurs pour aller boire des cocktails en ville au Trader Vic's. L'alcool et le temps ont fait leur office. En février, alors que j'avais fêté mon trentième anniversaire, elle passait chaque minute de son temps libre chez Blue Ribbon et chaque soirée dans mon appartement.

Elle a arrêté de m'appeler monsieur Knight.

Inévitablement, je l'ai emmenée à la maison afin qu'elle rencontre mes parents. Nous étions attablés dans la salle à manger, à dévorer le rôti en versant du lait froid par-dessus et en faisant comme s'il s'agissait de quelque chose de normal. Penny était la deuxième fille que j'amenais à la maison : elle n'avait pas le charisme de Sarah mais ses qualités étaient bien plus belles. Son charme était pur, spontané mais même si les Knight semblaient l'apprécier, ils ne se sont pas départis de leurs travers habituels. Ma mère n'a rien dit, mes sœurs ont tenté en vain de faire les intermédiaires avec mes parents, mon père a posé une série de questions inquisitrices sur le parcours scolaire et la formation de Penny, ce qui aurait pu aisément le faire passer pour un banquier ou un enquêteur de la brigade criminelle. Penny m'a dit plus tard que l'atmosphère était l'exacte opposée de celle qui régnait chez elle, où les dîners étaient désorganisés et où tout le monde riait et parlait fort, avec les chiens qui aboyaient et la télévision qui beuglait en toile de fond. Je lui ai assuré que personne n'avait eu l'impression qu'elle n'était pas dans son élément.

La fois suivante, c'est elle qui m'a amené chez elle et j'ai pu vérifier à quel point elle disait vrai. Sa maison était l'exact opposé. Elle était bien plus grande que la nôtre mais le désordre le plus total y régnait. Les tapis étaient tachés par les animaux – un berger allemand, un singe, un chat, plusieurs souris blanches, une oie antipathique. Le chaos était la règle. C'était également le lieu de prédilection pour les gamins désœuvrés du quartier.

J'ai fait de mon mieux pour me montrer aimable, mais je n'arrivais pas à entrer en communication avec qui que ce soit, être humain ou autre. Avec beaucoup de peine, j'ai réussi à avoir une conversation avec Dot, la mère de Penny. Elle me rappelait Tatie Mame – farfelue, délirante, jeune d'esprit. Par beaucoup d'aspects, elle faisait penser à une adolescente attardée, qui essayerait de repousser son rôle de mère. J'ai été frappé de voir qu'elle était davantage une sœur qu'une mère pour Penny. Lorsque, peu après le dîner, Penny et moi l'avons invitée à aller prendre un verre, elle a sauté sur l'occasion.

Nous sommes passés par plusieurs endroits chauds et nous avons terminé dans une boîte de nuit dans l'est de la ville. Penny est passée à l'eau après deux cocktails, mais pas Dot. Dot, elle, a continué à boire encore et encore et elle s'est mise à danser avec toutes sortes de types. Des marins, et pire encore. À un moment, elle a pointé Penny du doigt et m'a dit : « Laisse tomber cette rabat-joie ! C'est un poids mort ! ». Penny s'est caché les yeux avec les mains. Ça m'a fait rire et je me suis détendu. Je venais de passer le « Dot test ».

L'approbation de Dot promettait d'être un atout de poids quelques mois plus tard quand j'ai voulu emmener Penny pour un long week-end. Même si elle avait passé des soirées dans mon appartement, nous étions en quelque sorte encore contraints par la bienséance. Tant qu'elle vivait sous le toit de ses parents, elle se sentait obligée de leur obéir et de respecter leurs règles et leurs rituels. J'étais donc dans l'obligation d'obtenir le consentement de sa mère pour partir en voyage.

Je me suis présenté à la maison en costume-cravate. J'ai été gentil avec les animaux, j'ai caressé l'oie et j'ai demandé à Dot si je pouvais lui parler. Nous nous sommes assis à la table de la cuisine, autour d'une tasse de café et je lui ai dit que je tenais vraiment beaucoup à Penny. Dot a souri. Je lui ai dit que je croyais que Penny tenait à moi aussi. Dot a souri mais avec moins d'intensité. Je lui ai dit que je voulais emmener Penny à Sacramento pour le week-end, pour les championnats nationaux d'athlétisme.

Dot a pris une gorgée de son café puis a froncé les sourcils, avant de dire :

« Hmm… Non. Non, non, Buck. Je ne préfère pas. Je ne préfère pas qu'on fasse comme ça.

– Oh. Je regrette d'entendre cela. »

J'ai retrouvé Penny, qui était dans une autre pièce, et je lui annoncé que sa mère avait dit non. Penny s'est pris la tête à deux mains. Je lui ai dit de ne pas s'inquiéter, que j'allais rentrer, rassembler mes idées et essayer de trouver une solution.

Le lendemain, je suis retourné chez eux et j'ai à nouveau demandé à Dot si je pouvais m'entretenir avec elle. Nous nous sommes à nouveau assis dans la cuisine autour d'un café. Je lui ai dit : « Dot, je m'y suis probablement mal pris hier pour vous expliquer à quel point mes intentions sont sérieuses en ce qui concerne votre fille. En réalité, je suis amoureux de Penny. Et ce sentiment est partagé. Nous nous voyons bien faire notre vie ensemble. Donc j'espère de tout mon cœur que vous reconsidérerez votre réponse d'hier. »

Dot a mis un sucre dans son café puis a tapoté sur la table avec ses doigts. Son regard était étrange, il semblait empli de peur et de frustration. Elle ne s'était que rarement trouvée impliquée dans des négociations, et elle ignorait que la règle la plus basique de l'art de la négociation est de savoir ce que l'on veut, ce dont on a absolument besoin pour être satisfait. Elle s'est trouvée déconcertée et a tout de suite cédé. « C'est d'accord. »

Penny et moi avons pris l'avion pour Sacramento. Nous étions tous les deux excités à l'idée de voyager, loin des parents et des couvre-feux, mais il m'a semblé que Penny était aussi très excitée à l'idée d'utiliser le jeu de bagages roses qu'elle avait reçu en cadeau à l'obtention de son diplôme du lycée.

Rien ne semblait pouvoir altérer sa bonne humeur. Il faisait extrêmement chaud ce week-end-là, près de quarante degrés, mais Penny ne s'en est jamais plainte. Elle ne s'est même pas plainte des sièges en métal dans les gradins, qui étaient devenus de véritables grils. Elle n'a pas paru s'ennuyer lorsque je lui ai expliqué les subtilités de la course à pied et raconté la solitude du coureur. Ça l'intéressait. Elle a tout assimilé tout de suite.

Je l'ai emmenée sur la pelouse au milieu du stade et je l'ai présentée aux coureurs que je connaissais et à Bowerman. Celui-ci l'a complimentée pour sa courtoisie, lui a dit qu'elle était très jolie et lui a demandé le plus sérieusement du monde ce qu'elle faisait avec un minable comme moi. Nous sommes restés avec lui pour regarder les dernières courses de la journée.

Cette nuit-là, nous avons logé dans un hôtel en périphérie de la ville, dans une chambre peinte et décorée dans une teinte de marron déconcertante. Nous sommes tombés d'accord pour dire qu'elle avait la couleur des toasts grillés. Nous avons passé le dimanche matin à la piscine, nous nous protégions du soleil en nous partageant l'ombre du plongeoir. À un moment donné, j'ai évoqué le sujet de notre avenir. Je devais partir le lendemain pour un long voyage au Japon, afin – je l'espérais – de consolider mes relations avec Onitsuka. Je lui ai dit qu'à mon retour, nous ne pourrions pas continuer à nous contenter de « sortir ensemble ». L'Université de Portland désapprouvait les relations entre étudiants et professeurs. Il fallait donc que nous fassions quelque chose pour officialiser notre relation, afin d'être au-dessus de tout soupçon.

Autrement dit, il fallait que l'on se marie. Je lui ai demandé : « Crois-tu que tu pourrais organiser notre mariage toute seule en mon absence ? ». Elle m'a répondu oui. Il n'y avait que peu de suspense et d'émotion. Il n'y avait pas de négociation. Tout semblait aller de soi. Nous sommes revenus à notre chambre couleur toast grillé et avons appelé chez Penny. C'est Dot qui a répondu, dès la première sonnerie. Je lui ai fait part de la nouvelle et après un silence long et étouffant, Dot a dit : « Tu n'es qu'un fils de pute. » Et elle a raccroché.

Elle a rappelé quelques instants plus tard. Elle m'a dit qu'elle avait réagi de façon impulsive parce qu'elle avait initialement l'intention de passer l'été avec Penny et qu'elle était déçue que ça tombe à l'eau. Elle disait maintenant que cela serait presque aussi amusant de passer l'été à organiser le mariage de Penny.

Nous avons téléphoné à mes parents juste après. Ils avaient l'air contents mais ma sœur Jeanne venait juste de se marier et ils semblaient en pleine indigestion de mariages.

Nous avons raccroché, Penny et moi nous sommes regardés, nous avons regardé le papier peint marron et nous avons tous les deux poussé un soupir.

Je me répétais que j'étais désormais fiancé. Mais cela ne rentrait pas, peut-être parce nous étions dans un hôtel de la banlieue de Sacramento en plein milieu d'une vague de chaleur torride. Dès que nous sommes rentrés, nous sommes allés dans une bijouterie Zales et nous avons choisi une bague de fiançailles avec une émeraude. Ça commençait à devenir concret. La pierre et la monture coûtaient 500 dollars – c'était très concret. Mais je ne me suis jamais senti nerveux, je ne me suis jamais demandé « Oh mon Dieu, qu'est-ce que j'ai fait ? », comme cela arrive à beaucoup d'hommes. Les mois passés à courtiser Penny et à apprendre à la connaître avaient été les plus heureux de ma vie, et j'avais désormais la chance de perpétuer ce bonheur. C'était ainsi que je voyais les choses. Pour moi, c'était aussi clair que de la comptabilité de base : actifs = dettes + capitaux propres.

Je ne suis revenu à la dure réalité que lorsque je suis parti pour le Japon et j'ai embrassé ma fiancée en lui promettant de lui écrire dès mon arrivée. Elle était plus qu'une fiancée, une amoureuse ou une amie. Elle était mon associée. Auparavant, je m'étais dit que Bowerman et Johnson, dans une certaine mesure, étaient mes associés. Mais ce lien avec Penny était unique et ne ressemblait à rien de ce que j'avais connu. Cette connexion changeait ma vie mais je n'étais pas nerveux pour autant. Je n'avais jamais dit au revoir à quelqu'un qui comptait vraiment pour moi auparavant et cela me faisait vraiment quelque chose. Je me suis dit que dire au revoir était le moyen le plus simple de savoir ce que l'on ressent pour quelqu'un.

* * *

Pour une fois, mon contact chez Onitsuka n'avait pas changé. Kitami était encore là. Il n'avait été ni remplacé ni réaffecté. Et, à en juger son comportement, son rôle dans l'entreprise avait dû être conforté. Il avait davantage confiance en lui. Il m'a reçu comme un membre de la famille, il m'a dit qu'il était ravi des performances de Blue Ribbon et de notre bureau de la côte Est, qui progressait bien grâce à Johnson : « Maintenant, nous devons conquérir le marché américain. » Je lui ai répondu que cette idée me plaisait.

J'avais dans ma serviette de nouveaux croquis de chaussures de Bowerman et de Johnson, et notamment celui d'un modèle sur lequel ils avaient fait équipe et que nous appelions la Boston. Elle disposait d'une semelle intermédiaire innovante. Kitami a affiché les croquis sur le mur et les a étudiés en détail. Il se tenait le menton entre le pouce et l'index. Les modèles lui plaisaient « vraiment vraiment beaucoup ». Il m'a tapé sur l'épaule.

Nous nous sommes rencontrés à de nombreuses reprises au cours des semaines qui ont suivi et j'ai ressenti à chaque fois une attitude presque fraternelle de sa part. Un après-midi, il m'a invité au pique-nique annuel que son service organisait quelques jours plus tard.

« Tu viens !

– Moi ? ai-je demandé, surpris.

– Oui, oui, tu es membre honoraire du service exportation. »

Ce pique-nique s'est tenu à Awaji, une île minuscule au large de Kobe. Nous avions pris un petit bateau et de longues tables recouvertes de plateaux de fruits de mer et de bols de riz et de noodles nous attendaient sur la plage. Il y avait des tubes remplis de sodas et de bières frais à côté des tables. Tout le monde portait des lunettes de soleil et était en maillot de bain. Ces gens que je ne connaissais que dans le cadre sérieux de l'entreprise se montraient insouciants et faisaient les idiots.

Des compétitions ont été organisées plus tard dans la journée, comme des courses en sac en relais ou des courses le long des vagues. J'ai donc eu l'occasion de leur montrer ma rapidité et tous m'ont salué après que j'ai passé la ligne d'arrivée en tête.

Ils étaient tous d'accord pour dire que le *gaijin* tout maigre courait vraiment très vite.

J'assimilais leur langue, tout doucement. Je savais que les mots japonais pour chaussure et revenus étaient respectivement *gutzu* et *shunyu*. J'étais capable de demander l'heure ou mon chemin et j'avais également appris une phrase par cœur : *Watakushi domo no kaisha ni tsuite no joh hou des* (« Voici quelques informations sur mon entreprise »).

À la fin du pique-nique, je me suis assis sur le sable et j'ai contemplé le Pacifique. J'avais deux vies distinctes, merveilleuses, en train de fusionner. Aux États-Unis, je faisais partie d'une équipe, avec Johnson, Woodell et maintenant Penny. Au Japon, je faisais partie d'une autre équipe, avec

Kitami et tout le personnel d'Onitsuka. Le fait que je sois solitaire de nature ne m'a pas empêché de plutôt bien me débrouiller dans les sports collectifs dès l'enfance. Je me sentais toujours bien quand je parvenais à trouver un équilibre entre travail individuel et travail collectif. C'était le cas désormais.

J'étais également très heureux de faire des affaires dans un pays dont j'étais tombé amoureux. Mes craintes initiales étaient loin derrière. Je me sentais proche des Japonais, dont je partageais la timidité et j'aimais la simplicité, qu'il s'agisse de culture, d'arts ou de vie quotidienne. J'appréciais qu'ils essayent d'incorporer de la beauté dans chacune des choses de la vie, de la cérémonie du thé jusqu'aux pots de chambre. J'étais captivé par le fait que la radio annonce tous les jours exactement quels cerisiers étaient en train de fleurir.

Mes rêveries sur la plage ont été interrompues par un homme appelé Fujimoto, qui était assis à quelques mètres de moi. La cinquantaine, voûté, il avait un air triste qui laissait transparaître bien plus que la mélancolie propre aux personnes qui se sentent vieillir. On aurait dit un Charlie Brown japonais. Pourtant, je me rendais bien compte qu'il faisait de réels efforts pour paraître gai et sympathique avec moi. Avec un grand sourire forcé, il m'a expliqué qu'il aimait l'Amérique et qu'il avait très envie d'y vivre. Je lui ai répondu que j'étais justement en train de réaliser à quel point j'aimais le Japon. Je lui ai dit : « Peut-être qu'on devrait échanger de pays. » Il eut un sourire triste : « Quand vous voulez. »

Je l'ai complimenté pour la qualité de son anglais. Il m'a expliqué qu'il avait appris la langue avec des GI américains. Je lui ai répondu : « C'est drôle parce que ce sont deux anciens GI qui ont été les premiers à m'apprendre des choses sur la culture japonaise. »

Les premiers mots que ses GI lui avaient appris étaient : « Kiss my ass ! »

Cela nous a fait beaucoup rire.

Je lui ai demandé où il habitait et là, son sourire s'est éteint. « Il y a quelques mois, j'ai perdu ma maison à cause du typhon Billie… » La tempête avait fait d'immenses dégâts sur les îles de Honshu et Kyushu et avait détruit deux mille habitations. « Ma maison faisait partie du lot », m'a expliqué Fujimoto. « J'en suis vraiment navré », ai-je répondu. Il a fait un signe de la tête et s'est mis à regarder la mer. Il avait dû tout reprendre de zéro. La seule chose qu'il n'avait pas réussi à remplacer était son vélo. Leur prix était exorbitant au Japon dans les années 1960.

Kitami nous a rejoints, ce qui a immédiatement fait se lever Fujimoto, qui est parti.

En discutant avec Kitami, j'ai mentionné le fait que Fujimoto avait appris l'anglais avec des GI et Kitami m'a alors révélé avec fierté qu'il avait appris l'anglais tout seul. Je l'ai félicité et lui ai dit que j'espérais réussir un jour à parler aussi bien le japonais que lui l'anglais. J'ai aussi évoqué mon mariage prochain, je lui ai un peu parlé de Penny et il m'a félicité à son tour en me souhaitant bonne chance.

« Quand le mariage aura-t-il lieu ?

– Septembre.

– Ah. Je serai en Amérique un mois plus tard, pour les Jeux olympiques de Mexico avec monsieur Onitsuka. Nous irons peut-être visiter Los Angeles. »

Il m'a proposé de passer les rejoindre. Je lui ai dit que j'en serais ravi.

Je suis retourné aux États-Unis le lendemain et la première chose que j'ai faite à mon retour fut de mettre cinquante dollars dans une enveloppe et de les envoyer à Fujimoto. J'ai écrit sur la carte : « Pour que mon ami s'achète un nouveau vélo. »

J'ai reçu une enveloppe de Fujimoto des semaines plus tard. Mes cinquante dollars étaient à l'intérieur avec une note expliquant qu'il avait demandé à ses supérieurs s'il pouvait garder l'argent et qu'ils avaient refusé.

Il y avait un post scriptum : « Si vous envoyez l'argent chez moi, je pourrai le garder. » Ce que j'ai fait.

Ainsi est née une relation qui changera ma vie par la suite.

Penny et moi nous sommes mariés le 13 septembre 1968 devant deux cents personnes à l'église épiscopale St. Mark, située dans le centre de Portland, exactement au même endroit que les parents de

Penny. Cela faisait un an, presque jour pour jour, que Penny était entrée dans ma salle de cours pour la première fois. Elle était, en quelque sorte, encore au premier rang, mais cette fois à côté de moi. Elle était désormais madame Knight.

C'est son oncle, un prêtre de Pasadena, qui célébrait la cérémonie. Penny était si stressée qu'elle n'arrivait pas à relever le menton pour nous regarder dans les yeux, son oncle et moi. Je n'étais pas aussi stressé qu'elle car j'ai triché. J'avais dans ma poche deux mini-bouteilles de whisky, que j'avais eues dans l'avion lors de mon dernier voyage au Japon. J'en ai descendu une juste avant la cérémonie, et l'autre juste après.

J'avais choisi mon cousin Houser, qui était aussi mon avocat et mon ami, pour être mon témoin. Nos autres témoins étaient les deux frères de Penny, un ami d'école de commerce et Cale, qui m'a dit quelques instants avant la cérémonie : « C'est la deuxième fois que je te vois aussi stressé. » Nous avons ri en repensant pour la millionième fois à ce jour où j'avais fait ma présentation dans le cadre du cours d'entrepreneuriat à Stanford. Je me suis dit que ces deux journées avaient beaucoup en commun : une fois encore, j'allais dire à une salle pleine à craquer que quelque chose était possible, que quelque chose pouvait marcher, alors que je n'en savais rien en réalité ; j'allais parler de théorie, de foi et de promesses, comme tous les jeunes époux. Il nous appartenait, à Penny et moi, de réaliser ce que nous avions promis ce jour-là.

La réception s'est tenue au Garden Club de Portland, où les dames de la haute société se réunissaient lors des nuits d'été pour boire des daiquiris et échanger les derniers potins. Il faisait chaud cette nuit-là. Le ciel était menaçant mais il n'a jamais plu. Penny et moi avons dansé. J'ai également dansé avec Dot et ma mère. Avant minuit, Penny et moi avons dit au revoir à nos convives et avons sauté dans notre toute nouvelle voiture, une Cougar de course noire. J'ai conduit à toute allure en direction de la côte. Nous avons passé le week-end à la maison de bord de mer qui appartenait à ses parents.

Dot nous a appelés toutes les demi-heures…

1969

En très peu de temps, tout un groupe de nouveaux personnages a fait son apparition dans notre bureau. L'augmentation des ventes m'a permis de recruter de plus en plus de commerciaux. La plupart étaient des excentriques comme seuls pouvaient l'être d'anciens coureurs. Mais aucune de ces considérations ne comptait quand il s'agissait de business. Sans doute inspirés par ce que nous essayions de faire et parce qu'ils étaient payés uniquement à la commission (deux dollars la paire), ils écumaient les routes et passaient par tous les terrains de sports des lycées et des universités dans un rayon de mille kilomètres. Leurs efforts extraordinaires ont permis de doper encore un peu plus nos ventes.

Nous avons réalisé 150 000 dollars de ventes pour 1968 et nous étions bien partis pour atteindre 300 000 dollars pour 1969. Même si Wallace m'avait encore dans le collimateur, qu'il me faisait suer pour que je ralentisse et qu'il se plaignait de mon manque de capitaux propres, j'ai décidé que Blue Ribbon tournait suffisamment bien pour justifier le versement d'un salaire à son fondateur. J'ai pris une grande décision : j'ai quitté l'Université de Portland et je me suis mis à travailler à temps plein pour mon entreprise. Le salaire que je me suis accordé était de 18 000 dollars par an.

Par-dessus tout, je me suis dit que la meilleure raison de quitter l'université était qu'elle m'avait apporté bien plus – Penny – que ce que j'aurais pu imaginer. Elle m'a également offert quelque chose d'autre, tout aussi précieux, mais je ne le savais pas encore.

* * *

Lors de ma dernière semaine sur le campus, en traînant dans les couloirs, j'ai remarqué un groupe de jeunes femmes autour d'un chevalet. L'une d'entre elles était en train de peindre une grande toile. En passant à côté d'elle, je l'ai entendue se plaindre qu'elle n'avait pas les moyens de prendre des cours de peinture. Je me suis arrêté et j'ai admiré la toile :

« Mon entreprise pourrait avoir besoin d'une artiste.

– Pardon ?

– Mon entreprise a besoin de quelqu'un pour faire quelques publicités. Ça vous dirait de vous faire un peu d'argent ? »

Je ne voyais pas encore un grand intérêt à la publicité, mais je ne pouvais plus l'ignorer. La Standard Insurance Company venait de passer une pleine page dans le *Wall Street Journal*, présentant

Blue Ribbon comme l'une des jeunes entreprises les plus dynamiques parmi ses clients. La publicité nous montrait, Bowerman et moi, en train de regarder une chaussure. Nous avions l'air d'idiots qui n'avaient jamais vu une chaussure de leur vie. C'était plutôt gênant.

Dans certaines de nos publicités, le modèle n'était autre que Johnson : Johnson en survêtement bleu ou Johnson en train de lancer un javelot. Notre approche publicitaire était primitive et brouillonne. Nous faisions cela au fil de l'eau, en apprenant au fur et à mesure, et cela se voyait. Dans une publicité – il me semble qu'il s'agissait de celle pour la Tiger spéciale marathon – nous avons utilisé le terme de *swooshfiber* pour qualifier le nouveau tissu. Encore aujourd'hui, nous n'avons aucun souvenir de qui a eu l'idée de ce mot, ni de ce que cela signifiait. Mais cela sonnait bien.

Les gens me disaient sans cesse que la publicité était importante, qu'elle allait prendre un poids considérable. Ça m'ennuyait, mais je devais y prêter plus d'attention maintenant que des photos gnangnan et des mots inventés – et Johnson posant de manière suggestive sur un canapé – se glissaient dans nos publicités.

J'ai dit à cette artiste sans le sou :

« Je te donnerai deux dollars de l'heure.

– Pour faire quoi ?

– Pour concevoir des publicités, faire un peu de lettrage, des logos, peut-être quelques graphiques pour les présentations. »

Ce n'était pas l'opportunité du siècle mais la jeune fille était désespérée. Elle m'a écrit son numéro et son nom, Carolyn Davidson, sur un bout de papier, que j'ai glissé dans ma poche. Je suis parti et j'ai instantanément oublié cette histoire.

Le recrutement de commerciaux et de graphistes était le signe d'un certain optimisme, or je ne me considérais pas comme un optimiste de nature. Je n'étais pas pessimiste non plus, j'oscillais juste entre les deux. Cela dit, à l'approche de 1969, je me disais que le futur pourrait être radieux. Après une bonne nuit de sommeil et un copieux petit-déjeuner, j'arrivais à trouver des tas de raisons d'espérer. En plus des chiffres de ventes en hausse, Onitsuka allait bientôt me faire parvenir plusieurs nouveaux modèles, dont la Obori, qui avait une empeigne en nylon légère comme une plume, et la Marathon, un autre modèle en nylon avec des lignes brillantes qui n'étaient pas sans rappeler la Karmann Ghia[14]. J'ai souvent répété à Woodell que ces chaussures se vendraient très facilement.

Bowerman était revenu de Mexico, où il avait été entraîneur assistant dans l'équipe olympique des États-Unis et avait joué un rôle décisif dans le record du nombre de médailles d'or. Mon associé était plus qu'une célébrité, c'était une légende.

Je lui ai téléphoné, impatient de connaître ses impressions sur les Jeux et, en particulier, sur

14 Modèle de voiture de sport de chez Volkswagen.

l'événement qui allait marquer les mémoires, le geste de protestation de John Carlos et Tommie Smith. Sur le podium, les deux hommes avaient baissé la tête et levé le poing ganté de noir lors de la diffusion de l'hymne américain, un geste destiné à attirer l'attention sur le racisme, la pauvreté et le mépris des droits de l'homme. Carlos et Smith avaient été sanctionnés pour cela. Mais comme je m'y attendais, Bowerman les soutenait. En fait, Bowerman soutenait tous les coureurs.

Carlos et Smith ne portaient pas de chaussures au moment de leur geste de protestation. Ils avaient ostensiblement retiré leurs Puma et les avaient laissées dans les tribunes. J'ai dit à Bowerman que je ne savais pas s'il s'agissait d'une bonne chose ou non pour Puma. Toutes les publicités étaient-elles bonnes à prendre ?

Bowerman a gloussé et m'a dit qu'il n'en savait rien.

Il avait trouvé scandaleux le comportement de Puma et d'Adidas pendant les Jeux. Les deux plus grosses sociétés de chaussures de sport du monde, dirigées par deux frères allemands qui se haïssaient, s'étaient tiré la bourre dans le village olympique tels les Keystone Cops[15] afin de s'attirer les faveurs du maximum d'athlètes. D'immenses montants d'argent liquide, bourré dans des chaussures de course ou dans des enveloppes en papier kraft, avaient été remis aux sportifs. L'un des respon-

15 Personnages de policiers incompétents passant leur temps à se disputer, dans les films burlesques de la compagnie Keystone au début du XXe siècle.

sables commerciaux de Puma avait même été arrêté et emprisonné (il y avait des rumeurs disant qu'il s'agissait d'un coup monté d'Adidas). Il était marié à une sprinteuse et Bowerman plaisantait en disant qu'il l'avait épousée uniquement pour qu'elle porte ses chaussures.

Pire, cela ne s'était pas arrêté aux versements d'argent. Puma avait introduit clandestinement des cargaisons de chaussures à Mexico, alors qu'Adidas avait habilement réussi à être dispensé de droits de douane. J'ai entendu dire qu'Adidas avait obtenu cet avantage en fabriquant un nombre insignifiant de chaussures dans une usine de Guadalajara.

Bowerwan et moi n'étions pas choqués d'un point de vue moral, nous nous sentions plutôt mis de côté. Blue Ribbon n'avait pas suffisamment d'argent pour subventionner des sportifs et c'était la raison de notre absence aux Jeux.

Nous n'avions qu'un tout petit stand dans le village olympique et une seule personne sur place – Bork. Je ne savais pas si Bork était resté assis à lire des bandes dessinées ou s'il avait subi la concurrence d'Adidas et Puma, mais son stand n'avait généré ni business ni buzz. Personne ne s'y était arrêté.

J'exagère. En réalité, une personne s'y était arrêtée. Le brillant décathlonien américain Bill Toomey lui avait demandé des Tigers, afin de montrer à tout le monde qu'il ne pouvait être acheté par Puma ou Adidas. Mais Bork n'avait pas sa taille. De toute façon, il n'avait pas de chaussures adaptées à ce type d'épreuves.

Bowerman a remarqué qu'un certain nombre d'athlètes s'entraînaient en Tigers mais aucun ne concourait avec elles. C'était sans doute une question de qualité : les Tigers n'étaient pas encore assez bonnes. Mais la principale raison était financière : nous n'avions pas les moyens de nous assurer le soutien des athlètes. J'ai dit à Bowerman : « Nous ne sommes pas fauchés, nous n'avons juste pas assez d'argent. »

Il a grogné : « Quoi qu'il en soit, ça ne serait pas merveilleux si nous étions capables de payer les athlètes ? De façon légale ? »

Enfin, Bowerman m'a dit qu'il était tombé sur Kitami aux Jeux. Le moins que l'on pouvait dire est que cela n'avait pas été le coup de foudre. Il a grommelé : « Il ne connaît rien aux chaussures. Et il est un peu trop mielleux, trop imbu de lui-même. »

Je commençais à avoir les mêmes impressions. Les derniers télégrammes et lettres de Kitami m'avaient mis la puce à l'oreille. Ils m'avaient fait suggérer qu'il pourrait ne pas aimer Blue Ribbon autant qu'il le disait lorsque j'étais au Japon. J'avais un mauvais pressentiment. Je me demandais s'il n'allait pas augmenter ses tarifs. J'ai évoqué le sujet avec Bowerman au téléphone et lui ai dit que j'étais en train de prendre des mesures pour nous protéger d'une éventuelle décision de ce genre. Avant de raccrocher, je me suis vanté que même si on n'avait pas assez d'argent pour payer des athlètes, on en avait suffisamment pour nous assurer les services de quelqu'un chez Onitsuka. Je lui ai révélé que nous avions un homme qui était nos yeux et nos oreilles dans l'entreprise et qui surveillait Kitami.

J'ai envoyé une note de service aux employés de Blue Ribbon (nous en avions une quarantaine à cette époque) qui disait en substance la même chose. Bien qu'étant tombé amoureux de la culture japonaise – mon sabre de samouraï trônait au-dessus de mon bureau – je les ai prévenus que les pratiques nippones en termes de business étaient très particulières et que là-bas, on ne pouvait jamais vraiment prédire leurs décisions. Je leur ai écrit : « J'ai pris des mesures draconiennes pour que nous restions informés. J'ai recruté un espion. Il travaille à temps plein au service exportations d'Onitsuka. Je ne vais pas vous expliquer pourquoi mais je pense qu'il est digne de confiance. »

« L'utilisation d'un espion peut vous paraître contraire à l'éthique mais le système d'espionnage est enraciné et complètement accepté dans tous les réseaux d'affaires japonais. Ils ont même des écoles d'espionnage industriel, tout comme nous avons des écoles de dactylographie et de sténographie. »

Je n'arrive pas à comprendre ce qui m'a fait utiliser le mot « espion » de façon aussi désinvolte et avec autant d'assurance. Peut-être parce que James Bond était très populaire à l'époque.

Je ne comprends pas non plus pourquoi, alors que je révélais tant de choses, je ne donnais pas le nom de l'espion. Il s'agissait de Fujimoto, que j'avais aidé à acheter un nouveau vélo.

Je pense que je devais savoir, d'une façon ou d'une autre, que cette note de service était une erreur, une chose stupide, et que je le regretterais longtemps. Sans doute le savais-je. Mais parfois mon comportement s'avérait aussi tendancieux que les pratiques japonaises en matière de business.

Kitami et monsieur Onitsuka ont tous les deux assisté aux Jeux de Mexico et sont allés à Los Angeles ensuite. J'ai fait le déplacement depuis l'Oregon pour les rencontrer et dîner avec eux dans un restaurant japonais de Santa Monica. J'étais en retard, évidemment, et ils avaient déjà bu beaucoup de saké lorsque je suis arrivé. On aurait dit des écoliers en vacances : tous les deux portaient un sombrero souvenir et faisaient beaucoup de bruit.

J'ai fait beaucoup d'efforts pour me mettre dans le même esprit festif qu'eux. J'ai suivi le rythme de leurs verres et je les ai aidés à finir plusieurs plateaux de sushis. En rentrant à mon hôtel cette nuit-là, j'ai été pris de paranoïa au sujet de Kitami.

Nous avons pris l'avion pour Portland le lendemain matin afin qu'ils puissent rencontrer l'équipe de Blue Ribbon. J'ai réalisé à ce moment-là que j'avais peut-être exagéré la splendeur de notre « siège mondial » dans mes lettres à Onitsuka ou dans mes conversations avec eux. C'est devenu une certitude quand j'ai vu le visage de Kitami se crisper quand il est entré. J'ai également vu que monsieur Onitsuka était désorienté et qu'il regardait tout autour de lui. Je me suis empressé de leur demander pardon. En rigolant légèrement, je leur ai dit : « Cela peut paraître petit mais nous faisons beaucoup de business dans cette pièce. »

Ils ont vu les fenêtres cassées, le javelot qui nous servait à les fermer, le mur en contreplaqué ondulé. Ils ont regardé Woodell dans son fauteuil roulant. Ils ont senti les murs trembler à cause du jukebox du Pink Bucket. Ils se sont regardés, incrédules. Je me disais : « Mon petit, tout est fini. »

En sentant mon embarras, monsieur Onitsuka a posé une main rassurante sur mon épaule et il a dit : « C'est… plutôt charmant. »

Sur le mur du fond, Woodell avait accroché une immense carte des États-Unis et il y avait mis des épingles rouges partout où nous avions vendu une paire de Tigers lors des cinq années précédentes. La carte était recouverte de rouge. Cela nous a permis de détourner leur attention de notre bureau pendant un moment. Puis Kitami a pointé l'est du Montana : « Pas d'épingle. Manifestement, les commerciaux ne font pas leur travail à cet endroit. »

J'essayais de faire prospérer une entreprise mais aussi un mariage. Penny et moi apprenions à vivre ensemble, à mêler nos personnalités et nos singularités, même si nous étions d'accord pour dire qu'elle était celle qui avait la personnalité et moi la singularité. C'était donc elle qui avait le plus à apprendre.

Par exemple, elle découvrait que je passais chaque jour une bonne partie de mon temps perdu dans mes pensées, l'esprit ailleurs, à essayer de résoudre un problème ou d'élaborer un nouveau plan. Il est souvent arrivé que je n'écoute pas quand elle me parlait ou que je ne me souvienne pas de ce qu'elle m'avait dit quelques minutes plus tôt.

Elle apprenait que mon esprit était souvent absent, que je pouvais aller au supermarché et revenir à la maison les mains vides, sans ce qu'elle m'avait demandé d'acheter, car j'étais trop préoccupé par notre dernier problème avec la banque ou le dernier retard de livraison d'Onitsuka.

Elle apprenait que j'égarais tout, en particulier les choses importantes, comme les portefeuilles ou les clés. Ce n'était pas tout. Je parcourais souvent les pages financières du journal en déjeunant… mais aussi en conduisant. Ma Cougar noire n'est pas restée neuve très longtemps. Tel un Mister Magoo[16] de l'Oregon, je percutais régulièrement des arbres, des poteaux et les pare-chocs d'autres voitures.

Elle apprenait que je n'étais pas très soucieux de la propreté. Je laissais la lunette des toilettes relevée après mon passage, mes vêtements traînaient toujours par terre, je ne débarrassais jamais la table. Je n'étais pas d'un grand secours pour les tâches ménagères. Je ne savais pas faire la cuisine, même

16 Mister Magoo est un personnage de dessin animé assez âgé, dont la principale caractéristique est une myopie extrême.

les plats les plus élémentaires, car j'avais été pourri gâté par ma mère et mes sœurs.

Elle apprenait que je n'aimais pas perdre, quel que soit le sujet, que c'était pour moi une vraie souffrance. Je disais souvent que c'était Bowerman qui m'avait rendu comme cela mais ça remontait à bien plus loin. Je lui ai raconté la douleur que cela avait été de ne jamais être en mesure de battre mon père au ping-pong quand j'étais enfant. Qu'il arrivait parfois à mon père de sourire après m'avoir battu et que cela me mettait dans une rage folle. Plus d'une fois, j'ai jeté ma raquette et je suis parti en pleurant. Je n'étais pas fier de cette facette de ma personnalité, mais elle était ancrée en moi. Il fallait la connaître pour pouvoir me cerner. Elle ne s'en est jamais vraiment rendu compte avant que nous allions au bowling. Penny était vraiment douée pour ce jeu – elle avait pris des cours à l'Université de l'Oregon – et je percevais donc cela comme un défi. J'étais déterminé à gagner et j'étais dépité chaque fois que je ne parvenais pas à faire un *strike*.

Par-dessus tout, elle apprenait que le fait d'avoir épousé un homme qui montait une start-up était synonyme de budget serré. Mais elle s'en sortait très bien. Je ne pouvais lui donner que vingt-cinq dollars par semaine pour les courses et elle arrivait quand même à concocter des plats délicieux. Je lui ai donné une carte de crédit avec une limite de 2 000 dollars pour meubler notre appartement, et elle a réussi avec cela à dénicher une table à manger, deux chaises, une télévision Zénith et un grand canapé avec des accoudoirs moelleux, ce qui était parfait pour faire la sieste. Elle m'a également acheté un fauteuil inclinable marron, qu'elle a disposé dans un coin du salon. Désormais, je pouvais me pencher en arrière en faisant un angle de quarante-cinq degrés et me perdre dans mes réflexions autant que je le souhaitais. C'était bien plus confortable et bien moins dangereux que la Cougar.

J'ai pris l'habitude d'appeler mon père tous les soirs depuis mon fauteuil inclinable. Il était assis dans le sien et nous dissertions ensemble des dernières menaces planant sur Blue Ribbon. Manifestement, il ne considérait plus mon entreprise comme une perte de temps, même s'il ne me le disait pas explicitement. Au contraire, il disait trouver « intéressants » et « stimulants » les problèmes auxquels j'étais confronté, ce qui revenait quasiment au même pour moi.

* * *

Au printemps 1969, Penny a commencé à ne pas se sentir bien le matin. Elle avait souvent la nausée. Le midi, elle était souvent vacillante au bureau. Elle est allée voir le médecin – qui l'avait mise au monde – et elle a appris qu'elle était enceinte.

Nous étions tous les deux très heureux. Mais la liste des choses à gérer devenait vertigineuse.

Notre petit appartement était complètement inadapté à l'arrivée d'un enfant. Il paraissait évident que nous devions acheter une maison. Mais en avions-nous les moyens ? Je venais seulement de commencer à me verser un salaire. Et dans quel quartier de la ville devions-nous nous installer ? Où les meilleures écoles étaient-elles situées ? Comment pouvais-je effectuer des recherches sur les tendances immobilières et sur les écoles alors que j'étais occupé à développer ma start-up ? Était-il seulement possible de gérer une start-up en élevant une famille ? Ne valait-il mieux pas que je retourne faire de la comptabilité, ou de l'enseignement, ou quelque chose de plus stable ?

J'essayais de réfléchir à tout cela tous les soirs dans mon fauteuil inclinable en regardant le plafond. Je me suis dit : « La croissance, c'est la vie. On grandit ou on meurt. »

Nous avons trouvé une maison à Beaverton. Elle était plutôt petite, seulement 160 mètres carrés, mais il y avait un demi-hectare de jardin, un petit enclos pour chevaux et une piscine. Il y avait aussi un énorme pin devant la maison et des bambous japonais derrière. J'adorais cette maison et je n'hésitais pas à le dire. Quand j'étais enfant, mes sœurs m'ont demandé plusieurs fois à quoi ressemblerait ma maison idéale et elles m'ont tendu un jour un crayon de bois pour que je la dessine. Après que Penny et moi avons emménagé, mes sœurs m'ont apporté le dessin que j'avais réalisé. C'était exactement la maison de Beaverton.

Elle coûtait 34 000 dollars. Mes économies représentaient vingt pour cent de cette somme mais je les avais engagées pour obtenir mes nombreux prêts auprès de First National. Je suis donc allé voir Harry White. Je lui ai dit que j'avais besoin de ces économies pour acheter une maison et que je la mettrais en garantie.

Il m'a dit : « OK. Pour ça, nous n'avons pas besoin de consulter Wallace. »

Le soir même, j'ai dit à Penny que nous perdrions la maison si Blue Ribbon faisait faillite. Elle a mis la main sur son ventre et s'est assise. C'était exactement le genre d'insécurité qu'elle avait toujours voulu éviter. Mais elle a fini par s'y résoudre.

Étant donné les enjeux, elle se sentait dans l'obligation de continuer à travailler tout au long de sa grossesse. Elle était prête à tout sacrifier pour Blue Ribbon, même son objectif d'obtenir un diplôme universitaire. Quand elle n'était pas physiquement au bureau, Penny faisait de la vente par correspondance depuis notre nouvelle maison. En 1969, malgré les nausées du matin, les chevilles gonflées, la prise de poids et la fatigue permanente, Penny a traité seule 1 500 commandes. Certaines d'entre elles ne consistaient qu'en un croquis rapide d'un pied envoyé par des clients depuis des contrées reculées mais Penny s'en fichait. Elle cherchait consciencieusement une correspondance entre le traçage et la chaussure la plus proche puis livrait la commande. Chaque vente comptait.

Ma famille s'agrandissait, mon entreprise aussi. La pièce jouxtant le Pink Bucket était devenue trop petite pour nous. De plus, Woodell et moi étions fatigués de devoir crier à cause du jukebox pour nous faire entendre. Tous les soirs après le boulot, nous allions donc nous chercher des cheeseburgers et nous nous mettions à la recherche de nouveaux locaux.

D'un point de vue logistique, c'était un cauchemar. Woodell devait conduire, car sa chaise roulante ne rentrait pas dans ma Cougar et je me sentais toujours coupable et mal à l'aise de me faire conduire par un homme avec un handicap aussi lourd. Je commençais à craquer nerveusement car les locaux que nous voyions étaient très nombreux à se trouver en haut de grands voire de très grands escaliers. Cela signifiait que je devrais porter Woodell pour monter et descendre.

Ces moments me rappelaient douloureusement la réalité de son état. Il était facile de l'oublier durant nos journées de travail tant Woodell était positif et énergique. Comme je devais manœuvrer son corps pour monter et descendre les escaliers, j'étais sans cesse frappé par sa vulnérabilité. Je priais dans ma barbe : « Faites que je ne le laisse pas tomber. Faites que je ne le laisse pas tomber. » En m'entendant, Woodell se crispait, ce qui me rendait encore plus nerveux. Je lui disais alors : « Ne t'inquiète pas. Je n'ai encore jamais perdu un patient. »

Il ne perdait jamais son calme, quelle que fût la situation. Même dans les situations où il était le plus vulnérable, avec moi le tenant dans un équilibre précaire en haut d'escaliers sombres, il ne perdait jamais de vue sa philosophie, qui était en gros : « Si tu oses être désolé pour moi, je te tue. » (La toute première fois que je l'ai envoyé à un salon commercial, la compagnie aérienne a perdu son fauteuil roulant. Il était tout tordu lorsqu'ils l'ont retrouvé. Cela n'a pas empêché Woodell d'assister au salon, de suivre à la lettre le programme prévu et de revenir au bureau avec un sourire jusqu'aux oreilles.)

À la fin de chacune de nos recherches nocturnes de nouveaux locaux, Woodell et moi éclations de rire en constatant notre fiasco. La plupart du temps, nous finissions dans un bar, hagards. Avant de nous séparer, nous jouions souvent à un jeu : je sortais un chronomètre et je mesurais le temps que Woodell mettait pour rentrer dans sa voiture avec son fauteuil. En tant qu'ancien champion, il aimait défier le chronomètre et tenter de battre son record personnel (quarante-quatre secondes). Nous aimions tous les deux ces soirées, et notamment partager une mission commune un brin absurde. Elles étaient parmi les meilleurs moments de nos jeunes existences.

Woodell et moi étions très différents mais nous avions la même approche du travail, ce qui nous rapprochait. Nous prenions tous les deux du plaisir à nous focaliser sur de petites tâches. Nous disions souvent que la division du travail en petites tâches libérait l'esprit. Et celle que constituait la recherche de nouveaux locaux était une étape nécessaire pour le succès de l'entreprise. Nous étions en train de réussir ce projet Blue Ribbon, qui faisait écho à notre profond désir de gagner, ou de ne pas perdre, que nous partagions.

Alors que nous n'étions ni l'un ni l'autre très doués pour parler, nous discutions de tout lors de ces soirées et nous nous ouvrions avec une sincérité rare. Woodell m'a tout raconté de sa blessure. Je me suis dit que s'il m'arrivait de tout voir en noir, l'histoire de Woodell me rappellerait toujours que la vie pouvait être plus difficile. La façon dont il se prenait en charge, avec mérite et bonne humeur, constituait un exemple.

Selon lui, sa blessure n'était pas courante. Elle n'était pas totale non plus, il avait encore quelques sensations. Il avait encore des espoirs de se marier et de fonder une famille. Et aussi de guérir un jour. Il participait à une expérimentation médicale, qui semblait prometteuse pour les paraplégiques. Le point négatif était le goût d'ail du nouveau médicament. Lors de nos expéditions nocturnes à la recherche d'un bureau, Woodell avait l'odeur d'une vieille pizzeria, et je n'hésitais pas à le lui faire savoir.

Un jour, je lui ai demandé – j'ai hésité, craignant de ne pas avoir le droit de le faire – s'il était heureux. Il a hésité puis il m'a répondu que oui, il l'était. Il aimait son travail et Blue Ribbon, même s'il était parfois désemparé par l'ironie de la situation : faire du négoce de chaussures sans être capable de marcher soi-même.

Je ne savais pas quoi répondre. Alors je me suis tu.

Penny et moi invitions souvent Woodell à dîner dans notre nouvelle maison. C'était comme s'il faisait partie de la famille, nous l'aimions et nous savions que nous comblions un vide dans sa vie, un certain besoin de compagnie. Penny voulait toujours cuisiner quelque chose de spécial quand nous le recevions, souvent un poulet de Cornouailles, suivi d'un dessert au brandy et au lait glacé – elle avait trouvé la recette dans un magazine – après lequel nous étions complètement saouls. Elle savait qu'un tel menu entamait sérieusement notre budget hebdomadaire pour les courses, mais Penny n'arrivait pas à économiser quand il était question de Woodell. À chaque fois, elle s'extasiait : « Je vais chercher un chapon et du brandy. » Elle voulait qu'il se sente bien, qu'il mange bien. Elle l'engraissait. La façon dont elle traitait Woodell n'était sans doute pas sans rapport avec sa fibre maternelle fraîchement activée.

Je peine à m'en rappeler. Je ferme les yeux et j'essaie d'y repenser mais tous ces moments précieux – d'innombrables conversations, des éclats de rire sans fin, des révélations, des confidences – ont quitté ma mémoire pour toujours. Je me rappelle seulement que nous restions assis la moitié de la nuit, à parler du passé et à faire des plans pour l'avenir. Je me souviens que nous évoquions à tour de rôle ce qu'était notre entreprise, ce qu'elle pourrait devenir et les écueils à éviter. Comme j'aurais aimé avoir utilisé un magnétophone lors de ces soirées. Ou tenu un journal, comme lors de mon tour du monde.

J'ai tout de même encore en tête l'image de Woodell assis au bout de notre table à manger, habillé avec soin d'un pull en V de grande marque par-dessus un T-shirt blanc, ses Tigers aux pieds.

À l'époque, Woodell avait une longue barbe et une moustache fournie. J'aurais voulu avoir les mêmes, c'étaient les années 1960 après tout… Mais j'avais sans cesse besoin d'aller emprunter de l'argent à la banque. Je ne pouvais pas avoir l'air d'un clochard lorsque je rencontrais Wallace. Me raser de près était l'une de mes rares concessions envers ce monsieur.

Woodell et moi avons fini par trouver un bureau plein de promesses, à Tigard, dans le sud de Portland. Il ne s'agissait pas d'un immeuble entier – nous ne pouvions pas nous le permettre – mais uniquement d'une partie d'un étage. Le reste du niveau était occupé par Horace Mann Insurance Company. Les locaux étaient propres, presque luxueux, c'était un grand bond en avant. Pourtant, j'hésitais. Être les voisins d'un bar était déjà un choix curieux mais alors une compagnie d'assurance ? Avec des murs tapissés, des fontaines à eau et des hommes en costume sur mesure ? L'atmosphère était très guindée, très *corporate*.

Je me suis dit que l'environnement influençait notre esprit, qui est fondamental dans la réussite ou non d'une entreprise. Je craignais qu'il ne soit subitement altéré si nous partagions notre espace de travail avec des *organization men*.

Je me suis installé dans mon fauteuil inclinable, j'ai réfléchi et finalement me suis dit que nos convictions profondes étaient plus fortes que le reste et que ce déménagement ne détériorerait pas notre atmosphère créative. De plus, c'était peut-être un bon point vis-à-vis de notre banque. Peut-être que Wallace nous traiterait désormais avec davantage de respect quand il verrait nos nouveaux bureaux neutres et ennuyeux. Et puis vendre des Tigers à Tigard, ça sonnait comme un signe du destin.

Ensuite, j'ai pensé à Woodell. Il disait être heureux à Blue Ribbon mais il m'avait également fait part de l'ironie de sa situation. C'était un euphémisme : sillonner les lycées et les universités et vendre des Tigers depuis sa voiture était certainement une torture pour lui. Et aussi sans doute aussi une mauvaise utilisation de ses compétences. Woodell était fait pour affronter le chaos et remettre les choses en ordre.

Après que nous soyons allés signer le bail des nouveaux locaux, je lui ai demandé s'il voudrait changer de boulot et devenir directeur des opérations chez Blue Ribbon. Il n'y aurait plus d'appels aux clients, ni de déplacements dans les écoles. Il s'occuperait désormais de toutes les choses pour lesquelles le temps et la patience me manquaient.

Comme par exemple parler à Bork à Los Angeles, correspondre avec Johnson à Wellesley, ouvrir un nouveau bureau à Miami, recruter quelqu'un pour coordonner les nouveaux commerciaux, organiser leurs comptes-rendus ou encore approuver les notes de frais. Le plus savoureux était que Woodell devrait désormais superviser la personne qui suivait les comptes de l'entreprise. Désormais, s'il n'encaissait pas ses propres chèques, Woodell devrait expliquer le surplus sur les comptes à son responsable : lui-même.

Rayonnant, Woodell m'a tendu la main en disant : « *Deal*. »

Sa poignée de main était encore celle d'un athlète.

Penny est allée chez le médecin en septembre 1969 pour une visite de contrôle. Le médecin lui a dit que tout semblait bien se passer mais que le bébé prenait son temps et que cela prendrait sûrement une semaine de plus.

Elle a passé le reste de l'après-midi chez Blue Ribbon, à conseiller les clients. Nous sommes rentrés à la maison ensemble, nous avons dîné puis nous sommes couchés tôt. Vers quatre heures du matin, Penny m'a réveillé : « Je ne me sens pas très bien. »

J'ai téléphoné au médecin pour qu'il nous rejoigne à l'Emanuel Hospital.

Dans les semaines qui avaient précédé, j'avais fait plusieurs voyages d'essai à l'hôpital. C'était une bonne idée car j'étais une telle épave le jour J que j'avais l'impression de ne pas être à Portland mais à Bangkok. Tout me paraissait étrange, inconnu. Je roulais doucement, pour être sûr de bien prendre les virages. Mais pas trop non plus, je ne me voyais pas mettre au monde le bébé moi-même.

Les rues étaient vides, les feux étaient verts. Une pluie fine tombait sur la ville. Les seuls bruits dans la voiture étaient les grandes inspirations de Penny et les essuie-glaces qui grinçaient sur le pare-brise. Alors que nous rentrions dans la salle des urgences et que j'aidais Penny à marcher, elle n'arrêtait pas de dire : « Nous sommes sans doute en train de surréagir. Je ne pense pas que ce soit pour maintenant. » Elle respirait comme moi dans le dernier tour de mes courses.

Je me souviens de l'infirmière qui a pris en charge Penny et l'avait installée dans un fauteuil roulant. Je les ai suivies, essayant d'aider. J'avais un kit de grossesse avec moi, avec un chronomètre, le même que j'avais utilisé pour mesurer Woodell. C'étaient désormais les contractions de Penny que je chronométrais à haute voix. « Cinq… Quatre… Trois… » Soudain, elle a cessé de haleter et s'est tournée vers moi. À travers ses dents serrées, elle a réussi à dire : « Arrête… de… faire… ça. »

Une infirmière l'a aidée à s'extraire de son fauteuil roulant et à s'installer dans un brancard. Je suis sorti de la pièce en titubant pour aller dans ce que l'hôpital appelait « l'enclos », où les futurs papas étaient censés s'asseoir et regarder dans le vide. J'aurais préféré être dans la salle d'accouchement avec Penny mais mon père m'en avait dissuadé. Il m'avait raconté que j'étais tout bleu à la naissance, ce qui l'avait effrayé, et il m'avait mis en garde : « Il vaut mieux que tu sois ailleurs au moment décisif. »

Je me suis assis dans un siège en plastique dur, les yeux fermés, avec des histoires de chaussures dans la tête. J'ai ouvert les yeux au bout d'une heure, notre médecin se tenait en face de moi. Des perles de sueurs glissaient sur son front. Il était en train de me parler. Ses lèvres bougeaient mais je ne n'entendais rien. J'ai fini par comprendre : « C'est un garçon. »

« Un… un… garçon ? Vraiment ?

– Votre femme a fait un magnifique travail, elle ne s'est pas plainte une seule fois, et elle a poussé au bon moment. A-t-elle pris beaucoup de cours Lamaze ?

– Lemans ?

– Pardon ?

– Quoi ? »

Il m'a conduit comme si j'étais invalide le long d'un couloir interminable jusque dans une petite salle. Là, il y avait ma femme derrière un rideau. Elle était épuisée, radieuse malgré son visage rouge écarlate. Il y avait dans ses bras une couverture blanche matelassée décorée de landaus bleus. J'ai relevé un coin de la couverture pour découvrir une tête de la taille d'un pamplemousse bien mûr, avec un petit bonnet blanc. C'était mon fils. Il ressemblait à un voyageur. Ce qu'il était ! Il venait juste de commencer son propre voyage dans ce monde.

Je me suis baissé, j'ai déposé un baiser sur la joue de Penny. J'ai relevé ses cheveux humides. J'ai chuchoté : « Tu es une championne. »

Elle m'a tendu mon fils. Je l'ai bercé dans mes bras. Il était si vivant, mais aussi si fragile et si vulnérable. Le sentiment était merveilleux, à la fois familier et différent de tous les autres que j'avais pu éprouver jusque-là. « Faites que je ne le laisse pas tomber. »

J'avais passé tellement de temps chez Blue Ribbon à parler de contrôle qualité, de savoir-faire et de livraison – mais je me suis rendu compte que c'était ça qui était le plus vrai, le plus concret. J'ai dit à Penny : « Nous l'avons fait. Nous. L'avons. Fait. » Elle a fait un petit signe de la tête avant de se coucher. J'ai tendu le bébé à l'infirmière et dit à Penny de se reposer. Je suis sorti de l'hôpital et j'ai pris la voiture. J'ai soudain eu une irrésistible envie de voir mon père. Je suis allé à son journal et je me suis garé à quelques blocs, car je voulais marcher. La pluie avait cessé. L'air était frais et humide. Je suis entré chez un vendeur de cigares. Je me suis imaginé tendre à mon père un gros robusto en lui disant : « Salut, Papy ! »

En sortant du magasin, la boîte de cigares en bois sous le bras, je suis tombé sur Keith Forman, un ancien coureur de l'Université d'Oregon. Je me suis exclamé : « Keith ! » Il m'a répondu : « Salut,

Buck. » Je l'ai attrapé par le revers de sa veste et j'ai crié : « C'est un garçon ! » Il s'est écarté, désorienté. Il a dû penser que j'étais saoul. Mais ce n'était pas le moment de m'expliquer. J'ai poursuivi ma route.

Forman avait fait partie de la célèbre équipe de l'Université d'Oregon qui avait battu le record du monde du relais quatre fois un mile. Je me suis toujours souvenu du temps qu'ils avaient fait : 16 minutes, 8 secondes et 9 centièmes. Forman avait fait partie de l'équipe nationale de 1962 dirigée par Bowerman et avait été le cinquième américain à passer sous la barre des quatre minutes au mile. Et dire que quelques heures auparavant, je pensais encore que c'était ce genre de choses qui faisait les champions.

Automne 1969. La météo a été plutôt difficile lors de ce mois de novembre. Emmitouflé dans un pull épais, je me suis livré à une sorte d'inventaire devant la cheminée. J'étais plein de gratitude. Penny et mon fils, que nous avions appelé Matthew, étaient en bonne santé. Bork, Woodell et Johnson étaient heureux. Les ventes continuaient de croître.

Et puis un courrier est arrivé. Une lettre de Bork. Depuis son retour de Mexico, il souffrait d'une sorte de tourista mentale. Il m'écrivait qu'il avait un problème avec moi, qu'il n'appréciait ni mon style de management ni ma vision de l'entreprise. Il ne comprenait pas pourquoi je mettais des semaines à répondre à ses lettres, quand j'y répondais.

Il disait avoir des idées de nouveaux modèles de chaussures et qu'il n'aimait pas qu'on les ignore systématiquement. Après plusieurs pages de cet acabit, il exigeait des changements immédiats et une augmentation.

Il s'agissait de la seconde mutinerie à laquelle j'avais à faire face. Cependant, celle-ci était plus complexe que celle de Johnson. J'ai passé plusieurs jours à préparer ma réponse. J'étais d'accord pour augmenter son salaire (un peu), mais j'ai décidé de faire valoir ma supériorité hiérarchique. J'ai rappelé à Bork que, quelle que soit l'entreprise, il ne pouvait y avoir qu'un seul boss et que, malheureusement pour lui, celui de Blue Ribbon s'appelait Buck Knight. Je lui ai dit que si mon style de management et moi-même ne lui plaisions pas, il devait avoir en tête que démissionner ou être viré étaient deux options envisageables.

Comme pour la note de service « espion », j'ai eu un instant de remord. Au moment où j'ai posté ma réponse, j'ai réalisé que Bork était un très bon élément de notre équipe, que je ne pouvais me permettre de le perdre. J'ai envoyé à Los Angeles notre nouveau directeur des opérations, Woodell, afin qu'il arrange les choses.

Woodell a invité Bork à déjeuner avec lui et a essayé de lui expliquer que je ne dormais pas beaucoup, avec mon bébé et le reste. Woodell lui a aussi dit que j'étais extraordinairement stressé depuis la visite de messieurs Kitami et Onitsuka. Woodell a plaisanté sur mon style de management unique, disant à Bork que tous se plaignaient de ne jamais recevoir de réponses à leurs notes ou lettres.

Woodell a passé plusieurs jours avec Bork, à essayer d'arrondir les angles et faire passer la pilule. Il a découvert un Bork très stressé, lui aussi. La boutique tournait bien mais la réserve, qui était quasiment devenu notre entrepôt national, était sens dessus dessous. Il y avait des boîtes partout, des factures et de la paperasse jusqu'au plafond. Bork n'arrivait pas à suivre le rythme.

Woodell m'a fait passer le message à son retour : « Je pense que Bork est de retour au bercail mais nous devons le soulager de cet entrepôt. Nous devons transférer toutes les opérations de stockage ici. » De plus, Woodell a suggéré que nous engagions sa mère pour gérer l'entrepôt. Pour lui, cela n'était pas du népotisme, elle avait travaillé des années dans l'entrepôt de Jantzen, le légendaire équipementier de l'Oregon. Maman Woodell était donc faite pour ce job.

Je ne voyais pas vraiment cela comme un souci. Si c'était une bonne idée pour Woodell, cela l'était pour moi aussi. Je me disais : plus y a de Woodell, mieux c'est.

1970

Il fallait que je retourne à nouveau au Japon, deux semaines avant Noël cette fois. Cela ne me plaisait pas de laisser Penny seule avec Matthew, tout particulièrement à l'approche des fêtes, mais je ne pouvais pas faire autrement. Je devais signer un nouveau contrat avec Onitsuka. Je n'avais aucune garantie car Kitami se plaisait à maintenir un certain suspense. Il ne voulait pas me faire part de sa décision au sujet du renouvellement avant mon arrivée au Japon.

Je me suis retrouvé une nouvelle fois dans la salle de réunion, entouré des responsables. Cette fois, monsieur Onitsuka n'est pas arrivé en retard et il n'a pas non plus quitté la réunion avant la fin de façon ostensible. Il était présent dès le début et c'est lui qui présidait les débats.

Il a débuté la séance en disant qu'il souhaitait renouveler le contrat de Blue Ribbon pour trois années supplémentaires. Pour la première fois depuis des semaines, j'ai souri. Puis je me suis engouffré dans la brèche et j'ai essayé d'obtenir un contrat plus long. 1973 paraissait être à des années-lumière mais nous y serions très vite. J'avais besoin de davantage de temps et de sécurité. Mes banquiers voulaient davantage. J'ai dit : « Cinq ans ? ».

Monsieur Onitsuka a souri : « Trois. »

À la suite de quoi, il a fait un discours étrange. Il a dit que l'avenir était rose pour Onitsuka, en dépit de plusieurs années de stagnation des ventes au niveau mondial et de quelques erreurs stratégiques. Il a expliqué que son entreprise repartirait de l'avant grâce à la compression des coûts et une réorganisation. Il espérait que le chiffre d'affaires de l'entreprise atteindrait 22 millions de dollars pour l'année fiscale à venir, dont une bonne partie réalisée aux États-Unis. Une enquête récente venait de montrer que 70 % des coureurs américains possédaient une paire de Tigers.

J'étais au courant de cette statistique. J'avais envie de dire que j'y étais sans doute un peu pour quelque chose et que c'était la raison pour laquelle je souhaitais un contrat plus long.

Mais monsieur Onitsuka a affirmé que la principale raison des bons chiffres d'Onitsuka était… Kitami. Il a baissé les yeux puis a adressé un sourire paternel à Kitami. Monsieur Onitsuka a expliqué qu'en conséquence, Kitami serait promu directeur des opérations. Il serait désormais l'équivalent de Woodell chez Onitsuka, même si je n'échangerais pas un Woodell contre mille Kitami.

J'ai salué de la tête monsieur Onitsuka et je l'ai félicité pour la réussite de son entreprise. Puis je me suis tourné vers Kitami, je l'ai salué également et l'ai félicité pour sa promotion. Mais j'ai décelé quelque chose de froid dans ses yeux lorsque j'ai relevé la tête. Cet instant m'est resté pendant de longues journées.

Nous avons rédigé un accord. Celui-ci ne faisait que quatre ou cinq paragraphes, c'était très court. L'idée m'a traversé l'esprit qu'il aurait dû être plus étoffé et je me suis dit qu'il aurait été bon qu'un avocat l'examine en détail. Mais le temps pressait. Nous avons tous signé puis nous sommes passés à d'autres sujets.

J'étais soulagé d'avoir décroché un nouveau contrat mais aussi très anxieux quand je suis rentré dans l'Oregon, plus que je ne l'avais jamais été au cours des huit dernières années. Certes, il y avait dans ma serviette la garantie qu'Onitsuka me fournirait des chaussures pendant trois années supplémentaires, mais je ne comprenais pas pourquoi ils refusaient d'aller au-delà. D'ailleurs, le renouvellement du contrat n'était pas tout. Onitsuka me garantissait un approvisionnement mais leurs livraisons étaient toujours très en retard, ce qui pouvait se révéler dangereux. Ils faisaient même preuve d'une désinvolture exaspérante à ce sujet. « *Un peu plus de jours* ». Avec Wallace qui se comportait davantage comme un usurier que comme un banquier, *« un peu plus de jours »* pouvait nous mener à la catastrophe.

Et ce n'était pas tout. Lorsque les livraisons d'Onitsuka finissaient par arriver, elles contenaient souvent un nombre inexact de chaussures. Les tailles n'étaient parfois pas les bonnes, les modèles non plus. Ces erreurs finissaient par obstruer notre entrepôt et agaçaient nos commerciaux. Avant de quitter le Japon, monsieur Onitsuka et Kitami m'avaient assuré qu'ils étaient en train de construire de nouvelles usines à la pointe du progrès et que les problèmes de livraison appartiendraient bientôt au passé. J'étais sceptique mais il n'y avait rien que je puisse faire. J'étais à leur merci.

Pendant ce temps-là, Johnson perdait la tête. Ses lettres, qui suintaient d'angoisse d'ordinaire, devenaient carrément hystériques. Pour lui, le gros problème était la Cortez de Bowerman, qui devenait tout simplement trop populaire. Le modèle avait attiré l'attention et beaucoup de gens étaient devenus véritablement accros. Nous n'arrivions plus à satisfaire la demande, ce qui faisait naître une certaine colère à tous les niveaux de notre circuit d'approvisionnement.

Dans l'une des lettres, Johnson écrivait : « Mon Dieu, on se moque vraiment de nos clients. », « Le rêve, c'est une cargaison de Cortez, mais la réalité, ce sont des milliers de Boston avec l'empeigne dure comme du bois et la languette comme une lame de rasoir… »

Il exagérait clairement mais il n'était pas si éloigné de la vérité. Il y avait des erreurs de livraison tout le temps.

J'avais réussi à obtenir un prêt de la part de Wallace mais je me rongeais les sangs en attendant qu'Onitsuka daigne m'envoyer les chaussures. Malheureusement, quand le bateau de livraison est finalement arrivé, les containers ne comportaient aucune Cortez. Six semaines plus tard, nous avions cette fois beaucoup trop de Cortez, mais c'était trop tard.

Pourquoi ? Nous étions tous d'accord sur le fait que cela ne pouvait pas être lié qu'à l'état de décrépitude des usines Onitsuka. Woodell avait fini par se rendre compte qu'Onitsuka honorait d'abord les commandes de ses distributeurs locaux et que les livraisons vers l'étranger passaient au second plan. C'était terriblement injuste mais que pouvais-je y faire ? Je n'avais aucun moyen de pression.

Cela dit, même si Onitsuka avait construit de nouvelles usines permettant de remédier aux problèmes de livraison, s'ils avaient envoyé les chaussures en temps et en heure avec la bonne quantité pour chaque pointure, un gros problème aurait perduré : Wallace. Passer de plus grosses commandes m'amenait à solliciter des prêts plus importants. Ces derniers étaient également plus difficiles à rembourser. Et en 1970, Wallace m'a fait comprendre que ce petit jeu ne l'intéressait plus.

Je me souviens d'une journée en particulier, où j'étais assis dans son bureau. White et Wallace me faisaient passer un sale quart d'heure. Wallace semblait apprécier l'instant alors que White, lui, me lançait des regards qui semblaient vouloir dire :

« Désolé, fiston, je fais juste mon travail. » Je me faisais malmener mais comme d'habitude, j'encaissais leurs offenses très poliment et je jouais le rôle de l'humble petit dirigeant d'entreprise. Je connaissais ce rôle par cœur, mais je me souviens m'être dit que je pourrais lâcher une soufflante à glacer le sang à tout moment. J'avais bâti une entreprise dynamique à partir de rien, tout se passait objectivement bien – un chiffre d'affaires qui doublait chaque année et de façon très régulière – et voilà le traitement auquel j'avais droit : deux banquiers qui me traitaient comme un bon à rien.

White, essayant d'aplanir les choses, a dit deux ou trois choses positives sur Blue Ribbon. Qui n'avaient malheureusement aucun effet sur Wallace. J'ai respiré un grand coup, j'ai commencé à parler, avant de m'arrêter net. Je n'aimais pas le ton de ma voix. Je me suis contenté de me redresser et j'ai serré les bras très fort. C'était mon nouveau tic, j'avais arrêté avec les élastiques. Lorsque j'étais stressé, que quelqu'un m'énervait, j'enroulais mes bras très fort autour de mon torse. Ce tic était très marqué ce jour-là. J'avais sûrement l'air de quelqu'un qui répétait la dernière position de yoga qu'il avait apprise en Thaïlande.

Le point d'achoppement n'était pas le traditionnel désaccord au sujet de la croissance trop rapide de l'entreprise. Le chiffre d'affaires de Blue Ribbon approchait 600 000 dollars et je sollicitais ce jour-là un prêt de 1,2 million. Je dépassais la barre du million de dollars pour la première fois.

Cela semblait avoir une signification symbolique pour Wallace. Dans sa tête, c'était un peu comme la barre des quatre minutes au mile : très peu de gens sont destinés à la passer. Il m'a dit que mon projet et moi commencions à le fatiguer. Pour la énième fois, il m'a expliqué que c'était la trésorerie qui faisait vivre la banque et pour la énième fois, j'ai répété très poliment que si mes ventes et mes revenus continuaient à grimper, il serait heureux que je sois son client.

Wallace a fait claquer son stylo sur la table et a dit que j'étais au maximum de ma capacité d'endettement et que cette décision était officielle, irrévocable et à effet immédiat. Il n'autoriserait pas que j'emprunte le moindre cent supplémentaire tant que je n'aurais pas mis de l'argent sur mon compte pour de bon. D'ici là, il imposerait des objectifs de chiffre d'affaires très stricts. Il a dit : « Ratez un objectif d'un seul jour et… », et il n'a pas fini sa phrase. Sa voix est devenue inaudible et je pouvais imaginer les pires scénarios.

Je me suis tourné vers White, qui m'a lancé un regard qui voulait dire : « Qu'est-ce que j'y peux, fiston ? »

Quelques jours plus tard, Woodell m'a montré un télégramme d'Onitsuka. Le gros envoi du printemps était prêt à partir et ils demandaient pour cela le versement de 20 000 dollars. Nous nous en sommes réjouis : pour une fois, ils envoyaient les chaussures en temps et en heure.

Mais il y avait un problème : nous n'avions pas les 20 000 dollars et il était clair que je ne pouvais pas aller voir Wallace pour les emprunter. Je ne pouvais même pas lui demander cinq dollars.

J'ai donc envoyé un télégramme à Onitsuka pour leur demander de retenir les chaussures jusqu'à ce nous percevions de nouvelles rentrées d'argent avec les ventes. Je leur ai écrit : « S'il vous plaît, n'imaginez pas que nous rencontrons des difficultés financières. » En soi, ce n'était pas un mensonge. Comme je l'avais dit à Bowerman, nous n'étions pas en faillite, nous n'avions juste pas d'argent. Nous disposions de beaucoup d'actifs mais pas de trésorerie. C'était mon tour de dire : « un peu plus de jours. »

Alors que nous attendions la réponse d'Onitsuka, j'ai réalisé qu'il n'y avait qu'un seul moyen de résoudre notre problème de trésorerie une fois pour toutes : un appel public à l'épargne pour une petite partie de notre capital. Je me suis dit que nous pourrions lever 300 000 dollars en un rien de temps si nous vendions 30 % de Blue Ribbon à deux dollars l'action.

Le timing était parfait pour ce genre d'opération. En 1970, les toutes premières sociétés de capital-risque étaient en train de se développer. Le concept même de capital-risque était en train de naître sous nos yeux, même s'il n'y avait pas encore de consensus sur ce qui constituait un bon investissement pour les capital-risqueurs. La plupart des jeunes sociétés de capital-risque étaient établies au nord de la Californie, car elles y étaient attirées par les entreprises de nouvelles technologies ou d'électronique, établies pour la plupart dans la Silicon Valley. Comme la plupart de ces entreprises avaient des noms futuristes, j'ai créé une société holding pour Blue Ribbon, à laquelle j'ai donné un nom susceptible d'attirer les investisseurs branchés technologie : Sports-Tek Inc.

Woodell et moi avons envoyé des prospectus faisant la publicité de notre opération, en étant convaincus que nous recevrions un déluge de réponses. Et puis, rien. Un mois s'est écoulé sans que nous n'ayons de retour. Un silence assourdissant. Aucun appel. Personne.

Ce n'est pas tout à fait vrai, puisque nous avons tout de même réussi à vendre trois cents actions, à un dollar chacune… à Woodell et sa mère.

Nous avons décidé d'annuler l'opération. C'était une humiliation, à la suite de laquelle j'ai eu de nombreuses conversations animées avec moi-même. Je me disais que c'était à cause de la morosité de l'économie, ou du Vietnam. Mais c'est surtout à moi que j'en voulais. J'avais vu Blue Ribbon, l'œuvre de ma vie, plus belle qu'elle n'était réellement.

Plus d'une fois, devant ma première tasse de café de la journée ou quand j'essayais de m'endormir la nuit, je me disais : « Peut-être que je ne suis qu'un imbécile ? », « Peut-être que cette satanée histoire de chaussures n'est que l'égarement d'un imbécile ? »

Peut-être.

J'ai péniblement réussi à rassembler 20 000 dollars grâce à nos ventes, je les ai mis à la banque et j'ai pu valider la commande d'Onitsuka. C'était un soulagement. Mais je me demandais comment je ferais les fois suivantes.

J'avais besoin de liquidités. Cet été était inhabituellement chaud. Avec ce grand ciel bleu et ce soleil resplendissant, le monde ressemblait au paradis. On aurait dit que les éléments se moquaient de moi et de mon état d'esprit. Si l'été 1967 avait été le *Summer of Love* (l'été de l'amour), l'été 1970 était pour moi l'été des liquidités : je n'en avais aucune. Lors de cette période, j'ai passé l'essentiel de mon temps à penser aux liquidités que je n'avais pas, à parler de liquidités, à regarder le ciel et supplier qu'on m'octroie des liquidités. Mon royaume pour des liquidités. J'avais enfin trouvé un mot encore plus répugnant que « capitaux propres ».

Finalement, j'ai fait ce que je ne voulais pas faire, ce que je m'étais juré de ne jamais faire. J'ai sollicité toutes les personnes que je connaissais. Les amis, la famille, les connaissances. Je suis même allé voir d'anciens coéquipiers, des types avec lesquels je m'étais entraîné et contre lesquels j'avais couru. Et même mon ancien rival, Grelle. On m'avait dit que Grelle avait hérité d'une coquette somme au décès de sa grand-mère. Surtout, il était impliqué dans tout un tas d'affaires lucratives. Il travaillait comme commercial pour deux chaînes de supermarché, tout en vendant à côté de ça des toques et des toges aux jeunes diplômés de l'université. Tout marchait très bien pour lui. Quelqu'un m'avait dit qu'il possédait aussi une grande étendue de terrain à Lake Arrowhead, et qu'il vivait dans une maison immense. Cet homme était né pour gagner (il continuait même à courir en compétition).

Il y avait cet été-là un meeting à Portland. Penny et moi avons invité tout un groupe à la maison pour une soirée cocktail après la course et je me suis assuré de la présence de Grelle. J'ai attendu le bon moment pendant la soirée. Une fois l'atmosphère détendue par quelques bières, j'ai demandé à Grelle si je pouvais lui parler en privé. Je l'ai emmené dans mon bureau et je lui ai fait un topo rapide de la façon la plus enjouée possible. Jeune entreprise, problèmes de trésorerie, beaucoup de potentiel, etc. Il m'a écouté très poliment en souriant mais a fini par asséner : « Je ne suis pas du tout intéressé, Buck. »

N'ayant plus personne vers qui me tourner et ne voyant plus d'autres options, je suis resté une journée entière dans mon bureau, à regarder par la fenêtre. Woodell a frappé à la porte. Il est entré et a fermé derrière lui. Il m'a dit que ses parents et lui voulaient me prêter 5 000 dollars et qu'il était exclu que je refuse. Ils ne voulaient pas non plus entendre parler d'intérêts sur le prêt et ne voulaient même pas formaliser tout cela par écrit. Il m'a dit qu'il s'apprêtait à partir voir Bork à Los Angeles mais que je pouvais aller chez ses parents entre-temps pour récupérer le chèque.

Je savais que les Woodell ne roulaient pas sur l'or, qu'avec les dépenses médicales de leur fils, ses parents avaient du mal à s'en sortir financièrement. J'étais bien conscient que les 5 000 dollars étaient les économies de toute leur vie.

En fait, ses parents avaient un peu plus que les 5 000 dollars et ils m'ont demandé si j'en avais besoin aussi. J'ai accepté et ils m'ont donné leurs 3 000 derniers dollars, ce qui réduisait leurs économies à peau de chagrin.

Comme j'aurais préféré mettre le chèque dans le tiroir de mon bureau et ne jamais l'encaisser… Mais je devais le faire, même si cela ne me plaisait pas.

En partant, je me suis arrêté et je leur ai demandé : « Pourquoi faites-vous ça ? »

La mère de Woodell m'a répondu : « Si l'on ne croit pas en l'entreprise où travaille son fils, en quoi peut-on croire ? ».

Penny continuait à trouver de nouvelles astuces pour tirer le meilleur parti de son budget hebdomadaire de vingt-cinq dollars pour les courses. Elle avait par exemple essayé cinquante recettes différentes de bœuf Stroganoff et cela m'avait fait prendre du poids. Mi-1970, je faisais aux alentours de 86 kilos, je n'avais jamais été aussi lourd. Un matin, en m'habillant, j'ai enfilé l'un de mes costumes les plus amples et celui-ci était désormais assez serré. Devant mon miroir, j'ai dit à mon reflet : « Oh oh. »

Mais le bœuf Stroganoff n'était pas le seul en cause. J'avais progressivement perdu l'habitude d'aller courir. Avec Blue Ribbon, notre mariage, notre bébé, je n'en avais jamais le temps. De plus, j'étais épuisé. J'avais adoré courir sous les ordres de Bowerman mais j'avais aussi détesté cela. Tous les athlètes connaissent ce drôle de sentiment. Les années d'entraînement et de compétition à haut niveau font des dégâts. Le besoin de repos se fait sentir. Mais ma période de repos devait prendre fin. J'avais besoin de m'y remettre. Cela aurait fait mauvaise impression que le patron d'une entreprise de chaussures de sport soit gros et flasque.

En plus de la peur de ne plus rentrer dans mes costumes et du spectre de l'hypocrisie, j'ai trouvé une autre source de motivation pour me remettre à la course.

Peu après le refus de Grelle de me prêter de l'argent, lui et moi avons été courir. Au bout de cinq kilomètres, j'ai aperçu Grelle se retourner vers moi, essoufflé et qui n'arrivais pas à le suivre, avec un regard triste. C'était déjà pénible qu'il refuse de me prêter de l'argent, mais c'était bien pire de le voir éprouver de la pitié pour moi. Il savait que cette situation était embarrassante pour moi et il m'a donc lancé un défi : « Cet automne, nous ferons une course sur un mile tous les deux. Je te laisserai une minute d'avance. Si tu me bats, je te paierai un dollar pour chaque seconde d'écart entre nous. »

Je me suis entraîné dur tout l'été. J'ai pris l'habitude de courir dix kilomètres tous les soirs après le travail. J'ai rapidement retrouvé la forme et mon poids est redescendu à 73 kilos. Lorsque le grand jour est arrivé – c'est Woodell qui chronométrait – Grelle m'a lâché 36 dollars (cette victoire a eu une saveur encore meilleure la semaine suivante lorsque Grelle a couru le mile en quatre minutes et sept secondes lors d'un meeting). J'ai ressenti une immense fierté en rentrant à la maison ce jour-là. Je me suis dit qu'il fallait que je continue.

Vers le milieu de l'année, le 15 juin 1970 pour être précis, j'ai eu un choc en trouvant *Sports Illustrated* dans ma boîte aux lettres. Il y avait l'un des Hommes de l'Oregon sur la couverture. Pas n'importe lequel, sans doute le meilleur de tous les temps, encore meilleur que Grelle. Il s'appelait Steve Prefontaine, et la photo le montrait en train de courir sur l'Olympe, la montagne de Bowerman.

L'article qui lui était dédié décrivait Pre comme un athlète étonnant, un phénomène comme on n'en voit qu'un par génération. Il avait frappé fort dès le lycée en battant le record national sur deux miles (8 minutes et 41 secondes). Lors de sa première année à l'Université d'Oregon, il avait battu Gerry Lindgren, réputé imbattable jusque-là. Il l'avait même écrasé, le relayant à vingt-sept secondes. Pre avait réalisé la troisième meilleure performance du pays cette année-là. Il avait aussi couru le trois miles en 13 minutes, 12 secondes et 8 centièmes, ce que personne sur Terre n'avait réalisé jusque-là.

Bowerman avait dit au journaliste de *Sports Illustrated* que Pre était le meilleur coureur de demi-fond vivant. Je n'avais jamais entendu d'enthousiasme aussi débridé de sa part. Dans les jours qui ont suivi, on pouvait lire dans d'autres articles que Bowerman avait dit que Pre était « le meilleur coureur qu'il avait eu sous ses ordres. » L'assistant de Bowerman, Bill Dellinger, disait que l'arme secrète de Pre était sa confiance, qui était aussi extraordinaire que ses capacités physiques. Il ajoutait : « D'habitude, il faut douze ans aux garçons pour avoir confiance en eux, mais ce jeune homme a acquis le bon état d'esprit naturellement. »

Je me suis dit : « Voilà, c'est ça ! La confiance ! C'est ça qui est important, plus que les capitaux propres ou les liquidités. »

J'aurais voulu avoir davantage confiance en moi. J'aurais voulu pouvoir en emprunter mais la confiance, c'est comme l'argent, il faut en avoir pour en obtenir davantage et les gens répugnent à vous en donner.

Un autre magazine m'a offert une révélation cet été-là.

En feuilletant *Fortune*, je suis tombé sur un article parlant de mon ancien patron à Hawaï. Bernie Cornfeld était devenu bien plus riche depuis mon passage chez Investors Overseas Services. Il avait abandonné Dreyfus Funds et s'était mis à vendre des parts de son propre fonds d'investissement, mais aussi des mines d'or, de l'immobilier et tout un tas d'autres choses. Il avait construit un empire, mais comme tous les empires, celui-ci était en train de s'effondrer. J'étais si surpris d'apprendre sa déroute que j'ai rapidement tourné la page, tombant ainsi sur un autre article, une analyse assez aride de la nouvelle puissance économique du Japon. L'article disait que, vingt-cinq ans après Hiroshima, le Japon renaissait et était devenu la troisième plus grande économie du monde. Surtout, le pays avait pris des mesures agressives pour consolider sa position et aller encore plus loin. En plus de devancer les autres pays en termes d'innovation et de travailler plus qu'eux, le Japon adoptait des politiques commerciales impitoyables. L'article expliquait que les *sogo shosha*, des maisons de commerce qui servaient d'intermédiaires dans les échanges commerciaux, étaient les principales instigatrices de ces politiques commerciales.

Il est difficile de définir ce que ces maisons de commerce japonaises étaient exactement. Parfois, elles agissaient en tant qu'importatrices, parcourant la planète pour acquérir des matières premières pour des entreprises qui n'avaient pas les moyens de le faire. Elles agissaient parfois en tant qu'exportatrices, en représentant ces mêmes entreprises à l'étranger. Elles jouaient aussi parfois le rôle de banques, en fournissant à toutes sortes d'entreprises des conditions de crédit assez souples. C'était comme le bras armé du gouvernement japonais.

Ces informations ont trotté dans ma tête pendant quelques jours. Lors de ma visite suivante à la First

National, lors de laquelle Wallace m'a une nouvelle fois fait me sentir comme un moins que rien, j'ai vu l'enseigne de la Bank of Tokyo en sortant dans la rue. J'avais vu cette enseigne des centaines de fois auparavant mais cela avait une nouvelle signification pour moi désormais. D'immenses pièces de puzzle se mettaient en place dans ma tête. Étourdi, j'ai traversé la rue, je suis allé à la Bank of Tokyo et me suis présenté à la dame de la réception. Je lui ai dit que je possédais une entreprise qui importait des chaussures du Japon, et que je souhaitais parler à quelqu'un pour conclure un marché. Comme la maquerelle d'une maison close, la dame m'a amené tout de suite et en toute discrétion dans une arrière-salle, où elle m'a laissé seul.

Après deux minutes, un homme est entré, s'est assis et a attendu que je parle. J'attendais moi aussi qu'il prenne la parole mais il ne l'a jamais fait. Je me suis donc lancé :

« J'ai une entreprise.

– Oui ?

– Une entreprise de chaussures, ai-je poursuivi.

– Oui ?

– Voici nos bilans financiers, ai-je montré en ouvrant ma serviette. Je suis dans l'impasse. J'ai besoin d'un crédit. J'ai lu récemment un article sur les maisons de commerce japonaises, l'article disait qu'elles offraient plus facilement des crédits aux entreprises – bref, connaîtriez-vous des maisons de commerce de ce genre auxquelles vous pourriez me présenter ? »

L'homme a souri car il avait lui aussi lu l'article. Puis il m'a dit qu'il se trouvait que la sixième plus grosse maison de commerce japonaise avait des bureaux au dernier étage de l'immeuble dans lequel nous nous trouvions. Il m'a également expliqué que toutes les maisons de commerce japonaises avaient des bureaux à Portland mais qu'il n'y en avait qu'une seule, Nissho Iwai, qui avait son propre service dédié aux marchandises à Portland. Les yeux grands ouverts, le banquier m'a dit : « Nissho Iwai pèse 100 milliards de dollars. » J'étais impressionné. Il m'a dit : « Attendez ici un instant », puis il a quitté la pièce.

Il est revenu quelques minutes plus tard avec un responsable de Nissho Iwai, Cam Murakami. Nous nous sommes serré la main et mis à discuter de la possibilité que Nissho puisse financer mes importations. J'étais intrigué. Il l'était aussi. Il m'a très vite proposé un marché que je ne pouvais pas accepter. En tout cas, pas encore, car je devais d'abord savoir ce qu'en pensait Onitsuka.

J'ai envoyé un télégramme à Kitami, pour lui demander s'il avait des objections à ce que je travaille avec Nissho. Plusieurs jours ont passé. Puis des semaines. Avec Onitsuka, le silence avait une signification. Ce n'était pas « pas de nouvelles, bonnes nouvelles », plutôt tout le contraire. En tout cas, cela cachait quelque chose.

Dans l'attente de leurs nouvelles, j'ai reçu un appel troublant. Un distributeur de chaussures de la côte Est me disait avoir été approché par Onitsuka pour devenir son nouveau distributeur aux États-Unis. N'en croyant pas mes oreilles, je l'ai fait répéter. Il disait qu'il ne voulait pas avoir de problèmes avec moi. Il ne voulait ni m'aider ni me donner un tuyau, mais cherchait simplement à savoir où j'en étais dans mes relations avec Onitsuka.

Je me suis mis à trembler. Mon cœur battait à cent à l'heure. Était-il possible qu'Onitsuka cherche à rompre le nouveau contrat que nous avions signé quelques mois auparavant ? Avaient-ils eu peur lorsque j'avais demandé à retarder la livraison au printemps ? Peut-être Kitami avait-il décidé qu'il pouvait se passer de moi ?

Mon seul espoir à cet instant précis était que ce distributeur de la côte Est mente purement et simplement, ou qu'il ait mal compris les intentions d'Onitsuka. Peut-être à cause d'un problème de traduction ?

J'ai écrit à Fujimoto. Je lui ai dit que j'espérais qu'il aimait toujours le vélo que je lui avais offert (ce qui était très subtil de ma part…) et je lui ai demandé de se renseigner sur tout ce qu'il pouvait. Il m'a répondu très vite. Le distributeur de l'Est disait vrai. Onitsuka ne souhaitait plus collaborer avec Blue Ribbon à l'avenir, et Kitami était déjà en contact avec plusieurs autres distributeurs aux États-Unis. Fujimoto ajoutait que s'il n'y avait pas de décision ferme de casser mon contrat, des candidats étaient déjà passés au crible pour me remplacer.

J'ai essayé de me focaliser sur le côté positif, à savoir qu'il n'y avait pas de décision ferme. Cela voulait dire qu'il y avait encore de l'espoir et que je pouvais retrouver la confiance d'Onitsuka et arranger les choses avec Kitami. J'avais besoin de leur rappeler ce qu'était Blue Ribbon et qui j'étais. Je l'ai donc invité aux États-Unis pour une visite amicale.

1971

« Devine qui vient dîner » m'a lancé Woodell.

Il est entré dans mon bureau et m'a tendu un télégramme. Kitami avait accepté mon invitation. Il allait venir passer quelques jours à Portland et disait qu'il poursuivrait ensuite sa visite ailleurs aux États-Unis, pour des raisons qu'il ne souhaitait pas nous communiquer. J'ai dit à Woodell : « Il vient rencontrer des distributeurs potentiels. » Woodell a acquiescé.

C'était en mars 1971. Nous nous sommes juré de faire en sorte que Kitami passe l'un des meilleurs moments de sa vie lors de cette visite et qu'il retourne chez lui plein d'amour pour l'Amérique, l'Oregon, Blue Ribbon – et moi. Nous voulions qu'il n'ait plus aucune envie de faire des affaires avec d'autres que nous après son passage. Sa visite devait finir en beauté, avec un dîner de gala chez notre vedette – Bowerman.

Naturellement, j'ai enrôlé Penny pour monter notre offensive de charme. Nous sommes allés chercher Kitami à l'aéroport ensemble et nous l'avons tout de suite emmené à la petite maison de ses parents sur le front de mer, où nous avions passé notre nuit de noce.

Kitami n'était pas seul. Il était accompagné d'un assistant personnel, un homme à tout faire, qui s'appelait Hiraku Iwano. Celui-ci n'était encore qu'un enfant naïf et innocent, au début de la vingtaine. Il mangeait déjà dans la main de Penny avant même que nous ayons atteint Sunset Highway.

Nous nous sommes pliés en quatre pour que les deux hommes passent un week-end idyllique. Nous avons pris l'air de la mer installés sous le porche. Nous les avons emmenés faire de longues promenades sur la plage. Nous leur avons cuisiné du saumon de classe mondiale et leur avons fait boire de nombreux verres de bon vin français. Nous essayions de focaliser notre attention sur Kitami, mais Penny et moi avons trouvé qu'il était plus facile de discuter avec Iwano, qui lisait des livres et paraissait candide.

Le lundi très tôt, j'ai ramené Kitami à Portland, à la First National Bank. Tout comme je faisais des efforts pour charmer Kitami, je me suis dit que sa présence pourrait être utile pour charmer Wallace, lui prouver le sérieux de Blue Ribbon et ainsi obtenir plus facilement un crédit.

White est venu à notre rencontre dans le hall et nous a amenés dans leur salle de réunion. Après avoir jeté un coup d'œil dans la pièce, j'ai posé la question : « Où est Wallace ? » White a répondu : « Ah, il ne pourra se joindre à nous aujourd'hui. »

Ma démarche était en train de tomber à l'eau car je voulais que Wallace entende de la bouche de Kitami que celui-ci me soutenait sans réserve. Mais je me suis dit que le bon flic pouvait relayer l'appui auprès du mauvais flic.

J'ai prononcé quelques mots en guise d'introduction, j'ai fait part de ma conviction que la présence de Kitami puisse renforcer la confiance de First National envers Blue Ribbon, puis j'ai cédé la parole à Kitami. Ce dernier a froncé les sourcils et a fait une chose qui allait à coup sûr me rendre la vie plus difficile. Il a demandé à White :

« Pourquoi ne prêtez-vous pas plus d'argent à mes amis ?

– Q-q-q-uoi ? Manqua de s'étouffer White.

En tapant du poing sur la table, Kitami a demandé :

– Pourquoi refusez-vous de prêter davantage à Blue Ribbon ?

– Eh bien…

– Quel genre de banque êtes-vous ? Kitami l'interrompit, je ne comprends pas ! Peut-être que Blue Ribbon ferait mieux de se passer de vos services ! »

White est devenu blanc. J'ai essayé d'intervenir, de reformuler ce que Kitami était en train de dire, d'invoquer la barrière de la langue, mais la réunion était terminée. White est sorti en trombe et j'ai regardé Kitami avec incrédulité. Celui-ci avait une expression qui voulait dire : « Voilà du travail bien fait. »

* * *

J'ai conduit Kitami à nos bureaux de Tigard et je l'ai présenté à tout le monde. Je luttais de toutes mes forces pour garder mon sang froid, rester agréable et réfréner toutes les pensées négatives au sujet de ce qui venait de se passer. À chaque instant, j'avais peur de ne plus réussir à me contrôler. Mais c'est pourtant Kitami qui s'est énervé après avoir pris place dans mon bureau : « Les ventes de Blue Ribbon sont décevantes ! Vous devriez faire bien mieux. »

Sidéré, je lui ai rappelé que les ventes doublaient chaque année. Il a balayé mon argument d'un revers de manche :

« Certaines personnes disent que cela aurait dû tripler.

– Qui ça, certaines personnes ?, ai-je demandé.

– Peu importe. »

Il a extrait un dossier de sa serviette, l'a ouvert, s'est mis à le lire puis l'a refermé brutalement. Il a répété qu'il n'était pas satisfait de nos chiffres et qu'il pensait que nous n'en faisions pas suffisamment. Il a rouvert le dossier, l'a refermé et l'a remis dans sa serviette. J'ai tenté de me défendre mais il a fait un signe de la main plein de dégoût. Nous avons continué à débattre un moment, de façon cordiale mais tendue.

Au bout d'une heure, Kitami s'est levé et a demandé où se trouvaient les toilettes. Je lui ai dit qu'elles se trouvaient au bout du couloir.

J'ai sauté de derrière mon bureau dès qu'il s'est trouvé hors de mon champ de vision.

J'ai ouvert sa serviette, fouillé à l'intérieur et saisi un dossier qui semblait être celui qu'il avait refermé un peu plus tôt. Je l'ai glissé sous mon sous-main, puis je me suis dépêché de me replacer derrière mon bureau et de poser les coudes sur le sous-main.

En attendant Kitami, une pensée étrange m'a traversé l'esprit. J'ai repensé à toutes les fois où je m'étais engagé comme volontaire avec les Boys Scouts, à toutes les fois où j'avais participé à des comités d'évaluation des Eagle Scouts et où j'avais remis des insignes d'honneur et d'intégrité. Deux ou trois week-ends par an, je questionnais des gamins sur leur probité et leur honnêteté et j'étais désormais en train de voler des documents dans la serviette d'un autre… Je suivais une mauvaise pente, et je ne savais pas où elle me mènerait. Quoi qu'il en fût, je ne pouvais échapper aux conséquences immédiates de mes actions. Je devrais me récuser du prochain comité d'évaluation.

J'avais très envie d'étudier le contenu de ce dossier, d'en photocopier toutes les pages et de le potasser avec Woodell. Mais Kitami était déjà de retour. Je l'ai laissé me sermonner sur la faiblesse de nos chiffres. C'était un véritable monologue. Quand il eut terminé, je lui ai expliqué calmement que Blue Ribbon pourrait améliorer ses ventes si nous pouvions commander davantage de chaussures et donc si nous pouvions disposer de financements d'un montant plus conséquent. Ce que notre banque pourrait nous offrir si notre situation était plus sûre, grâce par exemple à un contrat plus long avec Onitsuka. Une nouvelle fois, il a fait un signe de la main. « Pardonnez-moi » ai-je soupiré.

J'ai évoqué l'idée, déjà mentionnée dans mon télégramme quelques mois plus tôt, de financer nos commandes grâce à une maison de commerce japonaise telle que Nissho Iwai. Kitami a répondu : « Les maisons de commerce… Elles envoient de l'argent d'abord. Et des hommes ensuite. Elles prennent votre place ! Elles apprennent comment marche votre société puis elles prennent votre place. »

En fait, Onitsuka ne fabriquait qu'un quart de ses chaussures et sous-traitait le reste ; et Kitami craignait que Nissho ne comprenne le fonctionnement du réseau d'usines d'Onitsuka, puis se mette à fabriquer des chaussures et mette Onitsuka sur la touche.

Kitami s'est levé. Il disait qu'il avait besoin d'aller se reposer. Je lui ai dit que j'allais envoyer quelqu'un l'y conduire et que je le rejoindrais pour un cocktail plus tard au bar de l'hôtel.

J'ai été chercher Woodell à la seconde où Kitami est parti et je lui ai expliqué ce qu'il s'était passé. Je lui ai montré le dossier :

« J'ai volé ça dans sa serviette.

Woodell était interloqué :

– Tu as fait quoi ? »

Il s'apprêtait à jouer la personne consternée mais il était tout aussi curieux que moi de savoir ce que le dossier contenait. Nous l'avons ouvert ensemble et disposé les documents sur mon bureau. Entre autres choses, nous avons pu voir une liste de dix-huit distributeurs de chaussures de sport et un programme de rendez-vous avec la moitié d'entre eux.

La situation devenait plus claire. Tout était écrit noir sur blanc. Les « certaines personnes » qui médisaient sur Blue Ribbon et qui montaient Kitami contre nous n'étaient autres que nos concurrents. Et Kitami s'apprêtait à leur rendre visite. Tuez un Marlboro Man, vingt autres se dresseront pour prendre sa place.

J'étais évidemment indigné, mais surtout blessé. Cela faisait sept ans que nous donnions tout pour les chaussures Tigers. C'est nous qui les avions fait connaître en Amérique et qui avions aussi contribué à réinventer la ligne. Bowerman et Johnson avait montré à Onitsuka comment améliorer leurs chaussures, leurs modèles avaient révolutionné l'industrie et étaient à l'origine de ventes record – et voilà la façon dont j'étais remercié ? Je me souviens d'avoir dit à Woodell : « Et dire que je dois rejoindre ce Judas pour des cocktails. »

Je suis parti courir une dizaine de kilomètres. Je ne me souviens pas de m'être autant mis dans le dur, ni que mon esprit ait autant déserté mon corps. Je hurlais sur les arbres à chaque foulée, je criais sur les toiles d'araignée accrochées sur les branches. Cela me faisait du bien. Après avoir pris ma douche, j'ai rejoint Kitami à son hôtel. J'étais presque serein, ou peut-être juste en état de choc. Je n'ai aucun souvenir de ce dont nous avons discuté lors de cette soirée. En revanche, je me rappelle parfaitement que le lendemain matin, Woodell et moi nous sommes rendus coupables d'un tour de passe-passe lorsque Kitami est arrivé dans nos locaux. Quelqu'un a emmené Kitami dans la salle de café et Woodell en a profité pour bloquer la porte de mon bureau avec son fauteuil roulant, ce qui m'a laissé le temps de glisser en toute discrétion le dossier que j'avais subtilisé dans la serviette de Kitami.

Lors du dernier jour de la visite de Kitami, quelques heures avant le grand dîner, je me suis hâté d'aller à Eugene pour m'entretenir avec Bowerman et son avocat, Jaqua. J'ai laissé Penny accompagner Kitami en voiture plus tard dans la journée, en me demandant ce qu'il pourrait bien nous arriver d'autre.

Penny est arrivée à la maison de Bowerman les cheveux ébouriffés et la robe maculée d'huile. À sa façon de tituber quand elle est sortie de la voiture, j'ai cru un moment que Kitami l'avait agressée mais elle m'a pris à part pour me raconter qu'ils avaient crevé sur la route. Elle a murmuré : « Ce fils de pute est resté dans la voiture – sur l'autoroute – et m'a laissée changer le pneu toute seule ! »

Je l'ai menée à l'intérieur. Nous avions tous les deux besoin de boire quelque chose de fort.

Ce n'était pas aussi simple que cela. Madame Bowerman, une chrétienne dévote, ne tolérait pas l'alcool chez elle en temps normal. Elle avait fait une exception pour cette soirée très spéciale, mais m'a demandé de m'assurer que tout le monde se comporte bien et que personne ne force sur la bouteille. Alors, nous nous sommes contentés d'une petite dose.

À un moment donné, madame Bowerman nous a tous réunis dans le salon et a annoncé : « En l'honneur de nos invités distingués, nous allons vous servir ce soir des… Mai Tai ! »

Tout le monde a applaudi.

Kitami et moi avions au moins une chose en commun : nous aimions beaucoup les Mai Tai. Ils nous rappelaient tous les deux Hawaï, cette merveilleuse île entre la côte Ouest et le Japon, où l'on pouvait se détendre avant les longues périodes de travail. Lui et moi n'en avons pris qu'un seul cette soirée-là, afin de respecter les consignes de madame Bowerman, et tout le monde en a fait de même. À l'exception notable de Bowerman. Même s'il n'avait jamais été un grand buveur et s'il n'avait certainement jamais goûté de Mai Tai auparavant, nous avons tous assisté, dans l'effroi et la consternation aux effets de l'alcool sur lui. Quelque chose dans le mélange de rhum, de curaçao, d'ananas et de jus de citron vert lui est monté directement au cerveau. Après deux Mai Tai, Bowerman était devenu une autre personne.

En essayant de préparer tant bien que mal son troisième Mai Tai, il a beuglé : « Nous n'avons plus de glace ! », ce qui a provoqué un silence gêné dans l'assistance. Il s'est répondu à lui-même : « Pas de problème. » Bowerman s'est alors dirigé vers le garage, en direction de son grand congélateur à viande, et a saisi un sac de myrtilles glacées. En arrachant ce dernier, il a répandu des myrtilles partout sur le sol et en a plongé une énorme poignée dans son verre, avant d'affirmer : « C'est meilleur comme ça. » De retour dans le salon, il a poursuivi son idée en plongeant une poignée de myrtilles dans le verre de chaque convive.

Une fois assis, il s'est mis à raconter une histoire, qui semblait être de très mauvais goût. Je commençais à craindre que nous nous rappelions cet épisode pendant des années. Cela dit, ce que disait Bowerman devenait difficilement compréhensible. Ses mots, d'ordinaire si précis et si vifs, devenaient de plus en plus mous.

Madame Bowerman me regardait avec colère. Mais que pouvais-je donc bien faire ? J'ai haussé les épaules et je me suis dit : « C'est ton mari. » Puis : « Attendez, moi aussi, j'ai lié mon destin au sien. »

Lors de leur voyage au Japon pour les Jeux olympiques 1964, madame Bowerman était tombée amoureuse des poires *nashi*, des fruits qui pourraient passer pour de simples petites pommes vertes si elles n'étaient pas aussi sucrées. Puisque ces poires ne poussent pas aux États-Unis, elle avait caché quelques graines dans son sac et les avait plantées dans son jardin. Lors de la soirée, madame Bowerman a expliqué à Kitami que la floraison des poiriers lui rappelait chaque année à quel point elle aimait tout ce qui venait du Japon.

Exaspéré, Bowerman a beuglé : « Jap-pommes ! »

Je me suis mis la main devant les yeux.

Puis est arrivé le moment où j'ai cru que la soirée allait totalement déraper et que je devrais appeler la police. Je me suis rendu compte que Jaqua, assis à côté de sa femme, regardait Kitami et semblait hors de lui. Je savais que Jaqua avait été pilote de chasse pendant la guerre et que son coéquipier, qui était aussi l'un de ses amis les plus proches, avait été abattu par un Zero japonais. Marqués, Jaqua et sa femme avait donné à leur premier enfant le prénom du coéquipier en question. J'ai soudain regretté d'avoir parlé à Jaqua de la trahison de Kitami. J'ai senti que de la rage était en train de monter en lui et qu'il était possible que le meilleur ami de Bowerman se lève pour se jeter sur notre invité.

Le seul qui semblait passer un bon moment était Kitami. Sa colère de la banque était loin, tout comme le côté donneur de leçons qu'il avait laissé éclater dans mon bureau. Il parlait, riait et se frappait les cuisses ; il était si charmant que je me suis demandé ce qu'aurait donné notre passage chez First National si je lui avais servi un Mai Tai avant.

Tard dans la soirée, le regard de Kitami s'est arrêté sur un objet dans un coin de la pièce – une guitare. Elle appartenait à l'un des trois fils de Bowerman. Kitami s'est avancé vers elle, l'a saisie et s'est mis à en caresser les cordes. Il a ensuite commencé à gratter ces dernières. Il a monté les quelques marches qui menaient du salon à la salle à manger et s'est mis à jouer et à chanter une fois tout en haut.

Toutes les têtes se sont tournées. Les conversations ont cessé. Il jouait une chanson occidentale mais faisait comme s'il s'agissait d'une chanson populaire japonaise. On aurait dit du Buck Owens[17] joué avec une harpe japonaise. Puis, sans transition, il s'est mis à jouer *O Sole Mio*. Je rappelle m'être dit : « Est-il vraiment en train de chanter *O Sole Mio* ? »

Il a haussé la voix : « *O sole mio, sta 'nfronte a te ! O sole, o sole mio, sta 'nfronte a te !* »

Un homme d'affaires japonais, jouant de la musique avec une guitare américaine, chantant une ballade italienne avec une voix de ténor irlandais : la scène était surréaliste. Mais ça ne s'est pas arrêté là. Je ne savais pas que *O Sole Mio* comprenait autant de couplets. Je n'aurais jamais cru qu'une assemblée d'Orégonais aussi dynamiques pourrait rester assise aussi sagement à l'écouter pendant aussi longtemps. Nous n'avions d'yeux que pour lui quand il a reposé la guitare et nous l'avons tous acclamé. J'ai applaudi encore et encore. Tout devenait clair pour moi. Pour Kitami, ce voyage aux États-Unis – le passage à la banque, les réunions avec moi, le dîner chez les Bowerman – n'avait rien à voir avec Blue Ribbon. Il n'avait même rien

17 Chanteur de country américain.

à voir avec Onitsuka. Comme pour tout le reste, il n'était question que de Kitami.

Kitami a quitté Portland le lendemain, pour mener à bien sa mission pas si secrète, sa tournée américaine « Du-balai-Blue-Ribbon. » Je lui ai à nouveau demandé quelle était sa destination. En vain. Je lui ai dit : « *Yoi tabi de arimas yoh ni* », soit « Bon voyage ! »

Depuis peu, j'avais engagé Hayes, mon ancien chef chez Price Waterhouse, pour faire un peu de consulting pour Blue Ribbon. Nous nous sommes vus pour réfléchir à la meilleure stratégie à adopter lorsque Kitami repasserait par Portland avant de repartir au Japon. Nous étions d'accord que la meilleure chose à faire était de garder de bonnes relations avec lui, de le convaincre de ne pas nous abandonner. Aussi en colère et blessé que j'étais, je devais accepter que Blue Ribbon serait perdu sans Onitsuka. Hayes m'avait dit qu'il fallait que j'essaie de me convaincre du fondement du proverbe « Mieux vaut un mal connu qu'un bien qui reste à connaître. »

Plus tard dans la semaine, lorsque Kitami est repassé par Portland, je l'ai invité à Tigard pour une dernière visite avant son vol de retour. J'ai une nouvelle fois essayé de faire bonne figure. Je l'ai emmené dans la salle de réunion, Woodell et moi d'un côté de la table et Kitami et son assistant de l'autre côté. J'ai décoché mon plus grand sourire et je lui ai dit que j'espérais qu'il avait apprécié sa visite dans notre pays.

Il a répété qu'il était déçu des performances de Blue Ribbon.

Mais, cette fois, il a dit avoir une solution.

« Nous vous écoutons, ai-je dit.

– Vendez-nous votre entreprise.

Il a prononcé cette phrase tout en douceur. À cet instant, je me suis dit que dans la vie, les choses les plus dures sont souvent dites de façon douce.

– Pardon ?

– Onitsuka Co. Ltd. achèterait 51 % de Blue Ribbon et disposerait d'une majorité de contrôle. C'est le mieux pour votre entreprise. Et pour vous. Il serait sage pour vous d'accepter.

Ils voulaient nous racheter. Un rachat d'entreprise affreusement hostile. J'ai regardé le plafond. J'ai pensé qu'il devait plaisanter. Avec le ton le plus arrogant, le plus sournois, le moins respectueux, j'ai lancé :

– Et si nous n'acceptons pas ?

– Nous n'aurons pas d'autre choix que de travailler avec de meilleurs distributeurs.

– Meilleurs ? Ha ha, je vois. Et que faites-vous de nos engagements écrits ?

Il a haussé les épaules.

J'avais encore besoin de lui. Je n'avais pas de solution alternative, pas de plan B, pas de porte de sortie. Pour sauver Blue Ribbon, il fallait que je procède lentement, selon mon propre agenda, afin de ne pas effrayer les clients et les détaillants. J'avais besoin de temps, et j'avais donc besoin qu'Onitsuka continue de m'envoyer des chaussures le plus longtemps possible.

En faisant de grands efforts pour contrôler ma voix, j'ai dit :

– Eh bien, j'ai un associé, coach Bowerman. Je dois discuter de votre offre avec lui.

J'étais presque certain que Kitami se dirait qu'il s'agissait d'une manœuvre d'amateur pour gagner du temps. Mais il s'est levé et a remonté son pantalon en souriant :

– Parlez-en avec monsieur Bowerman et revenez vers moi. »

J'avais envie de le frapper. Mais je lui ai serré la main, puis Iwano et lui sont sortis.

Woodell et moi sommes restés dans la salle, incrédules et silencieux.

J'ai envoyé à First National mon budget et mes prévisions pour l'année à venir, accompagné d'une demande de crédit. Je voulais envoyer un mot d'excuse, pour demander pardon du fiasco de la venue de Kitami, mais je savais que cela agacerait White. De plus, Wallace n'avait pas assisté à cette scène, ce qui rendait des excuses encore moins nécessaires. Quelques jours après la réception de mon budget et de mes prévisions, White m'a demandé de passer pour discuter de deux ou trois choses.

Je n'étais pas assis dans la petite chaise dure de son bureau depuis deux secondes qu'il m'assénait la nouvelle : « Phil, j'ai peur que First National ne soit plus en mesure de travailler avec Blue Ribbon. Nous n'émettrons plus de lettres de crédit pour vous. Nous paierons les dernières cargaisons avec ce qu'il reste sur votre compte – mais notre collaboration cessera dès le paiement de la dernière facture. »

Je pouvais voir à son teint très pâle que cela l'affectait. Il n'était en rien à l'origine de cette décision. Cela venait de plus haut. L'affaire était entendue, il n'y avait pas à discuter. J'ai levé les bras :

« Et je fais quoi maintenant, Harry ?

– Trouvez une autre banque.

– Et si je ne trouve pas ? Je mets la clé sous la porte, c'est ça ?

Il a baissé le regard vers ses papiers, en faisant un tas qu'il a assemblé avec un trombone. Il m'a dit que le dossier de Blue Ribbon avait profondément divisé les responsables de la banque. Certains étaient contre nous, d'autre pour. Mais c'est à Wallace qu'est revenue la décision finale.

– Ça me rend malade, a-t-il ajouté. Tellement malade que je vais prendre un jour de congé maladie. »

Je ne disposais pas de cette option. Je suis sorti de chez First National et j'ai pris la voiture pour aller directement chez U.S. Bank. Je les ai suppliés de m'accepter en tant que client.

Un échec cuisant.

Ils mettaient un point d'honneur à ne pas récupérer les dossiers problématiques de First National.

Trois semaines ont passé. L'entreprise, mon entreprise, partie de rien, et dont le chiffre d'affaires de 1971 atteignait 1,3 million de dollar, était dans un état critique. J'en ai parlé à mon père. Puis à Hayes. Enfin, désespéré, j'en ai parlé à tous les autres comptables que je connaissais. L'un d'entre eux m'a dit que les statuts de Bank of California lui permettaient d'opérer dans trois États de l'Ouest, dont l'Oregon. De plus, Bank of Cal avait un bureau à Portland. Je me suis empressé d'y aller et j'y ai été bien reçu. Ils m'ont offert un abri dans la tempête en me proposant une petite ligne de crédit.

Cependant, ce n'était qu'une solution de court terme. Je ne perdais pas de vue que Bank of California était une banque et que toutes les banques étaient par définition averses au risque. Je me disais qu'indépendamment de notre chiffre d'affaires, Bank of California s'alarmerait prochainement de notre trésorerie proche de zéro et qu'il fallait que je me prépare tout de suite pour ce jour fatidique.

J'avais toujours dans un coin de la tête l'idée de retourner voir Nissho, la maison de commerce japonaise. Je me disais parfois au beau milieu de la nuit : « Ils ont 100 milliards de chiffres d'affaire et ils veulent désespérément m'aider. Pourquoi ? »

D'abord, le business model de Nissho consistait à produire des volumes de prêt importants sur lesquels ils réalisaient une marge nette faible, et ils appréciaient donc tout particulièrement les entreprises en forte croissance avec du potentiel.

Nous correspondions plus ou moins à ce cas de figure. Alors que nous étions un champ de mines aux yeux de Wallace, nous étions une mine d'or potentielle pour Nissho.

Je suis retourné chez eux. J'ai rencontré le Japonais qui dirigeait le nouveau service dédié aux marchandises, Tom Sumeragi. Il était diplômé de l'Université de Tokyo, le Harvard du Japon. Sumeragi ressemblait de façon frappante au grand acteur Toshiro Mifune, qui était célèbre pour son rôle de Miyamoto Musashi, le grand samouraï duelliste et auteur d'un manuel intemporel sur le combat et sur la force intérieure, *Le Traité des Cinq Roues*. Sumeragi lui ressemblait beaucoup quand il avait sa Lucky Strike aux lèvres, c'est-à-dire très souvent. Il lui ressemblait encore plus quand il buvait. Mais contrairement à Hayes qui buvait car il aimait l'effet de l'alcool sur lui, Sumeragi buvait car il se sentait seul en Amérique. Presque tous les soirs, après le travail, il se rendait au Blue House, un bar-restaurant japonais, et y parlait sa langue maternelle avec la *mama-san*, ce qui lui faisait se sentir un peu moins seul.

Sumeragi m'a dit que Nissho envisageait de nous prêter des fonds en complément de nos emprunts bancaires existants, ce qui apaiserait certainement mes banquiers. Il m'a également raconté que Nissho avait récemment envoyé une délégation à Kobe pour étudier la faisabilité du financement de nos achats de chaussures et pour convaincre Onitsuka de nous laisser procéder de la sorte. Mais

Onitsuka les avait envoyés paître. Une société pesant 25 millions de dollars mettant à la porte une société pesant 100 milliards de dollars ? Nissho était embarrassé et en colère. « Nous pouvons vous présenter à de nombreux producteurs de chaussures de qualité au Japon. » m'a dit Sumeragi en souriant.

Mon cerveau était en ébullition. Je nourrissais encore un peu l'espoir qu'Onitsuka retrouve la raison et je m'inquiétais d'un paragraphe de notre accord écrit, qui m'interdisait d'importer d'autres marques de chaussures de course.

Je lui ai dit : « Peut-être plus tard. »

Sumeragi a hoché la tête. Chaque chose en son temps.

J'étais terriblement fatigué quand je rentrais à la maison le soir. Mais je retrouvais un second souffle après ma course de dix kilomètres, suivie d'une douche chaude et d'un dîner rapide, seul (Penny et Matthew mangeaient vers seize heures). J'essayais autant que possible de trouver du temps pour raconter une histoire à Matthew avant qu'il ne s'endorme et j'essayais de faire en sorte que celle-ci soit la plus éducative possible. J'avais inventé un personnage appelé Matt History, qui ressemblait beaucoup à Matthew Knight et que je plaçais au centre de chaque histoire. Matt History était à Valley Forge avec George Washington. Matt History était dans le Massachusetts avec John Adams. Matt History était avec Paul Revere quand ce dernier a effectué son périple nocturne à cheval, pour avertir

John Hancock que les Britanniques étaient sur le point d'arriver. *Avec Revere se trouvait un jeune cavalier précoce de la banlieue de Portland dans l'Oregon…*

Ces histoires faisaient rire Matthew, qui était ravi de se retrouver au centre de ces aventures. Il se redressait dans son lit et me suppliait de lui raconter d'autres histoires.

Une fois Matthew endormi, je racontais ma journée à Penny. Elle me demandait souvent ce que nous allions faire si tout se cassait la figure. Je répondais : « Je peux toujours redevenir comptable. » Cela ne devait pas sonner très juste, sans doute car je ne croyais pas du tout à cette éventualité. Contrairement à Matthew, les aventures dans lesquelles je me retrouvais ne me plaisaient pas le moins du monde.

Penny finissait par détourner le regard, et elle allait lire, regarder la télévision ou reprendre sa broderie. Quant à moi, je m'installais dans mon fauteuil inclinable, où je m'infligeais un examen de conscience nocturne.

Que sais-tu ?

Je savais qu'on ne pouvait pas faire confiance à Onitsuka.

Que sais-tu d'autre ?

Je savais que je ne pouvais pas restaurer ma relation avec Kitami.

Que le futur nous réserve-t-il ?

D'une façon ou d'une autre, les chemins de Blue Ribbon et Onitsuka allaient se séparer. Il fallait juste que je reste avec eux le plus longtemps possible, pour pouvoir développer de nouvelles sources d'approvisionnement qui permettraient de gérer la rupture au mieux.

Quelle est l'étape n° 1 ?

Je devais faire peur à tous les distributeurs qu'Onitsuka avait ciblés pour me remplacer. Il fallait les mitrailler de lettres les menaçant de les poursuivre s'ils ne respectaient pas le contrat que j'avais signé avec Onitsuka.

Quelle est l'étape n° 2 ?

Trouver un remplaçant à Onitsuka.

Je me suis soudain pris d'enthousiasme pour une usine de Guadalajara dont j'avais entendu parler, celle-là même où Adidas avait fabriqué des chaussures pendant les Jeux olympiques de 1968, prétendument pour contourner les droits de douane mexicains. Je me rappelais avoir entendu que les chaussures étaient de bonne qualité. J'ai donc organisé une rencontre avec eux.

Même si elle était située en plein Mexique, l'usine s'appelait Canada. J'ai demandé aux responsables pourquoi ils avaient choisi ce nom. Ils m'ont répondu que c'était parce qu'il sonnait exotique. Je n'ai pas pu m'empêcher de rire. Canada ? Exotique ? C'était plus comique qu'exotique. Le fait qu'une usine implantée au sud des États-Unis porte le nom du pays au nord de la frontière américaine pouvait même induire en erreur. Mais cela n'avait pas d'importance. J'ai été impressionné par ma visite des installations et en particulier par les lignes de chaussures sur lesquelles ils travaillaient actuellement. L'usine était grande, propre et bien gérée. De plus, les installations avaient déjà été validées par Adidas. Je leur ai dit que je souhaitais leur passer commande pour trois mille paires de chaussures de football en cuir, que je comptais vendre comme chaussures de football américain. Les propriétaires de l'usine m'ont demandé le nom de ma marque et je leur ai dit que j'allais revenir vers eux à ce sujet. Ils m'ont passé un contrat. Stylo en main, j'ai marqué un temps d'arrêt. La question était maintenant officiellement sur la table. Était-ce assimilable à une violation de mon contrat avec Onitsuka ? Techniquement, non. Mon accord avec eux disait que les Onitsuka étaient les seules chaussures de course que je pouvais importer, il ne parlait pas des autres. En particulier, il ne disait pas que je n'avais pas le droit d'importer des chaussures de football. Même si mon contrat avec Onitsuka ne mentionnait pas ce cas de figure, il était clair que je contrevenais à l'esprit de celui-ci.

Je n'aurais jamais fait une telle chose six mois plus tôt. Mais les circonstances avaient changé. Pour moi, c'était Onitsuka qui avait rompu le premier. J'ai donc enlevé le bouchon du stylo et j'ai signé le contrat. Je suis ensuite sorti de l'usine, à la recherche de cuisine mexicaine.

Il fallait maintenant trouver un logo. Mes chaussures de football devaient se différencier d'Onitsuka et des bandes d'Adidas. Je me suis souvenu de la jeune artiste que j'avais rencontrée à l'Université d'État de Portland, Carolyn Davidson. Elle était venue au bureau un certain nombre de fois, pour réaliser des brochures et des pages de publicité. À mon retour dans l'Oregon, je l'ai invitée à nouveau au bureau en lui disant que nous avions besoin d'un logo.

« De quel genre ? m'a-t-elle demandé.

– Je ne sais pas, ai-je répondu.

– Ce n'est pas très précis.

– Quelque chose qui évoque le mouvement.

– Le mouvement ? » a-t-elle répété, sceptique.

Elle avait l'air perdue. Rien de plus normal, étant donné que ce que je bredouillais n'était pas clair du tout. Je ne savais pas exactement ce que je voulais, je ne suis pas un artiste. Je lui ai montré les chaussures de football et je lui ai dit que c'était pour elles que nous avions besoin de quelque chose. Elle m'a dit qu'elle ferait de son mieux.

Plusieurs fois, elle a marmonné « mouvement » en quittant mon bureau.

Elle est revenue deux semaines plus tard avec un ensemble de croquis bruts. Ils constituaient tous des variations sur un même thème, qui semblait être… de gros éclairs ? Des coches boursouflées ? Des lignes ondulées très épaisses ? D'une certaine façon, ses dessins évoquaient bien le mouvement et le transport mais plutôt le mal des transports. Aucun ne me plaisait. J'en ai sélectionné quelques-uns qui me paraissaient prometteurs et je lui ai demandé de les retravailler.

Quelques jours plus tard – ou peut-être quelques semaines – Carolyn est revenue et a étalé une deuxième série de croquis sur la table de la salle de réunion. Elle en a également accroché quelques-uns au mur. Elle avait réalisé plusieurs dizaines de variations sur un thème original, en laissant davantage cours à son imagination. C'était bien mieux. Nous étions plus proches du but.

Woodell, moi et quelques autres les avons passés au crible. Je me rappelle que Johnson était là, lui aussi, bien que je ne me souvienne plus pourquoi il ne se trouvait pas à Wellesley. Petit à petit, nous sommes parvenus à un consensus. Il y en avait un que nous aimions un peu plus que les autres.

Il ressemblait à une aile, pour l'un d'entre nous.

Il ressemblait à un souffle d'air, pour un autre.

Il ressemblait aussi à ce qu'un coureur pourrait laisser dans son sillage.

Nous étions tous d'accord pour dire qu'il faisait neuf, frais, et pourtant aussi un peu ancien. Bref, intemporel.

Nous avons fait un chèque de trente-cinq dollars à Carolyn pour le travail qu'elle avait réalisé et l'avons laissée rentrer chez elle.

Après son départ, nous sommes restés assis à regarder le logo retenu. Nous l'avions un peu choisi et il s'était aussi un peu imposé à nous par défaut. Johnson a dit : « Il y a quelque chose qui attire l'œil. » Woodell était d'accord. J'ai froncé les sourcils en me frottant les joues et j'ai dit :

« Je l'aime moins que vous, les gars. Mais nous n'avons plus le temps. Ce sera celui-là. »

Woodell m'a demandé : « Tu ne l'aimes pas ? »

J'ai soupiré : « Je ne le trouve pas exceptionnel. Mais peut-être que ça viendra avec le temps. »

Nous l'avons envoyé à Canada.

Désormais, il fallait aussi trouver un nom pour aller avec ce logo que je ne trouvais pas terrible.

Nous avons formulé des dizaines d'idées sur les jours qui ont suivi, jusqu'à ce que deux candidats se détachent : Falcon et Dimension Six.

J'avais une préférence pour le second, que j'avais moi-même proposé. Woodell et les autres m'ont dit qu'ils le trouvaient affreux. Pour eux, il n'accrochait pas l'oreille et ne voulait rien dire.

Nous avons fait un sondage auprès de nos employés. Nous avons demandé aux secrétaires, aux comptables, aux commerciaux, aux vendeurs au détail, aux ouvriers de l'entrepôt de faire au moins une suggestion. J'ai expliqué à tous que Ford venait de payer deux millions de dollars une société de consulting pour déterminer le nom de sa nouvelle Maverick. Je leur ai dit : « Nous n'avons pas deux millions de dollars mais nous avons cinquante personnes intelligentes et nous ne pouvons pas faire pire que… Maverick. »

De plus, contrairement à Ford, nous étions contraints par le temps. Canada allait commencer la production de cette chaussure le vendredi de la semaine en question.

Nous avons passé des heures à débattre et peser le pour et le contre de chaque nom. L'un aimait la suggestion de Bork, Bengal. L'autre affirmait que nous ne pouvions pas choisir autre chose que Condor. Je me suis mis à râler : « Des noms d'animaux ! Nous avons considéré les noms de tous les animaux de la forêt. Mais est-ce qu'il faut nécessairement un animal ? »

Je m'accrochais à Dimension Six et j'essayais de la défendre auprès des autres. Mais mes employés trouvaient ce nom incroyablement mauvais.

Je ne sais plus lequel d'entre nous a résumé la situation avec autant de justesse : « Tous ces noms sont nuls ». Plus tard, j'ai cru qu'il s'agissait de Johnson mais nos documents montrent qu'il était déjà rentré à Wellesley à ce moment-là.

La veille du grand jour, nous sommes restés tard, nous étions tous fatigués et nous avions tous perdu patience. J'étais prêt à me jeter par la fenêtre si quelqu'un proposait un autre nom d'animal. Nous nous sommes rendu compte que nous n'avancions pas et nous avons décidé de rentrer chez nous.

Une fois à la maison, je me suis installé dans mon fauteuil inclinable. Tout se bousculait dans ma tête. Fallait-il choisir Falcon ? Bengal ? Dimension Six ? Ou un autre nom ?

* * *

Le jour de la décision était arrivé. Canada avait déjà commencé à produire les chaussures, et les échantillons étaient prêts à être envoyés au Japon, mais il fallait avant cela que nous choisissions enfin un nom. Nous avions déjà programmé plusieurs publicités dans la presse, qui devaient coïncider avec les expéditions, et nous devions indiquer aux graphistes quel nom y inscrire. Enfin, nous devions remplir la paperasse du Bureau américain des brevets.

Woodell est entré dans mon bureau et a lancé : « Le temps est écoulé.

– Je sais, ai-je répondu en me frottant les yeux.

– Alors, ça sera quoi ?

– Je ne sais pas.

Désormais, nos propositions de nom s'emmêlaient toutes dans ma tête, qui était sur le point d'exploser : Falconbengaldimensionsix.

– Il y a… une autre possibilité, a dit Woodell.

– Proposée par qui ?

– Johnson a appelé à la première heure ce matin. Apparemment, un nouveau nom lui serait venu dans un rêve la nuit dernière.

– Un rêve ? ai-je lâché, incrédule.

– Il est sérieux.

– Il est toujours sérieux.

– Il dit qu'il a sursauté dans son lit au milieu de la nuit et qu'il avait le nom devant les yeux.

– Et quel est ce nom ? ai-je interrogé en me redressant sur ma chaise.

– Nike.

– Pardon ?

– Nike.

– Épelle-moi ça.

– N-I-K-E.

J'ai écrit le nom sur mon carnet de notes.

La déesse grecque de la victoire. L'Acropole. Le Parthénon. Le temple. J'ai repensé furtivement à tout cela.

– Nous n'avons plus le temps. Nike, Falcon ou Dimension Six.

– Tout le monde déteste Dimension Six.

– Tout le monde sauf moi.

– C'est toi qui décides », m'a dit Woodell en fronçant les sourcils, avant de me laisser seul.

J'ai griffonné sur mon carnet de notes, j'ai fait des listes avec les arguments pour ou contre. Tic, tac, tic, tac.

Je devais envoyer un télégramme à l'usine.

Je détestais prendre des décisions dans l'urgence et à cette époque, j'avais l'impression de ne faire que cela. J'ai regardé le plafond. Je me suis donné deux minutes supplémentaires pour peser une dernière fois le pour et le contre des différentes options, puis me suis dirigé vers la machine à télégrammes. Je me suis assis juste devant et me suis donné encore trois minutes de plus. J'ai tapé le message à contrecœur : « Le nom de la nouvelle marque est… »

Des tas de choses s'entrechoquaient dans ma tête.

D'ailleurs, Johnson m'avait fait remarquer que toutes les marques apparemment emblématiques – Clorox, Kleenex, Xerox – avaient des noms courts. Deux syllabes ou moins. Par ailleurs, ces noms avaient toujours une sonorité forte, une lettre comme « K » ou « X », qui restait en tête. Nike correspondait à cette description.

J'aimais aussi le fait que Niké soit la déesse de la victoire. Je me suis dit : « Qu'y a-t-il de plus important que la victoire ? »

J'aurais pu entendre dans les recoins de mon esprit la voix de Churchill : « Vous demandez quel est notre but ? Je peux répondre en un mot : la victoire. »

J'aurais pu me rappeler que la médaille de la victoire décernée à tous les vétérans de la Deuxième Guerre mondiale était un médaillon de bronze avec Athéna Niké brisant une épée en deux. J'aurais pu. Parfois, je me plais à croire que cela a été le cas. Mais *in fine*, je ne sais pas réellement ce qui m'a amené à prendre cette décision. La chance ? L'instinct ? Un quelconque esprit en moi ?

Oui.

« Qu'as-tu décidé ? m'a demandé Woodell à la fin de la journée.

– Nike, j'ai bougonné.

Il avait l'air sceptique.

– Oui, je sais. Peut-être qu'on se mettra à aimer au fil du temps. »

Peut-être.

* * *

Ma toute nouvelle relation avec Nissho était pleine de promesses mais il ne fallait pas se précipiter, car qui aurait pu s'aventurer à prédire comment les choses allaient tourner ? Quelques années plus tôt, je m'étais dit que ma relation avec Onitsuka était pleine de promesses et nous avions vu où cela nous avait menés. Certes, Nissho me prêtait de l'argent mais il fallait que je veille à ne pas devenir complaisant. J'étais dans l'obligation de trouver autant de sources de financement que possible.

Tout ceci me ramenait à l'idée d'un appel public à l'épargne. Cela dit, je ne pensais pas pouvoir supporter une nouvelle déconvenue et j'ai travaillé avec Hayes pour faire en sorte que cette deuxième tentative soit une réussite. Nous étions d'accord sur le fait que la première n'avait pas été suffisamment agressive et que nous ne nous étions pas assez bien vendus. Nous nous sommes attaché les services d'un commercial chevronné.

De plus, nous avions décidé de ne pas vendre des actions de l'entreprise cette fois, mais des obligations convertibles.

Si les affaires étaient vraiment une guerre sans balles, les obligations convertibles pouvaient être assimilées à des emprunts de guerre. Les acheteurs des titres vous prêtent de l'argent et reçoivent en échange un quasi-titre de propriété… de votre armée. Il ne s'agit que d'une quasi-action car les porteurs des obligations convertibles sont fortement encouragés et incités à conserver leurs titres pendant cinq ans. Après cette période, ils peuvent les convertir en actions classiques ou obtenir le remboursement de leur argent avec les intérêts.

En juin 1971, nous avons annoncé que Blue Ribbon mettait en vente 200 000 obligations convertibles à un dollar chacune. Cette fois, les titres se sont vendus comme des petits pains. Mon ami Cale a fait partie des premiers acheteurs, n'hésitant pas à faire un chèque de 10 000 dollars, une coquette somme à l'époque. Il m'a dit : « Buck, j'étais là au tout début, je serai là jusqu'au bout. »

Canada était une déception. Les chaussures de football de l'usine étaient belles mais leurs semelles se lézardaient avec le froid de l'hiver. C'était un comble : des chaussures fabriquées dans une usine s'appelant Canada qui ne supportaient pas le froid. Une fois encore, nous étions sans doute à l'origine du problème car nous utilisions une chaussure de football pour le football américain.

Le quarterback de l'équipe de Notre Dame en portait une paire cette saison-là, et il était très excitant de le voir courir sur le terrain de South Bend avec une paire de Nike aux pieds. Jusqu'à ce que ses Nike se désintègrent (tout comme les Irish de Notre Dame cette année-là). Notre tâche première était donc de trouver une usine capable de produire des chaussures plus solides et plus résistantes à la météo défavorable.

Nissho nous a fait savoir qu'ils pouvaient nous aider, et qu'ils en seraient très heureux. Ils étaient en train de développer leur service dédié aux marchandises et Sumeragi avait de ce fait accès à des informations privilégiées sur des usines un peu partout dans le monde. Il venait d'engager un consultant, un authentique magicien de la chaussure, qui avait été un disciple de Jonas Senter.

Je n'avais jamais entendu parler de Senter mais Sumeragi m'a assuré que l'homme était un authentique *shoe dog*. J'avais entendu cette expression à plusieurs reprises. Les *shoe dogs* étaient des personnes qui dédiaient totalement leurs vies à la fabrication, la conception, l'achat et la vente de chaussures. C'était ainsi que se qualifiaient entre eux les hommes et les femmes qui avaient tellement trimé dans le milieu de la chaussure qu'ils ne pensaient et ne parlaient de rien d'autre. Faire autant attention aux semelles intérieures et aux semelles intercalaires, aux trépointes et aux bordures, aux empeignes et aux rivets était une sorte de passion dévorante, de désordre psychologique.

Mais je ne les comprenais que trop bien. Une personne fait en moyenne 7 500 pas par jour, soit 274 millions de pas au cours de sa vie, l'équivalent de six fois le tour de la terre – et les *shoe dogs* voulaient simplement faire partie de ce voyage. Les chaussures étaient un moyen de se connecter à l'humanité. Pour les *shoe dogs*, il n'y avait pas de meilleur moyen de relier les gens entre eux.

Je ressentais une sympathie particulière pour ces cas désespérés. Je me suis demandé combien j'avais pu en rencontrer au cours de mes voyages.

À l'époque, le marché de la chaussure était inondé de contrefaçons d'Adidas et c'était Senter qui en était à l'origine. D'après ce qu'il se disait, il était le roi de la contrefaçon. Il était lui aussi très au fait du commerce de la chaussure qu'il était possible de faire avec l'Asie – des usines, de l'import, de l'export. Il avait contribué à monter une division chaussures pour Mitsubishi, la plus grosse maison de commerce du Japon. Pour différentes raisons, Nissho n'avait pas pu recruter Senter lui-même et s'était donc rabattu sur son protégé, un certain Sole[18].

J'ai dit à Sumeragi : « Vraiment ? Une personne dans le business de la chaussure qui s'appelle *Semelle* ? »

Avant de rencontrer Sole et avant d'aller plus loin avec Nissho, je me suis demandé si je n'étais pas en train de tomber dans un nouveau piège. Dans l'hypothèse où j'irais plus loin avec Nissho, je leur devrais bientôt beaucoup d'argent ; et dans l'hypothèse où ils deviendraient notre unique source d'approvisionnement de chaussures, je deviendrais bientôt encore plus vulnérable vis-à-vis d'eux que je ne l'avais été vis-à-vis d'Onitsuka. Je me disais que cela deviendrait ingérable s'ils devenaient subitement aussi agressifs que leurs compatriotes.

Sur la suggestion de Bowerman, j'ai parlé de tout cela avec Jaqua, qui a bien saisi la complexité de la situation. « Un sacré pétrin », selon lui. Il ne savait

---

18 *Sole* signifie « semelle » en anglais.

pas quoi me conseiller mais il a affirmé connaître quelqu'un qui pourrait le faire. Son beau-frère, Chuck Robinson, était le PDG de Marcona Mining, qui avait des joint-ventures partout dans le monde. Chacune des huit grosses maisons de commerce japonaises était partenaire d'au moins une mine de Marcona et Chuck était donc l'un des meilleurs experts du pays dans le rapport avec ces institutions.

J'ai décroché un rendez-vous avec Chuck à son bureau de San Francisco et j'ai été très intimidé lorsque j'y suis entré. J'étais impressionné par la taille de son bureau, qui était plus grand que ma maison, mais aussi par la vue qu'il offrait – les fenêtres donnaient sur la baie de San Francisco, où des tankers énormes partaient pour les plus grands ports du monde ou en revenaient. Il y avait, accrochés aux murs, des modèles réduits de la flotte de tankers de Marcona, qui livrait du charbon et d'autres matières minérales aux quatre coins du globe. Je me suis dit que seul un homme très fort et très brillant pouvait être à la tête d'un tel arsenal.

« Si les maisons de commerce japonaises comprennent tes conditions dès le premier jour, elles seront les meilleurs partenaires que tu puisses rêver d'avoir. »

Rassuré, bardé d'un courage nouveau, je suis retourné voir Sumeragi et lui ai expliqué mes conditions : « Pas de participation au capital de l'entreprise. Jamais. »

Il s'est retiré afin de consulter quelques personnes puis est revenu pour me faire connaître sa position :

« Pas de problème. Mais voici notre proposition : nous prenons 4 % des ventes, prélevés sur la marge. Ce à quoi nous ajouterons les taux d'intérêt du marché. »

Je lui ai indiqué mon accord en hochant la tête.

Sumeragi a envoyé Sole à ma rencontre quelques jours plus tard. Étant donné la réputation de la personne, je m'attendais à voir une sorte de demi-dieu avec quinze bras, agitant chacun une baguette magique. Mais Sole était un homme d'affaires tout à fait ordinaire, la cinquantaine, avec un accent new-yorkais et un costume de businessman. Au premier abord, ce n'était pas le genre de personnes que j'appréciais et cela avait l'air d'être réciproque. Pourtant, nous n'avons pas eu de mal à trouver des points communs : les chaussures, le sport et une haine sans borne pour Kitami. Sole a haussé les épaules lorsque j'ai mentionné le nom de Kitami : « Ce type est un imbécile. »

À partir de ce moment, je me suis dit que nous allions devenir amis rapidement.

Sole m'a promis de m'aider à me défaire de Kitami :

« Je peux résoudre tous vos problèmes. Je connais des usines.

– Des usines qui peuvent faire des Nike ? ai-je demandé en lui tendant ma nouvelle chaussure de football.

– Là tout de suite, j'en ai cinq qui me viennent en tête ! »

Il était inflexible. Il semblait avoir deux principaux traits de caractère – inflexible et dédaigneux. J'ai réalisé qu'il était en train de nous vendre, mon entreprise et moi, mais que j'étais d'accord pour être vendu, et plus prêt que jamais à ce qu'on s'intéresse à moi.

Les cinq usines mentionnées par Sole étaient toutes au Japon. Sumeragi et moi avons donc décidé d'aller les visiter en septembre 1971. Sole était d'accord pour être notre guide.

Sumeragi m'a téléphoné une semaine avant notre départ :

« Monsieur Sole a subi une attaque cardiaque.

– Oh, non ! ai-je crié.

– Il devrait s'en sortir mais il ne peut pas voyager pour le moment. Son fils, qui est quelqu'un de très capable, prendra sa place. »

Sumeragi me donnait l'impression de chercher autant à se convaincre lui-même que moi.

J'ai pris seul l'avion pour le Japon et j'ai rejoint Sumeragi et Sole Junior dans les bureaux de Nissho à Tokyo. J'ai été interloqué quand Sole Junior est entré dans la pièce et m'a tendu la main. Je m'attendais à ce qu'il soit jeune, mais pas qu'il ressemble à un adolescent. Son costume était bien trop grand pour lui. Était-ce celui de son père ?

Comme tant d'adolescents, il commençait chaque phrase par « je ». « Je pense que ci, je pense que ça. » « Je, je, je. »

J'ai regardé Sumeragi. Il avait l'air très préoccupé.

La première des usines que nous voulions voir se situait dans les faubourgs de Hiroshima. Nous nous y sommes rendus tous les trois en train, arrivant aux alentours de midi. Le temps était couvert, il faisait frais. Nous n'étions pas attendus à l'usine avant le lendemain matin et je me suis dit que je me devais d'utiliser mon temps libre pour visiter le musée de la ville. Je voulais y aller seul. J'ai dit à Sumeragi et Sole Junior que je les retrouverais dans le hall de l'hôtel le lendemain matin.

J'ai été très marqué par chacune des salles du musée, étourdi par les images qui se dressaient devant moi. Des mannequins habillés avec des vêtements brûlés. Des tas de bijoux ou d'ustensiles de cuisine – je n'arrivais pas à distinguer de quoi il s'agissait – irradiés, brûlés. Les photos m'ont ému au plus haut point. J'étais horrifié devant le tricycle liquéfié d'un enfant. Je suis resté planté la bouche ouverte devant l'armature noircie d'un bâtiment, dans lequel des êtres humains avaient dû s'aimer, travailler et rire. J'ai essayé d'imaginer ce qu'avait dû être le moment de l'impact. Je me suis senti mal quand je suis tombé sur une chaussure brûlée, disposée derrière une vitre, dans laquelle on pouvait encore visualiser les empreintes de pied de son propriétaire.

Le lendemain matin, ces images atroces étaient encore fraîches dans ma tête et j'étais d'une humeur sombre lorsque nous avons pris la voiture vers la campagne avec Sumeragi et Sole Junior.

J'ai presque été surpris par l'entrain dont ont fait preuve les responsables de l'usine. Ils étaient enchantés de nous rencontrer et de nous montrer leurs marchandises. Ils nous ont prévenus d'emblée qu'ils étaient impatients de conclure un marché et qu'ils espéraient depuis longtemps pénétrer le marché américain.

Je leur ai montré les Cortez et leur ai demandé combien de temps il leur faudrait pour produire une grosse commande de cette chaussure.

« Six mois, m'ont-ils répondu.

Sole Junior s'est avancé et a aboyé :

– Vous le ferez en trois mois ! »

J'avais le souffle coupé. À l'exception notable de Kitami, j'avais toujours trouvé les Japonais d'une politesse à toute épreuve, même lors d'âpres négociations ou de situations tendues, et je m'étais toujours efforcé de leur rendre la pareille. De plus, je me disais que la politesse était encore plus de rigueur à Hiroshima. Ici, plus que partout ailleurs, les êtres humains se devaient d'être aimables les uns envers les autres. Sole Junior faisait tout l'inverse et se comportait comme le plus horrible des Américains.

Cela a empiré au fil de notre voyage. Il s'est montré brutal, grossier, hautain et condescendant envers chaque personne que nous avons rencontrée. J'étais gêné par son comportement, tous les Américains l'étaient. À plusieurs reprises, Sumeragi et moi avons échangé des regards consternés. Nous voulions le sermonner et le laisser derrière nous

– mais nous avions besoin des contacts de son père. Nous avions besoin que ce morveux désagréable nous indique où étaient situées les usines.

À Kurume, en périphérie de Beppu, dans les îles du sud, nous avons visité une usine qui faisait partie d'un grand complexe industriel géré par l'entreprise de pneus Bridgestone. L'usine s'appelait Nippon Rubber. Je n'avais jamais vu une aussi grande usine de chaussures, c'était une sorte d'usine aux pouvoirs magiques, capable de traiter n'importe quelle commande, quelle que soit sa taille ou sa complexité. Nous avons été reçus par les responsables dans la salle de réunion, juste après le petit-déjeuner, mais cette fois, nous n'avons pas laissé parler Sole Junior. J'ai pris la parole et je l'interrompais à chaque fois qu'il essayait d'ouvrir la bouche.

J'ai expliqué aux responsables le type de chaussures que je souhaitais et je leur ai montré les Cortez. Ceux-ci m'ont fait un signe de tête, avec une certaine gravité. Je n'étais pas sûr qu'ils aient bien compris ma requête.

Nous sommes retournés dans la salle de réunion après le déjeuner et là, j'ai trouvé sur la table une toute nouvelle Cortez, avec une bande Nike sur le côté, sortant tout droit de leurs ateliers. C'était comme de la magie !

J'ai passé le reste de l'après-midi à décrire les chaussures que je voulais. Des chaussures de tennis, des chaussures de basket-ball, des chaussures montantes, des chaussures basses, et plusieurs autres modèles de chaussures de running. Les responsables de l'usine m'ont assuré qu'ils n'auraient aucun problème à réaliser ces modèles.

Je leur ai dit que tout cela était très encourageant mais que j'aurais besoin de voir des échantillons avant de passer commande. Mes interlocuteurs m'ont garanti qu'ils pourraient les produire et les envoyer aux bureaux de Nissho à Tokyo quelques jours plus tard. Nous nous sommes salués en inclinant la tête. Je suis rentré à Tokyo et j'ai attendu de leurs nouvelles.

De fraîches journées d'automne s'en sont suivies. J'ai déambulé dans la ville, bu de la Sapporo et du saké, mangé des yakitoris, tout en rêvant de chaussures. J'ai visité une nouvelle fois les jardins Meiji et me suis assis sous les ginkgos à côté de la porte Torii. Un portail vers le sacré.

J'ai reçu un mot à l'hôtel le dimanche. Celui-ci me faisait savoir que les chaussures étaient arrivées. Je me suis présenté aux bureaux de Nissho mais ces derniers étaient fermés. Cependant, ils avaient eu suffisamment confiance en moi pour me laisser un jeu de clés et j'ai donc pu rentrer dans leurs locaux. Je me suis assis dans une grande salle, au milieu des nombreuses rangées de bureaux vides, et me suis mis à inspecter les échantillons. Je les ai manipulés dans tous les sens sous une lampe. J'ai fait glisser mes doigts le long des semelles, sur les côtés, afin de détecter d'éventuelles irrégularités. Elles n'étaient pas parfaites. Le logo d'une chaussure n'était pas très droit, la semelle intercalaire d'une autre un peu trop fine, le talon d'une troisième pas assez marqué.

J'ai pris des notes pour les faire parvenir aux responsables de l'usine.

Mais à l'exception de quelques imperfections mineures, les chaussures étaient très bien.

Il restait à réfléchir à des noms pour les différents modèles. Cela m'effrayait. J'avais été si médiocre lorsque nous recherchions un nom pour ma nouvelle marque – Dimension Six ? Tout le monde chez Blue Ribbon se moquait encore de moi pour cet épisode. Je n'avais choisi Nike que parce que j'étais pris par le temps, et parce que j'avais eu confiance en la fulgurance de Johnson. Mais cette fois, j'étais seul dans un immeuble vide dans le centre de Tokyo. Je devais me faire confiance. J'avais une chaussure de tennis entre les mains. J'ai décidé de l'appeler… la Wimbledon. Bon, c'était facile.

Puis j'ai saisi un autre modèle de chaussure de tennis. J'ai décidé de l'appeler… la Forest Hill, qui était le lieu du premier US Open.

J'ai ensuite pris une chaussure de basket-ball. Je l'ai appelé la Blazer, du nom de l'équipe de NBA de ma ville.

J'ai appelé un autre modèle de chaussure de basket-ball la Bruin, parce que la meilleure équipe universitaire de basket-ball de tous les temps était les Bruins de John Wooden. J'avoue que ce n'était pas très créatif.

Pour les chaussures de running, j'ai baptisé les modèles Cortez bien sûr, Marathon, Obori, Boston et Finland. Je le sentais bien. J'étais surexcité. Je me suis mis à danser tout seul dans la pièce, comme si j'entendais une musique divine. J'avais une chaussure de running à la main. Je l'ai appelée Wet-Flyte. J'ai dit à haute voix : « Boum ! »

Encore aujourd'hui, j'ignore comment m'est venu ce nom.

Il m'a fallu une demi-heure pour leur donner un nom à toutes. Je me suis senti comme Coleridge, écrivant *Kubla Khan* sous l'emprise de l'opium. J'ai envoyé les noms à l'usine par courrier.

Il faisait sombre lorsque que je suis sorti de l'immeuble et j'ai rejoint les rues bondées de Tokyo. J'ai éprouvé un sentiment tout à fait nouveau, j'étais vidé mais fier. Épuisé mais euphorique. Je ressentais tout ce que j'avais toujours espéré ressentir après une journée de travail. J'ai eu l'impression d'être un artiste, un créateur. Je me suis retourné pour lancer un dernier regard en direction des bureaux de Nissho et j'ai dit à mi-voix : « On l'a fait. »

Cela faisait trois semaines que j'étais au Japon, c'était plus que prévu et cela posait deux problèmes. Je me disais que si le monde était grand, le monde de la chaussure, lui, était petit et que si Onitsuka venait à savoir que j'étais dans le coin sans passer les voir, ils se douteraient que je mijotais quelque chose. Il ne serait pas difficile pour eux de trouver ou de comprendre que je leur cherchais des remplaçants. Il fallait donc que je descende à Kobe pour faire un passage dans les bureaux d'Onitsuka. Mais prolonger mon voyage et être absent de la maison une semaine supplémentaire m'étaient insupportables. Penny et moi n'avions jamais été séparés aussi longtemps.

J'ai téléphoné à Penny et je lui ai demandé de me rejoindre pour la fin de mon séjour. Elle a sauté sur l'occasion. Elle n'était jamais venue en Asie et il s'agissait peut-être de sa dernière opportunité de le faire avant que l'entreprise ne fasse faillite et que nous soyons fauchés. Il pouvait également s'agir de sa dernière occasion d'utiliser son jeu de bagages roses. De plus, Dot pouvait se charger du babysitting.

Mais le vol était long et Penny n'aimait pas l'avion.

Lorsque je suis allé la chercher à l'aéroport de Tokyo, je savais que c'était une femme fragile que je trouverais. Mais j'avais oublié à quel point l'aéroport Haneda pouvait être intimidant. La concentration d'êtres humains et de bagages était très importante. Je ne pouvais pas bouger d'un pouce, je n'arrivais pas à trouver Penny. Soudain, elle est apparue au niveau des portes coulissantes des douanes. Elle essayait d'avancer et de se frayer un chemin. Mais il y avait trop de monde – et de policiers armés – autour d'elle. Elle était coincée.

Les portes ont finalement coulissé, la foule a surgi et Penny est tombée dans mes bras. Je ne l'avais jamais vue aussi fatiguée, pas même à la naissance de Matthew. Je lui ai demandé si l'avion avait un pneu crevé qu'elle avait dû changer, mais cela ne l'a pas fait rire. Elle m'a expliqué que l'avion avait été pris dans des turbulences pendant deux heures et que le vol avait été très agité.

Son joli tailleur vert citron était tout froissé et taché, et son teint était lui-même vert citron. Elle avait besoin d'une douche chaude, de beaucoup de repos et de vêtements propres. Je lui ai dit que j'avais réservé une suite au merveilleux hôtel Imperial, qui avait été conçu par Frank Lloyd Wright.

Une demi-heure plus tard, à notre arrivée à l'hôtel, Penny est partie aux toilettes pendant que je me présentais à la réception. Une fois les clés obtenues, je me suis assis dans l'un des fauteuils du hall en l'attendant.

Dix minutes se sont écoulées.

Puis quinze.

Je suis allé devant la porte des toilettes des femmes et je l'ai entrouverte.

« Penny ?

– Je suis frigorifiée, m'a-t-elle répondu.

– Comment ?

– Je suis par terre… Je suis frigorifiée. »

Je suis entré et je l'ai trouvée sur le carrelage froid, allongée sur le côté. Les autres dames l'enjambaient et la contournaient. Elle faisait une crise de panique et avait de fortes crampes aux jambes. Le long vol, le chaos de l'aéroport, les mois de stress à cause de Kitami – c'en était trop pour elle. Je lui ai parlé calmement, lui ai dit que tout irait bien et elle s'est détendue petit à petit. Je l'ai aidée à se lever puis à monter les escaliers et j'ai demandé à l'hôtel d'envoyer une masseuse.

Je l'ai allongée sur le lit et lui ai mis un gant de toilette froid sur le front. J'étais inquiet mais je sentais aussi un peu le poids du devoir sur mes épaules. J'avais été proche de céder à la panique pendant des semaines. Des mois même. Voir Penny dans cet état m'a donné une poussée d'adrénaline. L'un de nous devait tenir le choc, pour Matthew. Cette fois, il fallait que ce soit moi.

Le lendemain matin, j'ai téléphoné à Onitsuka pour leur dire que ma femme et moi étions au Japon. Ils m'ont invité à passer les voir. Nous étions dans le train pour Kobe dans l'heure qui suivait.

Tous les employés sont venus nous saluer, y compris Kitami, Fujimoto et monsieur Onitsuka. Ils m'ont demandé ce qui m'avait amené au Japon et je leur ai dit que nous avions décidé sur un coup de tête d'y venir en vacances. Monsieur Onitsuka a dit : « Très bien, très bien. » Il était aux petits soins avec Penny. Nous nous sommes assis pour prendre part à une cérémonie du thé préparée à la hâte. L'espace d'un instant, les rires et les échanges de civilités pouvaient faire oublier que nous étions à deux doigts du conflit.

Monsieur Onitsuka nous a même proposé une voiture et un chauffeur pour que Penny et moi visitions Kobe. J'ai accepté. Puis, Kitami nous a invités à dîner le soir même. J'ai accepté, à contrecœur.

Fujimoto était présent au dîner, ce qui a rendu la situation encore un peu plus complexe. J'ai regardé autour de la table et je me suis dit : ma femme, mon ennemi, mon espion. Bien que le ton de la conversation fût cordial, voire amical, je pouvais déceler des sous-entendus dans chaque phrase. J'attendais le moment où Kitami me demanderait si j'avais réfléchi à leur offre de racheter Blue Ribbon, mais il ne l'a pas fait.

Vers neuf heures, Kitami a pris congé. Fujimoto, lui, nous a dit qu'il restait avec nous pour un dernier verre. Une fois son collègue parti, il nous a raconté tout ce qu'il savait sur le projet d'Onitsuka de cesser la collaboration avec Blue Ribbon. Il n'avait pas beaucoup plus d'informations que ce que j'avais déjà pu glaner dans la serviette de Kitami. Mais il était tout de même agréable de passer du temps avec notre allié. Nous avons pris plusieurs verres et avons bien ri, jusqu'à ce que Fujimoto regarde sa montre et lâche un cri : « Oh non ! Il est plus de onze heures. Il n'y a plus de trains ! »

Je lui ai dit : « Aucun problème. Viens avec nous. »

Penny a pris le relais : « Nous avons un gros tatami dans notre chambre. Vous pouvez dormir dessus. »

Fujimoto a accepté, en faisant de nombreuses révérences. Il m'a remercié à nouveau pour le vélo.

Une heure plus tard, nous étions tous les trois dans notre petite chambre, faisant comme s'il n'y avait rien d'extraordinaire à la situation.

À l'aube, j'ai entendu Fujimoto se lever, tousser et s'étirer. Il est allé dans la salle de bains, a fait couler de l'eau et s'est brossé les dents. Il s'est ensuite rhabillé avec ses vêtements de la veille puis s'est éclipsé. Je me suis rendormi. Penny est allée dans la salle de bains peu de temps après et est revenue dans notre lit – en riant ? Je me suis retourné. Elle ne riait pas, elle pleurait. Elle semblait au bord d'une nouvelle crise de panique.

« Il a utilisé… a-t-elle gémit d'une voix rauque.

– Quoi ?

Elle a enfoncé sa tête dans les coussins.

– Il a utilisé… ma brosse à dents ! »

Dès mon retour dans l'Oregon, j'ai invité Bowerman à Portland pour discuter avec Woodell et moi de nos affaires.

Cette réunion ressemblait à toutes celles que nous avions pu tenir auparavant.

Au cours de la conversation, Woodell et moi avons souligné que la semelle extérieure des chaussures d'entraînement n'avait pas changé depuis cinquante ans. Chaque pas produisait une sorte d'ondulation vers la partie inférieure du pied. La Cortez et la Boston avaient été les supports d'avancées significatives en termes de matelassage et d'utilisation du nylon, elles étaient révolutionnaires en ce qui concerne la construction de l'empeigne mais il n'y avait pas eu une seule innovation depuis la Grande Dépression en ce qui concernait les semelles extérieures. Bowerman a fait un signe de la tête et a pris des notes. Il n'avait pas l'air plus intéressé que cela.

Autant que je m'en souvienne, c'est après que nous ayons traité tous les points inscrits à l'ordre du jour que Bowerman nous a dit qu'un ancien et riche élève de l'université venait de faire un don d'un million de dollars afin de financer une nouvelle piste de course, qui deviendrait la meilleure du monde. Bowerman décrivait avec un certain entrain la surface qu'il avait créée avec cette rentrée d'argent inattendue. Il avait eu recours au polyuréthane, la même surface spongieuse que celle utilisée lors des Jeux olympiques de Munich en 1972, pour lesquels Bowerman était pressenti comme entraîneur en chef de l'équipe de course à pied.

Il était content. Pourtant, il se disait loin d'être satisfait. Ses coureurs n'avaient pas encore pleinement tiré profit de cette nouvelle surface. Il y avait encore un problème d'adhérence de leurs chaussures sur celle-ci.

Lors des deux heures de son trajet retour vers Eugene, Bowerman a ressassé ce que Woodell et moi avions dit, mais aussi son problème de nouvelle piste. Ces deux sujets mijotaient dans sa tête.

Le dimanche suivant, assis à table avec sa femme pour le petit-déjeuner, Bowerman s'est mis à regarder fixement leur gaufrier, en particulier sa structure quadrillée. C'était le motif à la recherche duquel il était depuis des mois, voire des années. Il a demandé à sa femme s'il pouvait emprunter l'appareil.

Bowerman avait une cuve d'uréthane dans son garage, un reste de l'installation de la nouvelle piste. Il a emmené le gaufrier à la cave, l'a rempli d'uréthane et l'a mis sous tension – ce qui a vite ruiné la machine. L'uréthane avait bloqué le gaufrier, car Bowerman n'avait pas ajouté d'agent de démoulage. Il ne maîtrisait pas vraiment ces produits.

Toute autre personne que lui aurait arrêté là l'expérience. Mais le cerveau de Bowerman n'avait pas non plus d'agent de démoulage. Il est allé acheter un autre gaufrier et l'a rempli de plâtre cette fois : lorsque le plâtre a durci, le gaufrier a pu s'ouvrir sans problème. Il a emporté le moule avec lui jusqu'à l'Oregon Rubber Company, où il a demandé que l'on verse du caoutchouc liquide dedans.

Nouvel échec. Le moule en caoutchouc était trop rigide et s'est cassé tout de suite.

Mais Bowerman sentait qu'il était près du but.

Il a laissé tomber le gaufrier et il a utilisé à la place une plaque d'acier inoxydable dans laquelle il a fait des encoches pour créer une surface ressemblant à une plaque de gaufrier. Il a emporté cette plaque à la société de caoutchouc. Le moule réalisé à partir de la plaque d'acier était pliable et Bowerman avait désormais des morceaux de caoutchouc dur de soixante centimètres sur soixante, qu'il a rapportés chez lui et qu'il a cousus sur la semelle d'une paire de chaussures de running. Il a donné celles-ci à l'un de ses coureurs. Ce dernier s'est mis à courir comme un lapin.

Bowerman m'a téléphoné, tout excité, et m'a raconté ses expérimentations. Il voulait que j'envoie un échantillon de ses chaussures aux semelles gaufrées à l'une de mes nouvelles usines. J'étais évidemment partant, je les ai envoyées à Nippon Rubber dès que possible.

Aujourd'hui, je le revois travailler dur dans son atelier plusieurs décennies plus tôt, avec l'aide attentionnée de son épouse, et j'en ai encore la chair de poule. Il était Edison à Menlo Park, De Vinci à Florence, Tesla à Wardenclyffe. Ses inspirations étaient divines. Je me demande s'il avait conscience du fait qu'il était le Dédale des baskets, qu'il écrivait l'histoire en révolutionnant une industrie et en transformant pour plusieurs générations la façon dont les athlètes allaient courir et sauter. Je me demande s'il pouvait avoir conscience à cette époque de tout ce dont il serait à l'origine.

Personnellement, je ne me rendais pas compte de tout ce qui allait s'enclencher.

1972

Tout dépendait de Chicago. En ce début d'année 1972, toutes nos conversations, toutes nos réflexions commençaient et finissaient avec Chicago, car la ville accueillait le salon de l'Association nationale des articles de sport.

Le Salon des articles de sport de Chicago était le lieu où les représentants commerciaux de tout le pays découvraient les nouveaux produits de toutes les entreprises. C'était lors de cet événement qu'ils faisaient la pluie et le beau temps sur le marché en fonction de la taille de leurs commandes. Mais pour nous, le salon de 1972 allait être encore plus important que les années précédentes. C'était notre Super Bowl, nos Jeux olympiques, notre bar-mitzvah, c'est là que nous avions décidé de présenter Nike au reste du monde. Nous nous disions que notre société arriverait à survivre si nos nouvelles chaussures plaisaient aux représentants commerciaux. Sinon, le salon 1973 se déroulerait sans nous.

Chicago était important pour Onitsuka également. Quelques jours avant le début du salon, sans juger bon de m'avertir, Onitsuka avait annoncé aux médias japonais qu'ils allaient « acquérir » Blue Ribbon. Cette annonce avait envoyé une onde de choc dans le milieu, tout particulièrement chez Nissho. Sumeragi m'avait écrit pour me demander en substance ce que c'était que ce bordel.

Dans une réponse passionnée de deux pages, j'ai écrit à Sumeragi que je n'avais rien à voir avec l'annonce d'Onitsuka et j'ai essayé de le convaincre que ces derniers tentaient de nous intimider et de nous forcer à vendre. Je lui ai expliqué qu'Onitsuka représentait notre passé et que Nissho et Nike représentaient notre avenir. En conclusion de ma lettre, je lui ai avoué que je n'avais encore rien dévoilé de tout cela à Onitsuka et qu'il fallait qu'il le garde pour lui : « Pour des raisons évidentes, je vous demande de garder toutes les informations mentionnées strictement confidentielles. Afin de maintenir notre système de distribution actuel pleinement opérationnel pour les ventes futures de Nike, il est important que nous recevions les cargaisons d'Onitsuka pour un ou deux mois encore. Dans le cas contraire, nous pourrions connaître des difficultés. »

J'avais l'impression d'être un homme marié impliqué dans un triangle amoureux sordide et d'être en train d'assurer à ma maîtresse, Nissho, que je quitterais bientôt ma femme, Onitsuka. En parallèle, je faisais tout mon possible pour qu'Onitsuka pense que j'étais un mari dévoué et aimant. Dans ma lettre à Sumeragi, j'ai écrit :

« Je n'aime pas cette façon de procéder mais je m'y retrouve contraint par cette entreprise dotée des pires intentions. » Cela ressemblait un peu à : « Nous serons bientôt ensemble, ma chérie. Sois juste un peu patiente. »

Juste avant que nous ne partions pour Chicago, nous avons reçu un télégramme de Kitami. Il m'y disait qu'il avait trouvé un nom pour « notre » nouvelle entreprise : The Tiger Shoe Company. Il voulait dévoiler ce nom au public à Chicago. Je lui ai renvoyé un télégramme en lui disant que le nom était beau, lyrique, quasi poétique – mais qu'il était malheureusement trop tard pour faire une quelconque annonce lors du salon, car tous les documents promotionnels avaient déjà été imprimés.

Lors du premier jour du salon, j'ai trouvé Johnson et Woodell affairés à préparer notre stand. Ils avaient empilé les nouvelles Tigers en lignes soignées et ils étaient en train d'empiler les nouvelles Nike en faisant des pyramides de boîtes à chaussures orange. À l'époque, les boîtes à chaussures étaient soit blanches, soit bleues, et rien d'autre, mais je voulais quelque chose qui sorte de l'ordinaire, quelque chose que l'on remarque facilement dans les rayons des magasins d'articles de sport. J'ai donc demandé à Nippon Rubber des boîtes de couleur orange fluo, en me disant que c'était la couleur la plus vive de l'arc-en-ciel. Johnson et Woodell aimaient l'orange et ils appréciaient tout particulièrement le « Nike » écrit en blanc sur le côté de la boîte. Tous les deux ont été secoués lorsqu'ils ont ouvert les boîtes et qu'ils sont tombés sur les chaussures. La première série produite par Nippon Rubber n'avait pas la qualité des Tigers, ni celle des échantillons que nous avions pu voir quelque temps auparavant. Le cuir était trop brillant, ce qui n'était pas une réussite esthétique. La Wet-Flyte avait l'air d'être mouillée, un peu comme si elle avait été couverte de peinture ou de laque bon marché qui n'aurait pas séché. L'empeigne était enduite de polyuréthane, mais Nippon Rubber n'était visiblement pas plus au point que Bowerman pour travailler cette substance délicate et instable. Le logo sur le côté, le machin-bidule ressemblant à une aile ou à un souffle d'air de Carolyn, que nous appelions *swoosh* entre nous, était de travers.

Je me suis assis et me suis pris la tête à deux mains. J'ai regardé vers nos pyramides orange, elles me faisaient penser aux pyramides de Gizeh, que j'avais pu voir dix ans auparavant à dos de chameau comme Lawrence d'Arabie, aussi libre qu'un homme puisse être. Je me trouvais désormais à Chicago, perclus de dettes, à la tête d'une entreprise de chaussures vacillante, lançant une nouvelle marque avec des produits de mauvaise qualité et des *swoosh* de travers. Tout n'est que vanité.

J'ai regardé autour de moi les milliers de représentants commerciaux qui fourmillaient dans les autres stands. Je les entendais s'émerveiller devant toutes les autres chaussures présentées pour la première fois. J'avais l'impression d'être le vilain petit canard d'un concours scientifique, qui n'aurait pas suffisamment travaillé son projet. Un gamin qui s'y serait mis la veille, alors que les autres élèves avaient mis au point des volcans en éruption et des machines simulant des éclairs. Comme si moi je n'avais à présenter qu'un piteux mobile représentant le système solaire fait de boules de polystyrène accrochées à des cintres.

Indiscutablement, ce n'était pas le moment de présenter des chaussures défectueuses. Pire, les présenter à des commerciaux. Ils parlaient comme des commerciaux, marchaient comme des commerciaux, étaient habillés comme des commerciaux – des chemises cintrées en polyester, des pantalons Sansabelt. Ils étaient extravertis alors que nous étions introvertis. Nous n'étions pas faits pour eux et réciproquement. Pourtant, notre futur était entre leurs mains. Nous devions les convaincre de l'intérêt que Nike pouvait avoir pour eux.

J'étais à deux doigts de péter les plombs, vraiment. Je me suis aperçu que Johnson et Woodell étaient encore plus proches de devenir fous, et je ne pouvais donc pas me le permettre. Comme Penny quelque temps auparavant, ils me faisaient le coup de la crise de panique. Je leur ai dit : « Écoutez les gars, nous n'aurons jamais de plus mauvaises chaussures qu'aujourd'hui. Les prochaines seront de meilleure qualité. Alors si nous pouvons vendre celles-là… Nous nous en sortirons. »

Ils ont tous les deux hoché la tête, résignés, d'un air qui voulait dire : « Avons-nous vraiment le choix de toute façon ? »

Après avoir attendu un peu, une foule de représentants est venue vers notre stand. À leur façon de marcher, on aurait dit des zombies. Ils saisissaient les Nike et les mettaient en pleine lumière pour bien les examiner. Le *swoosh* les intriguait. L'un d'entre eux a dit à son voisin : « Mais qu'est-ce que c'est que ce truc ? » Et son voisin a répondu : « Mais qu'est-ce que j'en sais ? »

Ils nous assommaient de questions.

« Salut, c'est quoi, ça ?

– C'est une Nike.

– Mais c'est quoi, une Nike ?

– C'est la déesse grecque de la victoire.

– La quoi ?

– La déesse grecque de la vic…

– Et ça, c'est quoi ?

– C'est un *swoosh*.

– Mais c'est quoi, un *swoosh* ? »

Je répondais à toutes ces questions machinalement.

Ça a bien marché. Les représentants ont eu l'air de beaucoup apprécier notre produit et ont passé pas mal de commandes. Au bout du compte, nous avons largement dépassé nos attentes. Même dans nos rêves les plus fous, nous n'aurions jamais imaginé vendre autant. Nous avons été l'une des grandes attractions du salon. Du moins, c'est comme cela que je l'ai vécu.

Mais, comme d'habitude, Johnson n'était pas content. Perfectionniste un jour, perfectionniste toujours. Il disait être sidéré par « les incohérences de la situation ». Ce sont exactement les mots qu'il a utilisés. Je l'ai prié de mettre de côté sa sidération, le mieux étant l'ennemi du bien. Mais c'était au-dessus de ses forces. Il s'est dirigé vers l'un de ses plus gros clients et l'a accroché pour lui demander ce qu'il se passait. L'homme a répondu : « Qu'est-ce que tu veux dire ? » Johnson lui a dit : « Nous venons ici avec ces nouvelles Nike. Elles n'ont jamais été testées et pour être honnête, elles ne sont pas si bien que ça – et vous, vous en achetez. C'est quoi, le truc ? »

L'homme s'est mis à rire : « Cela fait des années que nous faisons des affaires avec Blue Ribbon et on sait que vous dites toujours la vérité. Tous les autres font du pipeau mais vous, vous êtes réglos. Donc si vous nous dites que ces nouvelles chaussures, ces Nike, valent le coup, on vous croit. »

Johnson est revenu vers le stand en se grattant la tête : « Dirc la vérité… Qu'est-ce qu'ils en savent ? »

Woodell s'est mis à rire, imité par Johnson. Je me suis mis à rire moi aussi, en essayant de ne pas penser aux nombreux mensonges et semi-vérités que j'avais communiqués à Onitsuka.

Les bonnes nouvelles vont vite. Mais les mauvaises nouvelles sont encore plus rapides que Grelle et Prefontaine. Elles filent comme des fusées.

Deux semaines après le salon de Chicago, Kitami est entré dans mon bureau. Sans avertissement préalable. Sans se faire annoncer. Il est allé droit au but : « Qu'est-ce que c'est que cette, cette… chose… cette NI-QUÉ ? »

J'ai essayé de rester impassible : « Nike ? Oh, ce n'est pas grand-chose. C'est une activité annexe, une sorte d'assurance, dans l'hypothèse où Onitsuka se sentirait menacé et nous laisserait tomber. »

Ma réponse l'a désarçonné. C'était le but. J'ai répété cette réplique pendant des semaines. Il était tout à fait logique que Kitami ne sache pas quoi répondre. Il était venu chercher la bagarre et j'avais contré sa charge par une esquive.

Il a demandé qui avait fabriqué les nouvelles chaussures et combien nous en avions commandé. Je lui ai répondu que nous en avions commandé plusieurs milliers, à différentes usines au Japon.

Il a lâché un « Ooh ! » que je n'ai pas réussi à interpréter.

J'ai évidemment passé sous silence que deux membres de mon équipe des Portland Trail Blazers avaient porté des Nike lors d'une débâcle contre les New York Knicks, 133-86. *The Oregonian* avait publié une photo de Geoff Petrie, des Blazers, passant un joueur des Knicks (Phil Jackson), sur laquelle on pouvait distinguer le *swoosh* sur les chaussures de Petrie (nous venions de passer un accord avec quelques joueurs des Blazers pour qu'ils portent nos chaussures). Nous avions la chance que la distribution de *The Oregonian* à Kobe soit relativement limitée.

Kitami m'a ensuite demandé si les nouvelles Nike étaient déjà en boutique. Je lui ai menti en disant que ce n'était évidemment pas le cas. Il a voulu savoir quand j'allais signer les papiers de vente de mon entreprise à Onitsuka. Je lui ai dit que mon associé ne s'était pas encore décidé.

La réunion s'est terminée là-dessus. Il a fait et défait plusieurs fois les boutons de son costume en disant qu'il devait se rendre en Californie pour d'autres affaires mais qu'il reviendrait. J'ai immédiatement saisi le téléphone lorsqu'il est sorti de mon bureau. J'ai appelé notre boutique de Los Angeles. C'est Bork qui a décroché :

« John, notre vieil ami Kitami arrive en ville ! Je suis sûr qu'il va passer au magasin ! Cache les Nike !

– Comment ?

– Il est au courant pour les Nike, mais je lui ai dit qu'elles n'étaient pas en magasin !

– Ce que tu me demandes de faire… Je ne sais pas, m'a répondu Bork.

Il avait l'air effrayé. Et irrité. Il disait ne rien vouloir faire de malhonnête.

– Je te demande juste de planquer quelques chaussures ! », ai-je crié avant de raccrocher violemment.

Comme je m'y attendais, Kitami s'est présenté à la boutique l'après-midi même et est tombé sur Bork. Il l'a assommé de questions, le malmenant comme un policier l'aurait fait avec un témoin pas très solide. Comme il l'avouera plus tard, Bork a fait l'innocent.

Kitami a demandé à utiliser les toilettes, ce qui était évidemment un subterfuge, car il savait que les toilettes se trouvaient au fond du magasin et que cela lui donnait un prétexte pour aller fouiner. Bork n'a pas vu la ruse. Quelques instants plus tard, Kitami se trouvait dans la remise, sous un néon, le regard noir, au milieu de centaines de boîtes à chaussures orange. Il y avait des Nike partout.

Bork m'a appelé une fois Kitami parti.

« On est démasqués !

– Qu'est-ce qui s'est passé ? ai-je demandé.

– Kitami a réussi à se faufiler dans la remise – c'est fini, Phil. »

J'ai raccroché et je me suis effondré dans ma chaise. « Bien. On va voir si nous pouvons survivre sans Tiger. »

Ce n'était pas tout.

Bork a quitté l'entreprise quelques jours plus tard. En réalité, je ne me souviens plus s'il a démissionné ou si Woodell l'a licencié. Quoi qu'il en fût, nous avons appris peu de temps après que Bork avait trouvé un nouveau boulot.

Il travaillait désormais pour Kitami.

J'ai passé des jours et des jours à regarder dans le vide, attendant que Kitami abatte sa dernière carte. J'ai aussi beaucoup regardé la télévision. Le pays, le monde même, était en émoi suite au réchauffement soudain des relations entre les États-Unis et la Chine. Le président Nixon était à Pékin, serrant la main de Mao Zedong, un événement presque aussi fort que lorsque l'homme a posé le pied sur la Lune. Je n'aurais jamais pensé voir de mon vivant un président américain entrer dans la Cité interdite ou marcher sur la Grande Muraille. Cela m'a fait repenser à mon voyage à Hong Kong, j'avais été à la fois si près et si loin de la Chine. Je m'étais dit à l'époque que je n'aurais plus jamais l'occasion d'y retourner. Mais ce n'était désormais plus si évident…

Kitami a finalement joué sa carte. Il est revenu dans l'Oregon et a demandé un rendez-vous, auquel il voulait que Bowerman assiste. Afin de faciliter les choses pour ce dernier, j'ai proposé que l'entretien ait lieu au bureau de Jaqua.

Le jour venu, alors que nous nous rendions dans la salle de réunion, Jaqua m'a agrippé le bras et m'a dit tout bas : « Quoi qu'il dise, tu ne dis rien. » J'ai acquiescé de la tête.

Jaqua, Bowerman et moi étions d'un côté de la table. Kitami et son avocat, un gars du coin qui n'avait pas l'air d'avoir envie d'être là, nous faisaient face. Iwano était là, lui aussi. Son visage fermé m'a un peu surpris, que je me rappelle qu'il ne s'agissait pas d'une visite amicale.

La salle de réunion de Jaqua était plus grande que celle que nous avions à Tigard, mais elle faisait un peu penser à une maison de poupées. Kitami ayant sollicité l'entretien, c'est lui qui a pris la parole en premier. Il n'a pas fait de longs discours et tendu une lettre à Jaqua. Celle-ci disait que notre contrat avec Onitsuka était nul et non avenu, avec effet immédiat. Il m'a regardé, puis Jaqua, avant de dire : « Avec beaucoup, beaucoup de regrets. »

Pire, il a ajouté l'insulte à l'offense, en nous réclamant 17 000 dollars pour des chaussures qu'Onitsuka nous avait livrées. 16 637,13 dollars, pour être précis.

Jaqua a mis la lettre de côté et a déclaré que nous poursuivrions Onitsuka si Kitami osait casser notre contrat.

« Tout ça, c'est à cause de vous » a fulminé Kitami. Il nous a expliqué que Blue Ribbon avait contrevenu à son contrat avec Onitsuka en produisant des chaussures Nike. Il a ajouté qu'il ne comprenait pas pourquoi nous avions ruiné une relation aussi profitable en lançant ces Nike. Ça m'a fait sortir de mes gonds : « Eh bien, je vais vous dire pourquoi ! »

Jaqua s'est tourné vers moi : « Tais-toi, Buck ! »

Il a alors dit à Kitami qu'il espérait qu'un terrain d'entente pourrait être trouvé et insisté sur le fait qu'une procédure nuirait aux deux entreprises. Kitami n'était pas d'humeur à faire la paix. Il s'est levé et a fait un signe à son avocat et à Iwano. Il s'est arrêté sur le pas de la porte. Son visage s'est transformé. Il semblait sur le point d'agiter le drapeau blanc. J'étais moi-même prêt à assouplir ma position. Kitami a dit : « Onitsuka aimerait toutefois continuer de recourir aux services de monsieur Bowerman… en tant que consultant. »

Interloqué, je me suis demandé si j'avais bien entendu. Bowerman a fait non de la tête et s'est tourné vers Jaqua, qui a affirmé que Bowerman considérerait dorénavant Kitami comme un concurrent, un ennemi juré, et qu'il ne lui apporterait plus la moindre aide.

Kitami a fait un signe de tête et a demandé si quelqu'un pouvait les conduire, Iwano et lui, à l'aéroport.

J'ai demandé à Johnson de prendre l'avion. Il a répondu : « Quel avion ? » Je lui ai dit : « Le prochain. »

Il est arrivé le lendemain matin. Nous sommes allés faire un footing, pendant lequel ni lui ni moi n'avons prononcé un mot. Nous avons ensuite pris la voiture jusqu'au bureau et avons réuni tout le monde dans la salle de réunion. Il y avait une trentaine de personnes. J'avais peur d'être nerveux, et eux s'attendaient à ce que je le sois. Dans d'autres circonstances, je l'aurais certainement été. Mais j'étais étrangement serein.

J'ai exposé à tous la situation à laquelle nous étions confrontés : « Nous sommes à la croisée des chemins, les gars. Hier, notre principal fournisseur, Onitsuka, nous a laissés tomber. »

J'ai marqué un temps d'arrêt. Tout le monde était bouche bée.

J'ai poursuivi : « Nous avons menacé de les poursuivre. Bien sûr, ils en ont fait autant. Rupture de contrat. S'ils nous attaquent en premier, au Japon, nous n'aurons d'autre choix que de les attaquer aux États-Unis, rapidement. Nous n'allons pas gagner au Japon, il faut donc qu'on bouge en premier, pour obtenir un verdict rapidement et leur mettre la pression pour qu'ils retirent leur plainte. »

« En attendant, avant que tout cela ne soit réglé, nous sommes seuls. Nous sommes à la dérive. Nous avons cette nouvelle ligne, Nike, que les représentants ont eu l'air d'aimer à Chicago. Mais, honnêtement, c'est tout ce qu'il nous reste. Et nous savons qu'il y a des gros problèmes de qualité. Nous sommes déçus. Les relations avec Nippon Rubber sont bonnes et Nissho se rend à l'usine au moins une fois par semaine pour essayer d'y remédier, mais nous ne savons pas quand cela sera réglé. Le plus tôt sera le mieux car nous n'avons plus de temps devant nous et surtout plus le droit à l'erreur. »

J'ai regardé les visages autour de la table. Tout le monde était abattu, effondré. J'ai regardé Johnson. Il fixait les papiers devant lui, et il y avait sur son joli visage quelque chose que je n'avais jamais vu auparavant : de la résignation. Il abandonnait, comme tous les autres dans la salle. L'économie américaine était en difficulté, une récession nous pendait au nez. L'augmentation des prix à la pompe, la paralysie politique, le chômage en hausse, Nixon qui faisait du Nixon, le Vietnam…

Tout cela donnait une impression de fin des temps. Toutes les personnes dans la pièce s'inquiétaient déjà de comment elles allaient payer leur loyer et leurs factures. Et maintenant, ça.

Je me suis raclé la gorge et j'ai dit : « Donc… en d'autres termes… » Je me suis à nouveau raclé la gorge et j'ai mis de côté mon carnet de notes. « Ce que j'essaie de dire, c'est que nous avons réussi à leur faire faire exactement ce que nous voulions. »

Johnson a levé les yeux. Tout le monde a levé les yeux et s'est redressé.

« C'est le bon moment. C'est le moment que nous attendions. Notre moment. Nous ne vendrons plus la marque de quelqu'un d'autre. Nous ne travaillerons plus pour quelqu'un d'autre. Nous avons été sous la coupe d'Onitsuka pendant des années. Leurs livraisons en retard, les commandes mal préparées, leur refus d'écouter nos suggestions de design – qui parmi nous n'en avait pas marre ? Il est temps de faire face à la réalité : que nous réussissions ou que nous nous plantions, il faut le faire à notre manière, avec nos propres idées – avec notre propre marque. Nous avons réalisé deux millions de chiffre d'affaires l'an passé… mais Onitsuka n'y est pour rien. Nous y sommes parvenus grâce à notre ingéniosité et à notre travail. Il ne faut pas voir la situation comme une crise. Il faut la voir comme une libération. C'est notre déclaration d'indépendance. »

« Oui, je ne vais pas vous mentir, cela sera difficile. C'est une véritable guerre que nous allons devoir mener. Mais nous connaissons le terrain. Nous savons comment nous en sortir au Japon. C'est l'une des raisons pour lesquelles je sens au plus profond de mon cœur que nous pouvons gagner cette guerre. Il y a de grandes choses qui nous attendent si nous la gagnons, ou plutôt lorsque nous la gagnerons. Mesdames, messieurs, nous sommes encore en vie. Nous sommes encore en vie ! »

J'ai senti un vent de soulagement souffler autour de la table, un vent tout aussi réel que celui qui soufflait dans nos bureaux à côté du Pink Bucket. Il y a eu des signes de tête, des murmures et des rires nerveux. Nous avons passé l'heure suivante à réfléchir ensemble à comment procéder, comment sélectionner les usines, comment jouer avec elles pour en tirer la meilleure qualité possible et au meilleur prix. Nous avons également échangé pour trouver comment résoudre les problèmes des nouvelles Nike.

Nous avons mis un terme à la réunion, à bout de nerfs mais gais et euphoriques.

Johnson a dit qu'il voulait m'offrir un café. « C'est ton heure de gloire » m'a-t-il dit.

Je l'ai remercié mais lui ai dit que je n'avais fait que dire la vérité, tout comme lui à Chicago.

* * *

Johnson est retourné à Wellesley et nous nous sommes focalisés sur les sélections américaines d'athlétisme pour les Jeux olympiques, qui se tenaient pour la toute première fois chez nous, à Eugene. Nous avions besoin de faire un coup lors de cet évènement et nous avons donc envoyé une équipe de reconnaissance pour offrir des chaussures à tous les athlètes qui les accepteraient. Nous avons mis sur pied une aire de rassemblement dans notre magasin, qui était désormais géré d'une main de maître par Hollister. Lorsque les sélections ont commencé, nous avons installé une machine d'impression textile dans le fond du magasin et nous avons imprimé de grandes quantités de T-shirts Nike, que Penny distribuait comme s'il s'agissait de bonbons d'Halloween.

Je ne voyais pas comment tout ce travail pouvait ne pas porter ses fruits. Le premier jour, Dave Davis, un lanceur de poids de l'Université de Caroline du Sud, est passé au magasin en se plaignant qu'Adidas et Puma ne lui avaient offert aucun équipement et a été très heureux de repartir avec nos chaussures et de les porter en compétition. Hourra ! Davis s'est classé quatrième. Mieux encore, il ne s'est pas contenté de porter nos chaussures et a arboré l'un des T-shirts de Penny, au dos duquel son nom avait été inscrit au pochoir. (Malheureusement, Dave ne faisait pas une taille mannequin. Il avait un peu de ventre et nos T-shirts n'étaient pas suffisamment larges, ce qui mettait son ventre en évidence. Nous avons pris des notes : approcher des athlètes plus petits ou faire des T-shirts plus larges.)

Quelques demi-finalistes portaient nos pointes, dont l'un de nos employés, Jim Gorman, qui a disputé le 1 500 mètres. J'ai dit à Gorman qu'il poussait trop loin sa loyauté envers l'entreprise et que nos pointes n'étaient pas si bonnes. Mais il m'a répondu qu'il était dans l'entreprise « jusqu'au bout ». Lors du marathon, les quatrième, cinquième, sixième et septième portaient des Nike. Aucun d'eux n'a été sélectionné mais le résultat n'était pas si mauvais.

Le principal événement des sélections était prévu pour le dernier jour : un duel entre Prefontaine et le médaillé olympique George Young. À l'époque, Prefontaine était bien plus qu'un simple sportif, tout le monde l'appelait Pre et c'était une véritable rockstar. Il était ce qu'il était arrivé de plus important dans l'athlétisme américain depuis Jesse Owens. Les journalistes le comparaient régulièrement à James Dean et Mick Jagger. *Runner's World* poussait même jusqu'à Mohamed Ali. Il était effectivement adepte du même type de fanfaronnades.

Mais ils faisaient fausse route. Pre ne ressemblait à aucun autre sportif ayant existé, même s'il était difficile d'expliquer précisément pourquoi. J'ai passé beaucoup de temps à l'observer, à l'admirer, à réfléchir à ce qui créait toute cette excitation autour de lui. Je me suis demandé des milliers de fois ce qu'il y avait chez lui qui déclenchait des réactions aussi fortes chez tant de gens, y compris moi. Je n'ai jamais trouvé de réponse totalement satisfaisante.

Cela dépassait ses capacités sportives – il n'était pas le seul coureur talentueux – et ce n'était pas simplement lié à ses fanfaronnades – des tas d'autres coureurs roulaient des mécaniques. Certains disaient que c'était son look. Pre était très fluide, sa tignasse lui donnait des allures romantiques. Il avait un buste large et imposant, tenant sur des jambes minces qui n'étaient constituées que de muscles et ne s'arrêtaient jamais. Alors que la plupart des coureurs sont des taiseux, Pre était un joyeux luron, très extraverti. Il ne se contentait pas de courir et assurait toujours le spectacle, cherchant en permanence à être au centre de l'attention.

Parfois, je me suis dit que le charme de Pre était sa passion. Il se fichait de mourir en franchissant la ligne d'arrivée, tant que c'était en vainqueur. Peu importe ce que Bowerman lui conseillait de faire ou ce que son corps lui faisait subir, Pre refusait de ralentir la cadence. Il donnait tout ce qu'il avait, et même plus. Cette stratégie était souvent contre-productive, voire suicidaire. Mais cela soulevait l'enthousiasme des foules. Quel que soit le sport – et même quel que soit l'effort – le don de soi suscite toujours l'admiration.

Évidemment, tous les Orégoniens aimaient Pre car il était l'un des « leurs ». Né parmi nous, il avait grandi dans nos forêts pluvieuses et nous l'avions encouragé depuis sa prime enfance. Nous l'avions vu battre le record national du 2 miles alors qu'il n'avait que dix-huit ans et nous avions suivi sa progression au fil des championnats universitaires. Tous les Orégoniens suivaient sa carrière avec beaucoup d'émotion.

Chez Blue Ribbon, nous nous préparions à concrétiser ce lien par un investissement financier. Nous savions très bien que Pre ne changerait pas de chaussures juste avant les sélections, car il était habitué à ses Adidas. Mais nous étions certains qu'il serait un athlète Nike à terme, sans doute même le plus emblématique.

J'avais toutes ces pensées en tête en arrivant au stade et je n'ai pas été surpris de trouver un lieu vibrant aux sons des acclamations d'une foule en délire – le Colisée de Rome ne devait pas faire davantage de bruit lorsque les gladiateurs et les lions s'y affrontaient. Nous avons atteint nos places juste à temps pour voir Pre s'échauffer. Chacun de ses mouvements provoquait une nouvelle onde d'excitation dans le public. Ses supporters devenaient hystériques sur son passage. La moitié d'entre eux portaient des T-shirts sur lesquels était écrit : « LÉGENDE ». D'un coup, une avalanche de huées s'est abattue des tribunes : Gerry Lindgren, probablement le meilleur coureur de demi-fond du monde à l'époque, est apparu sur la piste arborant un T-shirt « STOP PRE ». Lindgren avait battu Pre alors qu'il était en quatrième année universitaire et Pre en première, et il voulait que tout le monde, et tout particulièrement son rival, s'en souvienne. Loin de céder à la panique, Pre n'a fait qu'un petit hochement de tête quand il a vu le T-shirt et a même esquissé un sourire. Pour lui, ce n'était pas une source de pression, mais de motivation.

Les coureurs se sont installés dans les starting-blocks. Un silence assourdissant est tombé sur le stade. Puis, boum, le pistolet de départ a retenti comme un canon napoléonien.

Pre a pris la tête de la course d'emblée. Young se tenait juste derrière lui. Très vite, ces deux-là ont pris tellement d'avance qu'il est devenu évident que la victoire se jouerait entre eux. (Lindgren était loin derrière et n'a jamais constitué une réelle menace). La stratégie des deux hommes était claire. Young voulait rester avec Pre jusqu'au dernier tour puis recourir à ses qualités de sprinteur dans les derniers mètres. Pre, lui, voulait imprimer un rythme très élevé jusqu'au dernier tour pour que Young aborde à bout d'énergie la dernière ligne droite.

Pre et Young ont couru onze tours séparés par une demi-foulée. La foule était en ébullition, hurlant et rugissant lorsqu'ils sont entrés dans le dernier tour. Ça avait des allures de match de boxe, voire de duel ou de combat de taureaux, et le moment de vérité approchait – la mort flottait dans l'air. Nous avons vu Pre se pencher et accélérer encore un peu la cadence. Son avance est passée à un mètre, puis deux, puis cinq. Young s'est mis à grimacer et nous avons compris qu'il ne pourrait plus rattraper Pre. Il ne fallait pas que j'oublie ce moment, car il y avait énormément de choses à apprendre d'une telle démonstration de passion, qu'il s'agisse de courir ou de gérer une entreprise.

Une fois la ligne d'arrivée franchie, nos regards se sont dirigés vers le chronomètre et nous avons réalisé qu'ils avaient tous les deux battu le record national. Pre en était le nouveau détenteur. Mais cela ne lui suffisait pas. Apercevant une personne qui agitait un T-shirt « STOP PRE », il s'est avancé vers elle pour le saisir et s'est mis à le faire tourner au-dessus de sa tête, en faisant une sorte de danse du scalp, provoquant l'une des plus puissantes ovations que j'aie entendues dans ma vie – que j'ai pourtant passée en grande partie dans les stades. Je n'avais jamais assisté à un événement sportif d'une telle intensité. Plus qu'y assister, j'y avais même participé. Mes quadriceps me faisaient encore mal quelques jours plus tard. Je me suis dit que c'était le genre de pouvoir que le sport avait. Comme les livres, le sport donne aux gens la sensation d'avoir vécu d'autres vies, d'avoir pris part aux victoires, mais aussi aux défaites, d'autres personnes. Quand le sport est à son apogée, l'esprit du supporter fusionne avec celui de l'athlète et quelque chose de mystique naît de cette convergence.

En m'éloignant du stade, je me suis dit que la course ferait toujours partie de moi et je me suis juré qu'elle ferait toujours partie de Blue Ribbon. Dans nos batailles à venir, contre Onitsuka ou contre n'importe qui d'autre, nous devrions être l'équivalent de Pre et nous battre comme si le sort de nos vies en dépendait.

C'était bien une question de vie ou de mort.

Les Jeux olympiques étaient l'étape suivante pour nous. Non seulement Bowerman allait diriger la sélection américaine d'athlétisme, mais c'est Pre, notre star locale, qui devait en être la star. Après sa performance lors des sélections, comment pouvait-il en être autrement ? Qui pouvait en douter ?

Certainement pas Pre, qui a déclaré à *Sports Illustrated* : « Il y aura évidemment beaucoup de pression et beaucoup d'entre nous seront confrontés à des compétiteurs expérimentés. Peut-être même qu'il n'est pas raisonnable de penser à la victoire. Mais ce que je sais, c'est que si je cours avec mes tripes jusqu'à m'évanouir et qu'un gars me bat quand même, cela prouvera juste qu'il a été meilleur que moi ce jour-là. »

Juste avant que Pre et Bowerman ne s'envolent pour l'Allemagne, j'ai déposé une demande de brevet sur la chaussure « gaufrée » de Bowerman. La demande n° 284 736 décrivait la semelle améliorée comme ayant « des crampons en forme de polygones (…) de section transversale carrée, rectangulaire ou triangulaire (…) [et] avec une pluralité de faces planes qui offre une surface de prise permettant de fortement améliorer la traction. »

Un moment de fierté pour nous deux.

C'était l'une des plus belles périodes de ma vie.

Les ventes de Nike se portaient bien, mon fils était en bonne santé, j'avais les moyens de rembourser mon crédit immobilier tous les mois. J'étais d'excellente humeur lors de ce mois d'août 1972.

Et puis tout a dérapé. Lors de la deuxième semaine des Jeux olympiques, un groupe de huit hommes armés a kidnappé onze athlètes israéliens. Notre productivité était tombée à zéro car nous avions installé une télévision dans nos bureaux de Tigard et nous n'arrivions pas à nous en décrocher, souvent avec la main sur la bouche. Lorsque le terrible dénouement est intervenu et que nous avons appris que les athlètes avaient tous été assassinés, leurs corps gisant sur le tarmac maculé de sang, nous avons repensé à la mort des Kennedy, de Martin Luther King, des étudiants de l'Université de Kent et des dizaines de milliers de garçons au Vietnam. Le contexte de l'époque était difficile, la mort y était omniprésente et nous devions nous poser chaque jour la question de savoir à quoi tout cela pouvait rimer.

Je suis allé avoir Bowerman à Eugene dès son retour. On aurait dit qu'il n'avait pas dormi depuis dix ans. Il m'a raconté que Pre et lui s'étaient retrouvés tout près de l'attaque. Beaucoup d'athlètes israéliens avaient pu s'enfuir lors des premières minutes, passant par des portes de secours ou sautant par la fenêtre. L'un d'entre eux est parvenu à l'immeuble d'à côté, où logeaient Pre et Bowerman. Bowerman avait entendu frapper, il avait ouvert la porte et était tombé sur un marcheur qui tremblait de peur et bredouillait quelque chose au sujet d'hommes masqués et armés. Bowerman l'avait alors fait entrer dans sa chambre et avait téléphoné au consulat américain, en leur criant : « Envoyez les Marines ! »

Les Marines ont rapidement sécurisé l'immeuble où Bowerman et l'équipe américaine avaient pris leurs quartiers.

Bowerman avait été vertement réprimandé par les officiels du comité olympique pour son initiative. Ils considéraient qu'il avait dépassé le cadre de ses fonctions. Ils l'avaient fait venir à leur quartier général en pleine crise pour lui faire part de leur mécontentement. Heureusement pour lui, Jesse Owens, le héros des Jeux olympiques de Berlin en 1936, l'homme qui avait « battu » Hitler, était présent et avait soutenu Bowerman pour ce qu'il avait fait. La prise de position d'Owens avait fait reculer les bureaucrates.

Bowerman et moi sommes restés assis à regarder la rivière en silence pendant un long moment. Puis, la gorge serrée, il m'a dit que ces Jeux olympiques 1972 avaient été le pire moment de sa vie. Je ne l'avais jamais entendu dire quelque chose de ce genre. Je ne l'avais jamais vu dans un tel état d'abattement.

J'avais du mal à y croire.

« *Le lâche ne commence jamais, le faible ne termine jamais et le gagnant n'abandonne jamais.* »

Quelque temps plus tard, Bowerman a annoncé qu'il mettait un terme à sa carrière d'entraîneur.

Cette période fut difficile. Le ciel était plus gris que d'habitude, les nuages plus bas. Il n'y a pas eu d'automne. Un matin, nous nous sommes réveillés et l'hiver était arrivé d'un coup. Les arbres avaient perdu toutes leurs feuilles dans la nuit. La pluie tombait sans discontinuer.

Nous avons finalement reçu une bonne nouvelle, nous en avions grand besoin. On nous avertissait qu'à quelques heures de route au nord, au tournoi Rainier International Classic, un tennisman roumain fougueux atomisait tous ses adversaires avec une paire de Nike Match Point aux pieds. Le Roumain en question était Ilie Nastase, alias « Nasty ». À chacun des smashs aériens dont il avait le secret, à chacun de ses services impossibles à renvoyer, le monde avait notre *swoosh* devant les yeux.

Nous avions conscience depuis quelque temps que la visibilité « offerte » par les athlètes était importante. Il était vital que des champions portent nos produits et en parlent pour concurrencer Adidas – sans parler de Puma, Gola, Diadora, Head, Wilson, Spalding, Karhu, Etonic, New Balance et de toutes les autres marques qui sont apparues dans les années 1970. Malheureusement, nous n'avions pas encore suffisamment d'argent pour nous assurer les services de champions. (Nous n'avions jamais eu aussi peu d'argent.) Nous n'avions d'ailleurs pas la moindre idée de comment les approcher et les convaincre que nos chaussures étaient bonnes, et qu'elles le seraient encore davantage prochainement. Qu'ils devaient nous choisir en échange d'une rémunération plus faible que celles de nos concurrents. Voir un champion triomphant avec des Nike aux pieds était donc une sacrée aubaine. Peut-être pourrions-nous nous entendre sur un contrat en bonne et due forme avec Nastase ?

J'ai réussi à me procurer le numéro de son agent. Je l'ai appelé et lui ai proposé un marché. Je lui proposais 5 000 dollars – je me suis étouffé en le disant – si son protégé acceptait de porter nos produits. Il a fait une contre-proposition en en demandant 15 000. Ça m'a rappelé à quel point je détestais négocier.

Nous nous sommes mis d'accord sur 10 000 dollars. J'avais l'impression de me faire voler.

Son agent m'a dit que Nastase disputait un tournoi à Omaha ce week-end-là et il a suggéré que je les y rejoigne avec les papiers.

J'ai rencontré Nastase et son épouse Dominique, une femme éblouissante, le vendredi soir dans un grill du centre d'Omaha. Une fois le contrat signé et rangé dans ma serviette, nous avons fêté cela avec un dîner gargantuesque. Nous avons descendu une bouteille de vin, puis deux. À un moment donné, je ne sais pas pourquoi, je me suis mis à parler avec un accent roumain et Nastase s'est mis à m'appeler « Nasty[19] ». Je me suis rendu compte que sa top-modèle de femme s'était mise à lancer des œillades enflammées à tout le monde, y compris

---

19 Méchant, vicieux en anglais.

moi. À la fin de la soirée, en titubant jusqu'à ma chambre, j'ai eu l'impression d'être un champion de tennis, un magnat des affaires, un faiseur de rois. Je me suis étendu sur mon lit et j'ai jeté un œil au contrat. J'ai dit à haute voix : « Dix mille dollars. Dix. Mille. Dollars. »

C'était une fortune. Mais Nike avait désormais un champion célèbre à ses côtés.

J'ai fermé les yeux, pour que la chambre arrête de tourner autour de moi. Puis je les ai ouverts, car je ne voulais justement pas que la chambre arrête de tourner autour de moi.

J'ai dit au plafond et à tout Omaha : « Prends ça, Kitami ! Prends ça ! »

À l'époque, la rivalité historique entre l'équipe de football américain des Ducks de mon université d'Oregon et les Beavers d'Oregon State était très déséquilibrée. Les Ducks, que je soutenais avec ferveur, perdaient la plupart du temps, soit avec de gros écarts, soit sur le fil. Voici un exemple : en 1957, les deux équipes se disputaient la couronne de champion de la conférence, et Jim Shanley, de l'Université d'Oregon, était sur le point d'inscrire le *touchdown* de la victoire lorsqu'il a trébuché sur la ligne du dernier yard. L'Université d'Oregon a perdu 10 à 7.

En 1972, les Ducks ont perdu huit fois de suite contre les Beavers, ce qui m'avait cassé le moral huit fois d'affilée. Mais mes Ducks allaient désormais porter des Nike. Hollister avait convaincu l'entraîneur en chef, Dick Enright, de mettre nos nouvelles chaussures aux semelles gaufrées lors de la plus grosse rencontre de l'année, le Civil War.

Le match se déroulait à Corvallis, sur le terrain de l'Université d'Oregon. Un crachin était tombé toute la matinée, et il s'était mis à pleuvoir à verse à l'heure du match. Penny et moi étions dans les gradins, tout tremblants dans nos ponchos trempés, quand le coup d'envoi a retenti. Sur la première action de jeu, Dan Fouts, le quarterback très costaud et ultra-précis de l'Université d'Oregon, a passé le ballon à Donny Reynolds, qui a effectué un superbe crochet avec ses Nike gaufrées et… est allé droit dans la zone d'en-but de l'équipe adverse. Ducks 7, Nike 7, Beavers 0.

Fouts, qui finissait sa brillante carrière universitaire, était étincelant ce soir-là. Il a gagné plus de trois cents mètres à la passe, dont soixante sur un passe supersonique qui a terminé droit dans les mains d'un coéquipier n'ayant plus qu'à aller marquer. Le match a rapidement été à sens unique. Au final, mes Ducks l'ont emporté 30 à 3. Je les avais toujours appelés *mes* Ducks, mais cela n'avait jamais été aussi approprié, car c'étaient *mes* chaussures qu'ils portaient. Je me plaisais à me dire que leurs pas et leurs crochets étaient aussi un peu les miens. Tous les supporters au stade s'imaginent sur le terrain dans les chaussures des sportifs. Or, ce jour-là, c'était eux qui portaient les miennes.

Je riais comme un fou en retournant vers la voiture. J'ai ri sur tout le chemin jusqu'à Portland.

Je n'arrêtais pas de dire que 1972 ne pouvait pas se terminer de meilleure manière. Par une victoire. Une victoire qui cicatrisait bien des blessures, et bien plus encore.

1973

Tout comme son entraîneur, Pre n'était plus lui-même après les Jeux olympiques 1972. Il était encore hanté par les attentats terroristes et furieux de ses performances. Il avait l'impression d'avoir abusé de la confiance placée en lui, en terminant quatrième du 5 000 mètres. Nous lui avons dit qu'il n'y avait pas à rougir de n'être que le quatrième meilleur coureur du monde sur sa distance. Mais Pre savait qu'il valait mieux que cela. Il savait aussi qu'il aurait fait mieux s'il n'avait pas été aussi obstiné. Il avait manqué de patience, de ruse. Il aurait pu rester tranquillement dans le sillage du favori et facilement décrocher la médaille d'argent. Mais cela allait à l'encontre de ses convictions. Comme à son habitude, il avait couru à fond dès le début, ne lâchant rien, et il s'était effondré dans les cent derniers mètres. Pire, c'est l'homme qu'il considérait comme son ennemi juré, le Finlandais Lasse Viren, qui avait décroché la médaille d'or. Nous avons essayé de lui remonter le moral, lui assurant que l'Oregon tout entier l'aimait encore. Les responsables de la mairie d'Eugene avaient même prévu de donner son nom à une rue. La réaction de Pre fut grinçante : « Super ! Comment vont-ils l'appeler ? Quatrième rue ? » Il s'est enfermé dans son mobil-home métallique sur les bords de la rivière Willamette et n'en est pas sorti pendant des semaines.

Mais, finalement, après avoir très longuement cogité et joué avec Lobo, son berger allemand, et surtout après avoir éclusé de grosses quantités de bière, Pre est revenu. Un jour, j'ai entendu dire qu'il avait été vu en ville, à l'aube, en train de faire ses quinze kilomètres quotidiens, en compagnie de Lobo.

Il aura fallu six mois pour que Pre retrouve la rage de vaincre. Il s'est montré très performant lors de ses dernières courses pour l'Université de l'Oregon. Il a remporté pour la quatrième année de suite le 3 miles du championnat NCAA, en réalisant un temps mémorable : 13 minutes, 5 secondes et 3 dixièmes. Il s'est également rendu en Scandinavie où il a écrasé ses concurrents sur le 5 000 mètres, battant au passage le record des États-Unis en 13 minutes, 22 secondes et 4 dixièmes. Encore mieux, c'est avec des Nike aux pieds qu'il a fait tomber ce record. Bowerman avait finalement réussi à le convaincre de porter nos chaussures. (Quelques mois après avoir annoncé sa retraite, Bowerman entraînait encore Pre et apportait les derniers détails à sa chaussure gaufrée, qui était sur le point d'être commercialisée. Il n'avait jamais été aussi occupé.)

Nos chaussures étaient enfin de qualité suffisante pour Pre. Notre accord était gagnant-gagnant : il générait des milliers de dollars de publicité et faisait de notre marque un symbole de rébellion et de refus des traditions ; et en contrepartie, nous l'aidions à retrouver son meilleur niveau.

Petit à petit, Pre s'est mis à parler avec Bowerman des Jeux olympiques 1976 de Montréal. Il voulait se racheter et était déterminé à aller chercher la médaille d'or qui lui avait échappé à Munich.

Toutefois, plusieurs obstacles se dressaient sur son chemin. Il y avait d'abord le Vietnam. Pre, dont la vie, comme la mienne et celle de tout le monde d'ailleurs, était gouvernée par les chiffres, avait tiré un très mauvais numéro à la loterie déterminant l'ordre d'appel. Il allait très vraisemblablement être convoqué dès sa remise de diplôme. Un an plus tard, il se retrouverait dans une jungle fétide, sous le feu des pistolets mitrailleurs et il courrait évidemment le risque que ses jambes en or massif soient touchées.

Bowerman était lui aussi un obstacle. Pre et lui, deux fortes têtes avec des conceptions différentes des méthodes d'entraînement et du style de course, s'affrontaient en permanence. Bowerman avait une vision à long terme : les coureurs de fond sont au maximum de leurs capacités peu avant trente ans. Il voulait donc que Pre prenne le temps de se reposer et sélectionne ses courses avec plus de soin. Bowerman insistait pour qu'il lève un peu le pied. Mais Pre ne l'entendait évidemment pas de cette oreille. Il disait qu'il donnait tout, tout le temps. Leur relation me faisait penser à celle que j'entretenais avec les banques. Pre ne voyait pas l'intérêt d'aller lentement – quelle que soit la situation. Aller vite ou mourir. Je ne pouvais pas le lui reprocher. J'étais de son côté, même si cela devait signifier être contre notre entraîneur.

Pre était aussi fauché. Les oligarques et les incompétents à la tête de l'Amateur Athletic Union avaient décrété que les athlètes olympiques ne pouvaient recevoir de soutiens financiers, qu'ils soient publics ou privés, ce qui avait pour conséquence que nos meilleurs coureurs, nageurs et boxeurs se retrouvaient sans le sou. Pour gagner sa vie, Pre travaillait parfois dans un bar à Eugene et allait disputer des courses en Europe, acceptant sous le manteau les cachets offerts par des promoteurs. Bien sûr, ces courses additionnelles lui ont rapidement valu des ennuis. Son corps – son dos en particulier – commençait à le faire souffrir.

Chez Blue Ribbon, nous étions inquiets à son sujet. Nous parlions souvent de lui au bureau, de façon formelle ou informelle. Au bout de quelque temps, nous nous sommes mis d'accord sur une stratégie pour lui éviter de se blesser et d'aller demander l'aumône à droite à gauche : nous l'avons engagé. Nous lui avons offert un job en 1973, contre un salaire, modeste, de 5 000 dollars par an et un accès à l'appartement face à la mer que Cale possédait à Los Angeles. Nous avions inscrit sur sa carte de visite : « Directeur National des Affaires

Publiques ». Les gens plissaient souvent les yeux en me demandant ce que cela voulait dire. Dans ces cas-là, je plissais les yeux en retour en disant : « Cela veut dire qu'il peut courir vite. »

Cela voulait également dire que nous avions une deuxième célébrité ayant adopté Nike.

La première chose que Pre a achetée avec son salaire fut une MG couleur caramel. Il se déplaçait partout avec elle, roulant très vite. Elle ressemblait à mon ancienne MG. Je m'étais senti très fier par procuration. Je me souviens de m'être dit : « C'est nous qui avons payé ça. » Pre était l'incarnation vivante de ce que nous essayions de créer. Je voulais que les gens pensent à Nike lorsqu'ils apercevaient Pre aller aussi vite – sur la piste ou dans sa MG – et je voulais qu'ils pensent à Pre quand ils achetaient une paire de Nike.

Tout cela était très présent dans mon esprit, même si mes conversations avec Pre étaient plutôt rares. D'ailleurs, le terme de conversation est excessif. J'avais du mal à trouver mes mots face à lui, que ce soit dans nos bureaux de Blue Ribbon ou dans un stade d'athlétisme. Plus d'une fois, j'ai essayé de parler à Pre en me disant qu'il n'était après tout qu'un gamin de Coos Bay, un petit sportif aux cheveux hirsutes avec une moustache de star du porno. Mais la réalité revenait au galop. Il m'impressionnait tellement qu'il m'était impossible de discuter avec lui plus de quelques minutes.

À l'époque, l'Orégonien le plus célèbre du monde était Ken Kesey, dont le best-seller *Vol au-dessus d'un nid de coucou* avait été publié en 1962, l'année du début de mon tour du monde. J'avais connu Kesey à l'Université de l'Oregon. Il faisait de la lutte et moi de l'athlétisme mais nous nous entraînions dans la même salle les jours de pluie. J'ai été sidéré par la qualité de son premier roman, notamment car les pièces qu'il avait écrites au lycée étaient vraiment mauvaises. Il est devenu une référence littéraire très rapidement, le chouchou des milieux artistiques de New York, et pourtant, je n'ai jamais été autant ébloui en sa présence qu'en celle de Pre. En 1973, je suis arrivé à la conclusion que Pre était au moins autant un artiste que lui, voire plus. Pre en disait autant de lui-même. Il a notamment déclaré à un journaliste : « Une course, c'est une œuvre d'art qui peut toucher les gens en fonction de leur sensibilité. »

J'ai remarqué que je n'étais pas le seul à rester interdit quand Pre passait au bureau. Tout le monde se taisait et devenait timide en sa présence. Tous avaient la même réaction que moi, même Penny. Si j'avais réussi à intéresser un peu Penny à la course à pied, c'est Pre qui l'a fait devenir une vraie fan.

Hollister faisait exception à la règle. Pre et lui s'entendaient très bien et se parlaient facilement. Ils étaient comme des frères. Il communiquait aussi facilement avec Pre qu'avec tous les autres. Il était donc logique que Hollister, celui qui murmurait à l'oreille de Pre, le fasse venir et nous apprenne à mieux le connaître. Nous avons organisé un déjeuner dans la salle de réunion.

Ce n'était absolument pas raisonnable mais c'est précisément le jour de ce déjeuner que Woodell et moi avions choisi pour indiquer à Hollister que ses responsabilités allaient évoluer. Nous étions coutumiers de ce genre de choses. En fait, nous le lui avons annoncé à la seconde où il s'est assis. Le changement allait modifier les modalités de sa rémunération. Uniquement les modalités, pas le montant. Il a alors jeté sa serviette de table et est parti comme un ouragan avant que nous n'ayons le temps de tout lui expliquer. Nous n'avions plus personne pour nous aider à briser la glace avec Pre. Nous avions tous le regard rivé sur nos sandwichs.

C'est Pre qui a pris la parole en premier :

« Est-ce que Geoff va revenir ?

– Je ne pense pas, ai-je répondu.

Un long silence s'en est ensuivi.

– Dans ce cas, est-ce que je peux manger son sandwich ? »

Nous avons éclaté de rire – Pre était finalement un humain comme les autres – et le déjeuner s'est révélé très fructueux.

Nous avons arrondi les angles avec Hollister peu de temps après, en modifiant une nouvelle fois ses responsabilités. Il serait désormais à plein temps en charge de notre relation avec Pre, c'est-à-dire qu'il devrait aller le chercher chez lui, l'amener partout où il devait aller et lui faire rencontrer les fans. En réalité, nous avons demandé à Hollister de lui faire voir du pays, de se rendre avec lui à tous les meetings d'athlétisme, à toutes les foires d'envergure, dans les lycées et les universités qu'il pouvait trouver. Son travail était d'aller un peu partout, tout en ne faisant rien de très précis.

Parfois, Pre professait ses connaissances médicales relatives au running, répondant aux questions sur l'entraînement et les blessures. Parfois, il se contentait de signer des autographes et de poser pour des photos. Peu importe ce qu'il faisait et où Hollister l'emmenait, il y avait toujours une foule béate d'admiration massée autour de leur bus Volkswagen bleu.

Le titre de Pre dans l'entreprise avait beau être volontairement flou, son rôle était, lui, bien réel et il croyait sincèrement en Nike. Il arborait des T-shirts Nike partout où il se rendait et était d'accord pour que son pied serve de modèle à toutes les expérimentations de chaussures de Bowerman. Pre prêchait Nike comme d'autres prêchent l'Évangile, ce qui attirait des milliers de nouveaux pèlerins dans notre église. Il recommandait avec insistance à tout le monde d'essayer cette nouvelle super marque – même à ses concurrents. Il lui arrivait souvent d'envoyer une paire de pointes ou de chaussures basses à d'autres coureurs avec une petite note : « Essaie-les. Tu vas les adorer. »

Johnson était l'un de ceux qui étaient les plus inspirés par Pre. Tout en poursuivant ses efforts pour faire réussir notre opération « côte Est », il avait passé une bonne partie de son année 1972 à travailler comme un forçat sur un projet qu'il avait baptisé Pre Montreal, une chaussure en hommage à

Pre, mais aussi une référence aux Jeux olympiques suivants et au bicentenaire de l'indépendance des États-Unis. Avec l'avant en cuir bleu, l'arrière en nylon rouge et un *swoosh* blanc, c'étaient nos chaussures les plus sophistiquées, mais aussi nos meilleures pointes. Nous savions que notre salut dépendait de la qualité de nos pointes, qui jusque-là avait été irrégulière. Johnson allait régler ce problème.

Mais j'ai voulu qu'il le fasse dans l'Oregon, pas à Boston.

J'ai réfléchi au cas Johnson pendant des mois. Il était en train de devenir un designer de très bon niveau, et il fallait absolument que nous profitions de son talent. Nos bureaux de l'Est tournaient bien mais l'aspect administratif lui prenait trop de temps. Ce n'était pas la meilleure utilisation de la créativité de Johnson. C'était plutôt une tâche sur mesure pour quelqu'un comme… Woodell.

Soir après soir, pendant mes dix kilomètres de course nocturne, je me triturais le cerveau en pensant à cette situation. J'avais deux hommes à des postes qui n'étaient pas faits pour eux, chacun sur la mauvaise côte des États-Unis, et je savais qu'ils n'aimeraient pas la solution qui semblait pourtant évidente. Ils aimaient tous les deux l'endroit où ils vivaient. De plus, chacun agaçait l'autre, même s'ils le niaient. En promouvant Woodell responsable opérationnel, je lui avais également légué le problème Johnson. Il devait le superviser, répondre à ses lettres, et Woodell avait fait l'erreur de suivre la cadence de la correspondance. En conséquence, ils avaient développé une relation tendue, très sarcastique.

Par exemple, Woodell est entré un jour dans mon bureau en disant : « C'est déprimant. Jeff se plaint constamment des stocks, du remboursement des notes de frais et du manque de communication. Il dit qu'il trime dur pendant qu'on se la coule douce. Il ne veut pas entendre raison, il se fiche même que notre chiffre d'affaires double chaque année. »

Woodell m'a dit qu'il voulait tester un ton nouveau avec Johnson.

Je lui ai donné mon accord.

Il a donc écrit une longue lettre à Johnson, « avouant » que nous avions tous comploté contre lui et que notre objectif était de le rendre malheureux. Cela donnait : « Je suis sûr que tu as compris que nous ne travaillons pas aussi dur ici que toi sur la côte Est, et que nous n'avançons pas assez vite parce que nous ne travaillons que trois heures par jour. Je prends sur mon faible temps de présence pour te causer tout un tas de soucis avec nos clients et nos partenaires. Alors que nous savons que tu as désespérément besoin d'argent pour payer tes factures, nous prenons un malin plaisir à ne t'en accorder qu'une toute petite fraction afin que tu aies des problèmes avec les huissiers. Je considère la destruction de ta réputation comme un objectif personnel. »

Et ainsi de suite.

Johnson a répondu : « Enfin quelqu'un qui me comprend dans cette boutique. »

Ce que je m'apprêtais à leur proposer n'allait pas contribuer à réchauffer leurs relations.

J'en ai parlé à Johnson d'abord. J'ai soigneusement choisi le moment pour le faire – un voyage au Japon pour rencontrer Nippon Rubber et discuter de la Pre Montreal.

Un soir, au dîner, je lui ai fait un bilan complet de la situation. Je lui ai dit que nous étions au cœur d'une guerre féroce et que nous menions une bataille au quotidien pour réussir à nourrir nos soldats et maintenir nos ennemis à distance. J'ai ajouté que pour obtenir la victoire et assurer notre survie, tout le reste devait être sacrifié et toutes les autres considérations mises de côté.

« Donc, dans ce moment crucial pour l'évolution de Blue Ribbon, avec le lancement de Nike… je suis désolé, mais… vous allez devoir échanger vos villes, les gars. »

Il a d'abord grogné, ce qui était prévisible puisque c'était la deuxième fois que je lui faisais le coup.

Mais il a progressivement et péniblement changé d'avis.

Même chose pour Woodell.

Vers la fin 1972, les deux hommes ont échangé les clés de leurs maisons respectives. Puis ils ont chacun émigré de l'autre côté des États-Unis au début de l'année 1973. C'était une magnifique démonstration d'esprit d'équipe. Il s'agissait d'un énorme sacrifice de leur part et je leur en étais profondément reconnaissant. Mais pour rester en ligne avec ma personnalité et la tradition de Blue Ribbon, je ne leur en ai rien montré. Je n'ai pas lâché un mot de remerciement ni de louange. J'avais notamment appelé cette interversion « opération Dummy Reversal[20] » dans plusieurs mémos.

À la fin du printemps 1973, j'ai rencontré pour la seconde fois les personnes qui avaient investi dans nos obligations convertibles. La première rencontre s'était très bien passée, les investisseurs m'avaient adoré. Comment aurait-il pu en être autrement ? Nos ventes progressaient rapidement et des athlètes célèbres faisaient la promotion de nos chaussures. Nous avions perdu Onitsuka et une bataille juridique nous attendait mais nous étions sur la bonne voie.

Les choses s'annonçaient moins bien cette fois, car je devais les informer qu'un an après le lancement de Nike et pour la première fois dans l'histoire de Blue Ribbon… nous avions perdu de l'argent.

La réunion s'est tenue au Valley River Inn à Eugene. Trente hommes et femmes étaient réunis dans la salle de conférence. J'étais en bout d'une très longue table. Je portais un costume sombre. J'ai essayé de dégager une certaine confiance en

---

20 Le « dummy reversal » est une technique de bridge, « mort inversée » en français, impliquant une inversion de cartes.

moi au moment de leur communiquer les mauvaises nouvelles. Je leur ai fait le même discours que celui que j'avais tenu aux employés de Blue Ribbon un an auparavant : « Nous avons réussi à leur faire faire ce que nous voulions qu'ils fassent. » Mais le groupe de personnes en face de moi n'était pas du genre à avaler des causeries d'avant-course. Il était essentiellement constitué de retraités. De plus, alors que j'avais été secondé par Jaqua et Bowerman l'année précédente, je n'avais personne pour me donner un coup de main face aux investisseurs cette fois-ci, les deux hommes étant occupés ailleurs.

J'étais tout seul.

Une demi-heure après le début de ma présentation, devant trente regards horrifiés qui me fixaient, j'ai suggéré que nous fassions une pause pour le déjeuner. L'année précédente, je leur avais transmis nos états financiers avant le déjeuner. Cette fois, j'avais décidé de le faire juste après. Mais cela ne m'a été d'aucun secours. Le fait d'avoir l'estomac plein de cookies aux pépites de chocolat ne leur a pas fait voir les chiffres avec plus d'indulgence. Malgré 3,2 millions de dollars de chiffre d'affaires, nous accusions une perte nette de 57 000 dollars.

Plusieurs petits groupes d'investisseurs s'étaient mis à discuter entre eux pendant que j'essayais de parler. Ils répétaient ce chiffre de 57 000 dollars encore et encore. À un moment donné, j'ai mentionné le fait qu'Anne Caris, une jeune athlète, venait juste de faire la couverture de *Sports Illustrated* avec des Nike aux pieds : « Nous sommes en train de percer. » Personne n'a entendu, tout le monde s'en fichait. Ils ne se souciaient que de la ligne d'arrivée. En fait, même pas la vraie ligne d'arrivée, mais la leur.

Je suis péniblement arrivé à la fin de ma présentation. J'ai demandé s'il y avait des questions. Trente mains se sont levées. Un monsieur âgé s'est levé : « Je suis très déçu par tout ceci. » J'ai demandé : « D'autres questions ? » Vingt-neuf mains se sont levées. J'ai donné la parole à un autre homme, qui a dit : « Je ne suis pas content. » J'ai répondu que je compatissais, mais ça n'a fait que les agacer un peu plus.

Leur déception était légitime. Ils nous avaient fait confiance, à Bowerman et à moi, et nous avions échoué. Nous n'avions jamais anticipé le mauvais coup de Tiger. Je voyais sur les visages de ces gens que c'était un coup dur pour eux. Je devais prendre mes responsabilités. Il était normal que je fasse un geste envers eux.

Les obligations convertibles qu'ils détenaient avaient une parité de conversion qui augmentait chaque année. Ce taux était de 1 dollar par action la première année, 1,5 dollar la deuxième année, etc. Je leur ai donc dit qu'en raison des mauvaises nouvelles que je leur avais annoncées, nous laisserions la parité de conversion constante pendant cinq ans.

Ça les a quelque peu apaisés. Mais ce jour-là, j'ai quitté Eugene avec une bien piètre opinion de Nike et de moi-même. Je me suis mis à penser que cette entreprise ne devrait jamais être introduite en bourse. Si trente personnes étaient capables de me faire aussi mal, je n'imaginais pas devoir faire face aux questions de milliers d'actionnaires.

Se financer via Nissho et la banque était bien mieux pour nous.

Enfin, c'était dans l'hypothèse où il resterait quelque chose à financer, car comme je l'avais craint, Onitsuka avait engagé des poursuites contre nous au Japon. Nous devions donc rapidement intenter un procès contre eux aux États-Unis, pour rupture de contrat et contrefaçon de marque.

Dans ce cadre, j'ai engagé mon cousin Houser. Ce fut une décision simple à prendre. Bien sûr, j'avais confiance en lui. Les liens de parenté, le sang, etc. Il avait lui-même une certaine confiance en lui. Bien qu'il n'eût que deux ans de plus que moi, cousin Houser avait toujours paru beaucoup plus mature. Il dégageait une assurance remarquable, tout particulièrement lorsqu'il était devant un tribunal. Son père avait été un bon vendeur, et cousin Houser s'était inspiré de lui pour vendre la cause de ses clients.

Mieux, c'est un compétiteur redoutable. Quand nous étions enfants, Houser et moi avions l'habitude de faire des parties de badminton dans son jardin, lors desquelles tous les coups étaient permis. Un été, nous avons joué 116 matchs de suite.

Pourquoi 116 ? Parce que Houser m'a battu 115 fois d'affilée. Je ne voulais pas arrêter tant que je n'avais pas gagné. Il trouvait ma combativité tout à fait naturelle.

Mais la principale raison pour laquelle j'ai choisi Houser était notre manque de moyens. Je n'avais pas d'argent pour payer des honoraires et cousin Houser a convaincu son cabinet de n'être rémunéré qu'au résultat.

J'ai passé une bonne partie de 1973 dans le bureau de cousin Houser, à lire des documents, passer en revue des mémos, en ayant envie de rentrer sous terre en retombant sur certains de mes mots et de mes actions. Par exemple, mon mémo sur le recrutement d'un espion – mon cousin m'avait prévenu que la cour verrait ça d'un mauvais œil – ou encore le fait que j'avais « emprunté » le dossier dans la serviette de Kitami. Comment un juge pouvait-il ne pas considérer qu'il s'agissait d'un vol ? Les mots de MacArthur me sont venus à l'esprit : « *On se souvient de vous pour les règles que vous avez enfreintes.* »

J'ai songé à cacher à la cour ces actes dont je n'étais pas fier. Mais j'en suis venu à me dire qu'il n'y avait qu'une seule chose à faire : jouer franc jeu. J'étais convaincu que c'était la chose la plus intelligente à faire. Je devais simplement espérer que la cour considère le vol du dossier de Kitami comme une forme d'autodéfense.

Le moment de ma déposition a été très désagréable. Bien que pensant que les affaires étaient une guerre sans balles, je n'avais jamais autant vécu la fureur d'un combat que lorsque je me suis retrouvé encerclé par cinq avocats. Ils ont essayé toutes les manœuvres possibles pour me faire dire que j'avais violé mon contrat avec Onitsuka. Ils ont tenté les questions piège, hostiles, tendancieuses. Ils déformaient mes réponses lorsque leurs questions n'aboutissaient pas au résultat espéré. Faire une déposition est éprouvant pour tout le monde mais c'est encore plus difficile pour une personne timide. Harcelé, provoqué, raillé, je n'étais plus que l'ombre de moi-même après cette épreuve. Je me sentais d'autant plus mal que j'avais le sentiment de ne pas avoir été très bon – un sentiment confirmé à contrecœur par cousin Houser.

Mes dix kilomètres de course nocturne et mes brefs moments passés avec Matthew et Penny après ces journées difficiles m'ont permis de préserver ma santé mentale. J'essayais toujours de trouver le temps et l'énergie de raconter une histoire à Matthew quand il allait au lit : *Thomas Jefferson travaillait dur pour écrire la déclaration d'indépendance, tu vois, il avait du mal à trouver les mots. C'est alors que le petit Matt History lui a apporté un nouveau stylo-plume et que les mots lui sont venus comme par magie…*

Matthew riait presque toujours quand je lui racontais ces histoires. J'aimais entendre son rire si particulier, notamment car il était parfois renfrogné, maussade. Ça nous inquiétait. Il s'était mis à parler très tard et avait désormais un côté rebelle préoccupant. Je pensais que c'était de ma faute et qu'il aurait moins été rebelle si j'avais davantage été à la maison.

Bowerman, qui avait passé un peu de temps avec Matthew, me disait de ne pas m'inquiéter. Il disait qu'il aimait son état d'esprit et que le monde avait besoin de plus de rebelles.

Au printemps 1973, Penny et moi avons commencé à nous inquiéter de la façon dont notre petit rebelle pourrait accueillir un petit frère ou une petite sœur. Penny était à nouveau enceinte. Je n'en ai parlé à personne mais je me demandais comment nous allions nous en sortir. Il était tout à fait possible que je me retrouve avec deux enfants mais sans travail à la fin de l'année.

Après avoir éteint la lumière dans la chambre de Matthew, j'allais généralement m'asseoir dans le salon avec Penny et nous racontions nos journées. Nous parlions donc beaucoup du procès à venir. Durant son enfance, Penny avait assisté à plusieurs procès de son père et cela lui avait donné un vif intérêt pour les thrillers judiciaires. Elle ne ratait jamais un programme télévisé sur les tribunaux. « Perry Mason » était son programme préféré et je l'appelais parfois Della Street, du nom de la secrétaire intrépide de Mason. Je la taquinais sur son enthousiasme mais celui-ci me faisait du bien.

La dernière chose que je faisais chaque soir était d'appeler mon père. À mon tour d'avoir droit à une histoire avant d'aller au lit. Il avait pris sa retraite et quitté le journal et avait donc beaucoup de temps pour faire des recherches sur de possibles précédents pour fournir à cousin Houser des arguments pouvant s'avérer utiles. Son implication et sa conviction que la cause de Blue Ribbon était juste étaient réconfortantes.

Ces appels se déroulaient toujours de la même façon. Mon père me demandait des nouvelles de Matthew et de Penny et je lui demandais des nouvelles de ma mère, puis il me racontait ce qu'il avait déniché dans les livres de droit. Je prenais soigneusement des notes dans mon carnet. Avant de raccrocher, il disait toujours qu'il croyait en nos chances. « On va gagner, Buck. » Ce pronom magique « nous », qu'il utilisait toujours, me faisait un bien fou. Il est possible que nous n'ayons jamais été aussi proches qu'à cette période, peut-être parce que notre relation se concentrait sur ce qu'il y avait de plus fondamental : le père voulait protéger son fils, qui menait le combat de sa vie.

En prenant du recul, je réalise que mon procès fournissait à mon père un exutoire plus sain pour son chaos intérieur. Mes problèmes juridiques et mes appels téléphoniques nocturnes le maintenaient en état d'alerte et le clouaient à la maison. Il lui arrivait moins souvent de sortir tard le soir au club.

Un jour, cousin Houser m'a dit : « Quelqu'un nous rejoint dans l'équipe. Un jeune avocat. Rob Strasser. Tu vas l'aimer. » Il venait tout juste de sortir de Berkeley. Houser n'en savait pas beaucoup plus à son sujet mais il avait un bon pressentiment. Pour lui, Strasser avait un potentiel formidable et sa personnalité s'accorderait bien avec notre entreprise : « Strasser a considéré cette affaire comme une croisade dès qu'il a lu notre dossier. »

L'idée me plaisait. Lorsque je me suis rendu au cabinet de Houser, je suis allé au fond du couloir passer une tête dans le bureau de ce Strasser. Il n'était pas là. Le bureau était plongé dans l'obscurité. Les lumières étaient éteintes et il était difficile de distinguer quoi que ce soit. J'ai fait demi-tour pour partir. Puis j'ai entendu… un « Bonjour ? » Une forme avait bougé dans l'obscurité, derrière le bureau en noyer. L'ombre est devenue de plus en plus grande, comme une montagne émergeant d'une mer sombre.

Cette ombre se rapprochait de moi. Je pouvais désormais distinguer les contours d'une forme humaine, d'environ un mètre quatre-vingt-dix pour pas loin de cent trente kilos, avec de larges épaules et des bras comme des bûches. Il était un peu Bigfoot, un peu Snuffleupagus[21]. Il s'est avancé vers moi et a allongé ses battoirs en ma direction. Nous nous sommes serré la main.

Je pouvais désormais voir son visage – rouge brique, avec une barbe rousse. Son front était recouvert de transpiration. (Cela expliquait l'obscurité. Il avait expressément demandé un emplacement où il ne faisait pas trop chaud et donc faiblement éclairé. Il ne supportait pas de porter des costumes.)

---

21 Personnage imaginaire de la série américaine Sesame Street, sorte de mammouth en peluche.

Nous n'avions rien en commun et il n'avait même rien en commun avec les personnes que j'avais pu rencontrer auparavant. Pourtant, j'ai été envahi par un sentiment de parenté étrange et immédiat.

Il m'a dit être très excité et honoré de travailler sur mon affaire et convaincu que Blue Ribbon avait été victime d'une terrible injustice.

Le sentiment de parenté est devenu de l'amour. Je lui ai répondu : « Oui, c'est exactement ça. »

Strasser est venu à Tigard quelques jours plus tard pour assister à une réunion. Penny était au bureau ce jour-là et les yeux de Strasser sont sortis de leurs orbites quand il l'a vue marcher dans un couloir. Il s'est gratté la barbe et a dit :

« Mon Dieu ! C'était bien Penny Parks ?

– Elle s'appelle Penny Knight aujourd'hui.

– Elle est sortie avec mon meilleur ami !

– Le monde est petit.

– Il est encore plus petit quand on fait ma taille ! »

Lors des jours et des semaines qui ont suivi, Strasser et moi nous sommes rendu compte que nos vies et nos univers avaient certaines similitudes. Il était né dans l'Oregon et en était fier, mais d'une façon bien à lui. Il avait grandi avec un complexe par rapport à Seattle et San Francisco, ces voisins encombrants que les personnes qui n'étaient pas du coin considéraient comme supérieurs. Son sentiment d'infériorité géographique était exacerbé par sa solitude et sa grande taille, qui lui donnait une allure désarticulée. Il avait toujours craint de ne pas trouver sa place dans le monde et de devenir un paria. Je comprenais très bien cela. Il compensait parfois en parlant fort et en disant des obscénités, mais la plupart du temps, il se taisait et préférait dissimuler son intelligence plutôt que de prendre le risque de s'aliéner les gens. Je comprenais aussi.

L'intelligence de Strasser ne pouvait pas passer longtemps inaperçue. C'était l'un des plus grands penseurs que j'aie eu la chance de rencontrer. Il débattait, négociait, discutait, réfléchissait – son esprit était toujours en pleine effervescence. Il cherchait à comprendre les choses et voulait conquérir les autres. Il voyait la vie comme une bataille et trouvait la confirmation de son point de vue dans les livres. Comme moi, il lisait des livres de guerre de façon compulsive.

Toujours comme moi, il était un inconditionnel des équipes de sport locales, et en particulier des Ducks. Nous avons eu un énorme fou rire en nous rendant compte que l'entraîneur de l'équipe de basket de l'Université de l'Oregon s'appelait Dick Harter (« dick » et « harder » signifient respectivement « bite » et « plus dure » en anglais) alors que celui de l'équipe de football américain était Dick Enright (« Ain't right » signifie « pas droit » en anglais). Lors des matchs à l'Université de l'Oregon, le public criait : « Si tu n'arrives pas à avoir ton Dick Enright, il faut que tu aies ton Dick Harter ». Après que nous avons eu fini de rire, Strasser est reparti de plus belle. J'étais stupéfait par le ton de son rire, aigu et féminin, très surprenant pour un homme de cette corpulence.

Plus que tout autre chose, les relations que nous avions avec nos pères respectifs nous conféraient une certaine proximité. Strasser était le fils d'un homme d'affaires qui avait réussi et lui aussi avait toujours eu peur de ne pas être à la hauteur de ses attentes. Son père avait l'air très dur. Strasser m'a raconté de nombreuses histoires à son sujet. L'une d'entre elles m'est restée en mémoire. Quand il avait dix-sept ans, ses parents étaient partis en escapade un week-end et Strasser en avait profité pour organiser une fête chez lui. Celle-ci avait tourné à l'émeute. Les voisins avaient appelé la police et une patrouille était arrivée exactement en même temps que ses parents. Ils étaient rentrés plus tôt que prévu. Son père avait jeté un coup d'œil autour de lui – la maison était en bazar, son fils portait des menottes – et il avait dit froidement aux policiers : « Emmenez-le. »

Assez rapidement, j'ai demandé à Strasser à combien il évaluait nos chances de gagner contre Onitsuka. Il m'a répondu sans hésitation que nous allions gagner, avec la même assurance que si je lui avais demandé ce qu'il avait pris au petit-déjeuner. Il a dit ça de la façon dont un fan de sport parlerait de la « saison prochaine », avec une foi inconditionnelle. Il a dit ça de la même façon que mon père au téléphone le soir. À partir de ce moment, j'ai su que Strasser était l'un des élus, l'un de mes frères. Comme Johnson, Woodell ou Hayes.

Comme Bowerman, Hollister ou Pre. Il était Blue Ribbon jusqu'à la moëlle.

Quand j'arrivais à échapper à mon obsession pour le procès, je ne pensais qu'à nos chiffres de ventes. Je recevais chaque jour un télégramme de nos entrepôts avec un « décompte des paires », qui recensait le nombre exact de paires envoyées le jour-même à tous nos clients – écoles, détaillants, entraîneurs, particuliers ayant commandé par correspondance. En termes comptables, une paire envoyée était une paire vendue. Le décompte quotidien des paires déterminait donc mon humeur, ma digestion, ma tension sanguine. Il en allait de l'avenir de Blue Ribbon. Ne pas écouler toutes les chaussures de notre dernière commande nous aurait causé de gros soucis. Le décompte me rassurait. Ou pas, d'ailleurs.

Je faisais le point avec Woodell chaque matin : « Donc c'est bon pour le Massachusetts, ça a l'air bon pour Eugene. Mais qu'est-ce qu'il s'est passé à Memphis ? »

Woodell répondait « tempête de neige » ou « le camion de livraison est tombé en panne ».

Il avait un talent incroyable pour minimiser le négatif comme le positif. Il vivait tout simplement dans l'instant présent. Par exemple, après l'interversion avec Johnson, Woodell occupait un bureau loin d'être luxueux. Il était perché au dernier étage d'une ancienne usine de chaussures, au-dessus de laquelle se trouvait un château d'eau qui dégoulinait d'une couche de fiente de pigeons accumulée depuis un siècle. De plus, il y avait des trous béants dans la toiture et le bâtiment tremblait à chaque fois que les machines inséraient les empeignes sur les chaussures. Autrement dit, une pluie de fiente de pigeons tombait dans les cheveux de Woodell, sur ses épaules et sur son bureau tout au long de la journée. Mais Woodell essuyait les épaules et son bureau d'un revers de la main et poursuivait son travail.

Il recouvrait soigneusement et à chaque instant sa tasse de café de papier à en-tête, afin d'être sûr de n'avaler que du café. J'ai souvent essayé de copier le tempérament de moine zen de Woodell. C'était au-dessus de mes forces. Je bouillonnais de frustration, sachant que nos chiffres auraient été bien meilleurs sans ces problèmes d'approvisionnement. Les gens raffolaient de nos chaussures mais nous n'étions pas en mesure de les leur fournir à temps. Nous étions passés des retards causés par les caprices d'Onitsuka à ceux créés par un emballement de la demande. Les usines et Nissho faisaient leur travail, nous obtenions la marchandise que nous voulions, dans les délais et sans défauts de fabrication, mais la rapide croissance du marché était à l'origine de tout un tas de problèmes et notamment la distribution.

Dans les affaires, le rapport entre offre et demande est au cœur de tous les problèmes. Cela se vérifie depuis le temps où les négociants phéniciens se ruaient à Rome pour apporter la teinture pourpre si convoitée, qui colorait les vêtements de la famille royale et des riches : il n'y avait jamais assez de teinture. Il est déjà difficile d'inventer un produit, de le fabriquer et d'en faire la promotion mais c'est souvent la logistique et la tuyauterie pour le faire parvenir aux acheteurs finaux qui sont à l'origine d'ulcères et font mourir des entreprises.

En 1973, les problèmes d'offre et de demande auxquels était confrontée l'industrie de la chaussure de sport étaient particulièrement épineux, voire insolubles. Le monde entier s'était subitement mis à vouloir des chaussures de running, et l'offre n'arrivait tout simplement pas à suivre. Il n'y avait jamais assez de chaussures en fabrication.

De nombreuses personnes brillantes ont travaillé sur ce problème dans notre entreprise mais aucune n'a trouvé de solution permettant d'augmenter notre approvisionnement de façon significative sans prendre le risque de faire croître massivement les stocks. Adidas et Puma rencontraient les mêmes problèmes, mais cela n'était qu'une maigre consolation car nous, ça pouvait nous mener tout droit à la faillite. Nous étions très endettés et, comme pour toutes les personnes n'ayant pas un sou de côté, un faux pas pouvait précipiter notre ruine. Lorsqu'une livraison de chaussures avait du retard, nos ventes chutaient. Lorsque nos ventes chutaient, nous n'étions pas capables de rembourser Nissho et Bank of California en temps et en heure. Lorsque nous n'étions pas capables de rembourser Nissho et Bank of California en temps et en heure, il nous était impossible d'emprunter plus, ce qui retardait le passage de notre commande suivante.

Nous arrivions toutefois à nous en sortir tant bien que mal.

Nous avons dû faire face à un sacré coup dur : une grève des dockers. L'un de nos employés est arrivé au port de Boston pour retirer une livraison de chaussures et a trouvé porte close. Il pouvait voir notre livraison à travers la barrière fermée : il y avait là de très nombreux containers mais il était impossible de les récupérer.

Nous avions difficilement obtenu de Nippon qu'ils envoient une nouvelle cargaison par avion – 110 000 paires dans un charter 707. Nous avons partagé le coût du kérosène avec eux. Nous étions prêts à tout, n'importe quelle solution valait mieux que de ne pas servir notre clientèle à temps.

Notre chiffre d'affaires a augmenté de 50 % en 1973, pour passer à 4,8 millions, un chiffre qui m'a estomaqué lorsque je l'ai vu écrit pour la première fois. Quelques années plus tôt, notre chiffre d'affaires n'était que de quelques milliers de dollars. Pourtant, nous n'avons pas pris le temps de fêter cela. Entre nos ennuis juridiques et nos soucis d'approvisionnement, nous risquions de tout perdre. Tard le soir, quand je m'asseyais à côté de Penny et qu'elle me demandait pour la énième fois ce que nous allions faire si Blue Ribbon faisait faillite, je lui répétais que tout irait bien, sans y croire totalement.

J'ai eu une idée à l'automne 1973. Pourquoi ne pas aller voir nos plus gros détaillants et leur offrir des remises importantes, pouvant aller jusqu'à 7 %, s'ils passaient de grosses commandes irrévocables et non remboursables six mois à l'avance ? De cette manière, les délais seraient plus longs, les livraisons moins nombreuses et nous disposerions de davantage de visibilité. Cela maximiserait notre trésorerie et nous pourrions compter sur les engagements à long terme de poids lourds comme Nordstrom, Kinney, Athlete's Foot, United Sporting Goods et plusieurs autres pour emprunter davantage à Nissho et Bank of California. À Nissho, surtout.

Bien sûr, les détaillants ont d'abord réagi avec scepticisme. Mais j'ai insisté. Quand ma proposition ne prenait pas, je leur parlais de grandes mutations qu'allait connaître le business dans les années à venir. Je leur disais que ce programme, que nous avions baptisé « Futures », représentait justement l'avenir, et qu'ils avaient tout intérêt à entrer dans la danse le plus tôt possible. J'étais convainquant car désespéré. Mais les détaillants n'acceptaient pas pour autant. On me répondait sans cesse : « Vous, les petits nouveaux de chez Nike, vous ne comprenez pas l'industrie de la chaussure. Votre idée ne prendra jamais. »

Mon pouvoir de négociation s'est subitement renforcé quand nous avons sorti plusieurs magnifiques nouveaux modèles, dont les clients allaient forcément raffoler. La Bruin était déjà populaire, avec sa semelle extérieure et son empeigne imaginées pour assurer une course plus stable. Mais nous venions de lancer une version améliorée, avec des empeignes en cuir vert. (Paul Silas des Boston Celtics avait accepté d'en porter une paire.) Nous avons également sorti deux nouvelles Cortez, une en cuir et une en nylon, qui ont fini par être nos modèles les plus vendus.

Quelques détaillants ont enfin fini par signer. Le programme s'est mis à prendre de l'ampleur. Très vite, les retardataires et récalcitrants ont demandé à faire partie de l'aventure.

13 septembre 1973. C'était notre cinquième anniversaire de mariage. Penny m'a réveillé au milieu de la nuit pour me dire qu'elle ne se sentait pas bien. Cette fois, sur le chemin de la maternité, j'avais en tête d'autres préoccupations que le bébé. Le programme Futures. Le décompte des paires. Le procès à venir. Cela n'a pas manqué : je me suis perdu.

J'ai fait demi-tour, je suis revenu en arrière. Des gouttes de sueur perlaient sur mon front. Mais Dieu merci, j'ai aperçu l'hôpital au détour d'une rue.

Cette fois encore, ils ont emmené Penny dans un fauteuil roulant et j'ai attendu dans « l'enclos ». J'ai essayé de traiter un peu de paperasse pour patienter et lorsque le médecin est venu pour m'annoncer que j'avais un autre fils, j'ai pensé : « Deux fils. Une paire de fils. »

Je suis allé dans la chambre de Penny et j'ai fait la connaissance de mon garçon, que nous avons appelé Travis. Puis j'ai fait une chose qui n'était pas très correcte.

En souriant, Penny m'a annoncé que les docteurs lui avaient dit qu'elle pourrait rentrer à la maison après deux jours, contre trois après la naissance de Matthew. Je lui ai dit qu'il fallait qu'elle prenne son temps, qu'elle se repose et qu'elle en profite pour rester à l'hôpital un jour de plus, étant donné que l'assurance avait donné son accord.

Elle a baissé la tête et haussé les sourcils :

« Qui joue ? Et où ?

– Université de l'Oregon. Contre l'Université de l'Arizona, j'ai murmuré.

Elle a soupiré.

– OK. OK, Phil, vas-y. »

écouté ce qu'il disait et j'ai pensé à ce qu'avait été sa vie. Enfant, il avait souffert d'un grave problème d'élocution. Chaque « R » et chaque « L » étaient des obstacles pour lui. À l'adolescence, on avait encore l'impression d'entendre un personnage de dessin animé. Désormais, ces problèmes étaient derrière lui, même s'il en restait quelques traces de-ci de-là, et j'ai ressenti de l'admiration en le voyant plaider ainsi devant la cour. Le chemin qu'il avait parcouru, que nous avions parcouru, m'impressionnait. J'étais fier de lui, fier qu'il soit de notre côté.

De plus, il avait accepté de défendre notre cas en étant payé au résultat, pensant que le procès aurait lieu quelques mois plus tard. Deux ans après, il n'avait toujours pas perçu un kopeck et les frais qu'il avait engagés étaient astronomiques. La seule facture de photocopies se chiffrait déjà en dizaines de milliers de dollars. De temps en temps, cousin Houser nous expliquait que ses associés lui mettaient la pression pour qu'il nous laisse tomber. À un moment donné, il avait même demandé à Jaqua de reprendre le dossier (Jaqua avait dit non merci). Verve ou pas, cousin Houser était un vrai héros. Il a fini sa déclaration, s'est rassis à notre table et nous a regardés, Strasser et moi. Je lui ai donné une tape dans le dos. La partie venait de commencer.

* * *

En tant que plaignants, c'est nous qui avons présenté notre dossier en premier. Le premier témoin que nous avons appelé à la barre était le fondateur et président de Blue Ribbon, Philip H. Knight. En marchant vers l'estrade, j'avais l'impression que c'était un autre Philip Knight qui avait été appelé, un autre Philip Knight qui avait levé la main et juré de dire la vérité dans une affaire pleine de rancœur et de tromperie. C'était comme si j'étais sorti de mon enveloppe corporelle et que j'assistais à toute cette scène en tant que spectateur.

En m'asseyant sur la chaise en bois grinçante à la barre des témoins et en ajustant ma cravate, je me suis dit : « C'est la déclaration la plus importante que tu feras de ta vie. Ne te rate pas. »

Mais je me suis raté. J'ai été tout aussi mauvais que lors des dépositions. J'ai même fait pire.

Houser a essayé de m'aider et de me guider. Il employait un ton encourageant et me faisait un grand sourire amical à chaque question, mais mon esprit partait dans tous les sens. Je n'arrivais pas à me concentrer. Je n'avais pas dormi la nuit précédente, je n'avais rien avalé le matin et je ressentais une poussée d'adrénaline. Mais pas cette adrénaline qui décuple votre énergie et vous aide à voir plus clair, non. Au contraire, elle rendait tout encore plus confus dans ma tête. Des pensées étranges me traversaient l'esprit, presque des hallucinations. Je me suis mis à délirer intérieurement sur à quel point cousin Houser me ressemblait physiquement : je me focalisais sur le fait que nous ayons presque le même âge, que nous fassions presque la même taille et que nous ayons des caractéristiques physiques communes. Je n'avais jamais remarqué cette ressemblance familiale auparavant. Je me suis dit que c'était kafkaïen d'être interrogé par son double.

Je me suis un peu rattrapé à la fin de son interrogatoire. L'adrénaline était partie et je commençais à reprendre mes esprits. Mais c'était désormais à la partie adverse de s'en prendre à moi.

Hilliard y est allé très fort. Il a été implacable avec moi et j'ai vite été ébranlé. J'ai bafouillé un mot sur deux. Ce que je disais paraissait louche, suspect, même à moi-même. J'ai vu que l'auditoire et le juge avaient l'air sceptiques quand j'ai tenté d'expliquer que monsieur Fujimoto n'était pas réellement un espion ou quand j'ai parlé de la serviette de Kitami. J'étais sceptique moi aussi. Plusieurs fois, j'ai regardé au loin et je me suis dit : « Est-ce que j'ai vraiment fait ça ? »

J'ai passé en revue les personnes dans la salle en cherchant de l'aide et je n'ai trouvé que des visages hostiles. Le plus hostile d'entre eux était celui de Bork. Il était assis un rang derrière la table d'Onitsuka, le regard furieux. De temps à autre, il se penchait vers les avocats d'Onitsuka, leur murmurait quelque chose ou leur tendait des notes. J'ai pensé : « Traître ! Benedict Arnold[22] ! »

---

22 Benedict Arnold est connu pour avoir voulu livrer le fort américain de West Point aux Anglais durant la guerre d'Indépendance. Il est devenu l'incarnation du traître dans l'histoire des États-Unis.

Probablement guidé par Bork, Hilliard m'a posé de nouvelles questions et a articulé sa stratégie différemment. J'ai peu à peu perdu le fil et je n'avais plus aucun recul par rapport à ce que j'étais en train de dire.

À un moment, le juge m'a sermonné car je répondais de façon trop alambiquée : « Répondez aux questions de façon concise. » Je lui ai demandé ce qu'il entendait par là et il m'a répondu : « Vingt mots maximum. »

Hilliard a posé une autre question.

J'ai mis la main devant ma bouche avant de dire : « Il est impossible de répondre à cette question en vingt mots. »

Le juge a demandé aux avocats des deux parties de rester derrière leurs tables respectives quand ils posaient leurs questions aux témoins. Aujourd'hui, je me dis que ces dix mètres d'éloignement m'ont peut-être sauvé. Je pense que j'aurais pu craquer et éclater en sanglots si Hilliard avait été physiquement plus proche de moi.

J'étais comme paralysé par son interminable interrogatoire. Il était impossible de faire pire. Hilliard a déclaré qu'il n'avait plus de questions. En quittant la barre, je me suis mis la note D –. Cousin Houser et Strasser n'ont pas remis en cause mon auto-évaluation.

Le juge pour notre affaire était l'honorable James Burns, une grande figure de la justice de l'Oregon. Il avait un visage long et sévère et des yeux gris pâle cachés sous deux sourcils noirs protubérants. Chaque œil était surplombé d'un toit en chaume. Peut-être parce que les usines étaient omniprésentes dans mon esprit à l'époque, je me suis souvent dit que James Burns paraissait sortir d'une usine lointaine fabriquant des juges à la chaîne. Il devait certainement en tirer une certaine fierté. Il s'appelait lui-même très sérieusement James le Juste. Avec sa voix de basse profonde, il débutait ses audiences en disant : « Vous êtes dans le tribunal de James le Juste. »

Gare à quiconque osait rire en trouvant que James le Juste était un peu trop théâtral.

Portland était une petite ville – vraiment minuscule – et nous avons appris par le téléphone arabe que quelqu'un était tombé sur James le Juste à son club. Un martini à la main, le juge s'était plaint de notre affaire. Il disait au barman et à qui voulait bien l'écouter que notre cas était « vraiment épouvantable. » À partir de là, nous avons su qu'il n'avait pas plus envie que nous de participer à ce procès. Il passait souvent son agacement sur nous, en nous reprenant sur des petits détails de procédure.

Malgré ma performance lamentable à la barre, cousin Houser et Strasser avaient tendance à penser que James le Juste penchait plutôt de notre côté. Ils pensaient cela à cause de son comportement : son côté ogre était un peu moins marqué lorsqu'il s'adressait à nous. Sur la base de cette intuition, cousin Houser a dit aux avocats de la partie adverse que la proposition de marché faite avant le procès ne tenait plus.

Le même jour, James le Juste a suspendu l'audience et nous a tous réprimandés. Il était perturbé par tout ce qu'il lisait dans les journaux locaux sur cette affaire et il souhaitait à tout prix éviter de statuer dans une affaire qui tournerait au cirque médiatique. Il nous a ordonné de cesser de discuter de l'affaire hors des murs du tribunal.

Nous avons acquiescé : « Oui, votre Honneur. »

Johnson était assis juste derrière notre table. Il transmettait régulièrement des notes à cousin Houser et lisait un roman pendant les pauses. Chaque jour, après les audiences, il se détendait en allant se promener en ville et vérifier nos ventes dans différentes boutiques d'articles de sport. (Il faisait cela dans chaque nouvelle ville qu'il visitait.)

Très vite, il nous a informés que les Nike se vendaient comme des petits pains, notamment grâce à la chaussure d'entraînement gaufrée de Bowerman. Celle-ci venait juste d'arriver sur le marché et était en rupture de stock dans tous les points de vente : nous faisions mieux qu'Onitsuka et même que Puma. Cette chaussure était un tel succès que nous pouvions pour la première fois imaginer approcher les chiffres de vente d'Adidas.

Lors d'une de ses visites de magasins, Johnson s'est mis à discuter avec le gérant, un vieil ami, qui savait que le procès était en cours. Le gérant du magasin a demandé comment ça se passait pour nous. Johnson avait répondu : « Très bien.

Si bien que nous avons retiré notre proposition de règlement à l'amiable. »

Le lendemain matin, alors que nous nous réunissions dans la salle de tribunal un café à la main, un visage inconnu était à la table de la défense. Il y avait les cinq avocats… et un nouveau. Johnson s'est tourné et est devenu blanc en le voyant. Il a lâché un « Oh… merde » et, tout affolé, il nous a expliqué en chuchotant que l'homme en question était le gérant du magasin… « avec lequel il avait discuté du procès par mégarde. »

C'était au tour de cousin Houser et Strasser de devenir blancs.

Nous nous sommes regardés tous les trois, nous avons regardé Johnson puis nous nous sommes retournés en même temps vers James le Juste, qui a donné un coup de marteau et avait l'air excédé.

Le silence a envahi la salle quand le juge a cessé de frapper avec son marteau. Il s'est mis à hurler et a passé vingt minutes à s'acharner sur nous. Il était excédé qu'un seul jour (il a répété « un seul jour ») après son ordre de ne pas parler de l'affaire hors du tribunal, un membre de l'équipe Blue Ribbon se soit répandu sur celle-ci dans une boutique de la ville. Nous regardions droit devant nous, comme des enfants pris la main dans le sac. Nous craignions une annulation du procès. Quand le juge a terminé sa tirade, j'ai cru déceler un léger pétillement dans ses yeux. Sur le coup, j'ai pensé que James le Juste n'était peut-être pas un ogre, mais qu'il s'agissait plutôt d'un rôle.

Johnson s'est racheté avec son témoignage. Extraordinairement clair, d'une précision chirurgicale, il a décrit la Boston et la Cortez mieux que personne n'aurait pu le faire, moi y compris. Hilliard a essayé encore et encore de le faire céder mais il n'y est jamais parvenu. Ce fut un plaisir indescriptible de voir Hilliard se casser les dents sur l'imperturbabilité de Johnson. C'était encore plus déséquilibré que Stretch contre le crabe.

Bowerman était le prochain témoin à la barre. Je nourrissais de grands espoirs pour mon ancien entraîneur, mais il n'était pas lui-même ce jour-là. Ce fut la toute première fois que je l'ai vu troublé et même un peu intimidé. Nous avons vite compris pourquoi : il ne s'était pas préparé. Plein de mépris pour Onitsuka et de dédain pour le milieu des affaires en général, il avait pris tout cela par-dessus la jambe. Ça m'a attristé. Ça a aussi agacé cousin Houser, car le témoignage de Bowerman aurait pu nous faire beaucoup de bien.

Nous nous sommes consolés en nous disant qu'au moins, Bowerman n'avait rien dit qui aurait pu nous nuire.

Ensuite, Houser a lu la déposition de Iwano, le jeune assistant qui avait accompagné Kitami lors de ses deux voyages aux États-Unis. Heureusement, Iwano s'est montré aussi candide et sincère qu'il nous avait paru à Penny et moi lorsque nous l'avions rencontré. Il a dit la vérité, l'entière vérité, et cela contredisait totalement la version de Kitami. Iwano a déclaré qu'il existait un projet ferme de casser notre contrat, de nous laisser tomber et de nous remplacer par un autre distributeur et que Kitami en avait parlé explicitement à de nombreuses reprises.

Nous avons ensuite appelé à la barre un célèbre orthopédiste, un expert de l'impact des chaussures de running sur les pieds, les articulations et le dos. Il a expliqué à l'auditoire les différences entre les nombreuses marques et les nombreux modèles sur le marché et il a décrit finement en quoi les Cortez et les Boston différaient de tout ce qu'Onitsuka avait fait jusque-là. La Cortez était la toute première chaussure à apaiser la pression pesant sur les tendons d'Achille. Il avait utilisé le mot « révolutionnaire » et expliqué que cette chaussure avait changé l'industrie de la chaussure. Pendant son témoignage, l'orthopédiste avait étalé des dizaines de chaussures devant lui et mélangé des paires, ce qui a perturbé le juge. Apparemment, James le Juste avait des TOC. Il aimait que son tribunal soit bien rangé. À plusieurs reprises, il a demandé à l'orthopédiste d'arrêter de semer le désordre et tout mélanger. Et plusieurs fois, ce dernier a ignoré sa demande. J'ai commencé à faire de l'hyperventilation, en craignant que James le Juste ne prenne notre expert en grippe.

Enfin, nous avons appelé Woodell à la barre. Je l'ai regardé s'approcher lentement dans son fauteuil. C'était la première fois que je le voyais en costume cravate. Il avait rencontré une femme peu de temps avant et s'était marié. Il était heureux. Pendant un moment, j'ai repensé avec émotion à tout ce qu'il avait réalisé depuis que je l'avais rencontré pour la première fois dans une sandwicherie de Beaverton. Puis je me suis immédiatement senti mal car c'était à cause de moi qu'il se retrouvait impliqué dans ce pétrin. Il avait l'air encore plus nerveux à la barre que je l'avais été, et plus intimidé que Bowerman. James le Juste lui a demandé d'épeler son nom et Woodell a marqué une pause comme s'il ne s'en souvenait plus : « Hum… W, deux O, deux D… » Il s'est subitement mis à glousser, en disant qu'il n'y avait pas deux D dans son nom mais que certaines femmes faisaient du double D[23]. Il riait franchement désormais. Les nerfs, bien sûr. Mais le juge a cru que Woodell ne prenait pas la procédure au sérieux et lui a rappelé qu'il était dans le tribunal de James le Juste.

Ça l'a fait glousser davantage.

Je me suis mis la main devant les yeux.

Le premier témoin qu'Onitsuka a appelé à la barre fut monsieur Onitsuka lui-même. Son témoignage a été assez bref. Il a dit qu'il ne connaissait rien de mon conflit avec Kitami ni du projet de ce dernier de nous laisser tomber. Que Kitami ait eu des entretiens avec d'autres distributeurs ? « Moi jamais informé » a répondu Onitsuka. Que Kitami ait eu le projet de casser notre contrat ? « Moi pas savoir. »

---

23 DD est une taille de soutien-gorge aux États-Unis.

Puis, ce fut le tour de Kitami. Alors qu'il marchait vers le box des témoins, les avocats d'Onitsuka se sont levés et ont dit au juge qu'ils avaient besoin d'un traducteur. Je n'en croyais pas mes oreilles, car Kitami parlait parfaitement bien anglais. Je me suis souvenu de l'avoir entendu se vanter d'avoir appris l'anglais avec des disques. Les yeux exorbités, je me suis tourné vers cousin Houser, qui m'a fait signe de me calmer.

Kitami n'a fait que mentir pendant ses deux jours à la barre. Il a insisté sur le fait qu'il n'avait jamais eu le projet de rompre notre contrat et qu'il n'avait décidé de le faire que quand il a découvert que nous faisions fabriquer des Nike. Que, certes, il avait pris contact avec d'autres distributeurs avant la fabrication des premières Nike, mais qu'il ne faisait qu'étudier le marché. Il a également affirmé qu'il y avait bien eu des discussions sur un possible achat de Blue Ribbon par Onitsuka mais que « l'idée avait été initiée par Phil Knight ».

Après les plaidoiries de Hilliard et cousin Houser, je me suis retourné vers la salle et j'ai remercié de nombreuses personnes d'être venues. Cousin Houser, Strasser et moi sommes allés dans un bar à côté du tribunal, nous avons défait nos nœuds de cravate et nous sommes accordé plusieurs bières bien fraîches. Nous avons refait le match et nous sommes appesantis sur ce que nous aurions pu faire autrement. Puis la vie a repris son cours.

Quelques semaines plus tard, tôt le matin, cousin Houser m'a appelé au bureau : « James le Juste va statuer à onze heures. » J'ai foncé au tribunal et les ai retrouvés, Strasser et lui, à notre ancienne table. Bizarrement, la salle était vide. Il n'y avait aucun spectateur. Il n'y avait personne en face, à l'exception de Hilliard. Ses collègues avaient été dans l'incapacité de venir en étant informés aussi tardivement.

James le Juste est entré par une porte latérale et est monté sur son siège. Il a manipulé quelques documents et s'est mis à parler à voix basse et avec un ton monocorde, comme s'il se parlait à lui-même. Il a mentionné des éléments positifs sur les deux parties. J'étais abasourdi. Comment pouvait-il trouver des arguments en faveur d'Onitsuka ? Je me suis dit que c'était mauvais signe. Très, très mauvais signe. J'ai refait l'inventaire de ce que nous aurions dû faire autrement : si seulement Bowerman s'était préparé davantage, si seulement je n'avais pas craqué sous la pression, si seulement l'orthopédiste avait gardé ses chaussures dans le bon ordre…

Le juge a baissé les yeux vers nous, ses sourcils étaient plus longs et plus hirsutes que lorsque le procès avait commencé. Il nous a annoncé qu'il ne statuerait pas sur la question du contrat entre Onitsuka et Blue Ribbon. J'étais effondré.

En revanche, il nous a dit qu'il statuerait sur la question du droit des marques. Pour lui, il était clair que c'était la parole de Blue Ribbon contre celle d'Onitsuka : « Nous avons ici deux versions contradictoires et l'opinion de cette cour est que celle de Blue Ribbon est la plus convaincante. »

Il a dit que l'honnêteté avait davantage été du côté de Blue Ribbon pendant toute la durée du conflit, comme l'attestaient les documents, mais également au tribunal : « Au bout du compte, l'honnêteté est tout ce dont je dispose pour fonder mon jugement dans cette affaire. »

Il a fait référence à la déposition d'Iwano, qu'il a qualifiée d'irréfutable. Elle tendrait à prouver que Kitami avait menti. Le juge a également parlé du recours de Kitami à un traducteur et du fait qu'il avait corrigé ce dernier à plusieurs reprises durant son témoignage, à chaque fois dans un anglais parfait.

James le Juste a effectué une pause et jeté un œil à ses papiers, avant de déclarer qu'il avait décidé que Blue Ribbon conserverait tous les droits sur les Boston et les Cortez. Il a ajouté qu'il était clair que Blue Ribbon devrait percevoir des dommages et intérêts car l'entreprise avait subi une perte de chiffre d'affaires et qu'il y avait eu une appropriation illicite de la marque. Enfin, il a expliqué qu'il contacterait dans les jours qui suivraient un expert pour déterminer le montant des dommages et intérêts que Blue Ribbon percevrait.

Il a donné un coup de marteau. Je me suis directement tourné vers cousin Houser et Strasser et j'ai demandé : « On a gagné ? »

« Oh, mon Dieu… on a gagné ! »

J'ai serré la main de Houser et de Strasser, puis je les ai serrés dans mes bras. Avec un certain plaisir, je me suis permis un regard oblique vers Hilliard. Mais, à ma grande déception, celui-ci n'a eu aucune réaction. Il regardait droit devant lui. Tout cela n'avait jamais rien eu de personnel pour lui, c'était juste un mercenaire. Il a fermé sa serviette calmement, s'est levé et s'est dirigé vers la sortie sans un regard dans notre direction.

Nous sommes directement allés au London Grill de l'hôtel Benson, pas loin du tribunal. Nous avons tous commandé une double dose et trinqué à James le Juste. Et à Iwano. Et à nous-mêmes. Puis j'ai téléphoné à Penny depuis le téléphone à pièces. J'ai crié : « On a gagné ! ». On a dû m'entendre dans toutes les chambres de l'hôtel mais je m'en fichais. « Est-ce que tu le crois ? On a gagné ! » J'ai appelé mon père tout de suite après pour lui annoncer la bonne nouvelle.

Penny et mon père m'ont tous les deux demandé ce que nous avions gagné au juste. Je leur ai répondu que nous ne savions pas encore. Un dollar ? Un million ? Nous verrions cela plus tard. C'était surtout le moment de savourer notre victoire.

J'ai rejoint cousin Houser et Strasser au bar et j'ai repris quelque chose de fort. Puis j'ai appelé le bureau pour savoir ce que donnait le décompte des paires.

Une semaine plus tard, nous avons reçu une proposition de marché : 400 000 dollars. Onitsuka avait parfaitement conscience que le chiffre auquel aboutirait l'expert était imprévisible et préférait agir de manière préventive, pour limiter les risques. 400 000 dollars me paraissait un montant trop faible. Nous avons donc essayé d'obtenir de meilleures conditions pendant plusieurs jours mais la position de Hilliard n'a pas bougé d'un pouce.

Nous voulions tous que cette histoire soit derrière nous, et en particulier les chefs de cousin Houser qui lui avaient donné le feu vert pour accepter le marché. Il était prévu que la moitié de la somme lui revienne, ce qui constituait la plus grosse rentrée d'argent de l'histoire de son cabinet. C'était une bonne raison d'accepter.

Je lui ai demandé ce qu'il allait faire de tout cet argent mais j'avoue que j'ai oublié sa réponse. Pour notre part, cela allait servir à emprunter davantage auprès de la Bank of California, ce qui signifiait de plus grosses commandes de chaussures.

Il a été décidé que la signature du marché aurait lieu à San Francisco, dans les bureaux d'une grande société, l'une des nombreuses sociétés à avoir été du côté de Blue Ribbon. Les bureaux étaient au dernier étage d'une tour du centre-ville. Ce jour-là, notre petit groupe était d'une humeur vindicative et bruyante. Nous étions quatre : cousin Houser, Strasser, moi-même et Cale, qui m'a dit qu'il voulait être là pour tous les grands moments de l'histoire de Blue Ribbon. Il disait qu'après avoir assisté à sa création, il voulait maintenant assister à sa libération.

Peut-être était-ce parce que nous avions lu trop de livres de guerre, mais Strasser et moi avons passé tout le trajet jusqu'à San Francisco à parler des redditions célèbres de l'Histoire. Appomattox, Yorktown, Reims. Des scènes toujours très théâtrales lors desquelles des généraux de bords opposés se rencontraient dans le wagon d'un train, dans une ferme abandonnée ou sur le pont d'un porte-avions. Il y avait d'un côté la repentance et de l'autre la sévérité, bienveillante, avant la signature des « actes de capitulation ». Nous avons parlé de MacArthur acceptant la reddition japonaise sur le USS Missouri, et qui y avait prononcé le discours de sa vie à l'occasion. Il est clair que nous nous enflammions mais notre intérêt commun pour l'histoire était exacerbé par la date, car nous étions un 4 juillet.

Un employé nous a emmenés à la salle de réunion, qui était pleine d'avocats. Mon état d'esprit a changé brutalement, car Kitami se tenait au milieu de la salle. Quelle surprise !

Je ne sais pas pourquoi j'ai été surpris de le voir, car il fallait bien qu'il signe les papiers et qu'il fasse le chèque. Il a tendu sa main vers moi. C'était encore plus surprenant.

Je l'ai serrée.

Nous avons tous pris place autour de la table. Il y avait devant chacun de nous une pile de vingt documents sur lesquels nous devions apposer des dizaines de signatures. Nous avons signé jusqu'à ce que nos doigts se mettent à picoter. Cela a pris au moins une heure. L'ambiance était tendue. Il y avait un silence de plomb, à l'exception du moment où Strasser a laissé échapper un énorme éternuement. On aurait dit un éléphant. Je me souviens aussi qu'il portait à contrecœur un costume bleu marine tout neuf, qu'il avait fait ajuster par sa belle-mère, qui avait placé toutes les chutes dans la poche de la poitrine. Strasser, qui tenait à son statut de personne la moins intéressée par les vêtements du monde, avait porté la main à la poche de sa poitrine et en avait retiré des chutes de son costume pour se moucher.

Un employé a ramassé tous les documents. Nous avons tous rebouché nos stylos et Hilliard a fait signe à Kitami que le moment de faire le chèque était venu.

Kitami a levé les yeux, ahuri. « Je n'ai pas de chéquier. »

Encore aujourd'hui, je ne sais pas si c'était de l'abattement ou de la méchanceté sur son visage. J'ai regardé une à une les autres personnes autour de la table. Les avocats étaient abasourdis qu'un homme viennent à une réunion de règlement de dommages et intérêts sans son chéquier. Tout le monde se taisait. Kitami s'est rendu compte qu'il avait fait une erreur et semblait avoir honte.

Il a dit : « J'enverrai un chèque quand je serai de retour au Japon. »

Hilliard a répondu à son client de façon assez brutale : « Assurez-vous que cela soit envoyé dès que possible. »

J'ai pris ma serviette et j'ai suivi cousin Houser et Strasser hors de la salle de réunion. Kitami et ses avocats suivaient juste derrière. Nous avons attendu l'ascenseur ensemble. Nous nous sommes entassés dans la cabine lorsque celle-ci est arrivée. Nous étions serrés comme des sardines, surtout avec Strasser qui occupait la moitié de l'espace à lui tout seul. Personne ne disait rien alors que nous sortions dans la rue. Tout le monde retenait son souffle. C'est peu dire que la situation était gênante. Sur le moment, j'ai pensé que Washington et Cornwallis n'avaient pas été obligés de monter le même cheval pour quitter Yorktown.

Strasser est passé au bureau quelques jours après le verdict pour nous dire au revoir. Nous l'avons amené dans la salle de réunion. Nous nous y sommes tous rassemblés et l'avons applaudi de façon tonitruante. C'était une véritable ovation. Ses yeux sont devenus humides. Il a levé la main pour saluer en réponse aux applaudissements.

Quelqu'un a hurlé : « Un discours ! »

« Je me suis fait de très bons amis ici. Vous allez tous me manquer. Et ça va me manquer de travailler sur cette affaire, de travailler pour ce qui est juste. »

Un tonnerre d'applaudissements a suivi.

« Ça va me manquer de défendre cette entreprise fabuleuse. »

Woodell, Hayes et moi nous sommes regardés. L'un de nous a dit :

« Alors pourquoi tu ne viendrais pas travailler avec nous ? »

Strasser est devenu tout rouge et s'est mis à rire. Une nouvelle fois, j'étais frappé par ce rire saugrenu de fausset. Il a fait un grand mouvement de la main, comme en réponse à une plaisanterie.

Mais notre proposition était sérieuse. J'ai invité Strasser à déjeuner au Stockpot de Beaverton quelque temps plus tard. J'avais convié Hayes, qui travaillait désormais à plein temps pour Blue Ribbon, et nous lui avons présenté un argumentaire détaillé.

C'est peut-être la présentation que j'ai préparée le plus soigneusement et que j'ai le plus répétée de ma vie, parce que je voulais vraiment que Strasser nous rejoigne et que je savais qu'il ne se laisserait pas convaincre facilement. Un brillant avenir lui était promis au cabinet de Houser ou dans n'importe quel cabinet, d'ailleurs. Sans trop d'efforts, il pouvait devenir associé, s'assurer un train de vie confortable et un certain prestige. Il y avait peu de place pour l'incertitude dans ce plan de carrière alors que ce que nous avions à lui offrir était tout l'inverse. Hayes et moi avons donc passé des journées entières à répéter la scène et à affuter nos arguments et contre-arguments. Nous avons essayé d'anticiper toutes les objections que pourrait formuler Strasser.

J'ai commencé en disant à Strasser qu'il était « l'un des nôtres. » Il savait ce que ces mots signifiaient. Nous étions le genre de personnes qui rejetaient les codes *corporate* absurdes. Nous étions des personnes qui voulaient que le travail soit un jeu. Mais un jeu qui compte. Nous étions en train d'essayer de tuer Goliath, et bien que Strasser fût plus imposant que deux Goliath, il y avait du David chez lui. Nous essayions de bâtir une marque mais aussi une culture, nous combattions contre le conformisme et l'ennui. Plus qu'un produit, nous voulions vendre une idée, voire un état d'esprit. J'ignore si j'avais pleinement compris qui nous étions et ce que nous faisions jusqu'à ce que je m'entende dire tout ceci à Strasser ce jour-là.

Il a fait oui de la tête du début à la fin, ce qui ne l'a pas empêché de manger comme un ogre. Il était d'accord avec moi. Il nous a confié qu'après notre combat dantesque contre Onitsuka, il avait été affecté à plusieurs affaires d'assurance tout à fait banales et qu'il avait envie de se taillader les poignets avec un trombone chaque matin. « Blue Ribbon me manque. La clarté me manque. J'ai besoin de ce sentiment de victoire tous les jours. Donc merci pour votre offre. »

Cela n'était pas un oui pour autant.

– « Et donc ? je lui ai demandé.

– J'ai besoin… d'en parler… à mon père.

– Ton père ? a dit Hayes en me regardant. Nous nous sommes esclaffés.

Je n'en revenais pas. Il était en train de parler de la personne qui avait dit aux policiers de l'emmener. C'est sans doute le seul argument auquel Hayes et moi n'étions pas préparés. Ah, le pouvoir d'attraction du paternel…

– OK. Parle de ça avec ton père et reviens nous voir. » lui ai-je dit.

Quelques jours après, ayant obtenu l'approbation de son père, Strasser nous a donné son accord pour devenir le tout premier avocat maison de Blue Ribbon.

Nous avons profité de notre victoire juridique pendant deux semaines. Puis une nouvelle menace s'est profilée à l'horizon : le yen. Il fluctuait de façon très erratique et cela pouvait nous causer de sérieux ennuis si cela continuait.

Avant 1972, la parité dollar-yen était fixe, constante. Un dollar valait toujours 360 yens. Nous étions aussi sûrs de cela que du fait que le soleil se lève le matin. Toutefois, le président Nixon pensait que le yen était sous-évalué. Il craignait que l'Amérique « envoie tout son or au Japon » et a décidé la fin de la convertibilité du dollar en or, ce qui a mené à la fin de l'ère des taux de change fixes. À partir de là, la parité dollar-yen est devenue aussi mouvante que la météo. Le taux changeait tous les jours. En conséquence, il est devenu très compliqué pour les personnes faisant du business au Japon de lancer des programmes de développement à long terme. Le patron de Sony a eu cette phrase célèbre : « C'est comme jouer au golf avec un handicap qui change à chaque trou. »

À la même période, le coût du travail était en hausse au Japon. Couplé à la fluctuation du yen, ce paramètre a rendu les conditions très dangereuses pour les entreprises réalisant la majeure partie de leur production au Japon. Il me semblait impossible de continuer à produire quasiment toutes nos chaussures là-bas. Il fallait vite que nous trouvions d'autres usines, dans d'autres pays.

Taiwan semblait constituer la suite logique. Les autorités taiwanaises, pressentant l'écroulement du Japon, étaient en train de se mobiliser en urgence pour prendre la place de leurs voisins. Elles construisaient des usines à vitesse grand V. Malgré cela, les structures n'étaient pas encore capables d'absorber nos commandes et le contrôle de la qualité laissait encore à désirer. Nous devions trouver une solution temporaire avant que Taiwan ne soit prête.

J'ai pensé à Porto Rico. Nous faisions déjà fabriquer certaines de nos chaussures là-bas. Hélas, elles n'étaient pas d'une grande qualité. Johnson s'y était rendu en 1973 pour faire du repérage d'usines et il avait rapporté que celles-ci n'étaient pas vraiment meilleures que les usines délabrées qu'il avait vues en Nouvelle-Angleterre. Nous avons donc évoqué une solution hybride : prendre des produits semi-finis de Porto Rico et les envoyer en Nouvelle-Angleterre pour l'assemblage final.

C'est devenu notre plan d'attaque à la fin de l'année 1974, une année qui m'a paru incroyablement longue. J'étais prêt à le mettre à exécution. J'avais fait tout ce qu'il fallait pour cela. Je m'étais rendu sur la côte Est, poser les jalons et visiter les usines que nous pourrions louer. J'y suis allé deux fois – la première avec Cale, la seconde avec Johnson.

La première fois, l'employé de la société de location de voitures a refusé ma carte de crédit, avant de me la confisquer. Lorsque Cale a essayé d'arranger les choses et a tendu la sienne, l'employé nous a dit qu'il n'accepterait pas non plus la sienne parce que Cale était avec moi. Coupable par association.

Je n'arrivais pas à regarder Cale dans les yeux. Douze ans après notre sortie de Stanford, et alors qu'il était un homme d'affaires à la réussite éclatante, j'avais encore du mal à joindre les deux bouts. Il savait que je rencontrais des difficultés financières mais ignorait à quel point. J'étais mortifié. Il avait toujours été là lors des grands moments de gloire, mais j'avais peur qu'il ne m'associe désormais plus qu'à cet instant d'humiliation.

Mais ce n'est pas tout, le propriétaire de l'usine que nous avons visité m'a ri au nez. Il disait qu'il n'était pas question de travailler avec une entreprise louche dont il n'avait jamais entendu parler – « encore moins avec une entreprise de l'Oregon ».

Lors du second voyage, Johnson et moi nous sommes donné rendez-vous à Boston. Je l'ai retrouvé chez Footwear News, où il avait prospecté de nouveaux fournisseurs, et nous avons pris la route pour Exeter dans le New Hampshire, voir une usine désaffectée. Celle-ci avait été construite à l'époque de la Révolution américaine et c'était désormais une ruine. Autrefois, elle avait abrité la Exeter Boot and Shoe Company mais la seule chose qu'elle abritait maintenant était des rats. Lorsque nous avons ouvert les portes et repoussé des toiles d'araignées de la taille de filets de pêche, toutes sortes de créatures ont détalé entre nos jambes et se sont envolées en nous frôlant les oreilles. Pire, il y avait des trous dans le sol : un faux pas et c'était le voyage au centre de la Terre.

Le propriétaire nous a emmenés au troisième étage, qui était utilisable. Il pouvait nous louer l'étage, avec une option pour acheter l'endroit dans sa totalité. Puisque nous aurions également besoin d'aide pour nettoyer les locaux et recruter, il nous a donné le nom d'un type du coin. Un certain Bill Giampietro.

Nous avons rencontré Giampietro le lendemain à la taverne d'Exeter. Quelques minutes ont suffi pour me convaincre que c'était l'homme que nous cherchions. Un vrai *shoe dog*. Il avait la cinquantaine mais pas un seul cheveu blanc. On aurait dit qu'il s'était teint les cheveux avec du cirage noir.

Il avait un fort accent de Boston et le seul sujet de conversation qu'il avait, en dehors des chaussures, était sa femme et ses enfants chéris. Il était le premier de sa famille à vivre aux États-Unis – ses parents venaient d'Italie, où son père était cordonnier (cela ne s'invente pas). Il dégageait de la sérénité. Il avait les mains calleuses des artisans et portait fièrement son uniforme : pantalon taché, chemise en jean tachée dont les manches étaient enroulées jusqu'aux coudes, maculés eux aussi. Il nous a dit que travailler les chaussures était la seule chose qu'il avait faite de sa vie et que pour rien au monde il ne changerait. Il a ajouté « Demandez à n'importe qui ici. Ils vous diront », puis que toute la Nouvelle-Angleterre l'appelait Geppetto car ils pensaient que le père de Pinocchio était cordonnier (en réalité, il est menuisier).

Nous avons tous commandé un steak et une bière puis j'ai retiré une paire de Cortez de ma serviette. J'ai demandé : « Pourriez-vous adapter l'usine d'Exeter pour qu'elle puisse produire ces bijoux ? » Il a saisi les chaussures, les a examinées, les a triturées et a tiré la languette d'un coup sec. On aurait dit un médecin qui auscultait son patient. « Aucun problème, putain ! » a-t-il dit en les laissant tomber sur la table.

Nous en sommes venus à parler d'argent. Il a fait les calculs dans sa tête : en prenant en compte la location et la réparation de l'usine d'Exeter, la main-d'œuvre, le matériel et le reste, il arrivait à 250 000 dollars.

Ça m'allait, je souhaitais aller plus loin avec lui.

Un peu plus tard, alors que je faisais un jogging en sa compagnie, Johnson m'a demandé comment nous allions trouver un quart de million de dollars alors que nous arrivions à peine à payer le steak de Giampietro. Avec calme – en fait, avec le calme d'un fou – je lui ai dit que je comptais faire financer l'opération par Nissho. Surpris, il m'a demandé : « Pourquoi diable Nissho te donnerait de l'argent pour faire tourner une usine ? » Je lui ai répondu : « C'est simple. Je ne vais pas leur dire. » Je me suis arrêté de courir, j'ai posé les mains sur mes genoux et j'ai dit à Johnson que d'ailleurs, c'était lui qui allait diriger l'usine.

Sa bouche s'est ouverte avant de se refermer. Il était stupéfait et a pointé du doigt mes incohérences : je lui avais demandé il y a tout juste un an de traverser le pays pour emménager dans l'Oregon et j'étais en train de le rapatrier sur la côte Est ? Pour travailler avec Giampietro ? Et Woodell ? Avec lequel il avait des relations… pour le moins compliquées ?

Il m'a dit : « C'est la chose la plus dingue que j'aie jamais entendue. Même si on mettait de côté les désagréments et l'absurdité d'un retour sur la côte Est, qu'est-ce que j'y connais, moi, en direction d'usine ? Ça me dépasse complètement. »

Je me suis mis à rire. Je n'arrivais pas à m'arrêter. « Ça te dépasse ? Nous sommes tous dépassés ! Largement dépassés ! »

Il s'était mis à gémir. On aurait dit une voiture qui avait du mal à démarrer un matin d'hiver.

J'ai attendu. Je savais que seules quelques secondes seraient nécessaires.

Il a refusé, s'est énervé, a négocié, a eu l'air déprimé puis a finalement accepté. C'étaient les cinq étapes classiques de Jeff. Enfin, il a laissé échapper un long soupir et dit qu'il savait que c'était une mission lourde de responsabilités et que, comme moi, il n'avait confiance en personne d'autre pour s'y atteler. Pour Blue Ribbon, nous étions tous les deux prêts à entreprendre tout ce qu'il fallait pour gagner, même si cela nous faisait sortir de notre champ de compétences. Il a répété les mots de Giampietro (« Aucun putain de problème ») et m'a dit que même s'il ne connaissait rien à la direction d'une usine, il était prêt à essayer et à apprendre.

Je me suis dit que jamais la peur de l'échec ne paralyserait notre entreprise. Ce n'est pas que nous pensions ne jamais échouer, nous avions plutôt toutes les raisons de penser que nous échouerions un jour. Mais nous étions sûrs de connaître cet échec suffisamment tôt pour en tirer des conclusions et progresser.

Il a froncé les sourcils, fait oui de la tête, avant de dire « OK. *Deal !* »

Johnson s'est donc établi à Exeter fin 1974. Souvent, en pensant à lui tard le soir, un sourire gagnait mon visage et je disais dans ma barbe : « Bonne chance, mon vieux ! ».

Notre contact à la Bank of California, Perry Holland, ressemblait par bien des aspects à Harry White de la First National. Agréable, accueillant, loyal mais d'aucune utilité, ayant une limite de prêts qu'il ne pouvait dépasser en aucun cas et qui était toujours en deçà de nos attentes. Ses responsables hiérarchiques étaient comme ceux de White et nous pressaient de ralentir.

Nous avons fait tout l'inverse de ce qu'ils nous demandaient et avons appuyé sur l'accélérateur. Nous étions en passe d'atteindre un chiffre d'affaires de huit millions de dollars et rien ni personne ne pouvait nous empêcher d'atteindre ce chiffre. Au mépris des recommandations de la banque, nous avons passé des marchés avec de nouveaux points de vente et nous avons ouvert plusieurs boutiques – tout en continuant à signer des contrats avec des athlètes célèbres qui n'étaient pas dans nos moyens.

Pre battait régulièrement le record des États-Unis avec des Nike aux pieds. Le meilleur joueur de tennis du monde, Jimmy Connors, cassait des raquettes en portant nos chaussures. Johnson était son plus grand fan. Pour lui, Connors était le Pre du tennis. Un rebelle iconoclaste. Il m'a recommandé avec insistance d'approcher Connors et de lui faire signer un contrat le plus vite possible. J'ai donc téléphoné à l'agent de Connors à l'été 1974 et je lui ai présenté notre entreprise. Je lui ai dit que nous avions signé avec Nastase pour 10 000 dollars et que nous proposions la moitié pour son poulain. L'agent a sauté sur ma proposition.

Toutefois, Connors est parti disputer Wimbledon avant de signer les documents. Il y a remporté le tournoi à la surprise générale. Avec nos chaussures aux pieds. Il est ensuite rentré au pays, où il a surpris tout le monde en remportant l'US Open. J'avais la tête qui tournait. J'ai téléphoné à l'agent et je lui ai demandé si Connors avait bien signé les documents, car nous voulions commencer à lancer des opérations de promotion avec lui.

« Quels documents ? l'agent a répondu.

– Euh, le contrat. Nous avions un accord, vous ne vous souvenez pas ?

– Je ne me souviens d'aucun accord. On a déjà proposé un contrat trois fois meilleur que le vôtre, dont, encore une fois, je ne me souviens pas. »

Nous étions tous déçus mais au moins nous avions toujours Pre.

Pre fera toujours partie des nôtres.

1975

Payer d'abord Nissho. C'était ce que je chantais le matin sous la douche, c'était l'objet de mes prières, ma priorité numéro un. C'était ce que le Sundance Kid que j'étais disait à son Butch Cassidy, c'est-à-dire Hayes. Je lui disais qu'avant de rembourser la banque, qu'avant de rembourser qui que ce soit… il fallait rembourser Nissho.

Ce n'était pas tant une décision stratégique qu'une nécessité. Les prêts que nous accordait Nissho pouvaient être quasiment considérés comme des fonds propres. Nous avions une ligne de crédit d'un million de dollars à la banquc mais nous avions aussi un crédit d'un million auprès de Nissho, qui avait accepté que sa créance ait une séniorité plus faible, ce qui rassurait la banque. Il était clair que tout se casserait la figure si Nissho n'était pas là. Par conséquent, il était absolument indispensable de garder de bonnes relations avec Nissho et toujours de rembourser Nissho d'abord. Toujours.

Cependant, rembourser Nissho était plus facile à dire qu'à faire. Chaque échéance était une épreuve.

La taille de nos actifs et de nos stocks était en train d'exploser, ce qui mettait notre trésorerie sous pression. Ce problème est typique des entreprises à forte croissance. Mais notre développement était encore plus rapide que la moyenne des entreprises à forte croissance. C'est bien simple, je ne connaissais pas d'entreprise qui grandissait aussi vite. Nos problèmes étaient sans précédent, du moins en apparence.

J'étais en partie responsable de la situation, évidemment. Je refusais l'idée même de passer des commandes plus petites. Ne pas grandir, c'était mourir. Pourquoi passer une commande de deux millions au lieu de trois si vous pensez viscéralement qu'il existe une demande à cinq millions ? Je poussais donc constamment mes banquiers conservateurs dans leurs derniers retranchements, en leur imposant une épreuve de force permanente. Je commandais un nombre de chaussures qui leur paraissait absurdement élevé, que nous aurions de toute évidence du mal à payer et que je payais toujours juste à temps, avant de régler nos autres factures du mois à la dernière minute, en en faisant toujours tout juste assez – et pas plus – pour empêcher les banquiers de nous passer un savon. Puis, à la fin du mois, je vidais nos comptes pour payer Nissho, avant de repartir de zéro à nouveau.

Pour la plupart des observateurs, cela devait paraître une façon extrêmement imprudente et dangereuse de gérer une entreprise, mais j'étais persuadé que la demande pour nos chaussures dépassait encore largement nos ventes. Par ailleurs, 80 % des commandes que nous recevions étaient fiables et garanties par notre programme *Futures*. Nous avancions à plein régime.

D'autres ont pu penser que nous ne devions pas avoir peur de Nissho car après tout, cette société était notre alliée, que nous leur faisions gagner de l'argent et que j'avais une excellente relation avec Sumeragi.

Mais notre dossier a soudainement été retiré à Sumeragi en 1975. Notre compte était devenu trop gros pour lui et il ne pouvait plus prendre les décisions seul. Nous étions désormais supervisés par le directeur du crédit pour la côte Ouest, Chio Suzuki, qui était basé à Los Angeles, et de façon encore plus directe par le directeur financier du bureau de Portland, Tadayuki Ito.

Alors que Sumeragi était chaleureux et d'un abord facile, Ito était quelqu'un d'extrêmement distant. La lumière rebondissait différemment sur lui. En fait, ce n'était pas exactement cela, c'était plutôt comme s'il absorbait la lumière, comme un trou noir. Tout le monde chez Blue Ribbon appréciait Sumeragi – nous l'invitions à chacun des pots que nous organisions au bureau. Mais je ne me souviens pas que nous ayons invité Ito à quoi que ce soit. Dans ma tête, je l'appelais l'homme des glaces.

J'avais encore du mal à établir un contact visuel avec les gens, mais Ito ne me laissait pas l'occasion de détourner le regard. Il me regardait droit dans les yeux, comme s'il sondait mon âme, ce qui avait presque le don de m'hypnotiser. Il le faisait encore plus naturellement quand il sentait qu'il avait le dessus, ce qui était presque toujours le cas. J'ai joué au golf une fois ou deux avec lui et j'ai été frappé par la façon dont il me regardait, même après un coup totalement manqué. Il ne jouait pas bien au golf mais il était si sûr de lui qu'il donnait toujours l'impression d'avoir placé la balle au centre du fairway 350 mètres plus loin.

Je me souviens d'une anecdote en particulier. La façon dont il était habillé au golf, tout comme la façon dont il était habillé au bureau, était méticuleuse. Tout le contraire de moi. Il faisait frais durant l'une de nos parties et je portais un pull en mohair. Au premier tee, Ito m'a demandé en marmonnant dans sa barbe si je comptais aller skier après. Je me suis arrêté net et je me suis retourné pour lui faire face. J'ai esquissé un demi-sourire. C'était la première fois que je voyais l'homme des glaces s'essayer à l'humour. Et aussi la dernière.

Je me devais de toujours le satisfaire. Cela ne s'annonçait pas facile. Je me disais qu'il suffisait que je tâche de toujours bien faire à ses yeux pour que nous puissions lui emprunter davantage et que Blue Ribbon puisse continuer à grandir. Il fallait que je m'assure ses bonnes grâces et tout irait bien. Sinon…

Mon obsession à satisfaire Nissho, c'est-à-dire mon obsession à satisfaire Ito, combinée à mon refus de ralentir notre expansion, était à l'origine de l'atmosphère de frénésie qui régnait dans nos bureaux. Nous nous battions pour honorer nos échéances de remboursement, que ce fût pour la Bank of California ou pour nos autres créanciers, mais le versement à Nissho en fin de mois était une opération aussi délicate que de faire passer un calcul rénal. Nous commencions à transpirer quand nous calculions notre trésorerie disponible et que nous faisions des chèques avec à peine assez d'argent pour les couvrir. Parfois, le versement que nous faisions à Nissho était si gros que nous n'avions plus de trésorerie du tout pendant un jour ou deux, ce qui avait pour conséquence que les autres créanciers devaient attendre.

Je disais à Hayes :

« Tant pis pour eux.

– Je sais, je sais, il faut rembourser Nissho d'abord, me répondait-il en levant les yeux. »

Hayes n'aimait pas cette façon de procéder. Cela le rendait très nerveux. « Que veux-tu faire ? Ralentir ? » Il affichait en réponse un sourire coupable.

De temps en temps, lorsque notre trésorerie était vraiment faible, il est même arrivé que notre compte bancaire soit à découvert. Dans ces cas-là, Hayes et moi devions nous rendre à la banque pour expliquer la situation à Holland. Nous lui montrions nos états financiers, nous insistions sur le fait que nos ventes doublaient chaque année et que notre marchandise se vendait comme des petits pains.

Nous essayions de lui expliquer que l'état de notre trésorerie était temporaire.

Nous savions pertinemment qu'être aussi justes financièrement n'était pas normal. Mais nous nous disions toujours que c'était temporaire. D'ailleurs, nous n'étions pas les seuls dans ce cas. Certaines des plus grosses entreprises américaines et les banques elles-mêmes vivaient sur ce modèle de trésorerie faible. Holland le reconnaissait lui aussi : « Bien sûr, les gars, je comprends. » Il nous disait qu'il pourrait continuer à travailler avec nous tant que nous serions francs et transparents avec lui.

Et puis est arrivé ce funeste jour de printemps 1975. C'était un mercredi après-midi pluvieux. Hayes et moi étions au fond du gouffre. Nous devions rembourser un million de dollars à Nissho, c'était la toute première fois que nous devions faire un versement d'un million, et il nous manquait 75 000 dollars.

Je me souviens que nous étions assis dans mon bureau, à regarder les gouttes de pluie perler sur les vitres. Nous allions de temps en temps jeter un œil à nos comptes, nous jurions devant les chiffres et nous retournions regarder les gouttes de pluie. J'ai dit calmement :

« Nous devons payer Nissho.

– Oui, oui, oui. Mais pour avoir assez de provisions pour couvrir un chèque d'un montant aussi important, nous devrons vider tous nos autres comptes. Tous. Complètement. »

Nous avions des points de vente à Berkeley, Los Angeles, Portland et en Nouvelle-Angleterre et chacun d'eux avait son propre compte en banque. Nous devions tous les vider et rediriger tout l'argent sur le compte du bureau principal pour un jour ou deux – voire trois. Idem pour chaque centime du compte de l'usine d'Exeter de Johnson. Nous devions retenir notre souffle jusqu'à ce que ces comptes soient renfloués. Nous n'avions aucune garantie d'avoir suffisamment d'argent pour couvrir le chèque à Nissho. Nous avions besoin d'un coup de pouce du destin, et notamment d'un règlement ou deux de la part de l'un des nombreux détaillants qui nous devaient de l'argent.

« C'est du financement circulaire, a lâché Hayes.

– C'est de la magie bancaire, ai-je répondu.

– Quelle merde ! Si on regarde nos cash-flows sur les six mois à venir, nous allons bien. C'est ce paiement à Nissho qui fait tout foirer.

– Oui, si nous arrivons à faire ce paiement, nous serons tranquilles pour un moment.

– Mais c'est un sacré paiement.

– Nous avons toujours rassemblé les provisions nécessaires pour couvrir les chèques en un jour ou deux. Mais là, ça pourrait nous prendre quoi ? Trois ? Quatre jours ?

– Je ne sais pas. Honnêtement, je ne sais pas, m'a répondu Hayes.

J'ai suivi du regard deux gouttes de pluie faire la course sur la vitre. Elles étaient au coude à coude.

« *On se souvient de vous pour les règles que vous avez enfreintes.* »

– On tente le tout pour le tout. Fais le paiement à Nissho. »

Hayes a fait oui de la tête et il s'est levé. Nous nous sommes regardés pendant une longue seconde. Il m'a dit qu'il informerait Carole Fields, la responsable de la comptabilité, de notre décision, qu'il lui ferait rassembler les fonds et faire le chèque à Nissho le vendredi.

Je me suis dit que c'était le moment de vérité.

Deux jours plus tard, Johnson était dans son bureau de l'usine d'Exeter à faire de la paperasse lorsqu'une foule de travailleurs en colère se sont soudainement présentés devant sa porte. Ils disaient que les chèques de leurs salaires avaient été refusés et qu'ils étaient venus le voir pour obtenir des réponses.

Évidemment, Johnson n'avait aucune réponse à leur donner. Il les a implorés d'attendre, en leur disant qu'il devait y avoir eu une erreur quelque part. Il a appelé l'Oregon, a réussi à joindre Fields et lui a raconté ce qu'il lui était arrivé. Il s'attendait à ce qu'elle lui dise qu'il y avait un gros malentendu, une erreur de comptabilité. Au lieu de cela, elle a murmuré « Oooh, merde ! » et elle lui a raccroché au nez.

Une simple cloison séparait le bureau de Fields du mien. Elle est immédiatement venue me voir. Elle a lâché :

« Tu me ferais mieux de t'asseoir.
– Je suis déjà assis.
– Les choses sont en train de mal tourner.
– C'est-à-dire ?
– Les chèques. Tous les chèques.

J'ai appelé Hayes. Il devait faire dans les 150 kilos à l'époque mais il a semblé rapetisser devant moi quand Fields nous a donné tous les détails de l'appel de Johnson. Il a dit : « On a peut-être vraiment déconné cette fois. » Je lui ai demandé ce que nous devions faire et il a répondu : « J'appelle Holland. »

Hayes est revenu quelques minutes plus tard avec un air rassuré : « Holland dit que c'est bon, qu'il ne faut pas s'inquiéter et qu'il arrangera ça avec ses supérieurs. »

J'ai soupiré. Nous venions d'éviter la catastrophe.

Toutefois, Johnson n'a pas eu la patience d'attendre nos explications. Il a appelé sa banque, qui lui a appris que son compte était complètement à sec. Il a appelé Giampietro directement après et celui-ci a tout de suite pris sa voiture pour aller voir un vieil ami, un homme qui possédait une entreprise fabriquant des boîtes. Giampietro lui a demandé un prêt de 5 000 dollars en cash. Une demande plutôt scandaleuse. Mais la survie de l'entreprise de boîtes dépendait de celle de Blue Ribbon. Si nous disparaissions, il était fort probable que le même sort leur était réservé. Ainsi, l'homme nous a avancé cinquante billets de cent dollars.

Giampietro s'est ensuite empressé de revenir à l'usine et a payé les salaires de tous les employés en cash, comme Jimmy Stewart maintenant à flot la Bailey Bros. Building & Loan dans le film *La Vie est Belle*.

Hayes est arrivé dans mon bureau d'un pas pesant : « Holland dit que nous devons nous pointer à la banque. Fissa. »

Quelques heures plus tard, nous nous sommes donc retrouvés dans une salle de réunion de la Bank of California. Il y avait d'un côté Holland et deux hommes, dont nous ignorions le nom et qui ressemblaient à des croque-morts, et de l'autre Hayes et moi. Holland, l'air sombre, a pris la parole :

« Gentlemen…

Je me suis dit que cela commençait mal. Étonné par cette façon de nous parler, j'ai répété :

– Gentlemen ? Gentlemen ? Perry, c'est nous.

– Gentlemen, nous avons pris la décision de mettre fin à notre collaboration avec vous. Nous ne voulons plus de votre entreprise chez nous.

Hayes et moi avons écarquillé les yeux.

– Est-ce que ça veut dire que vous nous laissez tomber ? a demandé Hayes.

– C'est ça, a répondu Holland.

– Vous ne pouvez pas faire ça, a dit Hayes.

– Si et c'est ce que nous sommes en train de faire. Nous gelons vos fonds et nous n'honorerons plus aucun chèque que vous tirerez sur ce compte.

– Geler nos… ! J'y crois pas !

– Il va falloir vous y faire. »

Je n'ai rien dit. J'ai enroulé mes bras autour de mon torse et je n'arrêtais pas de me dire que tout cela sentait très mauvais.

Malgré tous les désagréments et la cascade de conséquences négatives qui allaient suivre notre éviction de la Bank of California, je ne pensais qu'à Nissho. Comment allaient-ils réagir ? Comment Ito allait-il réagir ? Je me suis imaginé en train de dire à l'homme de glace que nous ne pourrions pas lui rembourser son million de dollars. J'en frissonnais à l'avance. Je ne me souviens pas de la fin de la réunion. Je ne me souviens pas du moment où nous sommes sortis de la banque, je ne me souviens pas non plus d'avoir traversé la rue et d'avoir pris l'ascenseur pour aller au dernier étage. Je me souviens juste d'avoir tremblé très violemment quand j'ai demandé à l'accueil de Nissho si je pouvais avoir un bref entretien avec monsieur Ito.

Ito et Sumeragi nous ont reçus, Hayes et moi, dans leur salle de réunion. Ils devaient sentir que nous étions fébriles. Ils nous ont menés à nos chaises et ont tous les deux regardé le sol quand j'ai commencé à parler. *Kei*, très *Kei*. J'ai commencé par : « Bien. J'ai une mauvaise nouvelle. Notre banque… nous a laissés tomber. »

Ito a relevé le regard. Il a demandé la raison de cette décision.

Son regard s'est durci mais sa voix était étonnamment douce. J'ai repensé au vent qui soufflait au sommet du mont Fuji. J'ai pensé à la brise légère balançant les feuilles de gingko dans les jardins Meiji. J'ai dit : « Monsieur Ito, savez-vous que les grosses entreprises d'import-export et même les banques vivent avec peu de trésorerie ? Chez Blue Ribbon, il nous arrive de procéder de cette façon de temps en temps, et en particulier le mois dernier. Et le fait est que, eh bien, nous n'avons pas réussi à couvrir nos charges avec nos rentrées d'argent. Conclusion, la Bank of California a décidé de nous évincer. »

Sumeragi a allumé une Lucky Strike. Il a pris une bouffée. Puis deux.

Ito en a fait de même. Mais aucune fumée ne semblait sortir de sa bouche quand il expirait. On aurait dit que celle-ci montait en volutes depuis son col de chemise. Il m'a regardé droit dans les yeux et il a dit : « Ils n'auraient pas dû faire ça. » Mon cœur s'est arrêté de battre. Dans la bouche de Ito, ces mots étaient presque sympathiques. J'ai regardé Hayes, avant de rediriger mon regard vers Ito. Je me suis permis de penser que nous pourrions… peut-être… nous en sortir.

J'ai ensuite réalisé que je ne lui avais pas révélé le pire. J'ai dit : « Quoi qu'il en soit, ils nous ont laissés tomber, monsieur Ito, et le résultat est que je n'ai plus de banque. Je n'ai plus d'argent et je dois verser les salaires et payer mes autres créanciers. Je suis fini si je n'arrive pas à honorer ces obligations. Je mets la clé sous la porte dès aujourd'hui. C'est pourquoi, non seulement je ne peux pas vous rembourser le million de dollars que je vous dois… mais je dois vous demander si je peux vous emprunter un autre million. »

Ito et Sumeragi se sont regardés une demi-seconde avant de me fixer à nouveau. Tout s'est arrêté net dans la pièce. Les poussières en suspension et les molécules d'air se sont figées. Ito a dit : « Monsieur Knight, avant de vous prêter le moindre centime supplémentaire… j'ai besoin de jeter un œil à vos comptes. »

Il était neuf heures du soir quand je suis rentré à la maison. Penny m'a dit que Holland avait téléphoné. Surpris, j'ai répété :

« Holland ?

– Oui. Il a dit que tu devais le rappeler quand tu rentrerais. Il m'a donné son numéro de téléphone personnel. »

Holland a décroché dès la première sonnerie. Plus tôt dans la journée, il s'était montré très dur quand il avait exécuté les ordres de ses supérieurs mais sa voix était redevenue celle d'un être humain. Un être humain triste et stressé.

Il m'a dit :

« Phil, je dois te prévenir… que nous avons dû informer le FBI.

J'ai serré le combiné téléphonique encore plus fort.

– Répète ça. Répète ça, Perry.

– On n'avait pas le choix.

– Qu'est-ce que tu me racontes ?

– C’est… Eh bien, ça ressemble à de la fraude pour nous. »

Je suis allé dans la cuisine et je me suis effondré sur une chaise. Penny m’a demandé ce qu’il se passait.

Je lui ai tout raconté : la faillite, le scandale, la ruine, la totale.

« Il n’y a plus aucun espoir ? m’a-t-elle demandé.

– Tout dépend de Nissho.

– Tom Sumeragi ?

– Et ses responsables.

– Alors, il n’y a pas de problème. Sumeragi t’adore. »

Elle s’est levée. Elle y croyait. Elle était totalement prête à faire face à toute éventualité. Elle a même réussi à aller se coucher.

J’étais beaucoup moins confiant. Je suis resté éveillé une bonne partie de la nuit, à ressasser les centaines de scénarios possibles et à me flageller pour avoir pris de tels risques.

Quand je me suis enfin décidé à aller au lit, mon esprit n’arrivait plus à s’arrêter. Allongé dans le noir, je me disais : « Est-ce que je vais aller en prison ? Moi ? En prison ? »

Je me suis levé, me suis versé un verre d’eau et j’ai été voir si tout allait bien pour les garçons. Ils dormaient profondément, sur le ventre. Qu’allaient-ils faire ? Qu’allait-il advenir d’eux ? Je suis allé dans mon bureau et j’ai fait des recherches sur les lois sur les biens de famille.

J'ai été soulagé d'apprendre que les fédéraux ne pouvaient pas saisir la maison. Ils pouvaient prendre tout le reste mais pas ce sanctuaire de 160 mètres carrés.

J'ai poussé un soupir de soulagement mais il a été de courte durée. J'ai commencé à penser à ma vie. Je me suis remonté plusieurs années en arrière et j'ai remis en question chacune des décisions m'ayant amené à cette situation. Je me suis dit que tout aurait été mieux si j'avais été doué pour vendre des encyclopédies. Tout aurait été différent.

J'ai essayé de reprendre ma bonne vieille méthode d'introspection et je me suis posé la question : « Que sais-tu ? »

Mais je ne savais rien. Enfoncé dans mon fauteuil inclinable, je voulais crier : « Je ne sais rien ! »

Jusque-là, j'avais toujours trouvé une réponse ou un semblant de réponse à chaque problème. Mais je n'avais aucune réponse cette nuit-là. Je me suis levé, j'ai été chercher un bloc-notes et j'ai commencé à faire des listes. Mais mon esprit continuait à divaguer : il n'y avait que des gribouillis sur mon bloc-notes. Des coches, des éclairs, des lignes ondulées.

À la lueur de la lune, tous ces gribouillis ressemblaient à des *swooshs* en colère.

« *Ne dors pas. Ce que tu souhaites le plus ardemment viendra à toi.* »

J'ai réussi à dormir une heure ou deux et j'ai passé le plus clair de ce triste samedi matin au téléphone, à demander conseil à droite à gauche. Tout le monde m'a dit que tout se déciderait le lundi, que c'était peut-être la journée la plus décisive de ma vie et que je devrais agir rapidement et avec assurance. J'ai donc organisé une réunion le dimanche après-midi afin de préparer cette journée capitale.

Nous nous sommes réunis dans la salle de réunion de Blue Ribbon. Il y avait Woodell, qui avait pris le premier avion depuis Boston, Hayes, Strasser, et Cale, qui était venu de Los Angeles. Quelqu'un a apporté des donuts. Un autre a commandé des pizzas. Un autre encore a composé le numéro de Johnson et l'a mis sur haut-parleur. Au début, l'ambiance était maussade dans la pièce, tout simplement car c'était l'humeur dans laquelle j'étais. Mais le fait d'avoir mes amis autour de moi, mon équipe, m'a fait du bien et le fait que je me décrispe a soulagé les autres.

Nous avons parlé jusque tard dans la soirée et s'il y avait bien une chose sur laquelle nous étions tous d'accord, c'est qu'il n'y avait pas de solution facile. Il n'y a généralement pas de solution évidente quand le FBI a un dossier sur vous ou que vous êtes lâché par votre banque pour la deuxième fois en cinq ans.

Vers la fin de la réunion, l'atmosphère est redevenue lourde. On aurait pu croire que l'air de la pièce avait été vicié et la pizza empoisonnée. Un consensus s'est formé. Celui-ci était que notre destin, quel qu'il fût, n'était pas entre nos mains et dépendait des autres.

Nissho était notre meilleur espoir.

Nous avons discuté de la tactique à adopter le lundi matin. C'était le moment où les hommes de Nissho étaient censés arriver chez nous. Ito et Sumeragi allaient disséquer notre comptabilité et si nous n'avions aucune idée de ce qu'ils pourraient penser de nos finances, une chose était courue d'avance : ils allaient se rendre compte très vite que nous avions utilisé une bonne partie de leurs financements pour faire tourner une usine secrète à Exeter et pas pour acheter des chaussures à l'étranger. Dans le meilleur des cas, ils seraient furieux. Dans le pire, cela les rendrait totalement fous et cela pouvait provoquer une catastrophe. S'ils considéraient ces tours de passe-passe comptable comme de la trahison pure et simple, ils nous laisseraient tomber eux aussi et c'était la faillite assurée. C'était aussi simple que cela.

Nous avons parlé de l'éventualité de leur cacher l'existence de l'usine. Mais tout le monde autour de la table était d'accord pour dire que nous devions jouer ce coup dans les règles. Tout comme pour le procès Onitsuka, nous devions respecter une transparence totale. Cela nous paraissait la bonne chose à faire, que ce soit sur le plan stratégique ou sur le plan moral.

Les téléphones n'ont pas cessé de sonner tout au long de cette réunion. Nos créanciers essayaient de savoir ce qu'il se passait et pourquoi nos chèques étaient refusés. Deux d'entre eux en particulier étaient furieux. Bill Shesky, le patron de Bostonian Shoes, était le premier. Nous lui devions la coquette somme d'un demi-million de dollars et il nous a appelés pour nous prévenir qu'il allait prendre l'avion pour l'Oregon afin de la récupérer. Bill Manowitz, le patron de Mano International, une société d'import-export de New York, était le second. Nous lui devions 100 000 dollars et lui aussi nous annonçait qu'il arrivait dans l'Oregon pour récupérer son argent.

J'ai été le dernier à partir après notre réunion. J'ai eu du mal à parvenir jusqu'à ma voiture. De nombreuses fois dans ma vie, j'avais fini des courses sur les rotules, sans aucune énergie mais cette nuit-là, je n'étais même pas sûr d'avoir la force de prendre la voiture pour rentrer à la maison.

Ito et Sumeragi sont arrivés parfaitement à l'heure le lundi matin. À neuf heures pile, ils se sont présentés dans nos locaux habillés de la même façon : ils portaient tous les deux un costume et une cravate sombres et ils avaient tous les deux une serviette noire à la main. Cela m'a fait penser à tous les films de samouraïs que j'avais pu voir et à tous les livres sur les ninjas que j'avais pu lire. Cela ressemblait à toutes les scènes qui précèdent le meurtre rituel du mauvais *shogun*.

Ils sont allés tout droit dans notre salle de réunion, après avoir traversé le hall d'entrée sans s'arrêter. Ils s'y sont assis. Sans un mot, nous avons posé une pile de documents comptables devant eux. Sumeragi a allumé une cigarette et Ito a débouché son stylo-plume. Ils se sont tout de suite mis au travail. Tapotant sur leurs calculatrices, prenant des notes sur leurs carnets, avalant d'innombrables tasses de café et de thé vert, Ito et Sumeragi se sont mis à éplucher tous nos dossiers méticuleusement et à étudier chaque détail très minutieusement.

Je rentrais et sortais de la pièce toutes les quinze minutes pour leur demander s'ils avaient besoin de quelque chose. Ils n'ont jamais rien voulu.

Un auditeur de la banque est arrivé peu de temps après pour venir chercher la comptabilisation de tous nos encaissements. Il se trouvait qu'un chèque de 55 000 dollars de United Sporting Goods figurait parmi notre courrier du jour. Nous le lui avons montré : il était sur le bureau de Carole Fields. C'était le chèque en retard qui avait fait tomber tous les dominos un à un. Cela, combiné à nos recettes de la journée, permettait de combler notre déficit. L'auditeur de la banque a appelé la banque de United Sporting Goods à Los Angeles afin de demander si le compte de cette entreprise pouvait été débité immédiatement et les fonds transférés sur notre compte de la Bank of California. La banque de Los Angeles a refusé, car le compte de United Sporting Goods n'était pas suffisamment approvisionné.

United Sporting Goods aussi opérait avec une trésorerie faible, en utilisant ses recettes pour payer directement ses charges.

Sentant déjà poindre une migraine atroce, je suis retourné dans la salle de réunion. Je sentais que nous approchions du moment décisif. Penché sur les livres de compte, Ito a tout compris devant mes yeux, en réalisant qu'il avait été la bonne poire qui avait financé notre usine secrète d'Exeter.

Il a levé les yeux vers moi et a avancé la tête comme pour dire : « Vraiment ? »

J'ai fait oui de la tête.

Et... il a souri. Ce n'était qu'un demi-sourire mais il était lourd de sens.

Je lui ai adressé un léger demi-sourire en retour. Cet échange court et silencieux a scellé le destin et l'avenir de très nombreuses personnes.

* * *

Ito et Sumeragi étaient encore dans nos locaux après minuit, encore occupés avec leurs calculatrices et leurs carnets de notes. Ils ont promis de revenir tôt le lendemain lorsqu'ils se sont enfin décidés à rentrer chez eux. Après quoi, je suis rentré à la maison. Penny m'avait attendu. Nous nous sommes assis dans la salle à manger et je lui ai fait un bilan de la journée. Nous étions d'accord sur le fait que Nissho avait déjà terminé son audit de nos comptes et qu'ils savaient déjà avant le déjeuner tout ce qu'il y avait à savoir. Le reste n'était qu'une punition.

Penny m'a dit : « Ne les laisse pas te bousculer comme ça !

– Tu plaisantes ? Ils peuvent me bousculer autant qu'ils veulent. Ils sont mon seul espoir.

– Au moins, il n'y aura plus de surprises, a-t-elle dit.

– Oui. Il n'y a plus de cadavres dans le placard. »

Le lendemain matin à neuf heures, Ito et Sumeragi étaient de retour et avaient repris place dans la salle de réunion. J'ai fait un tour dans les bureaux et j'ai dit à tout le monde : « C'est presque fini. Il faut juste patienter un peu plus longtemps. Ils n'ont plus rien d'autre à trouver. »

Peu de temps après leur arrivée, Sumeragi s'est levé, s'est étiré et a eu l'air de vouloir sortir fumer dehors. Il s'est dirigé vers moi, en faisant mine de vouloir me parler. Nous sommes allés dans mon bureau.

Il m'a dit :

« Je crains que cet audit ne se passe plus mal que ce que vous imaginez.

– Comment ? Pourquoi ?

– Parce que j'ai différé... Il m'est parfois arrivé de ne pas faire passer les factures tout de suite.

– Tu as fait quoi ? »

Avec un air de chien battu, Sumeragi m'a expliqué qu'il avait été inquiet pour nous à plusieurs reprises et qu'il avait essayé de nous aider à gérer nos problèmes de crédit en cachant les factures de Nissho dans un tiroir. Il les retenait et attendait d'avoir l'impression que nous avions suffisamment d'argent pour les envoyer aux personnes de la comptabilité. En conséquence, les remboursements que nous devions leur faire apparaissaient plus faibles dans la comptabilité de Nissho que ce qu'ils étaient réellement. En d'autres termes, alors que nous nous sommes arraché maintes et maintes fois les cheveux pour payer Nissho en temps et en heure, nous les remboursions en réalité toujours en retard, simplement parce que Sumeragi ne nous facturait pas à temps, pensant nous rendre service. J'ai dit à Sumeragi : « Ce n'est pas bon. » En allumant une Lucky Strike, Sumeragi a confirmé : « Effectivement, ce n'est vraiment, vraiment pas bon. »

Je l'ai raccompagné à la salle de réunion et nous avons tout raconté à Ito, qui était évidemment consterné. Au début, il a soupçonné Sumeragi d'agir pour notre compte. Je ne pouvais pas lui en vouloir. Une conspiration était l'explication la plus logique. J'aurais pensé à la même chose à sa place. Mais Sumeragi, qui donnait l'impression d'être sur le point de se prosterner devant Ito, a juré sur sa vie qu'il avait agi seul et que c'était lui le seul fautif.

« Pouvoir avoir fait une telle chose ? a demandé Ito.

– Parce que je pense que Blue Ribbon peut devenir un grand succès. Peut-être un compte de 20 millions de dollars. Je serre souvent la main de monsieur Steve Prefontaine. Je serre la main de monsieur Bill Bowerman. Je vais souvent voir les matchs des Trail Blazers avec monsieur Phil Knight. Il m'arrive même d'emballer des commandes à l'entrepôt. Nike est un peu comme mon bébé. C'est toujours bon de voir son enfant grandir. »

– Donc vous avez caché des factures parce que… vous… aimez ces hommes ? »

Pris d'une honte profonde, Sumeragi a incliné la tête et a dit : « *Hai.* »

Je n'avais aucune idée de ce qu'Ito pourrait faire. Mais je ne pouvais pas me permettre de rester dans les parages pour essayer de le savoir, car j'ai soudain eu un autre problème. Mes deux créanciers les plus furieux venaient juste d'atterrir. Shesky de Bostonian et Manowith de Mano étaient tous les deux à Portland et s'apprêtaient à nous rendre visite.

J'ai rapidement réuni tout le monde dans mon bureau et j'ai donné mes instructions : « Les enfants – on passe en mode Alerte Rouge. Ce bâtiment de 420 m², est sur le point de grouiller de gens à qui nous devons de l'argent. Peu importe ce que nous avons à faire aujourd'hui, nous ne pouvons pas nous permettre qu'ils se rencontrent. Nous leur devons déjà de l'argent, pas la peine d'en rajouter. Si leurs chemins se croisent dans l'entrée, si un créancier en colère rencontre un autre créancier en colère et s'ils en viennent à comparer leurs ardoises, ils vont flipper sérieusement. Ils pourraient faire équipe et se mettre d'accord sur une sorte d'échéancier de remboursements commun ! Ce serait Armageddon pour nous. »

Nous avons donc élaboré un plan. Nous avons assigné une personne à chaque créancier, quelqu'un qui garderait un œil sur lui à tout moment, qui l'accompagnerait même aux toilettes. Nous avons également désigné une personne pour tout coordonner, une personne qui ferait office de contrôleur aérien et qui s'assurerait que les créanciers et les personnes les accompagnant soient toujours dans des espaces disjoints. Dans le même temps, je devais courir de salle en salle, afin de présenter mes excuses et de faire des génuflexions.

À certains moments, la tension était insoutenable. À d'autres, on aurait dit un mauvais film des Marx Brothers. Mais notre plan a fonctionné. Les créanciers ne sont jamais tombés l'un sur l'autre. Ce soir-là, Shesky et Manowitz ont quitté nos locaux rassurés, lâchant même quelques compliments sur Blue Ribbon.

Nissho est parti quelques heures plus tard. Lorsqu'il est parti, Ito s'était rangé à l'idée que Sumeragi avait agi de façon unilatérale et qu'il avait caché des factures sur sa propre initiative et à mon insu. Il m'avait aussi pardonné mes péchés, y compris l'usine secrète, en me disant : « Il y a des choses pires que l'ambition. »

Seul un problème persistait mais celui-ci était de taille : le FBI. Tous les autres problèmes paraissaient fades en comparaison.

Tard le lendemain matin, Hayes et moi sommes allés en centre-ville. Nous avons très peu parlé dans la voiture. Nous avons très peu parlé dans l'ascenseur pour nous rendre dans les locaux de Nissho. Nous avons rencontré Ito dans l'antichambre de son bureau. Il n'a rien dit et il a fait une révérence. Nous avons fait de même. En silence, nous avons ensuite pris l'ascenseur pour revenir au rez-de-chaussée et nous avons traversé la rue. Pour la seconde fois de la semaine, j'ai imaginé Ito en samouraï mythique maniant un sabre orné de pierres. Mais cette fois-ci, c'était pour me défendre.

Je me disais : « Si seulement je pouvais compter sur sa protection quand j'irai en prison. »

Nous sommes entrés dans les locaux de la Bank of California et nous avons demandé à parler à Holland. La personne à l'accueil nous a demandé de nous asseoir pour patienter.

Cinq minutes se sont écoulées.

Puis dix.

Holland a finalement fait son apparition. Il a serré la main d'Ito et nous a fait un signe de la tête, à Hayes et moi, avant de nous emmener dans une salle de réunion, exactement la même que celle où il nous avait achevés quelques jours plus tôt. Holland nous a dit que messieurs Untel et Untel allaient nous rejoindre. Nous sommes restés silencieux et nous avons attendu que les acolytes de Holland soient libérés de je-ne-sais-quelle crypte dans laquelle ils étaient retenus prisonniers. Ils ont fini par arriver et ont pris place à côté de lui. Personne ne savait vraiment qui devait prendre la parole en premier. C'était le dernier tour d'une partie dont les enjeux étaient énormes.

Ito s'est touché le menton et s'est décidé à parler le premier. Il a fait *all-in* tout de suite. Un putain de *all-in*.

En ne regardant que Holland, il a dit :

« Gentlemen, d'après ce que j'ai compris, vous refusez dorénavant de tenir le compte de Blue Ribbon ?

Holland a fait oui de la tête :

– Oui, c'est exact, monsieur Ito.

– Dans ce cas, Nissho voudrait rembourser la dette de Blue Ribbon. La totalité.

Holland était incrédule :

– La totalité… ?

Ito a grogné. Je lançais des regards noirs à Holland, j'avais envie de lui dire : « C'est comme ça qu'on dit "Tu veux vraiment que je répète ?" en japonais. »

– Oui. Quel est le montant exact ?

Holland a écrit un chiffre sur son bloc et a glissé le papier à Ito, qui y a jeté un coup d'œil rapide.

– Très bien. C'est ce que vos employés ont dit aux miens. Donc voilà.

Ito a ouvert sa serviette, en a retiré une enveloppe et l'a glissé à Holland :

– Voilà un chèque pour la totalité du montant.

– Il sera encaissé demain à la première heure.

– Il sera même encaissé aujourd'hui, le plus vite possible.

Holland a bredouillé :

– OK, d’accord, aujourd’hui.

Ses acolytes avaient l’air déroutés, terrifiés.

Ito a pivoté sur sa chaise afin de leur jeter un regard glacial à tous les trois.

Il a dit :

– Il y a autre chose. Je crois savoir que votre banque est en train de négocier pour devenir la banque de Nissho à San Francisco.

– C’est exact, a répondu Holland.

– Eh bien, je dois vous informer que vous perdrez votre temps à poursuivre ces négociations.

– Vous êtes sûr ?

– Tout à fait sûr. »

L’homme de glace était soudain devenu un demi-Dieu pour moi.

Je me suis tourné vers Hayes et j’ai essayé de toutes mes forces de ne pas sourire. En vain.

J’ai ensuite regardé Holland droit dans les yeux. Son regard fixe trahissait ses pensées. Il savait que la banque avait trop tiré sur la corde. À partir de ce moment, j’ai compris qu’il n’y aurait pas d’enquête du FBI. La banque et lui ne voulaient plus entendre parler de cette histoire. Ils avaient traité misérablement l’un de leurs bons clients et ils ne voulaient pas répondre de leurs actes.

J’ai compris que nous n’entendrions plus jamais parler d’eux.

J’ai regardé les deux types à côté de Holland et j’ai dit « Gentlemen » en me levant pour clore l’entrevue.

« Gentlemen », c'est parfois le langage des affaires pour dire : « Tu prends ton FBI et tu te le mets où je pense. »

Une fois sortis de la banque, je me suis incliné devant Ito. Je l'aurais bien embrassé mais je me suis contenté de faire une révérence. Hayes a fait la révérence lui aussi, bien que je me sois demandé à un moment s'il n'était pas en train de s'effondrer en avant à cause de tout le stress des trois jours qui avaient précédé.

J'ai dit à Ito : « Merci. Vous ne regretterez jamais de nous avoir défendu de cette manière. »

Il a réajusté sa cravate et il a dit : « Quelle stupidité. »

J'ai d'abord cru qu'il parlait de moi. Puis j'ai réalisé qu'il parlait de la banque quand il a ajouté : « Je n'aime pas la stupidité. Les gens accordent trop d'importance aux chiffres. »

PARTIE DEUX

« Aucune grande idée n'est jamais née lors d'une conférence, mais beaucoup d'idées stupides y meurent. »

F. Scott Fitzgerald

1975

Il n'y a eu ni fête ni danse de la victoire. Même pas eu un peu d'agitation dans les couloirs. Nous n'en avions pas le temps. Nous n'avions toujours pas de banque. Toutes les entreprises ont besoin d'une banque.

Hayes a listé les principales banques de l'Oregon. Elles étaient toutes bien plus petites que la First National ou la Bank of California, mais tant pis : faute de grives, on mange des merles.

Les six premières nous ont raccroché au nez. Pas la septième, la First State Bank of Oregon. Celle-ci était implantée à Milwaukie, une petite ville à une demi-heure de route de Beaverton. « Passez nous voir » m'a dit le président quand j'ai pu l'avoir au téléphone. Il m'a promis une ligne de crédit d'un million de dollars, ce qui constituait la limite de sa banque.

Nous y avons domicilié notre compte le jour-même.

Cette nuit-là, pour la première fois en deux semaines, j'ai réussi à dormir.

Le lendemain matin, j'ai pris mon temps pour déjeuner et discuter avec Penny du week-end du Memorial Day qui approchait. Je lui ai dit que je ne souvenais pas depuis quand j'avais autant eu envie de prendre des vacances. J'avais besoin de repos et de sommeil. J'avais aussi envie de bien manger – et je voulais aller voir Pre courir. Penny a eu un sourire désabusé : « Toujours joindre l'utile à l'agréable… »

Elle me connaissait par cœur.

Le week-end en question, Pre organisait un meeting à Eugene et il avait invité les meilleurs coureurs du monde, et en particulier son ennemi juré, le Finlandais Viren. Viren s'était désisté au dernier moment, mais un groupe d'excellents coureurs étaient présents, dont un marathonien impétueux répondant au nom de Frank Shorter, qui venait tout juste de remporter la médaille d'or aux Jeux olympiques de Munich, sa ville natale. Coriace, intelligent, cet avocat qui habitait dans le Colorado était en train de devenir aussi célèbre que Pre. Ces deux-là étaient bons amis. J'avais le secret espoir de lui faire signer un contrat.

Vendredi soir, Penny et moi sommes allés à Eugene et nous avons pris place au milieu des sept mille fans survoltés de Pre. L'épreuve des 5 000 mètres fut très disputée et assez brutale. Pre n'était pas à son meilleur niveau, c'était une évidence. Shorter était en tête à l'entame du dernier tour. Mais, dans les 200 derniers mètres, Pre a fait du Pre : il a puisé dans ses réserves et a donné tout ce qu'il pouvait. Alors que Hayward était en délire, Pre a mis les gaz et gagné la course en 13 minutes, 23 secondes et 8 centièmes, soit 1,6 seconde de mieux que son record personnel.

Pre était connu pour sa phrase : « Il se peut que quelqu'un me batte, mais il va devoir saigner pour le faire. » Je n'avais jamais eu autant d'admiration pour lui qu'en le voyant courir ce week-end de mai 1975. Je ne m'étais jamais autant identifié à lui. Je me suis dit qu'il se pouvait que quelqu'un – un banquier, un créancier ou un concurrent – mette fin à mon aventure, mais qu'il allait devoir saigner pour le faire.

Une fête était organisée après la course chez Hollister. Penny et moi voulions y aller mais nous en avons été dissuadés par les deux heures de route qui nous attendaient pour rentrer. « Les enfants… » avons-nous dit à Pre, Shorter et Hollister en leur disant au revoir.

Le lendemain matin, le téléphone a sonné avant l'aube. J'ai cherché le combiné à tâtons dans le noir.

« Allo ?

– Buck ?

– Qui est au bout du fil ?

– Buck, c'est Ed Campbell… de la Bank of California.

– Bank of California ?

La Bank of California qui m'appelait au milieu de la nuit ? Je me suis dit que j'étais en train de faire un cauchemar.

– Bon sang, vous n'êtes plus notre banque, vous nous avez mis dehors.

Il m'a alors dit que son appel n'avait rien de professionnel. Il avait entendu dire que Pre était mort.

– Mort ? C'est impossible. On l'a vu courir hier soir.

Mort. Mort. Mort. Il n'arrêtait pas de me répéter ce mot. Il parlait d'un accident que Pre aurait eu.

– Buck ? T'es là ? Buck ? »

Je tâtonnais pour trouver l'interrupteur. J'ai appelé Hollister, qui a eu la même réaction que moi et qui disait que ce n'était pas possible. « Pre était ici. Il allait bien quand il est parti. Je te rappelle. »

Il m'a rappelé quelques minutes plus tard. En sanglots.

Les seules informations que nous avons réussi à glaner étaient que Pre avait raccompagné Shorter chez lui après la fête et qu'il avait perdu le contrôle de sa voiture après l'avoir déposé. Sa magnifique MG caramel, achetée avec sa première paie de chez Blue Ribbon, avait heurté un gros rocher le long de la route. La voiture avait tourné sur elle-même dans les airs et Pre avait été projeté du véhicule. Il s'était retrouvé par terre sur le dos et le véhicule était retombé sur sa poitrine.

Pre avait pris une bière ou deux lors de la soirée mais tous ceux qui l'ont vu partir ont juré qu'il n'était pas ivre.

Pre avait vingt-quatre ans. Exactement l'âge que j'avais quand je suis parti à Hawaï avec Carter, c'est-à-dire quand ma vie a commencé. À vingt-quatre ans, je ne savais pas encore qui j'étais. En revanche, Pre, lui, savait très bien qui il était. Le monde entier le savait. Il détenait à sa mort le record des États-Unis pour toutes les distances comprises entre 2 000 et 10 000 mètres, et entre 2 et 5 miles. Il avait surtout réussi à se faire une place dans notre imaginaire, pour l'éternité.

Dans son éloge funèbre, Bowerman a naturellement parlé des exploits sportifs de Pre mais il a insisté sur le fait que la vie et la légende de Pre représentaient beaucoup plus. Pre était certes déterminé à devenir le meilleur coureur du monde, mais il voulait être bien plus que cela. Il voulait briser les chaînes mises aux pieds de tous les coureurs par des bureaucrates et des gratte-papiers minables et voulait faire disparaître les règles absurdes qui gâchaient la vie des athlètes amateurs et les empêchaient d'exploiter leur potentiel. Lorsqu'il est descendu de l'estrade, j'ai trouvé Bowerman vieilli. En le regardant regagner sa chaise d'un pas chancelant, je me suis demandé où il avait bien pu trouver la force de prononcer ces mots.

Penny et moi n'avons pas suivi le cortège jusqu'au cimetière. Nous étions à bout de nerfs. Nous n'avons pas non plus été parler à Bowerman. D'ailleurs, Bowerman et moi n'avons jamais reparlé de la mort de Pre par la suite, c'était au-dessus de nos forces.

J'ai entendu dire quelque temps plus tard qu'il se passait quelque chose à l'endroit où Pre était mort. C'était devenu un lieu de pèlerinage. Des gens s'y rendaient chaque jour, en y laissant des fleurs, des lettres, des mots, des cadeaux – dont des Nike. Je me suis dit que quelqu'un devrait les récupérer afin de les mettre en lieu sûr. Je me suis souvenu de tous les lieux saints que j'avais visités en 1962. Il fallait que quelqu'un s'occupe de mettre en forme un monument commémoratif, le « rocher de Pre », et j'ai décidé que ce quelqu'un serait nous. Nous n'avions pas d'argent à consacrer à ce genre de choses. Mais j'en ai discuté avec Johnson et Woodell et nous avons convenu qu'aussi longtemps que vivrait Blue Ribbon, nous trouverions de l'argent pour honorer Pre.

1976

Maintenant que nos problèmes de banque étaient derrière nous et que j'étais raisonnablement sûr de ne pas aller en prison, je pouvais revenir à mes questions existentielles : « Que sommes-nous en train d'essayer de construire ? » ; « Quel type d'entreprise voulons-nous être ? »

Comme la plupart des entreprises, nous avions des modèles. Sony, par exemple. Sony était le Apple de l'époque. Profitable, innovant, efficace et qui de surcroît traitait bien ses employés. Quand on me posait la question, je disais souvent que je voulais que notre entreprise soit comme Sony. Mais j'aspirais aussi à quelque chose de plus.

Je me creusais les méninges, j'essayais de savoir ce qu'il y avait au fond de mon cœur mais la seule chose qui me venait était : « Gagner. » Ce n'était pas grand-chose, mais c'était de très loin mieux que le contraire. Je ne voulais perdre sous aucune condition. Perdre, c'était mourir. Blue Ribbon était comme mon troisième enfant et je ne pouvais pas supporter l'idée que ce que j'avais créé meure.

Je me suis dit qu'elle devait vivre. C'était tout ce que je savais.

Plusieurs fois lors des premiers mois de 1976, Hayes, Woodell, Strasser et moi nous sommes réunis en petit comité autour de sandwichs et de sodas pour évoquer nos objectifs ultimes. Pour discuter de l'idée de gagner ou de perdre. Nous étions tous d'accord pour dire que l'argent n'était pas notre objectif mais que c'était le seul moyen de parvenir à réaliser nos rêves.

Nissho nous prêtait des millions. Notre relation avec eux paraissait solide et même renforcée par notre crise récente. Chuck Robinson avait raison quand il m'avait dit : « Les meilleurs partenaires que tu puisses rêver d'avoir. » Mais nous avions besoin d'emprunter bien plus pour réussir à suivre la demande toujours plus forte pour nos chaussures et pour continuer à grandir. Notre nouvelle banque nous prêtait de l'argent mais étant donné qu'elle était de taille modeste, nous avions déjà atteint notre plafond légal d'endettement chez elle. À un moment donné, les discussions Woodell-Strasser-Hayes-Knight de 1976 ont commencé à évoquer la solution la plus logique d'un point de vue arithmétique, mais aussi la plus difficile d'un point de vue émotionnel : l'ouverture de notre capital.

D'un côté, l'idée était très séduisante. Ouvrir notre capital nous apporterait de grosses quantités d'argent en un éclair. Mais de l'autre, c'était très périlleux, l'ouverture de capital étant souvent synonyme de perte de contrôle. Cela pouvait nous amener à travailler pour quelqu'un d'autre, à subitement devoir rendre des comptes aux actionnaires, à des centaines voire des milliers d'inconnus, dont de grosses sociétés d'investissement.

Ouvrir notre capital pouvait nous transformer du jour au lendemain en ce que nous détestions, en ce que nous avions fui toute notre vie.

À titre personnel, j'étais de plus crispé par des considérations d'ordre sémantique. Avec mon caractère timide, appréciant le caractère intime de ce que nous avions créé, je trouvais l'expression « ouverture du capital » elle-même rebutante. Non merci.

Pourtant, lors de mes courses nocturnes, je me demandais souvent si ma vie n'avait pas été qu'une sorte de recherche de liens avec les autres. Courir pour Bowerman, parcourir le monde avec un simple sac à dos, monter une entreprise, me marier avec Penny, rassembler des frères d'arme pour diriger Blue Ribbon – est-ce que tout cela n'avait pas été d'une façon ou d'une autre une ouverture ?

Toutefois, in fine, nous avons décidé qu'ouvrir notre capital n'était pas la bonne chose à faire. Nous nous sommes dit que ce n'était pas pour nous, qu'il n'en était pas question. Jamais.

Nous sommes repartis à la recherche de nouveaux moyens de financement.

Une opportunité nous est tombée dessus. First State Bank nous a encouragés à solliciter un prêt d'un million de dollars, pour lequel l'U.S. Small Business Administration se porterait garante.

C'était un moyen pour la petite banque qu'elle était d'augmenter son stock de crédits à peu de frais, car cela lui permettait d'aller au-delà du montant maximal de prêts qu'elle pouvait accorder. Nous nous sommes donc exécutés, principalement pour leur faciliter la vie.

Comme c'est souvent le cas, la procédure s'est avérée plus compliquée qu'elle n'en avait l'air au premier abord. First State Bank et la Small Business Administration ont exigé que Bowerman et moi, qui étions actionnaires majoritaires, nous portions également garants pour le prêt, à titre personnel. Je n'y voyais pas d'inconvénient, nous l'avions déjà fait chez First National et Bank of California. J'étais déjà endetté jusqu'au cou, alors une garantie de plus ou de moins ne changeait pas grand-chose.

En revanche, l'idée contrariait Bowerman. Retraité, vivant de sa pension, échaudé par les mésaventures des années précédentes et très affecté par la disparition de Pre, il ne souhaitait pas prendre davantage de risques. Il craignait de perdre son havre de paix sur sa montagne.

Plutôt que de se porter garant personnellement, il m'a proposé de me céder les deux tiers de ses parts chez Blue Ribbon à prix réduit.

Je n'étais pas d'accord. Outre le fait que je n'avais pas l'argent pour acheter ses parts, je ne voulais pas perdre la pierre angulaire de mon entreprise, l'un des points de repère les plus importants de ma psyché. Mais Bowerman était inflexible et je savais qu'il ne servait à rien d'insister. Nous sommes allés voir Jaqua et lui avons demandé de faire la médiation dans cette opération. Jaqua était le meilleur ami de Bowerman, mais je m'étais autorisé à penser qu'il était également l'un de mes amis. Je lui faisais entièrement confiance.

Je lui ai dit que je ne voulais pas que notre partenariat se termine. Bien que j'aie accepté à contrecœur de racheter les parts de Bowerman (en étalant le paiement sur cinq ans, de manière à ce que les échéances soient relativement faibles), je l'ai supplié de garder une participation minoritaire et de rester avec nous en tant que vice-président et membre de notre petit conseil d'administration.

Bowerman a accepté. Nous nous sommes tous serré la main.

Alors que nous étions occupés avec nos histoires de cessions de parts, le dollar était en chute libre. Il dévissait complètement face au yen. Avec l'augmentation du coût du travail au Japon, c'était désormais la menace la plus imminente pour notre existence. Même si nous avions diversifié nos sources de production et construit de nouvelles usines en Nouvelle-Angleterre et à Porto Rico, une très grande partie de notre production était encore réalisée au Japon, chez Nippon Rubber. La possibilité d'une rupture d'approvisionnement soudaine qui paralyserait notre activité était réelle, surtout avec l'emballement de la demande pour la Waffle de Bowerman.

Avec sa semelle extérieure unique, sa semelle intercalaire amortissante et son prix relativement bas par rapport à la concurrence (24,95 dollars), la Waffle continuait à conquérir l'imaginaire collectif comme aucune autre chaussure auparavant. Non seulement elle offrait des sensations différentes, mais elle se distinguait aussi radicalement d'un point de vue visuel. Avec son empeigne rouge vif et son gros *swoosh* blanc, elle provoquait une révolution esthétique. Son apparence attirait des centaines de milliers de nouveaux clients chez Nike et sa qualité assurait leur fidélité. Elle avait une meilleure traction et un meilleur amorti que n'importe quelle autre chaussure sur le marché.

En observant cette chaussure passer en 1976 du statut d'accessoire populaire à celui d'objet culturel, j'ai eu une idée : « Il se pourrait que les jeunes se mettent à les porter pour aller en classe. »

D'autres au bureau.

D'autres au supermarché.

Et à n'importe quel moment de la vie quotidienne.

C'était une idée un peu prétentieuse. Adidas n'avait que moyennement réussi à faire transformer des chaussures de sport en vêtements de tous les jours avec ses tennis Stan Smith et ses chaussures de course Country. Mais ni les premières ni les secondes n'étaient aussi distinctives, aussi populaires que nos chaussures d'entraînement gaufrées. J'ai donc demandé à nos usines de commencer à les faire en bleu, ce qui passerait mieux avec des jeans, et c'est là que cela a vraiment décollé.

Nous n'arrivions pas à en fabriquer suffisamment. Les détaillants et les commerciaux se mettaient à genoux, nous suppliant de leur fournir autant de Waffle que possible. Le décollage de nos chiffres de vente était en train de transformer notre entreprise, voire notre industrie elle-même. Nos bons chiffres nous amenaient à reconsidérer nos objectifs de long terme, parce qu'ils nous offraient quelque chose dont nous avions toujours manqué : une identité. Nike était en train de se faire une réputation, à tel point que nous devions penser à changer le nom de l'entreprise. Nous avons décidé que Blue Ribbon avait fait son temps et nous sommes devenus Nike, Inc.

Pour que cette entité rebaptisée continue de grandir et surtout survive à l'affaiblissement du dollar, il fallait encore et toujours augmenter la production. Il n'était pas normal que les commerciaux se mettent à genoux pour obtenir de la marchandise, cela ne pouvait pas durer. Nous étions dans l'obligation de trouver de nouveaux lieux de production, hors du Japon. Les usines que nous avions déjà en Amérique et à Porto Rico nous dépannaient bien mais c'était loin d'être suffisant. Elles étaient trop vieilles et trop chères. Au printemps 1976, le moment était venu de se tourner vers Taïwan.

J'ai pensé à Jim Gorman pour être notre homme sur place. C'était un employé respecté, connu pour sa loyauté quasi fanatique envers Nike. Après avoir enchaîné les familles d'accueil dans son enfance, Gorman semblait avoir trouvé chez Nike la famille qu'il n'avait jamais eue. Ce chic type avait fait preuve jusque-là d'un esprit d'équipe remarquable. C'est par exemple Gorman qui avait accompli la tâche désagréable de conduire Kitami à l'aéroport après notre affrontement final dans le bureau de Jaqua en 1972. Il l'avait fait sans se plaindre une seule fois. C'était aussi Gorman qui avait eu la lourde responsabilité de reprendre le magasin d'Eugene à la suite de Woodell. Enfin, c'était lui qui avait tenu à porter des pointes Nike de mauvaise qualité lors des sélections pour les Jeux olympiques de 1972. À chaque occasion, Gorman avait donné satisfaction et toujours eu un comportement irréprochable. Il semblait être le candidat idéal pour notre prochaine mission impossible : Taiwan. Mais je devais d'abord lui faire un cours intensif sur l'Asie. J'ai donc programmé un voyage uniquement pour lui et moi.

Lors du vol au-dessus du Pacifique, Gorman s'est montré un étudiant passionné, il buvait mes paroles. Il m'a interrogé longuement sur mes expériences, sur mes lectures et mes avis et il a pris des notes sur absolument tout. J'ai eu l'impression d'enseigner de nouveau à l'université et j'ai beaucoup apprécié. Je me suis rappelé que la meilleure façon d'améliorer sa propre connaissance était de la partager avec autrui. Ce transfert de tout ce que je savais sur le Japon, la Corée, la Chine et Taïwan nous a donc été bénéfique à tous les deux.

Je lui ai expliqué que les producteurs de chaussures étaient massivement en train de quitter le

Japon et qu'ils se redirigeaient vers deux endroits : la Corée et Taïwan. Ces deux pays étaient spécialisés dans la production de chaussures à bas coût, mais la Corée avait choisi de développer quelques usines géantes, alors que Taïwan était en train d'en construire des centaines, de taille modeste. C'était cette raison qui nous avait poussés à choisir Taïwan : nos exigences étaient trop élevées et nos volumes trop faibles pour les plus grosses usines. De plus, le fait d'avoir à traiter avec de petites usines nous mettait dans une position dominante et nous permettait d'avoir plus facilement notre mot à dire.

Évidemment, notre plus grand défi était de faire en sorte que l'usine que nous choisirions monte en gamme en termes de qualité.

Par ailleurs, j'ai expliqué à Gorman qu'il y avait une menace permanente d'instabilité politique en Corée. Le président Chiang Kai-shek venait de mourir et après vingt-cinq ans aux commandes, la phase de vacance du pouvoir qu'il laissait derrière lui s'annonçait périlleuse. Cela dit, il fallait aussi prendre en compte les vieilles tensions entre la Chine et Taïwan pour faire bonne mesure.

Je ne me suis pas arrêté de parler lors de notre vol au-dessus du Pacifique. Gorman a pris énormément de notes. Il a également formulé des idées qui m'ont ouvert de nouvelles pistes de réflexion pour la suite. J'étais ravi lorsque nous sommes descendus de l'avion à Taichung, notre premier arrêt. Mon compagnon de route était dynamique et impatient de commencer sa mission. J'ai ressenti un sentiment de fierté.

Je me suis dit que j'avais fait le bon choix.

Toutefois, Gorman a paru fébrile lorsque nous sommes arrivés à l'hôtel. Tout, à Taichung, et en particulier les odeurs, donnait l'impression que nous étions au fin fond de la galaxie. C'était une mégalopole immense, avec des usines fumantes et une densité de population incroyable. Je n'avais jamais rien vu de tel alors que j'étais déjà allé partout en Asie, il n'était donc pas difficile de comprendre que cela devait être oppressant pour Gorman. J'ai vu dans ses yeux la réaction typique des personnes venant en Asie pour la première fois, un regard de fou, exactement le même que celui de Penny lorsqu'elle m'avait rejoint au Japon.

Je lui ai dit qu'on allait y aller doucement, une usine par jour.

La semaine suivante, nous avons visité environ vingt-cinq usines. La plupart étaient mauvaises. Elles étaient sombres et sales, les ouvriers qui en sortaient avaient la tête basse et le regard vide. Toutefois, dans la petite ville de Douliou, nous avons vu une usine qui paraissait prometteuse. Celle-ci s'appelait Feng Tay et était dirigée par un jeune homme répondant au nom de C.H. Wong. Elle était petite et bien entretenue et envoyait des ondes positives, tout comme Wong, un *shoe dog* qui vivait sur son lieu de travail. Nous lui avons demandé ce qu'était la petite pièce interdite d'accès au-delà des ateliers. Il nous a répondu : « C'est là que ma femme, mes trois enfants et moi vivons. »

Il me faisait penser à Johnson. J'ai décidé de faire de Feng Tay la pierre angulaire de notre développement à Taïwan.

Lorsque nous n'étions pas en train de visiter des usines, Gorman et moi étions choyés par les directeurs d'usine. Ils nous gavaient de mets régionaux délicats et nous faisaient boire un breuvage appelé *mao tai*, qui était en fait un mai tai dans lequel le rhum aurait été remplacé par une sorte de cirage. Avec le décalage horaire, Gorman et moi avions totalement perdu notre résistance à l'alcool. Deux *mao tai* ont suffi à nous rendre ivres. Nous voulions ralentir la cadence mais nos hôtes n'arrêtaient pas de lever leurs verres.

« À Nike ! »

« À l'Amérique ! »

Lors du dernier dîner de notre visite de Taichung, Gorman nous a priés de l'excuser à de nombreuses reprises pour filer aux toilettes et s'asperger le visage d'eau froide. À chaque fois qu'il quittait la table, j'en ai profité pour vider mon *mao tai* dans son verre d'eau. Et à chaque fois qu'il revenait et que nous portions à nouveau un toast, Gorman pensait jouer la sécurité en levant son verre d'eau.

« À nos amis américains ! »

« À nos amis taiwanais ! »

Après la énième gorgée d'eau alcoolisée, Gorman m'a regardé, totalement paniqué : « Je crois que je vais tomber dans les pommes.

– Reprends un peu d'eau.
– Elle a un goût étrange.
– Mais non… »

Bien qu'ayant vidé mes verres d'alcool dans l'eau de Gorman, j'étais dans un sale état quand je suis retourné dans ma chambre. J'ai eu du mal à me préparer pour aller au lit. J'ai même eu du mal à trouver mon lit. Je me suis endormi en me brossant les dents. Je me suis réveillé un peu plus tard et j'ai essayé de trouver mes lentilles de contact. Je les ai trouvées et les ai faites tomber par terre.

Quelqu'un a frappé à la porte. C'était Gorman. Il est entré et m'a posé des questions au sujet de notre programme du lendemain. Il m'a trouvé à quatre pattes en train de chercher mes lentilles dans une flaque de mon propre vomi.

« Phil, est-ce que ça va ? »

Ce matin-là, nous avons pris l'avion pour Taipei, la capitale, où nous avons visité quelques usines de plus. Le soir, nous nous sommes promenés dans Xinsheng South Road, où sont implantés des douzaines de temples, d'églises et de mosquées. Les autochtones l'appellent la « Route vers le paradis. » Comme je l'ai expliqué à Gorman, Xinsheng signifie « vie nouvelle ». J'ai reçu un coup de téléphone étrange et inattendu lorsque nous sommes rentrés à l'hôtel. Jerry Hsieh – prononcez Ché – me « présentait ses respects ».

J'avais rencontré Hsieh auparavant, dans l'une des usines de chaussures que j'avais visitées l'année précédente. Il travaillait à l'époque pour Mitsubishi et le fameux Jonas Senter. Il m'avait impressionné par son intensité et son éthique professionnelle. Sa jeunesse m'avait frappé. Contrairement à tous les autres *shoe dogs* que j'avais rencontrés, Hsieh était jeune, dans la vingtaine, même s'il paraissait beaucoup moins. On aurait dit un bambin qui aurait grandi trop vite.

Il m'a dit qu'il avait entendu que nous étions dans le coin, avant d'ajouter avec un ton d'agent de la CIA : « Je sais ce que vous faites ici... »

Il nous a invités à venir le voir à son bureau, une invitation qui semblait indiquer qu'il travaillait désormais à son compte, et non plus pour Mitsubishi.

J'ai noté l'adresse du bureau de Hsieh et suis allé chercher Gorman pour qu'il m'accompagne. Le concierge de l'hôtel a dessiné pour nous un plan de la ville – ce qui s'est avéré inutile puisque le bureau de Hsieh était situé dans un quartier de la ville qui n'était pas sur le plan. Le quartier le plus malfamé. Gorman et moi avons déambulé dans toute une série de ruelles dont les noms n'étaient pas indiqués. Nous avons eu le plus grand mal à nous repérer et à trouver les plaques des rues. Nous avons dû nous perdre des dizaines de fois. Nous avons fini par trouver un bâtiment imposant fait de vieilles briques rouges. L'escalier que nous avons emprunté à l'intérieur était instable : la rampe nous est restée dans les mains lorsque nous avons atteint le troisième étage et chaque marche en pierre était marquée par les millions de passages qu'elle avait connus auparavant.

« Entrez ! » a crié Hsieh quand nous avons frappé à la porte. Il était assis au milieu de la pièce, qui aurait pu passer pour le nid d'un rat géant. Il y avait des chaussures partout mais aussi des morceaux de chaussures – des semelles, des lacets et des languettes. Hsieh a sauté à pieds joints et a fait de la place pour que nous puissions nous asseoir. Il nous a proposé du thé. Pendant que l'eau était en train de bouillir, il a commencé à nous faire un cours : « Saviez-vous que chaque pays du monde a de nombreuses coutumes et superstitions à propos des chaussures ? » Il a saisi une chaussure sur une étagère et l'a mise juste devant nos visages : « Saviez-vous qu'en Chine, lorsqu'un homme épouse une femme, les gens jettent des chaussures rouges sur le toit pour être sûrs que tout se passera bien la nuit de noces ? » Il a manipulé la chaussure dans la faible lumière qui arrivait à vaincre la crasse de ses fenêtres. Il nous a expliqué de quelle usine celle-ci venait, pourquoi il pensait qu'elle était bien faite et comment elle aurait pu être améliorée. « Saviez-vous que dans de nombreux pays, quand quelqu'un commence un voyage, ça lui porte bonheur qu'on lui jette une chaussure ? » Il a ensuite saisi une autre chaussure et l'a tendue comme Hamlet avec le crâne de Yorick. Il nous a donné sa provenance, expliqué quels étaient ses défauts de fabrication et pourquoi elle tomberait bientôt en morceaux, avant de la jeter par terre avec dédain. Pour lui, la différence entre deux chaussures provenait neuf fois sur dix de l'usine : le design, la couleur et tout ce qui compose les chaussures n'avaient que peu d'importance car les usines faisaient tout.

Je l'ai écouté attentivement, en prenant des notes, tout comme Gorman l'avait fait dans l'avion, tout en me disant à chaque instant que Hsieh était comme l'acteur d'un spectacle et qu'il essayait de nous vendre quelque chose. Il ne réalisait pas que nous avions davantage besoin de lui que lui avait besoin de nous.

À partir de là, Hsieh est entré dans le vif du sujet et nous a dit qu'il serait heureux de nous mettre en relation avec les meilleures usines de Taiwan en l'échange d'une modeste commission.

Cela s'annonçait prometteur. Avoir une personne sur place pour nous ouvrir la voie, nous faire rencontrer les bonnes personnes et aider Gorman à s'acclimater pouvait s'avérer très utile. Un Giampietro asiatique. Nous avons marchandé quelques minutes sur le montant de sa commission, mais le ton était plutôt amical. Nous nous sommes serré la main.

« Deal ?

– Deal ! »

Nous nous sommes rassis et avons rédigé un protocole d'accord pour créer une filiale à Taïwan. Il fallait trouver un nom pour cette dernière. Je ne voulais pas utiliser Nike, car dans l'éventualité où nous voudrions faire du business en Chine un jour, mieux valait ne pas être associé à leur ennemi juré japonais. Je ne me faisais pas vraiment d'illusions, nous établir en Chine un jour était un rêve un peu fou. Mais j'ai tout de même préféré choisir un autre nom : Athena, du nom de la déesse grecque amenant la déesse Niké dans sa main. Ainsi, je préservais mon rêve de *shoe dog* : un pays avec deux milliards de pieds.

J'ai renvoyé Gorman au pays avant de rentrer moi-même. Je lui ai dit que je devais faire un arrêt rapide à Manille avant de quitter l'Asie, en justifiant cela par le besoin d'y faire une course. J'étais volontairement resté vague.

En réalité, je suis allé à Manille pour visiter une usine de chaussures, d'excellent niveau. Puis j'ai réalisé un vœu que j'avais depuis longtemps : passer la nuit dans la suite de MacArthur.

« *On se souvient de vous pour les règles que vous avez enfreintes.* »

Peut-être avait-il raison.

Peut-être pas.

1976 a été l'année du bicentenaire, un moment étrange dans l'histoire culturelle des États-Unis, 365 jours spéciaux, faits d'examen de conscience, de cours d'éducation civique et de feux d'artifice de fin de soirée. Du 1er janvier au 31 décembre, il était impossible de changer de chaîne sans tomber sur un film ou un documentaire sur George Washington, Benjamin Franklin et les batailles de Lexington et Concord. Invariablement, intercalé dans la programmation « patriotique », on tombait aussi sur la « Minute du Bicentenaire », une émission dans laquelle Dick Van Dyke, Lucille Ball ou Gabe Kaplan racontaient un événement qui avait eu lieu à l'époque de la Révolution américaine. Cela pouvait aussi être Jessica Tandy en train de disserter sur l'abattage de l'Arbre de la Liberté ou le président Gerald Ford exhortant tous les Américains à « faire vivre l'esprit de 1776. » C'était un peu mièvre, plein de bons sentiments, mais extrêmement émouvant. Cette vague de patriotisme qui a duré toute une année a renforcé mon amour pour ce pays. Les grands voiliers dans le port de New York, les récitations de la Déclaration des droits et de la Déclaration d'indépendance, les discours enflammés sur la liberté et la justice : tout ravivait ma fierté d'être américain et d'être libre. Et aussi mon bonheur de ne pas être en prison.

Lors des sélections américaines pour les Jeux olympiques de 1976, qui se tenaient une nouvelle fois en juin à Eugene, Nike avait une occasion merveilleuse de se mettre en avant. Nous n'avions pas eu cette opportunité avec Tiger, dont les pointes n'étaient pas de bonne qualité. Nous n'avions pas eu non plus cette occasion avec la première génération des produits Nike. Nous avions enfin notre propre marchandise et celle-ci était vraiment de bonne qualité, en particulier nos chaussures de marathon et nos pointes. Nous étions tout excités quand nous avons quitté Portland. Nous nous disions que nous allions enfin avoir un coureur portant des Nike dans l'équipe olympique.

Nous étions convaincus que cela allait arriver.

Nous avions besoin que cela arrive.

Penny et moi avons pris la voiture jusqu'à Eugene, où nous avons rejoint Johnson, qui prenait des photos de l'événement. Malgré notre excitation au sujet des sélections, nous avons surtout parlé de Pre en nous installant dans les gradins. Pre était dans l'esprit de tous, c'était oppressant. Nous entendions son nom partout, son esprit semblait planer au-dessus de la piste. Nous avions beau essayer de ne pas penser à lui l'espace d'un instant, son souvenir revenait dès que nous posions le regard sur les pieds des coureurs : beaucoup d'entre eux portaient des Pre Montreal. (Ils étaient encore plus nombreux à porter des Triumph et des Vainqueur fabriquées à Exeter. Ce jour-là, Hayward ressemblait à un showroom Nike.) Il était clair pour tout le monde que ces sélections devaient marquer le coup d'envoi d'un retour épique de Pre. Après avoir été battu à Munich, il s'était relevé et était sur le point de revenir encore plus fort. Chaque course faisait ressurgir les mêmes pensées, la même image : celle de Pre courant devant et franchissant la ligne d'arrivée en tête. Nous pensions tous à cela.

Nous n'arrêtions de pas de dire à voix basse : « Si seulement… »

Au coucher du soleil, le ciel est devenu rouge, blanc puis bleu nuit. Mais il faisait encore suffisamment clair lorsque les coureurs du 10 000 mètres se sont présentés sur la ligne de départ. Penny et moi nous sommes levés et nous sommes donné la main comme pour faire une prière. Nous attendions beaucoup de Shorter, évidemment. Ce dernier était très talentueux et il avait été la dernière personne à avoir vu Pre vivant. Mais Craig Virgin, un jeune et brillant coureur de l'Université de l'Illinois, et Garry Bjorklund, un gars expérimenté et sympathique du Minnesota qui essayait de revenir après une opération chirurgicale au pied, portaient tous les deux des Nike.

Le pistolet de départ a retenti, les coureurs se sont élancés, tous très serrés, et Penny et moi nous sommes serrés l'un contre l'autre, vivant pleinement la course. Les coureurs sont restés dans un mouchoir de poche jusqu'à mi-course et c'est à ce moment-là que Shorter et Virgin se sont brusquement détachés du peloton. Dans la bousculade, Virgin a marché sans le vouloir sur le pied de Bjorklund et ce dernier a perdu l'une de ses Nike. Le pied de Bjorklund qui venait d'être opéré était désormais à nu et battait la piste à chaque foulée. Mais cela ne l'a pas arrêté. Bjorklund n'a pas fléchi. En fait, il n'a même pas ralenti. Il a continué de courir, toujours plus vite, et cette démonstration de courage éclatante a conquis le public. Je pense que la foule l'a acclamé aussi fort qu'elle l'avait fait pour Pre l'année précédente.

Shorter et Virgin étaient devant à l'entame du dernier tour. Penny et moi n'arrêtions pas de sautiller : « On va en avoir deux ! On va en avoir deux ! » Et nous en avons même eu trois. Shorter et Virgin se sont classés respectivement premier et deuxième mais Bjorklund a réussi à chiper la troisième place à Bill Rodgers sur le fil. J'étais tout transpirant : il allait y avoir trois coureurs en Nike aux Jeux olympiques.

Le lendemain matin, au lieu de fêter cela, nous avons pris nos quartiers au magasin Nike. Alors que Johnson et moi nous mêlions aux clients, Penny était de service à la machine d'impression textile et produisait des T-shirts Nike en série. Elle maîtrisait parfaitement la technique. Toute la journée, des gens se présentaient en disant qu'ils avaient vu quelqu'un porter un T-shirt Nike dans la rue et qu'ils en voulaient un pour eux-mêmes. Malgré notre mélancolie latente liée à Pre, nous nous laissions aller à ressentir de la joie car il devenait clair que Nike faisait désormais plus que se montrer. Nike était en train de dominer ces sélections. Virgin et Shorter ont respectivement remporté le 5 000 mètres et le marathon en Nike. Petit à petit, tout le monde se mettait à parler de Nike en ville. Nous entendions plus souvent notre nom que celui de n'importe quel athlète. À l'exception de Pre, évidemment.

Le samedi soir, en marchant vers Hayward pour aller voir Bowerman, j'ai entendu : « Punaise ! Nike est vraiment en train de défoncer Adidas. » Pour moi, c'était le grand moment du week-end, voire de l'année, suivi de peu par le moment où j'ai croisé quelque temps plus tard le commercial de Puma qui semblait au bord du suicide.

Bowerman était là en tant que simple spectateur, ce qui était étrange pour lui comme pour nous. Il portait malgré tout son uniforme habituel, avec son gilet miteux et sa vieille casquette enfoncée sur la tête. À un moment, Bowerman a demandé de façon formelle à ce que nous organisions une réunion dans un petit bureau sous la tribune est. Ce bureau n'en était pas vraiment un, c'était plutôt un placard où les gardiens du stade stockaient leurs râteaux, leurs balais et quelques chaises longues. Il y avait à peine assez de place pour Bowerman, Johnson et moi. Tant pis pour les autres personnes qu'il avait invitées : Hollister et Dennis Vixie, un podologue du coin qui travaillait avec Bowerman en tant que consultant. En fermant la porte, j'ai remarqué que Bowerman n'était plus le même homme. À l'enterrement de Pre déjà, il m'avait paru vieux. Désormais, il semblait complètement perdu. Après une minute de papotage, il s'est mis à hurler. Il se plaignait de ne plus recevoir aucun « respect » de la part de Nike. Nous lui avions construit un laboratoire à domicile et y avions installé une machine, mais il disait qu'il était continuellement en train de quémander en vain des matières premières à l'usine d'Exeter.

Johnson était horrifié.

« Quelles matières premières ?

– J'ai demandé des empeignes et mes demandes ont toutes été ignorées.

– Mais je vous ai envoyé les empeignes ! Vixie – les avez-vous reçues ? demanda Johnson.

– Oui, je les ai reçues, répondit Vixie, perplexe.

Bowerman a enlevé sa casquette, avant de la remettre puis de l'enlever à nouveau. Il a ronchonné :

– Très bien, mais vous ne m'avez pas envoyé les semelles extérieures !

Le visage de Johnson est devenu tout rouge :

– Je vous les ai envoyées aussi ! Vixie ?

– Oui, nous les avons. »

Nous nous sommes tous tournés vers Bowerman, qui faisait les cent pas. Du moins qui essayait, car il n'y avait pas suffisamment de place pour cela. La pièce était sombre mais je pouvais m'apercevoir que mon vieil entraîneur était en train de rougir. Il a crié : « Bien… nous ne les avons pas eues en temps et en heure ! » Même les dents des râteaux ont tremblé. Tout cela n'avait rien à avoir avec les empeignes et les semelles extérieures. Il vivait en fait très mal sa retraite et s'adaptait mal à son nouvel emploi du temps. Tout comme Pre, le temps n'écoutait pas Bowerman et ne voulait pas ralentir. Dans un accès de colère, il a lâché : « Je ne vais pas tolérer ces conneries plus longtemps. », avant de sortir en trombe en laissant la porte grande ouverte.

J'ai regardé Johnson, Vixie et Hollister. Ils me regardaient tous. Que Bowerman ait raison ou non, nous devions trouver un moyen de le faire se sentir nécessaire et utile. « Si Bowerman n'est pas heureux, Nike ne l'est pas non plus. »

Quelques mois plus tard, dans un climat étouffant, Montréal s'apprêtait à être le cadre des grands débuts de Nike dans le monde olympique. Il y avait des athlètes portant nos chaussures dans plusieurs épreuves majeures. Mais nos plus grands espoirs, et la majeure partie de nos investissements, reposaient sur Shorter. Il était le favori pour la médaille d'or, ce qui aurait signifié que pour la toute première fois, des Nike allaient franchir la ligne d'arrivée devant d'autres chaussures. C'était un rite de passage lourd de sens pour une entreprise de chaussures de running. Pour être une entreprise de chaussures de running digne de ce nom, il fallait avoir un athlète sur la plus haute marche du podium.

Je me suis levé tôt ce samedi-là – le 31 juillet 1976. Tout de suite après mon café du matin, je me suis installé dans mon fauteuil inclinable. Il y avait des sodas frais au frigo et je m'étais préparé un sandwich. Je me suis demandé si Kitami était devant sa télévision. Je me suis demandé si les banquiers qui m'avaient mis dehors étaient devant leur télévision. Je me suis demandé si mes parents et mes sœurs étaient devant leur télévision. Je me suis même demandé si le FBI regardait.

Les coureurs s'approchaient de la ligne de départ. Comme eux, j'ai baissé la tête. J'avais probablement autant d'adrénaline dans mon organisme que Shorter dans le sien. J'attendais le coup de pistolet et l'inévitable gros plan sur les pieds de Shorter. La caméra a fait un zoom. J'ai arrêté de respirer. J'ai glissé de mon fauteuil sur le sol et j'ai marché à quatre pattes jusqu'au poste de télévision. J'ai poussé un cri d'angoisse : « Non. NON ! »

Shorter portait… des Tigers.

J'étais horrifié, le grand espoir de Nike s'était présenté avec les chaussures de notre ennemi.

Je me suis levé, je suis revenu vers mon fauteuil et j'ai regardé la course en me parlant à moi-même. La maison est devenue sombre, mais pas autant que je le souhaitais. J'ai fini par tirer les rideaux et éteindre les lumières, mais pas la télévision. Je voulais tout voir, chaque instant de ces deux heures et dix minutes.

Même aujourd'hui, je ne sais pas exactement ce qu'il s'est passé. Apparemment, Shorter s'était mis en tête que ses Nike étaient fragiles et qu'elles ne tiendraient pas quarante-deux kilomètres (il avait pourtant fait une très bonne performance avec nos chaussures lors des sélections). C'était peut-être le trac. Peut-être de la superstition. Il voulait utiliser le matériel qu'il avait toujours utilisé, c'est une manie de coureur. Dans tous les cas, il a décidé au dernier moment de repasser aux chaussures qu'il portait quand il avait gagné la médaille d'or en 1972.

De mon côté, je suis passé du soda à la vodka. Assis dans le noir, cramponné à mon cocktail, je me suis dit que ce n'était finalement pas si grave, avec un peu de recul. De toute façon, Shorter n'a même pas gagné. Un Allemand de l'Est l'avait surpris et avait remporté l'or. Bien sûr, je me mentais à moi-même, c'était un vrai problème, et pas parce que j'étais déçu ou parce que nous avions perdu une opportunité de faire une bonne opération marketing. Si le fait de voir Shorter dans d'autres chaussures que les miennes pouvait m'affecter à ce point, c'était désormais officiel : Nike était plus qu'une simple affaire de chaussures. Ce n'était plus simplement que je fabriquais des Nike, c'était aussi Nike qui me fabriquait, moi. Lorsque je voyais un athlète choisir d'autres chaussures, je ne prenais pas cela comme un simple rejet de la marque, mais aussi comme un rejet de ma propre personne. Je me suis dit qu'il fallait que je sois raisonnable et que tout le monde sur cette planète n'allait pas porter mes chaussures. Je n'étais pas contrarié à chaque fois que je voyais quelqu'un marcher dans la rue avec d'autres chaussures de running… Si, en fait, je l'étais.

J'ai appelé Hollister dans la nuit. Lui aussi était dévasté. Il y avait une sorte de colère brute dans sa voix. Cela m'a réconforté en un sens, car je voulais que les personnes travaillant pour moi aient la même sensation de brûlure, soient pris par le même sentiment violent de rejet.

Heureusement, les rejets de ce genre n'ont pas été si fréquents. À la fin de l'exercice fiscal 1976, notre chiffre d'affaires avait doublé pour passer à 14 millions de dollars. Un chiffre ahurissant qui n'est pas passé inaperçu chez les analystes financiers, qui ont beaucoup écrit sur le sujet. Mais il y a une chose que cela n'a pas changé : nous n'avions toujours pas de trésorerie. Je continuais d'emprunter chaque dollar que je pouvais, afin de l'investir dans notre développement, avec la bénédiction explicite ou non des personnes en qui j'avais confiance. Woodell, Strasser, Hayes.

Au début de l'année 1976, nous avions timidement évoqué tous les quatre la possibilité d'ouvrir notre capital et nous avions écarté cette idée. À la fin de la même année, nous nous sommes remis à en parler, plus sérieusement. Nous avons analysé les risques, pesé le pour et le contre. Mais une nouvelle fois, nous avons décidé de ne pas le faire.

Nous aurions évidemment adoré une injection de capital rapide et rêvions de toutes les choses que nous pourrions faire avec cet argent. Nous pensions à toutes les usines que nous pourrions louer et à toutes les personnes talentueuses que nous pourrions recruter. Mais ouvrir notre capital nous aurait amenés à changer notre culture. Cela nous aurait rendus redevables et nous aurait poussés à devenir plus *corporate*. Nous ne nous reconnaissions pas dans ce projet.

Nous y avons repensé quelques semaines plus tard, quand nous nous sommes retrouvés une nouvelle fois fauchés avec nos comptes bancaires à zéro.

Et nous avons à nouveau rejeté l'idée.

Voulant régler le sujet une fois pour toutes, j'ai décidé de le mettre à l'agenda de notre rassemblement semestriel, une retraite que nous avions fini par surnommer *Buttface* (« Face de cul » en français).

* * *

C'est Johnson qui avait inventé l'expression. Lors de l'une de nos premières retraites, il avait grommelé : « Dans combien d'entreprises de plusieurs millions de chiffre d'affaires peut-on hurler "Hé, face de cul" et faire se retourner tout le top management ? » Tout le monde avait ri de bon cœur. L'expression est restée par la suite et s'est fait une place dans notre langage commun. *Buttface* faisait référence à notre retraite et à ses participants. Elle ne captait pas seulement le côté informel de ces séminaires, où aucune idée n'était suffisamment sacrée pour qu'on ne s'en moque pas, et où personne n'était suffisamment important pour être à l'abri des railleries. Cela synthétisait l'esprit et la philosophie de l'entreprise.

Les toutes premières *Buttfaces* ont eu lieu dans différents hôtels de l'Oregon, comme l'Ottor Crest ou le Salishan. Au bout du compte, nous nous sommes rendu compte que nous préférions le Sunriver, situé dans un endroit idyllique bercé par le soleil en plein centre de l'État. Généralement, Woodell et Johnson arrivaient de la côte Est par avion et nous prenions la route vers Sunriver tard le vendredi. Nous réservions un certain nombre de chambres, nous investissions une salle de réunion et passions deux ou trois jours à nous écouter nous égosiller.

Je peux encore me revoir présider la table, en train de crier ou de me faire crier dessus et de rire jusqu'à en perdre la voix. Les problèmes que nous rencontrions étaient graves, complexes, en apparence insurmontables, d'autant plus que nous étions séparés les uns des autres par trois mille cinq cents kilomètres la plupart du temps, à une époque où les moyens de communication étaient loin d'être instantanés. Cela ne nous empêchait pas de rire tout le temps. Parfois, après des éclats de rire réellement cathartiques, je regardais tout autour de la table et j'étais submergé par l'émotion. J'étais ému par toute cette camaraderie, cette loyauté et toute cette reconnaissance. On pouvait même ressentir une certaine forme d'amour. J'étais bouleversé en réalisant que c'était moi qui avais réuni ces personnes autour de mon projet et qu'elles faisaient partie des fondateurs d'une entreprise de plusieurs millions de chiffre d'affaires… spécialisée dans les chaussures de sport. Cette équipe était improbable : un paraplégique, deux obèses, un type qui fumait comme un pompier… C'était étonnant de me dire que la personne avec laquelle j'avais le plus en commun dans ce groupe était… Johnson. C'était indéniable, pourtant. Alors que les autres riaient et se révoltaient, il restait toujours le plus raisonnable, assis au milieu de la table en train de lire un livre.

À chaque *Buttface*, Hayes était celui qui parlait le plus fort. C'était aussi le plus cinglé. Comme sa corpulence, sa personnalité ne cessait de se développer, avec toujours de nouvelles phobies et de nouvelles passions. Par exemple, Hayes a développé à l'époque une obsession étrange pour les équipements lourds. Les bulldozers, les pelleteuses et les grues le fascinaient. Ces machines… l'excitaient, impossible de dire cela autrement. Lors de l'une des premières *Buttfaces*, Hayes a aperçu un bulldozer dans un champ alors que nous sortions d'un bar. À son plus grand étonnement, il a découvert que les clés étaient sur le contact. Il est monté sur l'engin et a remué la terre un peu partout dans le champ et dans le parking, n'arrêtant son œuvre qu'après avoir manqué de détruire plusieurs voitures. En voyant Hayes sur son bulldozer, je me suis dit : « Ça aurait pu être ça, notre logo. »

J'ai toujours dit que Woodell était celui qui faisait arriver les trains à l'heure mais c'était Hayes qui traçait la voie. Hayes a mis au point tous les systèmes de comptabilité ultra-complexes sans lesquels l'entreprise se serait arrêtée en cours de route. Lorsque nous sommes passés de la comptabilité manuelle à la comptabilité automatisée, Hayes a fait l'acquisition des toutes premières machines et les amendait et les modifiait sans arrêt avec ses gros doigts. Quand nous avons commencé à vendre nos produits à l'extérieur des États-Unis, les devises étrangères sont devenues un problème diablement compliqué mais Hayes a mis au point un ingénieux système de couverture du risque de change, qui rendait nos recettes plus prévisibles.

En dépit de nos frasques, de nos excentricités et de nos handicaps physiques, j'ai conclu en cette année 1976 que nous avions une équipe formidable. (Des années plus tard, un célèbre professeur de Harvard qui s'était penché sur le cas de Nike en était arrivé à la même conclusion. Celui-ci nous avait dit : « Normalement, une entreprise a un futur prometteur quand son manager est capable de penser de façon tactique et stratégique. Mais vous, les gars, vous avez de la chance : plus de la moitié de vos *Buttfaces* sont comme ça ! ».)

Pour l'observateur lambda, nous devions assurément avoir l'air d'une drôle de bande de types désespérément mal assortis. En réalité, nous avions plus de points de convergence que de différences et nous nous retrouvions dans nos objectifs et nos efforts. Nous étions pour la plupart des gars de l'Oregon, ce qui était un point important. Nous avions un besoin ardent de montrer au reste du monde de quoi nous étions capables et que nous n'étions pas des péquenauds. De plus, nous avions presque tous une haine impitoyable de notre propre personne, ce qui nous épargnait les problèmes d'ego. Aucun de nous ne voulait jouer au plus malin, même si Hayes, Strasser, Woodell et Johnson avaient pourtant ce qu'il fallait pour prétendre l'être partout où ils passaient. Mais ce n'était pas comme cela qu'ils se voyaient eux-mêmes et ce n'était pas non plus comme cela qu'ils se voyaient entre eux. Nos réunions étaient pleines de dédain, de mépris et de montagnes d'insultes.

Et il fallait voir les insultes que nous nous envoyions. Nous nous donnions des noms horribles entre nous. Les attaques verbales pleuvaient. Lorsque nous émettions des idées, que nous les descendions et que nous discutions des menaces pesant sur l'entreprise, nous faisions attention à tout sauf aux sentiments des autres, et aux miens en particulier. Surtout les miens. Mes amis les *Buttfaces*, mes employés, tout le monde m'appelait « *Bucky the Bookkeeper* » (« Bucky le comptable »). Je ne leur ai jamais demandé d'arrêter. Je savais que cela ne servirait à rien. Celui qui faisait preuve d'une quelconque faiblesse ou susceptibilité était cuit.

Je me rappelle quand Strasser avait proclamé que notre approche n'était pas assez « agressive. » Il avait dit qu'il y avait trop de gratte-papiers chez nous : « Avant que cette réunion ne commence, je veux dire quelque chose. J'ai préparé un budget alternatif. » Il avait secoué un gros dossier et avait dit : « C'est ça que nous devrions être en train de faire avec notre argent. »

Bien sûr, tout le monde voulait voir ses chiffres, Hayes encore plus que les autres. Nous nous sommes mis à hurler quand nous nous sommes rendu compte que ses chiffres ne tenaient pas debout et qu'aucune colonne de ses tableaux n'était cohérente.

Strasser l'a pris personnellement : « C'est le principe qui est intéressant. Pas les détails. Le principe. »

La bronca s'est intensifiée. En conséquence, Strasser a empoigné son dossier et l'a jeté contre le mur en disant : « Je vous emmerde tous, les gars ! » Le dossier s'est désintégré, de nombreuses pages flottaient dans l'air et nous avons éclaté de rire. Nos éclats de rire étaient assourdissants, à tel point que Strasser lui-même n'a pas pu y résister et s'est mis à rire lui aussi.

Cela explique en partie pourquoi le sobriquet de Strasser était « *Rolling Thunder* » (« Tonnerre Roulant »).

Celui de Hayes était « *Doomsday* » (« Jugement dernier »). Celui de Woodell était « *Weight* » (« Poids »), pour « *Dead Weight* » (« Poids mort »). Johnson, lui, était « *Factor Four* » (« Facteur Quatre »), parce qu'il avait tendance à toujours exagérer et qu'il fallait diviser par quatre tous les chiffres qu'il mentionnait. Aucun de nous ne le prenait personnellement. La seule chose vraiment interdite lors des *Buttfaces* était la susceptibilité.

Et la sobriété. En fin de journée, quand nous avions tous la gorge sèche à force de nous être insultés, d'avoir ri et d'avoir cherché des solutions à nos problèmes, et quand nos carnets étaient remplis d'idées, de solutions, de phrases chocs et d'innombrables listes, nous changions de terrain de jeu et allions au bar de l'hôtel pour continuer la réunion un verre à la main. Et ils défilaient.

Le bar s'appelait le Owl's Nest. J'aime fermer les yeux et nous revoir entrer dans le bar en trombe et disperser tous les autres clients. Il nous arrivait de sympathiser avec eux. Nous payions des tournées générales, puis nous réquisitionnions une table pour continuer à nous rentrer dedans à propos d'un problème ou d'une idée tirée par les cheveux. Par exemple, nous pouvions nous écharper sur le problème des semelles intercalaires qui n'arrivaient pas en temps et en heure au point B depuis le point A. Nos conversations tournaient en rond. Nous parlions tous en même temps. C'était une chorale d'injures et de reproches, l'alcool nous faisait parler encore plus fort et rendait les choses encore plus drôles, et même parfois plus claires. Pour n'importe quelle personne du monde des affaires, cela aurait paru inefficient, inapproprié, voire scandaleux. Mais avant que le barman annonce qu'il servirait les derniers verres, nous savions parfaitement pourquoi ces semelles intercalaires n'arrivaient pas en temps et en heure au point B depuis le point A et nous planchions déjà sur une solution créative.

Johnson était le seul à ne pas se joindre à nous lors de ces soirées tardives. Il allait généralement courir pour se changer les idées avant de se retirer dans sa chambre et d'aller lire au lit. Je ne pense pas qu'il ait mis un jour les pieds au Owl's Nest, ni même qu'il sache où le bar se trouvait. Nous devions toujours passer la première partie de la matinée suivante à le tenir au courant de ce que nous avions décidé en son absence. Rien que lors de cette année du Bicentenaire, nous devions faire face à des problèmes plus stressants que d'ordinaire. Nous devions trouver un entrepôt plus grand sur la côte Est. Nous devions transférer notre centre de distribution de Holliston, dans le Massachusetts, à un nouvel espace de 3 700 mètres carrés à Greenland, dans le New Hampshire, ce qui constituait un cauchemar d'un point de vue logistique. Nous devions engager une agence de publicité pour s'occuper du volume croissant de publicités imprimées. Nous devions soit régler les problèmes de nos usines sous-performantes, soit les fermer. Nous devions trouver une solution aux petits dysfonctionnements de notre programme Futures. Nous devions recruter un directeur du développement. Nous devions créer un Club Pro, une sorte de système de récompenses pour nos stars de la NBA, pour consolider leur fidélité et les garder chez Nike. Nous devions approuver ou non de nouveaux produits, comme l'Arsenal, une paire de crampons pour le football et le baseball avec une empeigne en cuir et une languette en vinyle, et la Striker, des crampons multi-usage qui pouvait aussi bien servir pour le football que pour le baseball, le football américain, le softball ou le hockey sur gazon. Et nous devions décider d'un nouveau logo.

À côté du *swoosh*, il y avait une écriture *nike* en minuscules, celle-ci posait problème car trop de gens pensaient qu'il était écrit *like* ou *mike*. Mais il était désormais trop tard pour changer à nouveau le nom de l'entreprise, faire apparaître les lettres plus clairement paraissait être une bonne idée. Denny Strickland, un directeur artistique de notre agence de publicité, avait proposé d'écrire « NIKE » comme un bloc de lettres majuscules inséré dans un *swoosh*. Nous avons débattu de cette idée pendant de longues journées.

Par-dessus tout, nous devions trancher une bonne fois pour toutes la question « ouverture de capital. » Un consensus s'était formé lors des premières *Buttfaces* : sans continuer à croître, nous disparaîtrions. Et malgré tous les risques et désavantages, ouvrir notre capital était la meilleure façon de continuer à croître.

Malgré l'intensité de ces discussions, et en plein milieu de l'une des années les plus pénibles dans l'histoire de l'entreprise, ces séminaires *Buttfaces* étaient un vrai bonheur. Sur toutes les heures passées à Sunriver, pas une seule minute n'a ressemblé à du travail. C'était nous contre le reste du monde et nous plaignions le reste du monde. Enfin, quand nous ne lui en voulions pas franchement. Au cours de nos vies respectives, chacun de nous avait été incompris, pris de haut, mis de côté. Écarté par des responsables hiérarchiques, fui par la chance, rejeté par la société, floué par le destin… Chacun de nous avait été marqué par des échecs rencontrés très tôt dans notre existence. Nous nous étions tous assigné une quête, et pour une raison ou une autre, cela n'avait pas marché.

Hayes n'avait pas pu passer associé simplement parce qu'il était trop gros.

Johnson ne pouvait pas supporter le quotidien classique des journées de 9 h à 17 h.

Strasser était un avocat spécialisé dans le secteur des assurances mais il haïssait les assurances – et les avocats.

Woodell avait perdu ses rêves de jeunesse à cause d'un accident improbable.

Je m'étais fait virer de l'équipe de baseball, ce qui m'avait brisé le cœur.

Je m'identifiais au perdant qui sommeillait dans chacun des *Buttfaces*, et vice-versa, et je savais qu'ensemble, nous deviendrions des gagnants. Je ne savais toujours pas ce que gagner signifiait, à part ne pas perdre, mais nous semblions nous approcher d'un moment de vérité où cette question serait réglée, ou du moins où elle serait définie de façon plus claire. Il était possible que l'ouverture de notre capital soit ce moment.

Peut-être qu'ouvrir notre capital pourrait enfin garantir la survie à Nike.

En cette année 1976, les seuls doutes que j'avais à propos de l'équipe dirigeante de Nike me concernaient. Allais-je dans la bonne direction avec les *Buttfaces* en leur donnant aussi peu de conseils ? Lorsqu'ils faisaient du bon boulot, je haussais les épaules et la phrase la plus élogieuse que j'arrivais à prononcer était : « Pas mal. » Lorsqu'ils commettaient des erreurs, je hurlais pendant une minute ou deux avant de me calmer. Aucun des *Buttfaces* ne se sentait le moins du monde menacé par moi – était-ce une bonne chose ? « *Ne dites jamais aux gens comment faire les choses. Dites-leur ce qu'il faut faire et ils vous surprendront par leur ingéniosité.* » C'était la bonne approche pour Patton et ses GI mais ce principe s'appliquait-il à un groupe de *Buttfaces* ? J'étais préoccupé. Peut-être devais-je mettre davantage la main à la pâte, peut-être aurions-nous dû être plus structurés.

Mais je me disais ensuite : « Quelle que soit la qualité de ton management, ça a l'air de marcher car il y a très peu de rébellion contre toi. » En fait, depuis la trahison de Bork, personne n'avait piqué de crise, sur aucun sujet, pas même sur la rémunération, ce qui n'arrive dans aucune autre entreprise, grande ou petite. Les *Buttfaces* savaient que je ne me payais pas beaucoup moi-même, et ils avaient confiance dans le fait que je les paierais autant que je le pouvais.

Clairement, les *Buttfaces* aimaient la culture que j'avais instillée. J'avais totalement confiance en eux et ne les fliquais pas : cela engendrait une loyauté solide qui allait dans les deux sens. Mon style de management n'aurait pas fonctionné avec des gens ayant besoin d'être guidés à chaque étape mais le groupe que j'avais avec moi le trouvait libérateur et responsabilisant. Je les laissais être comme ils étaient, je les laissais faire les choses comme ils l'entendaient, je les laissais faire leurs propres erreurs parce que c'était comme cela que j'avais toujours aimé que les gens me traitent.

À la fin des week-ends *Buttface*, je rentrais en transe chez moi en voiture, avec la tête pleine de réflexions de ce genre. À mi-chemin, cette transe s'estompait et je me mettais à penser à Penny et aux garçons. Les *Buttfaces* étaient comme des membres de la famille mais chaque minute que je passais avec eux était une minute que je ne passais pas avec ma vraie famille. Je ressentais un fort sentiment de culpabilité. Souvent, quand je franchissais le pas de la porte, Matthew et Travis venaient à ma rencontre et me demandaient : « Tu étais où ? » En les prenant dans mes bras, je répondais : « Papa était avec ses amis. » Troublés, ils répondaient : « Mais maman nous a dit que tu travaillais. »

C'est à peu près à cette époque, et alors que Nike venait de lancer ses premières chaussures pour enfants (les Wally Waffle et les Robbie Road Racer), que Matthew m'a annoncé qu'il ne porterait jamais de Nike. C'était sa façon d'exprimer sa colère contre mes absences, mais aussi d'autres frustrations. Penny a essayé de lui faire comprendre que Papa n'était pas absent par choix, que Papa essayait de construire quelque chose et que Papa essayait de faire en sorte que Travis et lui puissent un jour aller à la fac.

Je ne me donnais même pas la peine de m'expliquer, car je me disais que cela ne changerait pas grand-chose : Matthew ne me comprenait jamais et Travis me comprenait toujours – ils semblaient être nés avec ces caractéristiques invariables. Matthew semblait nourrir un ressentiment inné contre moi alors que Travis semblait m'être dévoué de naissance. Est-ce que quelques mots de plus auraient pu changer cela ? Est-ce que quelques heures de plus auraient pu changer cela ?

J'étais sans cesse en train de m'interroger sur le père et le manager que j'étais : étais-je bon, ou simplement passable ?

Très souvent, j'ai fait le vœu de changer. Très souvent, je me disais : « Je passerai plus de temps avec les garçons. » Très souvent, j'ai tenu promesse… un moment, avant de replonger dans ma routine. Ni trop interventionniste, ni trop peu.

C'était peut-être le seul problème sur lequel je ne pouvais pas réfléchir ouvertement avec mes copains *Buttfaces*. Faire en sorte que les garçons A et B soient heureux tout en maintenant à flot le fils C – Nike – était un challenge largement plus complexe que de faire parvenir des semelles intercalaires d'un point A à un point B.

1977

Il s'appelait Frank Rudy, c'était un ancien ingénieur aérospatial et un vrai original. Un regard sur lui suffisait pour comprendre que c'était un professeur complètement givré, bien que je n'aie pris la pleine mesure de sa folie que quelques années plus tard (il tenait un registre méticuleux sur sa vie sexuelle et sur ses selles). Il avait un associé, Bob Bogert, un autre surdoué, et ces deux-là avaient une idée folle, qu'ils allaient nous présenter ensemble – je ne disposais pas d'autres informations lorsque je me suis installé dans notre salle de réunion ce matin de mars 1977. Je ne savais même pas comment ces types nous avaient contactés, ni comment ils avaient réussi à obtenir cet entretien.

Je leur ai dit : « OK, les gars. Qu'avez-vous à nous montrer ? »

Je me rappelle que c'était une belle journée. Le ciel était bleu pour la première fois depuis des mois et j'avais la tête dans les nuages, avec l'envie de profiter du beau temps, au moment où Rudy s'est appuyé de tout son poids sur la table de la salle de réunion et m'a dit en souriant :

« Monsieur Knight, nous avons trouvé la façon d'injecter… de l'air… dans les chaussures de running.

J'ai froncé les sourcils et j'ai laissé tomber mon stylo.

– Pourquoi ?

– Pour avoir un meilleur matelassage. Pour avoir un meilleur appui. Pour faire la meilleure course de sa vie.

– C'est une blague, c'est ça ? ai-je demandé, incrédule.

J'avais déjà entendu des quantités d'âneries dans le milieu de la chaussure mais je me suis dit que là, c'était le pompon.

Rudy m'a tendu une paire de semelles qui semblaient tout droit téléportées du vingt-deuxième siècle. Elles étaient imposantes, en plastique transparent et épais et l'on pouvait voir à l'intérieur… des bulles ? Je les ai retournées dans tous les sens.

– Des bulles ? ai-je interrogé.

– Des poches d'air pressurisé » a-t-il répondu.

J'ai posé les semelles sur la table et j'ai regardé Rudy plus attentivement. Je l'ai dévisagé de haut en bas. Rudy avait soixante-trois ans, l'allure dégingandée, des cheveux foncés indisciplinés, des lunettes avec des verres très épais, un sourire asymétrique et, selon moi, une carence sévère en vitamine D. Je me suis dit : « Soit il ne prend pas assez le soleil, soit c'est un membre perdu de vue de la famille Addams. »

Rudy a compris que j'étais en train de le jauger, il a senti mon scepticisme mais ne s'est pas démonté pour autant. Il s'est avancé vers le tableau noir, a saisi un morceau de craie et il s'est mis à écrire des chiffres, des symboles et des équations. Il nous a expliqué en long et en large pourquoi une chaussure à bulles d'air allait marcher, pourquoi elle ne se dégonflerait pas et surtout pourquoi c'était le prochain grand succès de notre industrie. Avec ma formation de comptable, j'avais passé une bonne partie de ma vie à regarder des tableaux noirs, mais il y avait quelque chose de différent avec les gribouillis de ce Rudy. Ils étaient tout simplement indéchiffrables.

J'ai alors pris la parole pour dire que les êtres humains avaient porté des chaussures depuis l'Âge de glace et que leur structure n'avait pas tant changé en quarante mille ans. Il n'y avait pas eu de rupture depuis la fin du XIXe siècle, lorsque les cordonniers avaient commencé à fabriquer des chaussures différentes pour le pied droit et pour le pied gauche et lorsque les entreprises de caoutchouc avaient commencé à fabriquer des semelles. Il me semblait donc assez peu probable que quelque chose d'aussi novateur et révolutionnaire puisse être imaginé aussi tard dans l'histoire. Pour moi, les « chaussures à bulles d'air » étaient similaires aux réacteurs dorsaux et aux voitures volantes, bref des trucs de bande dessinée.

Mes propos n'ont pas découragé Rudy. Il est resté sérieux et imperturbable. Mais il a fini par hausser les épaules et dire qu'il comprenait. Enfin, il a ajouté qu'il avait également essayé de présenter sa trouvaille à Adidas et qu'eux aussi s'étaient montrés sceptiques. Abracadabra ! Je n'avais pas besoin d'en entendre davantage.

Je lui ai aussitôt demandé s'il était possible d'insérer ses semelles à bulles d'air dans mes chaussures de running pour voir ce que cela donnait. Rudy a dit : « Je n'ai pas ce qu'il faut pour bien les fixer. Elles seront un peu branlantes. »

J'ai répondu : « Je me fiche de ça. »

J'ai inséré les semelles dans mes chaussures, je les ai chaussées et j'ai fait mes lacets. En sautillant, j'ai dit : « Pas mal. »

Je suis allé courir dix kilomètres. Elles étaient effectivement instables. Mais elle produisait une sacrée foulée.

Je suis revenu au bureau. Encore tout transpirant, je suis allé directement voir Strasser et lui ai dit : « Il se pourrait qu'on tienne quelque chose. »

Strasser et moi avons été dîner avec Rudy et Bogert le soir-même. Rudy m'a parlé un peu plus en détail des techniques scientifiques derrière les semelles à bulles d'air et les choses m'ont paru plus claires lors de cette deuxième explication. Je lui ai dit qu'il était possible que nous fassions affaire. Et j'ai refilé le bébé à Strasser pour finaliser cela.

J'avais embauché Strasser pour ses compétences juridiques mais c'est en 1977 que j'ai découvert son véritable talent : l'art de négocier. Lors des premières fois où je lui avais demandé d'élaborer des contrats avec des agents sportifs, les négociateurs les plus coriaces du monde, Strasser s'était très bien débrouillé. J'avais été surpris, tout comme les agents d'ailleurs. Strasser arrivait toujours à obtenir plus que ce à quoi nous nous attendions. Personne ne lui faisait peur, personne ne lui arrivait à la cheville lors des joutes oratoires. Depuis quelque temps, je l'envoyais dans chacune des négociations dans lesquelles nous étions impliqués, avec une confiance aveugle, un peu comme si j'envoyais la 82e division aéroportée.

Je crois que son secret était simplement qu'il se fichait de ce qu'il disait, de comment il le disait et de comment ça passait. Il était d'une honnêteté totale, une tactique radicale quelle que soit la négociation. Je me souviens d'une lutte acharnée que Strasser avait menée à propos d'Elvin Hayes, la superstar des Washington Bullets, que nous voulions ardemment faire se réengager avec nous. L'agent d'Elvin avait dit à Strasser : « Vous devriez donner à Elvin toute votre fichue entreprise. »

Strasser avait bâillé. « C'est ce que vous voulez ? Servez-vous. Nous avons 10 000 dollars à la banque. C'est ma dernière offre. À prendre ou à laisser. »

L'agent avait accepté l'offre.

En sentant le potentiel de ces « semelles à bulles d'air », Strasser a proposé à Rudy dix cents pour chaque paire de semelles que nous vendrions. Rudy en réclamait vingt. Après des semaines de marchandage, ils ont trouvé un accord sur un prix intermédiaire. Nous avons ensuite envoyé Rudy et son partenaire à Exeter, qui était en train de devenir notre département de Recherche & Développement.

Sans surprise, Johnson a eu la même réaction que moi lorsqu'il a rencontré Rudy. Il a calé plusieurs « semelles à bulles d'air » dans ses chaussures de running et est allé courir sur dix kilomètres. Il m'a téléphoné tout de suite après :

« Ça peut être énorme.

– C'est aussi ce que je pense » ai-je répondu.

Toutefois, Johnson craignait que la bulle ne cause des frottements. Il disait que son pied était brûlant et qu'il avait un début d'ampoule. Il a suggéré que nous injections de l'air directement dans la semelle intercalaire, afin de stabiliser la foulée. Je lui ai dit : « C'est à ton nouveau copain Rudy qu'il faut le dire, pas à moi. »

Peu de temps après l'affaire avec Rudy, nous avons affecté une autre tâche cruciale à Strasser : faire signer des entraîneurs de basket universitaire. Nike avait déjà une écurie de joueurs NBA assez étoffée et nos ventes de chaussures de basket progressaient rapidement, mais nous n'avions pratiquement aucune équipe universitaire. Pas même l'Université de l'Oregon, ce qui était inconcevable.

L'entraîneur, Dick Harter, nous avait dit en 1975 qu'il avait laissé les joueurs décider au sujet des chaussures et que six d'entre eux avaient voté pour jouer en Nike alors que six avaient voté pour conserver leurs Converse. En conséquence, l'équipe avait continué à jouer en Converse.

L'année suivante, l'équipe avait voté pour Nike à 9 voix contre 3, mais Harter avait jugé que le résultat était encore trop serré et ils avaient gardé leurs Converse.

Il se foutait de moi ?

J'ai demandé à Hollister de faire du lobbying auprès des joueurs sur les douze mois qui ont suivi. À 12 voix contre 0, les joueurs se sont prononcés pour Nike en 1977.

J'ai rencontré Harter dans le bureau de Jaqua le lendemain. Il nous a dit qu'il n'était toujours pas prêt à signer.

Je lui ai demandé pourquoi.

« Où sont mes 2 500 dollars ?

– Ah. Ça y est, j'ai compris… » ai-je répondu.

J'ai envoyé un chèque à Harter. Mes Ducks allaient enfin porter des Nike sur les parquets.

Quasiment à la même époque, un second inventeur étrange s'est présenté chez nous. Il s'appelait Sonny Vaccaro et était tout aussi unique que Frank Rudy. Il était petit et rond et ses yeux étaient fuyaient sans cesse. Il parlait avec une voix rauque et un accent italien américanisé (ou un accent américain italianisé). Il m'était impossible d'en placer une. Il ne faisait pas de doute que Vaccaro était un *shoe dog*, mais tout droit sorti du *Parrain*. La première fois qu'il est venu chez Nike, il transportait avec lui plusieurs chaussures qu'il avait inventées, dont certaines ont provoqué des éclats de rire autour de la salle de réunion. Clairement, le type n'était pas aussi doué que Rudy. Cependant, il a prétendu au fil de la conversation être copain avec tous les entraîneurs de basket universitaire du pays. Pour une raison ou pour une autre, il avait lancé des années auparavant une sorte de *All-Star Game* lycéen assez populaire, le *Dapper Dan Classic*, qui avait rencontré beaucoup de succès. Cela lui avait donné l'occasion de sympathiser avec la crème des entraîneurs universitaires.

Je lui ai dit : « OK. On t'engage. Strasser et toi allez prendre la route, et vous allez voir si vous pouvez faire une percée sur le marché du basket universitaire. »

Toutes les grandes équipes universitaires – UCLA, Indiana, North Carolina et les autres – avaient des accords de long terme avec Adidas ou Converse. Il fallait donc détecter quelles équipes nous pouvions encore atteindre et ce que nous pouvions leur offrir. Nous avions mis en place à la hâte un « conseil consultatif », ressemblant un peu au Pro Club, notre système de récompenses NBA, mais cela ne représentait pas grand-chose. Je m'attendais vraiment à ce que Strasser et Vaccaro échouent. D'ailleurs, je m'attendais à ne plus les revoir pendant au moins un an.

Un mois plus tard, Strasser était dans mon bureau, le visage rayonnant. Il égrenait des noms : « Eddie Sutton, Arkansas ! Abe Lemmons, Texas ! Jerry Tarkanian, UNLV ! Frank McGuire, South

Carolina ! (Je suis tombé de ma chaise. McGuire était une légende : il avait battu l'équipe du Kansas de Wilt Chamberlain et remporté le championnat national avec North Carolina.) Nous avons fait sauter la banque ! »

Il a également mentionné deux jeunes gens dont personne ne parlait encore : Jim Valvano à Iona et John Thompson à Georgetown. (Un an ou deux après, il en avait fait de même avec des entraîneurs de football américain d'équipes universitaires, en réussissant à décrocher tous les meilleurs, dont Vince Dooley et ses Georgia Bulldogs qui venaient d'être champions. Herschel Walker en Nike : quel pied !)

Nous nous sommes dépêchés de sortir un communiqué de presse annonçant que toutes ces écoles étaient sous contrat avec Nike. Malheureusement, une faute de frappe malheureuse s'est glissée dans celui-ci : il était écrit « Iowa » au lieu de « Iona. » Lute Olson, l'entraîneur d'Iowa, nous a téléphoné sur le champ. Il était furibard. Nous lui avons présenté nos excuses et nous lui avons dit que nous enverrions un erratum le lendemain. Il s'est calmé et il a dit : « Attendez, attendez, maintenant que nous y sommes… c'est quoi cette histoire de "conseil consultatif" ? »

Harter avait fait des émules.

D'autres collaborations ont été bien plus difficiles à obtenir. Nos débuts dans le tennis avaient été très prometteurs avec Nastase. Nous nous étions ensuite cassé les dents avec Connors et « Nasty » était en train de nous laisser tomber. Adidas lui avait proposé 100 000 dollars par an, avec des chaussures, des vêtements et des raquettes en supplément. Nous avions encore la possibilité de nous aligner mais c'était hors de question. J'ai dit à l'agent de Nastase et à qui voulait l'entendre : « C'est irresponsable d'un point de vue budgétaire. On ne reverra plus jamais un contrat aussi gros dans le monde du sport. »

Nous n'avions donc plus personne sur le circuit de tennis en 1977. Nous avons rapidement embauché un champion local pour nous conseiller et avons été à Wimbledon cet été-là. Nous avons rencontré un groupe de responsables de la Fédération américaine lors de notre premier jour à Londres. Ceux-ci nous ont dit :

« Nous avons quelques très bons jeunes joueurs. Elliot Telscher est peut-être le meilleur. Gottfried est remarquable lui aussi. Mais ne perdez pas de temps avec le gamin du court 14.

– Pourquoi ?

– C'est une tête brûlée. »

Je me suis donc rué au court 14… et suis tombé instantanément amoureux de ce lycéen aux cheveux bouclés originaire de New York. Son nom : John McEnroe.

En parallèle de la signature de contrats avec des athlètes, des entraîneurs et des professeurs givrés, nous sortions la LD 1000, une chaussure de running qui se caractérisait par des talons très évasés. Si évasés qu'elles auraient pu faire penser à des skis nautiques sous certains angles. La théorie était qu'un talon si épais allait atténuer le moment de torsion sur la jambe et réduire la pression sur le genou, et ainsi réduire le risque de tendinite et d'autres pathologies liées à la course à pied. C'est Bowerman qui l'avait conçue, en collaboration avec Vixie le podologue. Les clients l'ont adorée.

Au début. Puis les ennuis sont arrivés. Si les pieds d'un coureur ne retombaient pas correctement sur le sol, le talon pouvait provoquer la pronation et des blessures au genou, voire pire. Nous avons lancé une campagne de rappel et nous sommes préparés à une réaction violente de la part de l'opinion publique – mais celle-ci n'est jamais venue. Au contraire, nous n'avons reçu que de la gratitude. Aucun autre fabricant de chaussures n'essayait de nouvelles choses et nos efforts, couronnés de succès ou non, étaient perçus avec bienveillance. Les innovations que nous présentions étaient reconnues comme modernes et visionnaires. L'échec ne nous arrêtait pas, et il n'arrêtait pas non plus nos clients.

En revanche, Bowerman a très mal pris cet épisode. J'ai essayé de le consoler en lui rappelant que Nike n'aurait pas existé sans lui et qu'il fallait qu'il continue à inventer et à créer avec audace. La LD 1000 était comme le roman pas tout à fait réussi d'un génie littéraire. Ça leur arrivait à tous, mais ce n'était pas une raison pour arrêter d'écrire.

Mes beaux discours ne prenaient pas et j'ai commis l'erreur de mentionner la semelle à bulles d'air que nous avions en développement. Je lui ai raconté l'innovation de Rudy et Bowerman a pouffé : « Pff… Des chaussures avec de l'air, ça ne marchera jamais, Buck. »

Il semblait un peu… jaloux ?

J'ai considéré cela comme un signe encourageant. Son sens de la compétition était déjà de retour.

J'ai passé de nombreux après-midi assis au bureau en compagnie de Strasser à essayer de comprendre pourquoi certaines lignes se vendaient et d'autres non. Nous dérivions souvent vers des discussions plus générales sur ce que les gens pensaient de nous et pourquoi. Nous n'avions pas de groupe de réflexion, ni de service d'étude de marché – nous n'en avions pas les moyens – et nous marchions donc à l'instinct, à l'intuition. Nous étions d'accord sur le fait que les gens aimaient le look de nos chaussures. Il aimaient aussi notre histoire : une société de l'Oregon fondée par des mordus de course à pied. Porter des Nike était aussi pour eux un moyen de s'affirmer. Nous étions plus qu'une simple marque, nous étions un moyen d'expression.

Nous devions cela en partie à Hollywood. Un de nos hommes y distribuait des Nike à toutes sortes de stars, des grandes stars, des stars de pacotille, des stars sur le déclin, des stars en pleine ascension, etc. À chaque fois que j'allumais la télévision, je voyais nos chaussures sur des personnages de série – *Starsky & Hutch*, *L'Homme qui valait trois milliards*, *L'Incroyable Hulk*. J'ignore comment, mais notre contact à Hollywood a transmis une paire de Senorita Cortez à Farrah Fawcett, qui les a portées dans un épisode de *Charlie et ses drôles de dames* en 1977. Cela a fait son effet. Grâce à la simple vue de Farrah en Nike, tous les magasins du pays étaient en rupture de stock de Senorita Cortez le lendemain midi. Peu de temps après, les pom-pom girls de UCLA et USC sautaient et dansaient avec au pied ce que les gens appelaient désormais « la Farrah ».

La conséquence était une demande encore plus forte pour nos chaussures… avec toutes les difficultés que cela impliquait en termes d'approvisionnement. Notre base de fabrication s'était élargie. En plus du Japon, nous avions désormais plusieurs usines à Taiwan et deux petites usines en Corée. Nous produisions aussi à Porto Rico et à Exeter mais malgré cela, nous n'arrivions toujours pas à suivre la demande. Par ailleurs, plus les usines étaient nombreuses, plus notre trésorerie était sous pression. Cela dit, nos problèmes n'avaient parfois rien à voir avec la trésorerie. En Corée par exemple, les cinq plus grandes usines étaient si massives et la concurrence entre elles si impitoyable, que nous savions que nous allions avoir des problèmes de contrefaçon. Et un matin, nous avons reçu au courrier une copie parfaite de notre Nike Bruin, avec le *swoosh*. Elle avait été envoyée par une usine avec laquelle nous ne travaillions pas. L'imitation est flatteuse mais la contrefaçon est un vol diabolique. Les détails et la qualité du travail, sans aucune indication ni aide de la part de nos employés, étaient étonnamment bons. J'ai écrit au président de l'usine une lettre de cessation et d'abstention dans laquelle je le menaçais de le faire mettre en prison pour cent ans s'il n'arrêtait pas ces copies.

Au passage, je lui demandais comment il voulait que nous travaillions ensemble.

J'ai signé un contrat avec cette usine à l'été 1977, ce qui a mis un terme au problème de contrefaçon pour quelque temps. De façon plus importante, cela nous a permis d'augmenter fortement notre capacité de production.

De facto, cela mettait fin une bonne fois pour toutes à notre dépendance vis-à-vis du Japon.

* * *

Les problèmes ne cesseraient jamais de se dresser sur notre route, mais nous allions plus vite qu'eux à cette époque. Pour tirer parti de cette bonne dynamique, nous avions lancé une nouvelle campagne publicitaire avec un slogan sexy : « Il n'y a pas de ligne d'arrivée. » Il provenait de notre nouvelle agence publicitaire et de son PDG John Brown. Ce dernier venait de lancer sa boîte à Seattle. Il était jeune et brillant mais c'était tout sauf un sportif. Nous ne recrutions alors que ce type de profils. À part Johnson et moi, Nike était un refuge pour sédentaires. Qu'importe, sportif ou non, Brown arrivait à imaginer des campagnes et des slogans qui capturaient parfaitement la philosophie de Nike. Sa publicité montrait un coureur seul sur une route isolée, encerclé par des sapins de Douglas. Cela faisait penser à l'Oregon. Le texte qui accompagnait la photo disait : « Vaincre la concurrence est relativement aisé. Se vaincre soi-même est un engagement qui ne finit jamais. »

Mon entourage trouvait la publicité puissante. Elle ne se focalisait pas sur le produit mais sur l'esprit du produit, ce qui était quelque chose de nouveau dans les années 1970. Les gens me félicitaient pour cette publicité, comme si nous avions réussi quelque chose d'extraordinaire. En réponse, je haussais les épaules. Pas par modestie, mais parce que je n'étais toujours pas convaincu par la puissance de la publicité. Pas le moins du monde. Je me disais : « Soit un produit parle de lui-même, soit ça ne fonctionne pas. À la fin, c'est toujours la qualité qui compte. » Je ne pouvais pas imaginer qu'une campagne de publicité puisse me prouver le contraire et me faire changer d'avis.

Nos employés en charge de la publicité me disaient évidemment que j'avais tort, tort à cent pour cent. Mais je leur demandais sans cesse : « Pouvez-vous affirmer avec certitude que les gens achètent des Nike grâce à vos pubs ? Pouvez-vous me le prouver avec des chiffres écrits noir sur blanc ? »

Ils ne trouvaient rien à répondre.

Ils disaient : « Non… on ne peut pas affirmer ça avec certitude. »

J'enfonçais donc le clou : « Donc, il est un peu difficile d'être enthousiaste, vous ne trouvez pas ? »

Là non plus, ils ne trouvaient rien à répondre.

J'ai souvent souhaité disposer de plus de temps pour prendre le temps de réfléchir et de débattre au sujet des bienfaits de la publicité. Nos crises quasi quotidiennes nous accaparaient toujours davantage et ne nous laissaient pas vraiment le temps de réfléchir au slogan à placer sous la photo de nos chaussures. Sur la deuxième moitié de 1977, la crise concernait les détenteurs de nos obligations, qui voulaient soudainement trouver un moyen de monétiser leurs titres. Selon eux, le meilleur moyen de le faire était d'organiser un appel public à l'épargne, ce qui, comme nous leur avons expliqué, était hors de question. Notre position ne leur plaisait pas du tout.

Une nouvelle fois, je suis allé voir Chuck Robinson. Il avait servi avec distinction comme lieutenant-commandant dans un cuirassé lors de la Deuxième Guerre mondiale. Il avait construit la première aciérie d'Arabie Saoudite et avait contribué à la réussite des négociations sur le blé avec les Soviétiques. Il connaissait extrêmement bien le milieu des affaires, mieux que n'importe quelle personne rencontrée au cours de mon existence. Cela faisait un certain temps que je souhaitais prendre conseil auprès de lui mais il avait été nommé bras droit d'Henry Kissinger au Département d'État, ce qui, selon Jaqua, le rendait inaccessible pour moi. Avec l'élection de Jimmy Carter, Chuck était revenu dans le monde des affaires à Wall Street et il était à nouveau possible de le consulter. Je l'ai donc invité dans l'Oregon.

Je n'oublierai jamais son premier jour dans nos locaux. Je lui ai raconté tous les développements que nous avions connus ces dernières années et l'ai remercié pour son conseil inestimable sur les maisons de commerce japonaises. Je lui ai ensuite montré nos états financiers. Chuck les a feuilletés et s'est mis à rire sans s'arrêter.

« En termes de composition, vous êtes une maison de commerce japonaise – 90 % de dettes.

– Je sais.

– Vous ne pouvez pas continuer comme ça.

– Eh bien… C'est l'une des raisons pour lesquelles je voulais vous voir. »

Je l'avais invité en premier lieu pour lui proposer de faire partie de notre conseil d'administration. À ma grande surprise, il a accepté. Je lui ai ensuite demandé son opinion au sujet d'une possible ouverture de capital.

Il m'a dit qu'ouvrir notre capital n'était pas une option, mais une obligation. Il a expliqué que je devais régler ce problème de flux de trésorerie une bonne fois pour toutes, car je risquais de toute perdre. Entendre son analyse était effrayant, mais nécessaire.

Pour la toute première fois, j'ai compris que l'ouverture de notre capital était inévitable, même si cela me rendait triste. Évidemment, nous pouvions gagner beaucoup d'argent. Mais devenir riche n'avait jamais pesé dans mes décisions, et cela comptait encore moins pour les *Buttfaces*. En conséquence, lorsque j'ai rapporté à la réunion suivante ce que Chuck avait dit, je n'ai pas voulu que nous organisions un énième débat à ce sujet. J'ai directement proposé un vote.

Hayes était pour.

Johnson était contre.

Strasser était contre. Il n'arrêtait pas de répéter : « Ça abîmerait la culture. »

Woodell était tiraillé.

Toutefois, s'il y avait une chose sur laquelle nous étions tous d'accord, c'est qu'aucun obstacle ne se dressait devant une éventuelle ouverture de capital : les ventes étaient extraordinaires, le bouche-à-oreille était très positif à notre égard et nos ennuis juridiques étaient derrière nous. Nous étions certes endettés mais il n'y avait rien d'insurmontable. Aux débuts des fêtes de Noël 1977, alors que les guirlandes électriques commençaient à illuminer les maisons de mon quartier, je me souviens d'avoir pensé pendant l'une de mes courses nocturnes : « Tout est sur le point de changer. C'est juste une question de temps. »

Et puis une lettre est arrivée.

C'était une enveloppe blanche standard. À l'arrière de celle-ci était écrit : U.S. Customs Service, Washington, DC (service des Douanes des États-Unis). Je l'ai ouverte et mes mains ont commencé à trembler. C'était une facture à régler. D'un montant de 25 millions de dollars. Je l'ai lue et relue. Je n'y comprenais rien. La seule chose que j'ai cru comprendre était que le gouvernement fédéral affirmait que Nike devait aux douanes des taxes impayées datant d'il y a trois ans, en vertu d'un certain American Selling Price, une vieille méthode de calcul de taxes. Je me suis dit : « American Selling – quoi ? » J'ai fait venir Strasser dans mon bureau et lui ai fourré la lettre dans les mains. Il l'a lue et s'est mis à rire. Il a tiré sur sa barbe et il a dit : « Ce n'est pas possible. » J'ai répondu : « J'ai eu exactement la même réaction. »

Nous l'avons relue plusieurs fois chacun notre tour et convenu qu'il s'agissait d'une erreur. Car si nous devions réellement 25 millions de dollars au gouvernement, nous pouvions mettre de suite la clé sous la porte. Cela aurait voulu dire que toutes nos discussions sur l'ouverture de notre capital, mais aussi tout le chemin parcouru depuis 1962 avaient été une gigantesque perte de temps. Dans ce cas, contrairement à notre slogan « Il n'y a pas de ligne d'arrivée », nous aurions franchi notre ligne d'arrivée : la fin de notre entreprise.

Strasser a passé quelques coups de fil et est revenu me voir le lendemain. Cette fois, il ne riait pas : « Il se pourrait que ce soit vrai. »

L'origine de l'affaire était sinistre. Nos concurrents américains, Converse, Keds et quelques autres usines de petite taille – autrement dit, tout le reste de l'industrie américaine de la chaussure – étaient derrière cette procédure. Ils avaient fait du lobbying à Washington pour freiner notre progression et avaient obtenu gain de cause, bien au-delà de ce qu'ils avaient espéré. Ils avaient réussi à convaincre les autorités douanières de venir nous mettre des bâtons dans les roues en mettant en application le American Selling Price, une loi archaïque datant de l'époque protectionniste qui avait précédé – et même causé selon certains – la Grande Dépression.

Grosso modo, l'American Selling Price (ASP) disait que les taxes d'importation sur les chaussures en nylon devaient correspondre à 20 % du coût de fabrication – sauf en cas d'existence d'une « chaussure similaire » produite par un concurrent aux États-Unis. Dans ce cas, la taxe devait correspondre à 20 % du prix de vente (et donc pas du coût de fabrication) du concurrent. En conséquence, il suffisait à nos concurrents de produire quelques chaussures aux États-Unis, de faire en sorte qu'elles soient déclarées « similaires » aux nôtres, et les vendre très cher – et boum ! Cela faisait exploser nos taxes d'importation.

C'est exactement ce qu'ils ont fait. En effectuant cette manœuvre minable, ils ont réussi à faire augmenter nos taxes d'importation de 40 % – avec effet rétroactif. Les douanes affirmaient que nous leur devions des taxes d'importation pour une période correspondant à plusieurs années, pour un montant de 25 millions de dollars. Manœuvre minable ou pas, Strasser disait que les douanes ne plaisantaient pas et nous réclamaient 25 millions de dollars, à régler le plus vite possible.

J'ai posé la tête sur mon bureau. Quelques années plus tôt, en plein cœur de la bataille contre Onitsuka, je m'étais dit que l'origine du problème résidait dans nos différences culturelles. Une partie de moi, façonnée par la Deuxième Guerre mondiale, n'était pas été surprise d'être en désaccord avec un ancien ennemi. Mais, je me trouvais désormais en guerre contre les États-Unis d'Amérique, mon propre gouvernement.

S'il y a un combat que je n'aurais jamais imaginé mener, c'était bien celui-ci. Mais je ne pouvais pas l'esquiver. Le perdre impliquait notre disparition. Ce que le gouvernement nous réclamait, c'est-à-dire 25 millions, était à peu près notre chiffre d'affaires total pour l'année 1977. Le problème était que même dans l'hypothèse où nous réussirions à verser un an de chiffre d'affaires au gouvernement, nous ne serions pas capables de payer des taxes d'importation 40 % plus élevées par la suite.

En soupirant, j'ai donc dit à Strasser qu'il n'y avait qu'une seule à faire : « Nous allons nous battre de toutes nos forces. »

Je ne sais pas pourquoi cette crise m'a touché davantage que les autres. J'ai essayé de me raisonner en me répétant que nous avions déjà surmonté des périodes difficiles et que nous y arriverions cette fois encore.

Mais là, c'était différent.

J'ai essayé d'en parler à Penny mais elle m'a fait remarquer que je ne faisais que grogner et regarder dans le vide. Exaspérée et un peu effrayée, elle m'a dit : « Je parle à un mur. » J'aurais dû lui dire que c'est ce que les hommes font quand ils se battent : ils construisent des murs, remontent les ponts-levis, remplissent les douves.

Mais je ne savais pas quoi faire retranché derrière mon mur. J'ai perdu mon habileté à parler en 1977 : soit je me taisais, soit j'étais fou de rage. Tard le soir, après avoir eu au téléphone Strasser, Hayes, Woodell ou mon père, je me disais qu'il n'y avait aucune issue. J'allais devoir fermer cette entreprise que je m'étais donné tant de mal à créer, ça me semblait inéluctable. Je passais ma colère sur le téléphone. Au lieu de raccrocher, je claquais le combiné jusqu'à ce qu'il se brise. Je me suis acharné plusieurs fois de la sorte.

Après avoir cassé le téléphone trois ou quatre fois, j'ai remarqué que le réparateur s'était mis à me regarder bizarrement. Il a remplacé notre téléphone, a vérifié qu'il y avait bien une tonalité puis il a rangé ses outils et m'a dit tout doucement : « C'est… vraiment… immature. »

J'ai fait oui de la tête.

« Vous êtes censé vous comporter comme un adulte. »

J'ai fait oui de la tête une deuxième fois.

Je me suis dit que si un réparateur de téléphone ressentait le besoin de me réprimander, il devenait vraiment nécessaire que je modifie mon comportement. Ce jour-là, je me suis fait la promesse de changer, que je ferais de la méditation et que j'irais courir vingt kilomètres par soir s'il le fallait. J'étais déterminé à ne pas sombrer.

Ça ne voulait pas nécessairement dire être un bon père. Je m'étais toujours promis que je serais un meilleur père avec mes enfants que mon père ne l'avait été avec moi – c'est-à-dire que je leur accorderais davantage d'attention que j'en avais moi-même reçu. Mais fin 1977, quand j'ai pris le temps de m'évaluer avec le plus d'honnêteté possible, j'ai pris la mesure du temps que je passais loin des garçons et sans compter que j'étais souvent mentalement ailleurs quand j'étais à la maison. Je n'étais pas fier de moi. Je me suis trouvé à peine 10 % meilleur que mon père ne l'avait été avec moi. Au moins, je subvenais mieux aux besoins de la famille.

Il y avait quelques points positifs, j'avais par exemple continué à leur lire des histoires le soir.

Boston, avril 1773. Avec de grands nombres de colons en colère, protestant contre l'augmentation des taxes d'importation sur le thé qu'ils aimaient tant, Matt et Travis History sont montés discrètement sur trois bateaux amarrés au port de Boston et ont jeté tout le thé qui s'y trouvait à la mer...

Dès le moment où leurs yeux se fermaient, je filais en douce pour m'installer dans mon fauteuil inclinable et je décrochais le téléphone.

« Salut Papa. Comment ça va ?… Moi ? Pas terrible. »

Cet appel à mon père avant de me coucher était mon salut depuis dix ans. Mais ça l'était plus que jamais. J'ai terriblement besoin de ces choses que seul ce vieil homme pouvait m'apporter, même si j'avais du mal à leur donner un nom.

Réconfort ?

Approbation ?

Consolation ?

Je les ai toutes obtenues d'un seul coup le 9 décembre 1977, grâce au sport évidemment.

Les Houston Rockets jouaient contre les Los Angeles Lakers cette nuit-là. Au début de la deuxième mi-temps, le meneur des Lakers Norm Nixon a raté un tir en suspension et son coéquipier Kevin Kunnert, une grande perche de plus de 2,10 m originaire de l'Iowa, était à la lutte pour le rebond avec Kermit Washington de Houston. Washington a baissé le short de Kunnert et celui-ci s'est vengé en lui assénant un coup de coude. Washington a alors frappé Kunnert au visage. Une bagarre a éclaté. Rudy Tomjanovich des Rockets a couru pour aller défendre ses partenaires mais Washington s'est retourné vers lui et lui a mis un crochet dévastateur qui lui a cassé le nez et la mâchoire. Tomjanovich est tombé au sol comme s'il avait pris une balle. Le bruit fait par son corps massif en claquant contre le sol faisait froid dans le dos. Le son a résonné jusque dans les tribunes les plus hautes du L.A. Forum et Tomjanovich est resté par terre plusieurs secondes, sans bouger, dans une flaque de sang ne cessant de s'étendre.

Je n'en avais pas entendu parler avant que mon père ne me le raconte au téléphone. Il était hors d'haleine. J'étais surpris qu'il ait regardé le match mais tout le monde à Portland s'était passionné pour la NBA cette saison-là, nos Trail Blazers venaient de remporter le titre. Ce n'était pas le match en lui-même qui l'avait mis dans cet état. Après m'avoir décrit la bagarre, il s'est écrié : « Oh, Buck, Buck, c'est l'une des choses les plus incroyables que j'aie jamais vues. » Puis, après une longue pause, il a ajouté : « La caméra n'arrêtait pas de zoomer et on pouvait voir clairement… sur les chaussures de Tomjanovich… le *swoosh* ! Ils n'arrêtaient pas de zoomer sur le *swoosh.* »

Je n'avais jamais décelé une telle fierté dans la voix de mon père. Tomjanovich était à l'hôpital entre la vie et la mort, avec le visage réduit en bouillie mais mon père ne retenait que le logo de Buck Knight sous le feu des projecteurs nationaux.

C'est le soir où le *swoosh* est devenu une réalité pour mon père. Et quelque chose de respectable. Il n'a pas employé le mot « fier » mais j'ai raccroché avec le sentiment qu'il l'avait fait.

Cela montrait presque que cette aventure en valait la peine.

Presque.

* * *

Nos ventes avaient connu une progression exponentielle année après année, depuis les premières centaines de paires que j'avais vendues dans le coffre de ma Valiant. À la fin de l'année 1977, les ventes étaient en train de s'emballer furieusement. Notre chiffre d'affaires atteignait presque 70 millions de dollars. Penny et moi avons donc décidé d'acheter une maison plus grande.

Il était étrange de faire cela en plein milieu d'une bataille apocalyptique avec le gouvernement. Mais j'aimais l'idée que nous menions notre vie comme si les choses allaient s'arranger.

Je me suis dit que la chance souriait aux audacieux.

J'aimais aussi l'idée d'un changement de décor.

J'ai pensé que cela pourrait peut-être faire tourner la roue dans le bon sens.

Bien sûr, nous étions tristes de quitter notre ancienne maison. Les garçons y avaient fait leurs premiers pas et Matthew adorait la piscine. Il n'était jamais autant en paix que lorsqu'il barbotait dans l'eau. Je me souviens d'avoir entendu Penny dire : « Une chose est sûre, ce petit ne se noiera jamais. »

Mais les garçons grandissaient tellement vite qu'il leur fallait plus d'espace et il y en avait beaucoup plus dans notre nouvelle maison. Celle-ci était sur les hauteurs de Hillsboro et le terrain faisait deux hectares. Les chambres étaient très spacieuses. Dès la première nuit, nous savions que nous serions bien dans notre nouveau chez-nous. Il y avait même une niche encastrée dans un mur pour mon fauteuil inclinable.

Après ce déménagement, et pour continuer sur ma lancée, j'ai tenté d'adopter un nouvel emploi du temps. Sauf quand j'étais en déplacement, j'ai essayé d'assister à tous les matchs de basket, de football et de baseball de jeunes. J'ai passé des week-ends entiers à apprendre à Matthew à frapper à la batte, même si nous nous demandions tous les deux pourquoi nous faisions cela. Il refusait de laisser son pied arrière immobile. Il refusait d'écouter. Il voulait sans cesse aller au conflit.

« La balle bouge. Alors pourquoi je ne pourrais pas bouger ? »

Je lui expliquais que c'était plus difficile de frapper de cette façon.

Mais mes explications n'étaient jamais suffisantes pour lui.

Matthew était plus qu'un rebelle. Il voulait toujours faire l'inverse de ce que l'on attendait de lui. Il ne supportait pas l'autorité et la voyait partout. Tout ce qui contrariait sa volonté était considéré comme une oppression et un appel à prendre les armes. Par exemple, il jouait au football comme un anarchiste. Il jouait plus contre les règles que contre l'équipe adverse. Lorsque le meilleur joueur adverse s'approchait de lui en phase offensive, Matthew oubliait le match et le ballon et tout ce qu'il voulait était attraper les tibias du gamin. Le garçon se retrouvait par terre, ses parents se mettaient à crier et une explication tendue s'ensuivait. Durant l'une des mêlées provoquées par Matthew, j'ai remarqué qu'il n'avait pas plus envie que moi d'être là. Il n'aimait pas le football. En fait, il n'aimait pas le sport. Il se sentait obligé de faire du football et je me sentais obligé d'aller le voir.

Au fil du temps, son comportement a fini par déteindre sur son petit frère. Alors que Travis avait des aptitudes physiques indéniables et qu'il aimait le sport, Matthew est parvenu à lui faire perdre cet intérêt. Un jour, le petit Travis a décidé d'arrêter de jouer ou d'aller voir des matchs. J'ai essayé de lui faire reconsidérer sa décision mais la principale chose qu'il avait en commun avec son frère, et peut-être avec son père, était son côté têtu. De toutes les négociations auxquelles j'ai pris part dans ma vie, celles avec mes fils ont été les plus difficiles.

En faisant le tour de ma nouvelle maison lors du réveillon 1977, j'ai senti comme une fissure profonde dans le socle de mon existence. Ma vie était centrée sur le sport, mon entreprise était centrée sur le sport, le lien que j'avais avec mon père était centré sur le sport mais mes deux fils ne voulaient rien avoir à faire avec le sport.

Comme pour l'American Selling Price, j'ai trouvé cela injuste.

1978

Strasser était notre général cinq étoiles et j'étais prêt à le suivre dans n'importe quelle bagarre ou fusillade. Dans notre bataille contre Onitsuka, son indignation m'avait réconforté et m'avait fait tenir le choc, et son esprit avait été une arme redoutable. Dans cette nouvelle bataille, il était doublement outré. C'était une bonne chose. Il piétinait dans les bureaux comme un Viking en furie. Le bruit de ces piétinements sonnait comme une douce musique à mes oreilles.

Nous savions tous les deux que notre rage n'allait pas suffire et que Strasser n'y arriverait pas tout seul. Nous allions affronter les États-Unis d'Amérique, quand même ! Nous avions quelques gars de bon niveau. Strasser a tendu la main à un jeune avocat de Portland, Richard Werschkul, qui était aussi l'un de ses amis. Je ne me rappelle pas qu'on me l'ait présenté un jour, ni qu'on m'ait demandé de le rencontrer avant de le recruter. Je me souviens juste d'avoir eu soudainement conscience de sa présence permanente. On ne pouvait pas ne pas voir qu'il était là.

La présence de Werschkul était la bienvenue. Il avait le genre de dynamisme que nous chérissions et le profil que nous avons toujours recherché. Premier cycle universitaire à Stanford puis études de droit à l'Université de l'Oregon. Il avait aussi une personnalité fascinante, avec une vraie présence. Il était brun et maigre, portait des lunettes et possédait une voix de baryton extraordinairement profonde et snob, on aurait dit Dark Vador avec un rhume. Globalement, il donnait l'impression d'un homme qui avait un plan et celui-ci n'incluait ni la reddition ni le sommeil.

Mais il y avait aussi des choses troublantes chez Werschkul. Il avait une mèche folle. C'était le cas pour chacun d'entre nous mais sa mèche aurait été qualifiée par Maman Hatfield de « chevelure sauvage. » Il y avait toujours chez lui quelque chose qui allait de travers. Par exemple, bien qu'il fût natif de l'Oregon, il donnait l'impression déconcertante d'être de la côte Est. Il portait des blazers bleus, des chemises roses et des nœuds-papillons. Parfois, son accent trahissait ses étés passés à Newport ou à faire de l'aviron pour Yale. Tout cela était plutôt étrange pour un homme qui connaissait la vallée de Willamette comme sa poche. Même s'il pouvait être plein d'esprit et faire le pitre, il pouvait aussi changer du tout au tout en un éclair et devenir sérieux à en faire peur. Rien ne le rendait plus sérieux que le dossier de Nike contre les douanes américaines.

Quelques-uns chez Nike s'inquiétaient de Werkschkul et craignaient que son implication ne vire à l'obsession. Personnellement, je me disais que les personnes obsédées étaient les seules à bien faire leur boulot et les seules avec lesquelles je puisse m'entendre. Certains ont mis en doute sa stabilité. Mais je leur ai répondu : « En matière de stabilité, qui ici oserait lui jeter la première pierre ? »

Du reste, Strasser l'aimait bien et j'avais confiance en Strasser. Je n'ai donc pas hésité lorsqu'il m'a suggéré de promouvoir Werschkul et de le poster à Washington D.C., où il serait plus proche des politiciens que nous devions essayer de rameuter à notre cause. Évidemment, Werschkul n'a, lui, pas hésité à accepter.

Au même moment, j'ai envoyé Hayes à Exeter pour vérifier que tout allait bien à l'usine et voir comment Woodell et Johnson s'entendaient. Je lui avais également demandé d'y faire l'acquisition d'une machine appelée grenailleuse à tablier retourneur. Celle-ci était censée nous aider à améliorer la qualité de nos semelles extérieures et intercalaires. Mais surtout, Bowerman exigeait cette machine pour ses expérimentations et ma politique de l'époque était WBW : *Whatever Bowerman Wants* (« Bowerman aura tout ce qu'il demande »). J'avais dit à Woodell que si Bowerman demandait un char d'assaut, il fallait directement appeler le Pentagone sans poser de questions.

Mais quand Hayes a demandé à Woodell ce qu'était ce « bidule à tablier retourneur » et où il pouvait en trouver un, Woodell a haussé les épaules. Il n'en avait jamais entendu parler. Woodell a redirigé Hayes vers Giampietro, qui connaissait toutes ces machines. Quelques jours plus tard, Hayes s'est retrouvé avec Giampietro au milieu des forêts du Maine, dans la petite ville de Saco, à une vente aux enchères d'équipement industriel. Hayes n'y a pas trouvé de grenailleuse à tablier retourneur mais il est tombé amoureux du site, une vieille usine en brique rouge sur une île de la rivière Saco. L'usine paraissait tout droit sortie d'un roman de Stephen King, mais ça n'a pas effrayé Hayes. Ça lui plaisait, même. A posteriori, il était prévisible qu'un fétichiste des bulldozers tombe amoureux d'une usine rouillée. La surprise dans tout ceci était que l'usine était aussi à vendre. Son prix : 500 000 dollars. Hayes a fait une offre à 100 000 dollars et l'affaire a été conclue pour 200 000.

« Félicitations ! m'ont dit Hayes et Woodell quand ils m'ont appelé l'après-midi.

– Félicitations pour quoi ?

– Pour un peu plus que le prix d'une grenailleuse, tu es maintenant l'heureux propriétaire d'une usine entière.

– Mais de quoi parles-tu, bon Dieu ?

Ils m'ont raconté toute l'histoire, comme Jack racontant à sa mère qu'il avait acquis des haricots magiques. Leurs voix étaient beaucoup moins claires lorsqu'ils ont évoqué le prix de la transaction et les dizaines de milliers de dollars de rénovation dont avait besoin l'usine. Je sentais qu'ils avaient bu, et Woodell me confiera plus tard qu'après s'être arrêté à un magasin faisant des promotions gigantesques sur l'alcool, Hayes lui avait lancé : « À ce prix-là, un homme ne peut pas se permettre de ne pas boire ! »

Je me suis levé de ma chaise et j'ai crié dans le téléphone.

– Vous êtes des idiots ! Bon Dieu, pourquoi aurais-je besoin d'une usine qui ne fonctionne pas au fin fond du Maine ? »

– Pour le stockage ? Et ça pourrait à terme dépanner notre usine d'Exeter… m'ont-ils répondu.

– Vous n'êtes pas sérieux ! leur ai-je crié avec une fureur que n'aurait pas reniée John McEnroe.

– Trop tard. On l'a déjà achetée. »

Et ils ont raccroché.

Je me suis assis. Je n'étais même pas en colère. J'étais trop contrarié pour ça. Le gouvernement me réclamait 25 millions de dollars que je n'avais pas et mes hommes se promenaient dans le pays en faisant des chèques de centaines de milliers de dollars sans même me demander mon avis. Je suis soudain devenu plus calme.

J'étais dans une sorte de coma. Je me suis dit : « Qu'importe ? Quand le gouvernement arrivera et voudra saisir tous nos biens, ce sera à eux de savoir quoi faire d'une usine désaffectée à Saco. »

Hayes et Woodell ont rappelé un peu plus tard et ils m'ont dit qu'ils plaisantaient pour l'usine.

« On voulait te faire marcher. Mais tu devrais l'acheter. Vraiment, tu devrais.

– OK, OK, les idiots, si vous pensez que c'est une bonne idée », ai-je répondu, d'un air fatigué.

Nous étions bien partis pour atteindre 140 millions de chiffre d'affaires en 1979. Mieux encore, la qualité de nos produits montait en flèche. Des spécialistes du marché de la chaussure ont écrit des articles pour nous féliciter d'avoir « enfin » fait mieux qu'Adidas. Personnellement, je les ai trouvés un peu longs à la détente. D'après moi, à l'exception de quelques ratés au début, la qualité de nos produits était au top depuis des années déjà. De plus, nous étions à la pointe de l'innovation (les semelles à bulles d'air de Rudy étaient sur le point d'arriver sur le marché).

En résumé, notre guerre contre le gouvernement mise à part, nous étions en excellente forme. Si l'on oubliait que nous étions dans le couloir de la mort, notre vie était magnifique.

Notre siège est vite devenu trop petit pour nous. Nous avons déménagé dans un immeuble de 3 700 mètres carrés à Beaverton. Mon nouveau bureau était élégant et immense, plus grand même que l'ensemble de nos premiers locaux à côté du Pink Bucket.

Il paraissait surtout complètement vide. La décoratrice d'intérieur avait voulu y donner une touche japonaise minimaliste – que tout le monde trouvait à mourir de rire. Elle avait eu la drôle d'inspiration de mettre derrière mon bureau un siège en cuir en forme de gant de baseball géant. « Maintenant, vous pourrez vous y asseoir tous les jours et penser à… vos trucs de sport. »

Je me suis assis dans le gant et j'ai regardé par la fenêtre. J'aurais dû me délecter de ce moment et en savourer l'ironie. Après avoir été évincé de mon équipe de baseball au lycée, une des plus grandes blessures de ma vie, j'étais désormais assis dans un gant géant, dans un bureau très chic et à la tête d'une entreprise qui vendait des « trucs de sport » à des joueurs de baseball professionnels. Mais au lieu de penser à tout le chemin que nous avions parcouru, je ne voyais que tout le chemin qu'il nous restait. Ma fenêtre donnait sur une magnifique rangée de pins qui cachaient la forêt. Je ne comprenais pas ce qui était en train de se tramer à l'époque mais les choses me paraissent plus claires aujourd'hui. Les années de stress faisaient leur effet. Quand on ne voit plus que les problèmes, les pensées s'embrument. Au moment où j'aurais dû être le plus en forme, le burn-out me guettait.

J'ai ouvert le dernier *Buttface* de 1978 avec un discours enthousiaste un peu lourdaud, pour gonfler à bloc le moral des troupes, et le mien en particulier. Je leur ai dit : « Gentlemen, notre industrie, c'est un peu *Blanche Neige et les Sept Nains* ! Et l'année prochaine… enfin… l'un des nains va se taper Blanche Neige ! »

La métaphore méritant davantage d'éclaircissements, je leur ai expliqué qu'Adidas était Blanche Neige, et nous un des nains. J'ai tonné que notre heure était en train d'arriver.

Mais nous devions pour cela nous mettre à vendre des vêtements. Non seulement Adidas vendait plus de vêtements que de chaussures, mais l'habillement lui conférait un avantage psychologique. Ça les aidait à approcher de meilleurs sportifs en leur proposant des contrats de plus grande ampleur. Avec ses T-shirts et ses pantalons, Adidas avait beaucoup plus à offrir aux athlètes et aux magasins d'articles de sport.

De plus, si nous venions un jour à bout de nos ennuis avec le gouvernement et si nous voulions encore ouvrir notre capital, Wall Street ne nous accorderait pas tout le respect que nous méritions si nous n'étions qu'une entreprise de chaussures. Nous avions besoin de diversifier notre offre, ce qui signifiait développer une ligne de vêtements – et donc trouver une pointure pour mener ce projet à bien. Je leur ai annoncé lors de ce *Buttface* que cette personne serait Ron Nelson.

« Pourquoi lui ? a demandé Hayes.

– Eh bien, pour commencer, il a le CPA…

Hayes a agité sa main au-dessus de sa tête et a dit :

– Encore un comptable. Exactement ce dont on avait besoin… »

Il avait raison sur ce point. J'ai dû donner l'impression de ne recruter que des comptables. Et des avocats. Ce n'était pas une quelconque affection bizarre pour ces corporations, je ne savais juste pas comment m'y prendre pour trouver des personnes talentueuses ailleurs. J'ai rappelé à Hayes, et ce n'était pas la première fois, qu'il n'existait pas d'école ou d'université de la chaussure où nous pourrions prospecter. Je lui ai également rappelé que notre priorité était d'embaucher des personnes à l'esprit aiguisé et que les comptables et les avocats avaient au moins déjà prouvé qu'ils pouvaient maîtriser un sujet complexe.

La plupart d'entre eux disposaient également de compétences tangibles. Les comptables savent compter et les avocats savent parler. Mais quelle garantie avais-je sur les compétences d'un spécialiste en marketing ou d'un développeur produit ? Il m'était impossible de savoir de quoi ils étaient capables. Les diplômés d'école de commerce ? Ils ne voulaient pas commencer leur carrière à vendre des chaussures en faisant du porte à porte. De plus, avec leur expérience inexistante, on ne pouvait les recruter que de manière aléatoire en se basant sur un entretien. Nous ne pouvions pas nous permettre de recruter qui que ce soit sur une intuition.

Par ailleurs, Nelson était un remarquable comptable. Il avait réussi à devenir manager en seulement cinq ans, ce qui constituait une progression extrêmement rapide. Il avait été major de sa promotion au lycée. (Malheureusement, nous n'avons su que plus tard qu'il était dans un lycée de l'est du Montana et qu'il n'y avait que cinq élèves dans sa classe.)

Nelson avait réussi à devenir comptable très rapidement mais le revers de la médaille était qu'il était très jeune, trop sans doute pour s'occuper du lancement d'une ligne de vêtements. Mais sa jeunesse ne constituait pas à mes yeux un obstacle insurmontable, lancer une ligne de vêtements était relativement facile. Après tout, cela ne faisait appel à aucune technologie particulière ou connaissance de physique. Comme l'a dit Strasser un jour : « Il n'y a pas de shorts à air. »

Quelque temps plus tard, durant l'une de mes premières réunions avec Nelson après son embauche, j'ai remarqué… qu'il n'avait aucun sens du style. Plus je le regardais, plus je réalisais qu'il pourrait être la personne la plus mal habillée que j'aie rencontrée. Plus mal habillé que Strasser, ce qui était un exploit. Même la voiture de Nelson était d'une nuance de marron hideuse. Il a beaucoup ri quand je le lui ai fait remarquer. Cela ne l'a pas empêché de se vanter du fait que toutes ses voitures avaient été exactement de cette couleur.

« Il se pourrait que j'aie fait une erreur pour Nelson » ai-je finalement confié à Hayes.

Je n'ai jamais été un fashionista, mais je savais choisir des costumes présentables. Et puis, comme mon entreprise allait lancer une ligne de vêtements, je me suis mis à faire plus attention à ce que je portais, mais aussi à ce que les autres portaient. J'ai souvent été consterné par ce que certains d'entre nous se mettaient sur le dos. Des banquiers, des investisseurs, des représentants de Nissho et toutes sortes de personnes que nous devions impressionner passaient par nos nouveaux locaux et ils restaient souvent pantois devant les shorts hawaïens de Strasser ou les tenues de chauffeur de bulldozer de Hayes. Cette excentricité était parfois drôle (un haut dirigeant de Foot Locker nous a dit : « Nous vous considérions comme des dieux – jusqu'à ce que nous voyions vos voitures. »), mais ça devenait gênant, et surtout ça risquait de nous porter préjudice. Vers Thanksgiving 1978, j'ai décidé d'instituer un *dress code* d'entreprise assez strict.

La réaction ne fut pas enthousiaste, c'est le moins que l'on puisse dire. Beaucoup ont ronchonné contre ces « conneries *corporate* ». On s'est moqué de moi et mes consignes ont globalement été ignorées. Objectivement, Strasser s'est mis à s'habiller plus mal encore. Quand il est venu travailler un jour en bermuda *baggy*, comme s'il revenait de la plage, je me suis senti obligé de réagir. C'était ostensiblement de l'insubordination.

Je l'ai intercepté dans le couloir et je lui ai lancé :

« Tu devrais être en costume-cravate !

– Nous ne sommes pas une entreprise costume-cravate ! m'a-t-il répondu.

– Si, nous le sommes maintenant ! »

Et il s'est éloigné de moi.

Lors des jours qui ont suivi, Strasser a continué à s'habiller avec une désinvolture finalement très travaillée. Je lui ai donc mis une amende. J'ai demandé à la personne en charge de la paie de déduire 75 dollars de sa prochaine paie.

Il a évidemment piqué une crise et cherché une parade. Les jours suivants, Hayes et lui sont bien venus travailler en costume-cravate. Mais avec des costumes et des cravates parfaitement ridicules. Avec des rayures, des carreaux, des pois, le tout en polyester ou en rayonne – et en toile de jute ! Pour eux, il s'agissait d'une farce mais aussi d'une protestation, d'un geste de désobéissance civile. Mais je n'étais pas d'humeur à supporter les deux Gandhi de la mode. J'ai annulé leur participation au *Buttface* suivant et je leur ai demandé de rester chez eux tant qu'ils ne se comporteraient pas, et ne s'habilleraient pas, comme des adultes.

« Et je te colle une autre amende ! ai-je hurlé à Strasser.

– Du coup, t'es dans la merde ! » a-t-il hurlé en retour.

Je me suis retourné et j'ai aperçu Nelson venir vers moi. Il était encore plus mal habillé qu'eux deux réunis, avec son pantalon à pattes d'éléphant en polyester et sa chemise en soie rose ouverte au niveau du nombril. Que Hayes et Strasser protestent contre mon *dress code* passait encore, mais que ce jeune type que je venais d'embaucher en fasse de même ? J'ai montré la porte du doigt et je l'ai aussi renvoyé chez lui. En voyant son visage horrifié et confus, j'ai compris qu'il ne s'agissait pas de protestation dans son cas. Il s'habillait juste naturellement très mal.

Et dire que c'était le nouveau responsable de ma ligne de vêtements…

Je me suis isolé dans mon bureau, assis sur mon gant de baseball géant, et j'ai regardé par la fenêtre pendant un très long moment.

Je savais ce qui allait se produire. Et ce jour est arrivé.

Quelques semaines plus tard, Nelson nous a fait une présentation formelle de la toute première ligne de vêtements Nike.

Rayonnant de fierté, le sourire jusqu'aux oreilles, il a disposé tous les nouveaux modèles sur la table de la salle de réunion. Il y avait des shorts salis, des T-shirts déchirés, des sweats à capuche froissés – chaque pièce donnait l'impression d'avoir être donnée par une œuvre de bienfaisance ou récupérée dans une benne à ordures. Cerise sur le gâteau : Nelson a extrait chacune des pièces d'un sac en papier marron, dont on pouvait se demander s'il n'avait pas au préalable contenu son déjeuner.

Nous sommes restés interdits. Personne ne savait quoi dire. Et puis, quelqu'un a fini par glousser. Probablement Strasser. Un autre a ricané. Woodell, peut-être. Et puis, plus personne ne s'est retenu. Tout le monde riait à s'en tenir les côtes. Nelson a compris qu'il avait fait une gaffe et il s'est mis, dans un mouvement de panique, à remettre à la hâte les vêtements dans le sac en papier. Malheureusement pour lui, le sac s'est déchiré et tout le monde s'est mis à rire de plus belle. Je riais aussi, davantage que les autres, même si pouvais aussi me mettre à pleurer à tout moment.

J'ai transféré Nelson peu de temps après au département de la production que nous venions de créer, où ses formidables talents de comptable lui ont permis de faire du très bon travail. En parallèle, j'ai affecté Woodell à notre projet vestimentaire. Ce dernier a mis sur pied une ligne de vêtements qui a immédiatement conquis l'attention et le respect dans le milieu. Woodell travaillait tellement bien que je me suis demandé pourquoi je ne le laissais pas s'occuper de tout.

Y compris de mon travail. Je me suis par exemple dit qu'il excellerait à convaincre les agents fédéraux de nous laisser tranquilles.

Au milieu de tous nos ennuis, avec toute cette incertitude pesant sur notre futur, nous avions besoin d'un évènement positif pour nous remonter le moral. Fin 1978, la sortie de la Tailwind remplissait ce rôle à merveille. Développée à Exeter, fabriquée au Japon, la création de Frank Rudy était plus qu'une simple chaussure. C'était une véritable œuvre d'art postmoderne. Imposante, brillante, de couleur argentée, incorporant les fameuses semelles à bulles d'air de Rudy, la Tailwind comprenait pas moins de douze innovations. Nous avons fait un énorme battage médiatique, avec une campagne de publicité musclée, et associé son lancement au

Marathon de Honolulu, où de nombreux coureurs la porteraient.

Tout le monde a pris l'avion pour Hawaï pour le lancement, qui s'est avéré être une beuverie mémorable, et une sorte de sacre pour Strasser. Je l'avais fait sortir de sa zone de confort en le bougeant du service juridique au service marketing. C'était un procédé auquel je recourais régulièrement afin d'éviter que les gens ne deviennent blasés. La Tailwind était le premier gros projet de Strasser, qui avait l'impression d'être Midas. Il n'arrêtait pas de répéter « dans le mille » et personne ne pouvait lui en vouloir de se vanter un peu. Après des débuts prometteurs, la Tailwind est vite devenu un succès commercial monstrueux. Au bout de dix jours, nous nous disions qu'elle pouvait faire de l'ombre à la Waffle.

Mais les mauvais retours ont commencé à affluer. De très nombreux clients ont rapporté leurs chaussures complètement désintégrées au magasin. Les analyses des retours ont montré qu'il y avait un sérieux défaut de fabrication : de petits morceaux de métal provenant de la peinture argentée venaient se frotter contre la semelle de la chaussure et agissaient comme des rasoirs microscopiques, qui coupaient et déchiquetaient la structure. Nous avons donc procédé à un rappel des chaussures, que nous proposions de rembourser en totalité. La moitié de la première génération de Tailwind a fini dans les poubelles de recyclage.

Le baume au cœur du début a fini par se transformer en sérieux coup au moral. Chacun a réagi à sa manière. Hayes faisait des cercles à toute allure avec un bulldozer. Woodell est resté au bureau plus tard chaque jour. Je passais mon temps, hébété, entre mon gant de baseball et mon fauteuil inclinable.

Nous avons tous fait comme s'il ne s'agissait pas d'un problème grave. Nous venions d'apprendre une leçon importante : incorporer douze innovations dans une seule chaussure est une erreur monumentale. C'est trop demander à une seule chaussure, et aux équipes de conception. Nous nous sommes rappelé les uns aux autres qu'il y avait une forme d'honneur à dire : « Retour à la case départ ». Et que tous les gaufriers que Bowerman avait à l'époque été détruits.

Nous nous sommes mutuellement convaincus que le nain arriverait à attraper Blanche Neige l'année suivante.

Mais Strasser avait du mal à avaler la pilule. Il s'est mis à boire et à arriver tard au travail. C'était vraisemblablement son tout premier échec et je me souviendrai toujours de ces mornes matins d'hiver, où je le voyais arriver chancelant dans mon bureau pour me communiquer les dernières mauvaises nouvelles au sujet de la Tailwind. Je reconnaissais les symptômes. Lui aussi était proche du burn-out.

La seule personne qui n'a pas été affectée par les problèmes de la Tailwind a été Bowerman. En fait, les débuts catastrophiques de cette chaussure l'ont aidé à sortir de la crise dans laquelle il s'était trouvé depuis sa retraite. Il a adoré pouvoir claironner : « Je vous l'avais dit ! »

* * *

Nos usines à Taiwan et en Corée tournaient à plein régime, et nous en avons ouvert d'autres en Irlande et à Heckmondwike en Angleterre. En se basant sur nos usines et sur nos chiffres de vente, les spécialistes du secteur disaient qu'il était impossible de stopper notre progression. Très peu se rendaient compte que nous étions dans de sales draps, que notre responsable du marketing était en train de sombrer en dépression, ou encore que le président et fondateur s'asseyait dans un gant de baseball géant la mine déconfite.

Le burn-out s'est propagé au bureau aussi vite qu'une mononucléose. Et alors que nous étions tous au bord du gouffre, notre homme à Washington était en train de s'enflammer. Werschkul avait entrepris tout ce que nous lui avions demandé. Il avait fait la connaissance de politiciens, fait du lobbying auprès d'eux et plaidé notre cause avec passion, parfois même un peu trop. Il avait écumé les couloirs du Congrès tous les jours, distribuant des paires de Nike gratuites. (Sachant que la loi interdisait aux parlementaires d'accepter des cadeaux de plus de 35 dollars, Werschkul joignait toujours une facture de 34,99 dollars.) Mais chaque politicien lui avait répondu la même chose : « Donne-moi quelque chose de concret, mon garçon, donne-moi une analyse écrite du dossier que je pourrai étudier. »

Werschkul a passé des mois à écrire une analyse de la situation et ça a totalement dérapé. Ce qui était supposé être un résumé de notre situation a enflé progressivement, jusqu'à devenir une histoire exhaustive faisant des centaines de pages et racontant « le déclin et la chute de l'empire Nike. » C'était plus long que du Proust, que du Tolstoï, et beaucoup plus indigeste. Il y avait même un titre. Il l'avait très sérieusement intitulé : *Werschkul on American Selling Price*, Volume I.

La précision « Volume I » était particulièrement effrayante.

J'ai envoyé Strasser sur la côte Est recadrer Werschkul et vérifier qu'il était encore sain d'esprit. Je lui ai demandé de « calmer le gamin. » La première nuit, ils sont allés dans un pub du coin à Georgetown pour quelques cocktails, mais Werschkul ne s'est pas du tout calmé. Au contraire. Il est monté sur la table et s'est lancé dans une sorte de discours de campagne à l'attention des clients du bar : « Donnez-moi des Nike ou donnez-moi la mort ! » Les clients étaient tous prêts à voter pour la seconde proposition. Strasser a alors essayé de le faire se rasseoir sur sa chaise mais Werschkul est reparti de plus belle. Il a crié : « Est-ce que vous réalisez que c'est la liberté qui est en jeu ici ? La LIBERTÉ ! Saviez-vous que le père d'Hitler était un inspecteur des douanes ? »

Le bon côté était que Werschkul avait vraiment fait peur à Strasser et que ça l'avait fait réagir. Il semblait être redevenu lui-même à son retour. Il m'a avoué se faire du souci pour la santé mentale de Werschkul.

Nous avons franchement rigolé à ce sujet. Puis il m'a tendu une copie de *Werschkul on American Selling Price*, Volume I. Werschkul l'avait même fait relier. En cuir.

« Tu vas le lire ? m'a demandé Strasser.

– J'attends le film. »

J'ai compris que j'allais devoir aller à Washington et mener ce combat moi-même. Impossible d'y couper.

Après tout ça allait peut-être me faire guérir de mon burn-out !

1979

Il occupait un bureau minuscule au Département du Trésor, de la taille de l'armoire à linge de ma mère. Il y avait à peine assez de place pour son bureau gris métallisé, et ne parlons pas des chaises pour ses rares visiteurs.

Il en a pointé une du doigt et m'a fait signe de m'asseoir.

Je me suis exécuté. J'ai regardé tout autour de moi avec incrédulité. Était-ce bien l'endroit où était basé l'homme qui n'arrêtait pas de m'envoyer ces courriers me réclamant 25 millions de dollars ? C'est ensuite lui que j'ai regardé attentivement. C'était un bureaucrate aux yeux de fouine. Je me suis demandé quelle créature il me rappelait. Un verre de terre ? Non, il était plus gros. Un serpent ? Non plus. J'ai fini par trouver. Il me faisait penser à la pieuvre de Johnson. Je me suis souvenu de Stretch tirant le crabe sans défense dans sa tanière. C'était bien cela, ce bureaucrate était un Kraken, un bureaucrate-Kraken, un bureau-Kraken.

Réprimant toutes ces pensées et mettant de côté craintes et hostilité, j'ai esquissé un faux sourire et essayé d'emprunter un ton amical pour expliquer que toute cette affaire n'était qu'un gigantesque malentendu. J'ai ajouté que même ces collègues du Département du Trésor étaient de notre côté. Je lui ai tendu un document : « Vous avez ici un mémo disant que l'American Selling Price ne s'applique pas aux chaussures Nike. Ce mémo vient du Trésor. »

Le bureau-Kraken a jeté un coup d'œil au mémo et me l'a rendu en disant :

« Hmm. Ça ne s'applique pas aux Douanes.

– Mais toute cette affaire n'est qu'un mauvais tour joué par nos concurrents. Nous sommes pénalisés pour notre succès. »

– Ce n'est pas comme ça que nous le voyons.

– Par "nous"… Qu'entendez-vous ?

– Le gouvernement des États-Unis »

J'ai eu du mal à croire que cet homme était en train de parler au nom du gouvernement américain, mais je me suis gardé de le dire. J'ai préféré : « J'ai du mal à croire que le gouvernement américain veuille étouffer la libre entreprise. J'ai aussi du mal à croire que le gouvernement américain s'associe à ces manigances et que ce gouvernement, mon gouvernement, souhaite tyranniser une petite entreprise de l'Oregon. Monsieur, avec tout mon respect, j'ai voyagé partout dans le monde, et seul les gouvernements corrompus de pays sous-développés agissent de cette manière. J'ai vu des voyous intimider des entreprises, avec arrogance et en toute impunité, mais je n'arrive pas à croire que mon propre gouvernement se comporte de cette manière. »

Le bureau-Kraken est resté silencieux. Il a esquissé un petit sourire suffisant. J'ai soudain été frappé par son air grotesquement malheureux, une caractéristique partagée par tous les bureaucrates. Quand je me suis remis à parler, sa tristesse s'est exprimée par une agitation frénétique. Il a sauté de sa chaise et s'est mis à faire les cent pas. Puis il s'est assis à nouveau, avant de se relever. Il ne ressemblait pas à un penseur marchant pour réfléchir mais plutôt à un animal en cage. Trois petits pas à gauche, trois claudications à droite. Il s'est finalement assis et m'a interrompu. Ce que je disais et pensais ne l'intéressait pas et il se fichait de savoir ce qui était « juste » ou « américain » (il a fait des guillemets avec ses doigts osseux). Il m'a dit que tout ce qu'il voulait était son argent. Son argent ?

J'ai croisé les bras. Cette vieille habitude était revenue de manière encore plus prononcée depuis le début de ma phase burn-out. Lors de cette année 1979, j'ai souvent pensé que je me battais pour ne pas exploser en vol. Je voulais formuler un autre argument, et contrer ce que venait de dire le bureau-Kraken, mais je n'ai pas eu suffisamment confiance en moi pour reprendre la parole. J'avais peur que mes membres ne commencent à s'agiter dans tous les sens, de me mettre à crier, ou encore de claquer son téléphone jusqu'à l'éclatement. Nous formions une sacrée paire, lui avec son agitation frénétique et moi avec mes croisements de bras incontrôlables.

Il devenait clair que nous étions dans une impasse et que je devais tenter quelque chose. J'ai commencé à lui lécher les bottes. Je lui ai récité que je respectais son titre, qu'il occupait un poste important, que cela ne devait pas être facile tous les jours d'exiger le paiement de lourdes amendes et de recevoir des plaintes sans arrêt. J'ai regardé son bureau-cellule avec l'air de quelqu'un qui cherche à sympathiser. Mais j'ai aussi placé que si Nike était réellement contraint à payer la somme exorbitante qu'on lui demandait, l'entreprise mettrait la clé sous la porte.

« Et donc ? m'a-t-il demandé.

– Et donc ? ai-je répété.

– Ouais. Et… alors ? Monsieur Knight, il est de ma responsabilité de collecter les taxes d'importation pour le Département du Trésor américain. Je dois accomplir ma mission, quoi qu'il en coûte. Quelles qu'en soient les conséquences. »

J'ai serré les bras si fort qu'on aurait pu croire que je portais une camisole de force invisible.

Puis j'ai désentravé mon corps de mes bras et je me suis levé.

J'ai dit au bureau-Kraken que je n'allais ni accepter sa décision, ni abandonner. Que j'irais voir chaque parlementaire s'il le fallait afin de plaider ma cause. J'avais soudain la plus grande sympathie pour Werschkul. Il n'était pas étonnant qu'il ait perdu les pédales. « Saviez-vous que le père d'Hitler était un inspecteur des douanes ? »

« Faites ce que vous voulez. Bonne journée. » m'a répondu le bureau-Kraken.

Il s'est replongé dans ses dossiers. Il a regardé sa montre. Il était presque cinq heures. Cela ne lui laissait pas beaucoup de temps pour ruiner la vie de quelqu'un d'autre avant la fin de sa journée de travail.

Je me suis mis à faire l'aller-retour à Washington régulièrement. Je rencontrais chaque mois des politiciens, des lobbyistes, des consultants, des bureaucrates ou toute autre personne susceptible de m'aider. Je me suis immergé dans le milieu si étrange des coulisses de la vie politique et j'ai lu tout ce que j'ai trouvé pour en comprendre les codes.

J'ai même survolé *WASP*, Volume I.

Rien ne marchait comme je le voulais.

À la fin de l'été 1979, Werschkul a réussi à m'obtenir un rendez-vous avec l'un des sénateurs de l'Oregon, Mark O. Hatfield. Très respecté, avec beaucoup de relations, Hatfield était le président de la Commission des appropriations du Sénat. Il aurait été capable en un coup de fil de faire annuler l'amende de 25 millions de dollars. J'ai donc passé de longues journées à préparer en détail cette réunion avec Woodell et Hayes.

« Il faut juste que Hatfield voie les choses sous le même angle que nous. Il est respecté à droite comme à gauche. Certains l'appellent Saint-Marc. Il ne veut pas tremper dans l'abus de pouvoir. Il a affronté Nixon sur le Watergate. Il s'est battu comme un lion pour obtenir des financements pour les barrages de la rivière Columbia, nous résuma Hayes.

– Ça ressemble à notre meilleure carte, a déclaré Woodell.

– Ça ressemble à notre dernière carte », ai-je corrigé.

Werschkul et moi avons répété le soir où je suis arrivé à Washington. Comme deux acteurs récitant leur texte, nous avons réfléchi à tous les arguments que pourrait nous opposer Hatfield. Werschkul faisait sans cesse référence à *WASP*, Volume I. Il faisait même parfois référence à un éventuel *WASP*, Volume II. Je le coupais : « Oublie ça. Allons au plus simple. »

Le lendemain matin, nous avons gravi lentement les marches du Sénat et marqué une pause en voyant sa façade et ses colonnes magnifiques, le marbre brillant et le grand drapeau surplombant le tout. J'ai pensé au Parthénon, au Temple de Niké. Je savais qu'un moment important de ma vie allait se jouer. Quelle qu'en soit l'issue, je voulais le vivre pleinement. J'ai donc pris mon temps pour admirer les colonnes et la lumière du soleil se réfléchir sur le marbre. Je suis resté planté là le plus longtemps que j'ai pu…

« Tu viens ? » m'a demandé Werschkul.

C'était une journée d'été étouffante. Ma main, celle qui tenait ma serviette, était gorgée de transpiration. Mon costume était trempé. On aurait dit que j'avais traversé une tempête de pluie. Comment allais-je pouvoir rencontrer un Sénateur américain dans ces conditions ? Comment allais-je faire pour lui serrer la main ?

Comment allais-je faire pour avoir les idées claires ?

Nous sommes entrés dans l'antichambre du bureau de Hatfield et l'une de ses assistantes nous a amenés dans la salle d'attente. Ça m'a rappelé l' « enclos » de la maternité. J'ai pensé à la naissance de mes deux garçons. J'ai pensé à Penny. J'ai pensé à mes parents. J'ai pensé à Bowerman. J'ai pensé à Grelle. J'ai pensé à Pre. J'ai pensé à Kitami. J'ai pensé à James le Juste.

« Le Sénateur va vous recevoir maintenant » a dit l'assistante. Elle a nous amenés dans un grand bureau où il faisait frais. Hatfield s'est levé pour venir nous accueillir de façon collégiale – nous étions tous Orégonais – et il nous a dirigés vers un coin salon à côté de la fenêtre. Nous nous sommes tous assis. Hatfield a souri, Werschkul a souri. J'ai dit à Hatfield que nous avions un lien de parenté et que je croyais que ma mère et lui étaient arrière-petits-cousins. Nous avons un peu parlé de Roseburg.

Puis nous nous sommes tous raclé la gorge. J'ai pris la parole : « Bien, Sénateur, la raison qui m'a poussé à venir vous voir aujourd'hui… » Mais

Hatfield a levé la main. « Je sais tout de votre situation. Mon équipe a lu *Werschkul on American Selling Price* et m'a mis au courant. Que puis-je faire pour vous aider ? »

Je me suis arrêté, stupéfait. Je me suis tourné vers Werschkul dont le visage était de la même couleur que son nœud-papillon rose. Nous avions passé tellement de temps à répéter cette négociation, à nous préparer à convaincre Hatfield de la justesse de notre cause que nous n'étions pas préparés à la possibilité… de réussir. Werschkul et moi nous sommes rapprochés et avons évoqué dans des demi-murmures les différentes façons dont Hatfield pourrait nous venir en aide. Werschkul pensait qu'il devait écrire une lettre au président des États-Unis, ou au responsable des Douanes. Je préférais que Hatfield passe quelques coups de fil. Bref, nous n'avons pas réussi à nous mettre d'accord et nous avons commencé à nous disputer. La situation était ridicule et on avait l'impression que même le climatiseur se moquait de nous. Finalement, j'ai fait taire Werschkul et le climatiseur et je me suis tourné vers Hatfield. J'ai dit : « Sénateur, nous n'étions pas préparés à ce que vous soyez si prévenant aujourd'hui. La vérité est que nous ne savons pas ce que nous voulons. Nous allons devoir vous recontacter ultérieurement. »

J'ai quitté la salle, en ne me retournant pas pour voir si Werschkul me suivait.

* * *

J'ai repris l'avion pour rentrer à la maison car je devais être présent pour deux événements importants de la vie de l'entreprise. Nous avons ouvert dans le centre-ville de Portland une boutique de 325 mètres carrés, immédiatement prise d'assaut. La queue aux caisses était sans fin. Les gens voulaient essayer… tous les produits.

J'ai dû passer pour donner un coup de main. Pendant un moment, je me suis vu de retour dans le salon de la maison de mes parents, à prendre la taille des pieds des clients et à conseiller les coureurs sur les chaussures qui leur iraient le mieux. Ce fut une piqûre de rappel particulièrement vivifiante et opportune sur la raison pour laquelle nous faisions tout cela.

Nous avons aussi déménagé nos locaux une nouvelle fois. Nous avions besoin de davantage d'espace, et avons trouvé un immeuble de près de 4 300 mètres carrés, très bien équipé – hammam, librairie, salle de gym, et d'innombrables salles de réunion. En signant le bail, je me suis souvenu de toutes ces nuits à chercher des locaux, avec Woodell, en voiture. J'étais ébahi par le chemin que nous avions parcouru, mais cela n'avait pas pour autant le goût de la victoire. J'ai murmuré : « Tout peut disparaître demain. »

L'entreprise avait beaucoup grandi, c'était indéniable. Afin de nous prouver que n'avions pas les chevilles qui enflaient, comme l'aurait dit maman Hatfield, nous avons déménagé comme les autres fois. Les trois cents employés sont venus le week-end pour rassembler leurs affaires et les transporter dans leurs voitures. Nous avons distribué de la pizza et de la bière. Certains gars de l'entrepôt ont chargé le matériel le plus lourd dans des vans et le convoi s'est lentement mis en marche.

J'ai dit aux gars de ne pas prendre le siège en forme de gant de baseball.

À l'automne 1979, j'ai pris l'avion pour Washington afin de rencontrer le bureau-Kraken une deuxième fois. Il n'était pas aussi fougueux, cette fois. Hatfield était entré en contact avec lui, tout comme l'autre Sénateur de l'Oregon, Bob Packwood, président de la Commission des finances du Sénat, qui avait pouvoir d'examen sur le Trésor. En pointant l'un de ses tentacules vers moi, le bureau-Kraken a dit :

« Ça me rend malade et ça me fatigue d'être contacté par vos amis haut placés.

– Oh pardon. Cela n'a pas dû être très amusant. Mais vous entendrez parler d'eux tant que cette situation ne sera pas résolue.

– Est-ce que vous réalisez que je n'ai pas besoin de ce boulot ? Vous savez que ma femme… a de l'argent ? Je n'ai pas besoin de travailler, vous savez.

– Tant mieux pour vous. Et pour elle. » Je me suis dit que le plus tôt il prendrait sa retraite, mieux ce serait.

Mais le bureau-Kraken n'a jamais pris sa retraite. Dans les années qui ont suivi, il est resté dans l'administration, qu'elle soit sous pavillon démocrate ou républicain. En fait, il a même fait partie quelques années plus tard de la coterie de bureaucrates ayant donné leur feu vert désastreux à l'assaut d'agents fédéraux dans ce qui restera dans l'histoire sous le nom de Siège de Waco[24].

Le bureau-Kraken étant ébranlé, j'ai donc pu momentanément diriger mon attention sur l'autre menace pesant sur notre entreprise : la production. Les mêmes raisons qui avaient plombé le Japon – volatilité de la devise, augmentation du coût du travail, instabilité gouvernementale – étaient en train de se développer à Taïwan et en Corée. Une nouvelle fois, le temps était venu de chercher de nouvelles usines, dans de nouveaux pays. Le temps était venu de penser à la Chine.

La question n'était pas de savoir comment entrer en Chine. Une entreprise de chaussures allait tôt ou tard réussir et les autres suivraient. La question était de savoir comment y entrer en premier. Le premier aurait un avantage compétitif qui durerait des décennies, non seulement en termes de production, mais aussi en termes de marchés et de connexions politiques. Celui qui y entrerait

24 En pleine perquisition d'une secte par le FBI, un incendie se déclare et fait 82 victimes, dont 21 enfants. L'affaire est considérée comme l'un des événements les plus catastrophiques de l'histoire américaine contemporaine.

en premier réaliserait une merveilleuse opération. Lors de nos premières réunions à ce sujet, nous ne cessions de dire : un milliard d'habitants, deux milliards de pieds.

Nous avions un véritable expert de la Chine dans l'équipe : Chuck. En plus d'avoir travaillé aux côtés de Henry Kissinger, il figurait au conseil d'administration d'Allen Group, un équipementier automobile ayant des vues sur le marché chinois. Son PDG n'était autre que Walter Kissinger, le frère de Henry. Chuck nous a dit qu'Allen était tombé sur un monsieur très impressionnant lors de ses recherches approfondies en Chine. Il s'appelait David Chang. Chuck connaissait bien la Chine mais personne ne la connaissait aussi bien que David Chang.

Chuck m'a dit : « Pour te donner un exemple. Quand Walter Kissinger a voulu entrer en Chine, il n'a pas appelé Henry. Il a appelé Chang. »

Je me suis précipité sur le téléphone.

L'aventure n'a pas très bien commencé. Pour commencer, Chang était très BCBG. Je trouvais Werschkul BCBG, mais c'était avant que je rencontre Chang. Blazer bleu, boutons dorés, chemise Vichy très amidonnée, cravate nouée à la perfection – il portait tout cela avec un grand naturel. Il était extrêmement à l'aise. On aurait dit le fils de Ralph Lauren et de Laura Ashley.

Je l'ai fait venir dans nos locaux, je l'ai présenté à tout le monde et Chang a démontré très vite un remarquable talent pour faire les remarques qu'il fallait éviter. Il a rencontré Hayes, qui faisait dans 150 kilos, puis Strasser, 145 kilos, et enfin Jim Manns, notre nouveau directeur financier, 160 kilos sur la balance. Chang a plaisanté au sujet de notre « demi-tonne de top management. »

« Tant de poids pour une entreprise de produits de sport ? »

Personne n'a ri. Je l'ai tiré par le bras en lui disant : « Peut-être que votre livraison est arrivée. »

Nous avons été au bout du couloir et sommes tombés sur Woodell, que j'avais récemment fait revenir de la côte Est. Chang s'est baissé et a serré la main de Woodell. Il a demandé

« Accident de ski ?

– Quoi ? a répondu Woodell.

– Quand pourrez-vous vous lever de cette chaise ? a demandé Chang.

– Jamais, pauvre imbécile.

J'ai poussé un soupir.

– Bon. Nous allons devoir monter. »

1980

Nous nous sommes réunis dans la salle de réunion et Chang nous a raconté son parcours. Né à Shangai, il était issu d'une famille aisée. Son grand-père était le troisième plus grand producteur de sauce soja du nord de la Chine. Son père avait été le n° 3 du ministère des Affaires étrangères. Mais la révolution a éclaté alors que Chang n'était qu'adolescent. Les Chang ont fui aux États-Unis, à Los Angeles, où Chang a étudié au lycée de Hollywood. Ses parents et lui ont souvent songé à revenir au pays. Ils sont restés en relation étroite avec des amis et des membres de leur famille restés en Chine et sa mère est restée extrêmement proche de Soong Ching-ling, la marraine de la Révolution.

Avant cela, Chang est allé à Princeton, a étudié l'architecture et a déménagé à New York. Il a décroché un job dans un bon cabinet d'architectes, pour lequel il a travaillé sur le projet Levittown. Il a ensuite monté sa propre boîte. Cela lui a permis de bien gagner sa vie mais il s'ennuyait ferme. Ce travail ne l'amusait pas et n'était pas assez concret.

Un jour, un de ses amis de Princeton s'est plaint de ne pas avoir réussi à obtenir de visa pour aller à Shangai. Chang lui a donné un coup de main et l'a mis en relation avec plusieurs contacts professionnels. Cette expérience lui a plu. Selon lui, devenir un émissaire, un intermédiaire, était une bien meilleure utilisation de ses talents.

Chang nous avertis que, même avec son aide, entrer en Chine était extrêmement difficile et la procédure laborieuse. « Demander la permission de visiter la Chine ne suffit pas. Il faut demander formellement à ce que le gouvernement chinois vous invite. C'est peu de dire que la bureaucratie est puissante. »

J'ai fermé les yeux et me suis imaginé une version chinoise du bureau-Kraken quelque part à l'autre bout de la planète.

Je me suis souvenu des anciens GI qui m'avaient briefé sur les pratiques du milieu des affaires japonais quand j'avais vingt-quatre ans. J'avais suivi leurs conseils à la lettre et n'ai jamais eu à le regretter. Nous avons donc entrepris de mettre sur pied une présentation écrite pour les autorités chinoises, sous la direction de Chang.

Cette dernière était longue, presque aussi longue que *Werschkul on American Selling Price*, Volume I. Nous l'avons fait relier, elle aussi.

Nous nous sommes souvent posé la question : « Est-ce que quelqu'un va vraiment lire ce truc ? »

Nous l'avons envoyée à Pékin sans trop y croire.

Lors du premier *Buttface* de 1980, j'ai annoncé que, malgré notre ascendant sur les agents fédéraux, cette situation pourrait perdurer un bon bout de temps si nous ne faisions pas quelque chose de fort, d'outrancier. « J'y ai beaucoup réfléchi et je pense que c'est à notre tour d'abattre la carte de l'American Selling Price. »

Cela a fait rire les *Buttfaces*.

Puis ils se sont arrêté de rire et se sont regardés les uns les autres, hébétés.

Nous avons passé le reste du week-end à y réfléchir. Nous n'étions pas sûrs que ce soit jouable. Mais… sait-on jamais ?

Nous avons décidé de tenter le coup. Nous avons lancé une nouvelle chaussure, une chaussure de running avec une empeigne en nylon, que nous avons appelée One Line. C'était une reproduction, vraiment bon marché, avec un logo simple et nous l'avons fait fabriquer à Saco, dans la vieille usine de Hayes. Nous l'avons vendue pas cher, à un prix tout juste au-dessus du coût de revient. De cette façon, les autorités douanières devraient utiliser cette chaussure « concurrentielle » comme nouveau point de référence pour déterminer nos taxes d'importation.

C'était l'idée. L'objectif était simplement d'attirer leur attention. Nous avons ensuite lancé une autre opération coup de poing. Nous avons produit une publicité télévisée racontant l'histoire d'une petite entreprise de l'Oregon aux prises avec un gouvernement très puissant et très méchant.

Celle-ci commençait avec un coureur s'entraînant seul sur la route, avec une grosse voix chantant les louanges des idéaux du patriotisme, de la liberté et du mode de vie américain ; et luttant contre la tyrannie. Elle a eu son petit effet.

Puis nous avons lâché une bombe. Le 29 février 1980, nous avons réclamé 25 millions de dollars en déposant une action antitrust auprès de la Cour de district Sud de New York, en alléguant que nos concurrents et les fabricants de caoutchouc associés s'étaient entendus pour nous faire disparaître du paysage, via des pratiques déloyales.

La procédure ne devait pas prendre beaucoup de temps. Et, effectivement, les choses ont été assez vite. Le bureau-Kraken n'en pouvait plus. Il a menacé de recourir aux grands moyens. Mais cela n'avait plus d'importance, son avis n'importait plus. Ses responsables et les responsables de ses responsables ne voulaient plus de ce combat. Nos concurrents, et leurs relations au gouvernement, ont réalisé qu'ils avaient sous-estimé notre volonté. Ils ont immédiatement lancé des négociations pour clore le dossier.

Nos avocats nous appelaient tous les jours, depuis des bureaux de l'administration, des cabinets d'avocats reconnus, des salles de réunion quelconques de la côte Est où ils rencontraient la partie adverse. Ils me rapportaient le dernier marché qu'on leur avait proposé et que je m'empressais de refuser. Un jour, nos avocats m'ont dit que toute l'affaire pouvait être réglée, sans histoires et sans drame judiciaire, pour la modique somme de 20 millions de dollars.

« Impossible. »

Quelque temps plus tard, ils ont appelé et m'ont expliqué que nous pouvions conclure à 15 millions.

« Soyons sérieux. »

Alors que le chiffre déclinait petit à petit, j'ai eu plusieurs conversations animées avec Hayes, Strasser et mon père. Ils voulaient que j'accepte le marché et que cette histoire soit derrière nous une bonne fois pour toutes. Ils me demandaient : « Quel est le bon chiffre pour toi ? » Zéro.

Je ne voulais pas payer un seul penny. Chaque penny à payer était un penny de trop.

Jaqua, cousin Houser et Chuck, qui suivaient tous le dossier de près, m'ont fait m'asseoir un jour et m'ont expliqué qu'il fallait céder quelque chose au gouvernement afin qu'il ne perde pas la face. En termes d'image, les membres de l'administration ne pouvaient pas mettre un terme à cette affaire sans rien obtenir. Alors que les négociations étaient au point mort, j'ai eu un entretien avec Chuck en tête-à-tête. Il m'a rappelé que nous ne pouvions pas songer à ouvrir notre capital tant que cette histoire ne serait pas oubliée et que nous courions encore le risque de tout perdre.

Je suis devenu irritable. J'ai pleurniché en évoquant ma foi en la justice. J'ai parlé de tenir bon dans les négociations, que je ne voudrais peut-être jamais ouvrir notre capital. J'ai réitéré mes craintes sur l'altération inévitable de notre esprit si nous cédions le contrôle à d'autres. Qu'adviendrait-il de notre culture si celle-ci était remise en cause par le vote des actionnaires ? Nous avions déjà eu un avant-goût de tout cela avec les porteurs d'obligations convertibles. Avec des milliers d'actionnaires, ça serait forcément des milliers de fois pire. Par-dessus tout, je ne pouvais supporter l'idée qu'un gros investisseur achète une majorité d'actions et prenne le contrôle du *board*.

J'ai dit à Chuck :

« Je ne veux pas perdre le contrôle. C'est ce que je crains le plus.

– Eh bien… il se pourrait qu'il y ait un moyen d'ouvrir le capital sans perdre le contrôle.

– Comment ?

– Tu peux émettre deux types d'actions – les actions de classe A et les actions de classe B. Le public achèterait des actions de classe B, comptant un vote par action. Les fondateurs et le premier cercle, mais aussi les porteurs d'obligations convertibles, auraient des actions de classe A, qui donneraient le droit de nommer les trois quarts du conseil d'administration. En d'autres termes, tu lèves d'énormes sommes d'argent, tu accélères fortement ta croissance, tout en t'assurant de garder le contrôle de l'entreprise.

Je le regardais, bouche bée.

– Peut-on vraiment faire ça ?

– Ce n'est pas facile. Mais le *New York Times* et le *Washington Post* et quelques autres ont fait ça. Je pense que tu peux le faire.

Ce n'était peut-être pas le *satori* ni le *kensho* mais c'était une réelle illumination. C'était l'idée que j'attendais depuis des années.

– Chuck. On dirait qu'on tient… la solution ! »

J'ai expliqué le concept d'actions de classe A et de classe B lors du *Buttface* suivant et tous ont eu la même réaction. Enfin. Mais j'ai mis les *Buttfaces* en garde : il fallait faire quelque chose, tout de suite, pour régler notre problème de trésorerie une bonne fois pour toutes car notre fenêtre d'action rétrécissait. Je sentais soudainement qu'une récession pointait à l'horizon. Dans six mois, un an maximum. Si nous tardions trop, le marché nous offrirait bien moins que ce que nous valions.

J'ai proposé un vote à main levée en demandant qui était en faveur de l'ouverture du capital.

La réponse a été unanime : nous étions d'accord pour émettre un appel public à l'épargne dès que nous aurions mis un terme à notre guerre froide contre nos concurrents et les agents fédéraux.

Les fleurs du printemps étaient déjà épanouies quand nos avocats et les représentants du gouvernement sont tombés d'accord sur un chiffre : 9 millions de dollars. Cela me paraissait bien trop, mais tout le monde me disait que je devais accepter ce deal. J'ai passé une heure à réfléchir en regardant par la fenêtre de mon bureau. Les fleurs et le calendrier disaient que c'était le printemps mais ce jour-là, les nuages étaient très hauts, le ciel était gris et le vent était froid.

J'ai grogné. J'ai saisi le combiné téléphonique et j'ai appelé Werschkul, qui tenait le rôle de leader dans les négociations. « OK. »

J'ai demandé à Carole Fields de faire le chèque. Elle me l'a apporté pour que je le signe. Nous nous sommes regardés et nous avons tous les deux pensé à la fois où j'avais fait un chèque d'un million sans avoir de quoi le couvrir. Cette fois, j'étais en train de faire un chèque de 9 millions et il était impossible qu'il soit refusé. J'ai dit tout bas : « 9 millions. » Je me souviens comme si c'était la veille d'avoir vendu ma MG 1960 avec des pneus de course pour 1 100 dollars. « *Conduis-moi de l'irréel au réel* ».

* * *

La lettre est arrivée au début de l'été. « Le gouvernement chinois requiert le plaisir d'une visite… »

J'ai passé un mois à décider qui serait du voyage. Il fallait présenter la meilleure équipe possible. J'ai posé mon carnet sur mes genoux et commencé à faire des listes de noms, à la raturer et à reprendre de zéro.

Chang, c'était évident.

Strasser, naturellement.

Hayes, certainement.

J'ai demandé à toutes les personnes participant au voyage d'effectuer les formalités administratives et d'avoir leur passeport à jour. Avant notre départ, j'ai passé des journées entières à lire et engranger le maximum de connaissances sur l'histoire de la Chine. La Révolte des Boxers. La Grande Muraille. Les Guerres de l'Opium. La dynastie Ming. Confucius. Mao.

Et je n'ai évidemment pas voulu être le seul à apprendre. J'ai préparé un programme de lecture pour tous les membres de notre délégation.

Nous avons pris l'avion pour Pékin en juillet 1980. Mais nous avons d'abord fait escale à Tokyo. J'ai pensé que ce serait une bonne idée de nous y arrêter, juste pour vérifier que nos affaires s'y passaient bien. Les ventes avaient recommencé à croître sur le marché japonais. Le Japon était aussi une façon sympathique de préparer tout le monde à la Chine, qui s'apprêtait à être un défi pour nous tous. Procéder par petits pas. J'avais retenu la leçon de ce qui était arrivé à Penny et Gorman.

Douze heures plus tard, comme je déambulais seul dans les rues de Tokyo, mon esprit s'est mis à repenser en boucle à 1962 et à mon Idée Folle. J'étais de retour, sur le point d'emmener avec moi la même idée dans un nouveau marché gigantesque. J'ai pensé à Marco Polo. À Confucius. Mais aussi à tous les matchs auxquels j'avais assisté au fil des années – football américain, basket, baseball – où une équipe avait un gros avantage dans les dernières secondes et s'était relâchée. Et avait perdu.

Il fallait que j'arrête de regarder derrière et que je sois concentré sur l'avenir.

Nous avons mangé dans de merveilleux restaurants japonais et rendu visite à de vieux amis. Après deux ou trois jours de repos, nous étions tous prêts pour l'aventure.

La veille de notre départ pour Pékin, nous avons pris ensemble un dernier repas et quelques cocktails dans le quartier de Ginza, puis tout le monde est parti se coucher tôt en prévision du vol matinal. J'ai été réveillé quelques heures plus tard par des coups frénétiques donnés dans la porte de ma chambre. J'ai regardé le radio-réveil, il était deux heures du matin.

« Qui est-ce ?

– David Chang ! Laisse-moi entrer !

J'ai ouvert la porte et ai trouvé une personne qui n'avait plus rien du Chang que je connaissais. Les cheveux ébouriffés, stressé, la cravate de travers.

– Hayes ne va pas venir !

– Qu'est-ce que tu racontes ?

– Hayes est en bas, au bar et il dit qu'il ne peut pas le faire, qu'il ne peut pas prendre cet avion.

– Pourquoi ne pourrait-il pas ?

– Il fait une sorte de crise de panique.

– Oui, je sais, il a des phobies.

– Quel genre de phobies ?

– Il a… toutes les phobies imaginables.

J'ai commencé à m'habiller pour descendre au bar. Puis je me suis souvenu de la personne à qui nous avions à faire. J'ai dit à Chang :

– Va te coucher. Hayes sera là demain matin.

– Mais…

– Il sera là. »

Le lendemain matin à la première heure, Hayes était bien dans le hall de l'hôtel, le teint cadavérique et les yeux globuleux.

Il avait évidemment pris soin d'avoir suffisamment de « médicaments » avec lui pour sa prochaine crise. Quelques heures plus tard, en passant les douanes, j'ai entendu une grosse agitation derrière moi. La pièce était divisée en box par des murs en contreplaqué et plusieurs officiers chinois étaient en train de crier derrière l'un d'eux. Je suis allé voir ce qu'il s'y passait et trouvé deux officiers, énervés, pointant du doigt Hayes et sa valise ouverte.

Je me suis dirigé vers lui, accompagné de Strasser et Chang. Au-dessus des sous-vêtements très grande taille de Hayes se trouvaient douze litres de vodka.

Tout le monde s'est tu pendant un long moment. Puis Hayes a poussé un gros soupir et a dit : « C'est pour moi. Je ne partagerai pas. »

* * *

Nous avons voyagé dans toute la Chine durant des douze jours qui ont suivi, escortés par des employés du gouvernement. Ceux-ci nous ont emmenés sur la place Tiananmen et se sont assurés que nous nous arrêtions un bon moment devant le portrait géant de Mao, décédé quatre ans plus tôt. Ils nous ont emmenés voir la Cité interdite et les Tombeaux des Ming. Nous étions fascinés et curieux. Trop curieux. Nous avons mis nos accompagnateurs extrêmement mal à l'aise avec toutes nos questions.

Lors d'une pause, j'ai regardé autour de moi et vu des centaines de personnes en costumes Mao avec des chaussures noires pas très solides aux pieds. Elles donnaient l'impression d'être en papier. Toutefois, quelques enfants portaient des chaussures en toile. Cela m'a donné un peu d'espoir.

Nous voulions surtout voir les usines. Les employés ont accepté à contrecœur. Ils nous ont emmenés dans des villes isolées, loin de Pékin, où nous avons pu voir des complexes industriels énormes et terrifiants, où étaient concentrées des usines toutes plus dépassées les unes que les autres. Vieilles, rouillées, décrépites, ces usines faisaient passer la ruine de Saco dégotée par Hayes pour une usine à la pointe du progrès.

Elles étaient surtout très sales. Une chaussure pouvait sortir de la chaîne de montage avec une tache ou une trace de crasse. Il n'y avait aucun souci de propreté, ni aucun vrai contrôle qualité. Lorsque nous avons fait remarquer que certaines chaussures étaient défectueuses, les responsables des usines ont haussé les épaules et nous ont dit : « Parfaitement fonctionnelle. »

Et je ne parle pas de l'aspect esthétique. Les Chinois ne voyaient pas pourquoi le nylon ou la toile d'une paire de chaussures devaient être de la même teinte pour le pied gauche et pour le pied droit. Il arrivait souvent que la chaussure gauche soit bleu clair et la droite bleu foncé.

Nous avons rencontré un grand nombre de responsables d'usines, de politiciens locaux et de dignitaires. On nous a offert à boire, on nous a célébrés, on nous a posé des centaines de questions, on nous a surveillés et presque partout, on nous a accueillis chaleureusement. Nous avons mangé des kilos d'oursins et de canard laqué, et les gens se sont souvent occupés de nous comme si nous étions des œufs de mille ans. Je pouvais mesurer pleinement l'attention que l'on nous portait.

On nous a aussi servi beaucoup de *mao tai*. Après tous mes déplacements à Taïwan, j'étais prêt, mon foie s'y était accoutumé. Hayes semblait aussi apprécier ce breuvage. Après chaque gorgée, il se léchait les babines et en demandait un autre.

Vers la fin de notre visite, nous avons pris un train durant dix-neuf heures pour rallier Shanghai. Nous avions la possibilité de prendre l'avion mais j'ai tenu à prendre le train. Je voulais voir le paysage. Les gars m'ont maudit dès la première heure. La journée était horriblement chaude et le train pas climatisé.

Il y avait un vieux ventilateur dans le coin de notre wagon mais ses pales ne faisaient que remuer des poussières chaudes. Pour avoir moins chaud, les passagers chinois n'hésitaient pas à se mettre en sous-vêtements. Hayes et Strasser ont jugé que cela leur donnait le droit de faire de même. Même si je vivais deux cents ans, je n'oublierais pas la vue de ces deux Léviathan déambulant dans le train en T-shirt et boxer. Les passagers chinois non plus, d'ailleurs.

Avant de quitter la Chine, nous avions encore une ou deux choses à faire à Shanghai. La première était d'obtenir un marché avec la Fédération chinoise d'athlétisme, donc avec le ministère des Sports. Contrairement au monde occidental où chaque athlète choisissait son équipementier, la Chine négociait pour tous ses athlètes. C'est ainsi que Strasser et moi avons rencontré un représentant du ministère dans une vieille école de Shanghai, plus précisément dans une salle de classe avec des meubles datant de soixante-quinze ans et un immense portrait de Mao. Les premières minutes nous ont enseigné les beautés du communisme. Le représentant n'arrêtait pas de répéter que les Chinois faisaient du business avec « des personnes de même sensibilité. » Strasser et moi nous sommes regardés. Nous ne saisissions pas où il voulait en venir. Puis nous avons compris. Le représentant s'est penché en avant et a dit tout bas : « Combien proposez-vous ? »

Nous avons obtenu le contrat en moins de deux heures. Quatre ans plus tard, et pour le retour aux Jeux olympiques de la Chine après deux décennies d'absence, l'équipe d'athlétisme défilait dans le stade olympique de Los Angeles avec des chaussures et des survêtements américains. Plus précisément, des chaussures et des survêtements Nike.

Notre dernier rendez-vous était avec le ministère du Commerce extérieur. Comme pour tous les entretiens précédents, il y a d'abord eu une succession de longs discours, essentiellement de la part d'officiels. Cela a ennuyé Hayes dès la première seconde. Au troisième, il avait des envies de suicide. Il s'est mis à jouer avec les fils qui pendouillaient sur l'avant de sa chemise. Puis il a saisi son briquet et alors que le ministre du Commerce extérieur adjoint était en train de nous qualifier de partenaires dignes de confiance, il s'est arrêté et a fixé Hayes qui venait de mettre le feu à sa chemise. Hayes a frappé sur la flamme avec ses mains et a réussi à l'étouffer mais il avait surtout éteint la fougue de notre interlocuteur.

Sans conséquences. Juste avant de monter dans l'avion, nous avons signé des accords avec deux usines chinoises et sommes officiellement devenus le premier fabricant de chaussures américain à être autorisé à faire du business en Chine.

Il est réducteur de parler de « business. » Il est réducteur de ranger sous la bannière insipide de « business » toutes ces journées trépidantes et toutes ces nuits à ne pas dormir, tous ces triomphes magnifiques et ces luttes désespérées. Ce que nous étions en train de faire était bien plus que cela. Chaque nouvelle journée nous apportait cinquante nouveaux problèmes, cinquante décisions difficiles à prendre dans l'urgence et nous avions tous pleinement conscience du fait qu'un mauvais choix pouvait signifier la fin de l'aventure. La marge d'erreur était sans cesse plus faible et les enjeux toujours plus importants. Je me rends compte que, pour certains, le business ne consiste qu'en une recherche effrénée du profit, rien d'autre. Mais pour nous, il s'agissait moins de faire de l'argent que d'un corps humain fabriquant du sang. Le corps humain a besoin de sang. Il a besoin de produire des globules rouges, des globules blancs et des plaquettes et de les répartir de façon uniforme, sans à-coups, aux bons endroits, au bon moment. Mais ce business quotidien n'est pas notre mission en tant qu'êtres humains. C'est un processus élémentaire qui permet de viser des objectifs plus élevés, et la vie s'efforce toujours de le transcender – c'est également ce que j'ai fait vers la fin des années 1970. J'ai redéfini ma vision de ce que voulait dire gagner, qui allait au-delà de ne pas perdre ou simplement de rester en vie. Comme toutes les grandes entreprises, nous voulions créer, apporter quelque chose et nous osions le dire haut et fort. On participe pleinement au grand théâtre de la vie quand on fait ou qu'on améliore quelque chose, quand on apporte du nouveau dans la vie d'inconnus, quand on les rend plus heureux, en meilleure santé ou en sécurité. C'était davantage que simplement rester en vie, c'était aider les autres à vivre pleinement. Si c'est cela que « business » signifie, alors je veux bien qu'on me qualifie de « businessman. »

Nous n'avions pas le temps de défaire nos bagages. Nous n'avions pas le temps de nous remettre du décalage horaire, qui était très prononcé. À notre retour dans l'Oregon, le processus de l'ouverture de capital était pleinement lancé. Nous avions de grandes décisions à prendre. En particulier : il fallait choisir la personne qui allait diriger les opérations.

Toutes les introductions en bourse ne sont pas des réussites. Au contraire, lorsqu'elles sont mal faites, elles peuvent mener à des sorties de piste. Décider qui allait s'occuper de notre affaire était donc une décision particulièrement importante. Chuck pensait que la meilleure banque pour cela était Kuhn & Loeb : il avait déjà travaillé avec elle et connaissait encore très bien ses équipes. Nous avons fait passer des entretiens à quatre ou cinq autres firmes mais avons finalement décidé de suivre l'intuition de Chuck. Après tout, tous ses conseils avaient été pertinents jusque-là.

Ensuite, nous devions réaliser un prospectus. Il nous a fallu au moins cinquante versions pour qu'il ressemble à ce que nous voulions.

Finalement, nous avons remis toute notre paperasse à la Securities and Exchange Commission à la toute fin de l'été et avons effectué l'annonce officielle début septembre. Nike allait créer 20 millions d'actions de classe A et 30 millions d'actions de classe B. Nous avons annoncé que le prix de l'action serait quelque part entre 18 et 22 dollars.

Sur les 50 millions d'actions au total, presque 30 millions seraient mises en réserve et environ 2 millions d'actions de classe B seraient vendues sur les marchés. Sur les 17 millions d'actions de classe A restantes, les actionnaires préexistants ou assimilés, c'est-à-dire Bowerman, les détenteurs d'obligations convertibles, les *Buttfaces* et moi posséderions 56 %.

J'en posséderais moi-même 46 %. Nous étions d'accord sur le fait qu'il fallait que la proportion soit élevée car l'entreprise devait être dirigée par une seule personne et devait parler d'une seule voix, ferme et assurée, contre vents et marées.

Nous voulions éviter les alliances et les dissidences, tout comme les luttes de pouvoir acharnées. Pour les personnes extérieures, cela a dû paraître disproportionné, déséquilibré et injuste. Mais c'était une nécessité pour les *Buttface*s. Jamais l'un d'entre eux n'a exprimé un seul mot allant à l'encontre de cette façon de voir les choses.

Nous avons pris la route. Quelques jours avant l'opération, nous sommes allés démarcher des investisseurs potentiels pour les convaincre de la valeur de nos produits, de notre entreprise et de notre marque. Bref, de notre valeur. Après la Chine, nous n'avions pas vraiment la tête à voyager mais nous n'avions pas le choix. Nous devions faire ce que Wall Street appelle un « *dog-and-pony show*. » Douze villes en sept jours.

Première étape, Manhattan. Nous avons effectué une présentation lors d'un petit-déjeuner devant une salle pleine de banquiers impassibles, représentant des milliers d'investisseurs potentiels. Hayes s'est levé le premier et a prononcé quelques mots d'introduction. Il a résumé les chiffres de façon succincte mais avec un certain brio. Dynamique mais sobre. Johnson a pris le relais et a parlé des chaussures elles-mêmes, de ce qui les rendait si différentes, spéciales et innovantes. Il n'avait jamais été aussi bon.

J'ai conclu la présentation. J'ai parlé des origines de l'entreprise, de son âme et de son esprit. J'avais fait une fiche sur laquelle j'avais gribouillé quelques mots-clés mais je n'y ai pas jeté un seul coup d'œil. Je savais parfaitement ce que je voulais dire. Je ne suis pas sûr que j'aurais pu expliquer qui j'étais à une salle pleine d'inconnus mais je n'ai eu aucun problème à expliquer ce qu'était Nike.

J'ai commencé avec Bowerman. J'ai raconté avoir couru sous ses ordres à l'Université de l'Oregon puis avoir noué un partenariat avec lui alors que je n'étais qu'un gamin de vingt-cinq ans. J'ai parlé de son intelligence, de son courage, de son gaufrier magique. J'ai parlé de sa boîte aux lettres piégée. C'était une histoire drôle et elle ne manquait jamais de faire rire les gens, mais je voulais surtout faire passer un message. Je voulais faire savoir à ces New-Yorkais que bien que nous venions de l'Oregon, il ne fallait pas plaisanter avec nous.

« *Les lâches n'ont jamais essayé et les faibles sont morts sur le chemin, et puis il y a nous, messieurs-dames. Nous.* »

Le premier soir, nous avons fait la même présentation lors d'un dîner, à Midtown, devant des banquiers deux fois plus nombreux que le matin. Des cocktails avaient été servis avant et Hayes en avait abusé. Cette fois, il a décidé d'improviser lorsqu'il s'est levé pour prendre la parole. En riant, il a dit : « Je côtoie ces types depuis un bon moment. C'est eux le cœur de l'entreprise et je suis ici pour vous dire, ha ha, que ce sont des incapables. »

Des quintes de toux sèches se sont fait entendre.

Quelqu'un s'est raclé la gorge dans le fond de la salle.

On pouvait entendre les mouches voler.

Quelque part, loin, quelqu'un riait comme une baleine. Il devait s'agir de Johnson.

Ces personnes ne rigolaient pas avec l'argent et une introduction en bourse de cette taille ne se prêtait pas aux blagues. J'ai poussé un soupir, j'ai regardé ma fiche. L'effet n'aurait pas été pire si Hayes avait débarqué en bulldozer en plein milieu de la salle. Plus tard cette nuit-là, je l'ai pris à part et lui ai dit qu'il valait mieux qu'il arrête de parler, que Johnson et moi nous occuperions des présentations. Mais nous avions besoin de lui pour les sessions de questions-réponses.

Hayes m'a regardé et a cligné des yeux une fois. Il avait compris le message.

« J'ai cru que tu allais me renvoyer à la maison.

– Non, tu restes avec nous. »

Nous sommes allés ensuite à Chicago, Dallas, Houston et San Francisco pour finir par Los Angeles et Seattle. Nous étions un peu plus épuisés après chaque étape, nous tombions presque de fatigue. C'était particulièrement le cas pour Johnson et moi. Une étrange relation s'est installée entre nous. Dans l'avion ou au bar de l'hôtel, nous avons beaucoup parlé de nos jeunes années, de ses lettres sans fin (« Envoie-moi des encouragements, s'il-te-plaît »), de mon silence, du rêve qui lui avait fait trouver Nike, de Stretch, de Giampietro, du Marlboro Man, des nombreuses fois où je l'avais fait déménager à travers le pays, du jour où les ouvriers d'Exeter avaient débarqué dans son bureau pour réclamer leur paie. En allant à une nouvelle présentation de Nike à des investisseurs, Johnson a dit à l'arrière d'une voiture : « Et après tout ça, nous sommes les chouchous de Wall Street. »

Je l'ai regardé. Certaines choses changent mais lui n'avait pas changé. Après avoir lâché cela, il a fouillé dans son sac, a saisi un livre et s'est mis à lire.

Notre tournée a pris fin la veille de Thanksgiving. Je me souviens vaguement d'une dinde, de canneberges et de ma famille autour de moi. Je me rappelle vaguement que c'était l'anniversaire de quelque chose : c'était lors de Thanksgiving que j'étais parti au Japon pour la première fois, en 1962.

Mon père m'a bombardé de questions lors du dîner sur l'ouverture de capital. Ma mère ne m'en a posé aucune. Elle m'a dit qu'elle savait depuis qu'elle m'avait acheté une paire de Limber Up à sept dollars que cela arriverait. Ils ne cessaient de me féliciter mais je les ai rapidement fait taire et je les ai suppliés de ne pas aller trop vite. La partie n'était pas finie. Nous n'avions pas encore franchi la ligne d'arrivée.

Nous avons choisi une date pour l'introduction en Bourse. Le 2 décembre 1980. Il nous restait à fixer le prix.

Hayes est venu dans mon bureau la veille.

« Les gars de Kuhn & Loeb recommandent vingt dollars par action.

– Trop bas. C'est insultant », ai-je répondu.

Hayes m'a prévenu qu'il ne fallait pas fixer un prix trop élevé, sous peine de ne pas réussir à vendre.

L'ensemble du processus avait de quoi rendre fou, tout simplement parce qu'il était très imprécis. Il n'y avait pas de chiffre juste. Tout était affaire d'opinion, de sentiment et de vente. Vendre était ce que j'avais fait le plus ces dix-huit dernières années et je commençais à en être lassé. Je n'avais plus envie de vendre. Notre action valait vingt-deux dollars. Pour moi, c'était cela le chiffre juste, nous l'avions mérité. Une entreprise appelée Apple allait ouvrir son capital la même semaine que nous, au prix de vingt-deux dollars l'action, et j'ai dit à Hayes que nous valions autant. J'étais prêt à tout laisser tomber si Wall Street ne l'entendait pas de cette oreille.

J'ai fixé Hayes du regard. Je savais à quoi il pensait. C'était reparti.*Il faut d'abord rembourser Nissho*.

Le lendemain matin, Hayes et moi avons pris la voiture jusqu'au cabinet de nos avocats. Un employé nous a emmenés au bureau de l'associé principal. Un auxiliaire juridique a composé le numéro de Kuhn & Loeb à New York, puis a appuyé sur le bouton du haut-parleur posé au milieu du bureau en noyer. Hayes et moi avons regardé le haut-parleur d'un air incrédule. Des voix désincarnées ont envahi la pièce. L'une des voix s'est faite plus forte, plus nette : « Gentlemen… bonjour. »

« Bonjour », avons-nous répondu.

La voix forte a pris les commandes. Elle a livré une explication longue et plutôt ardue du raisonnement de Kuhn & Loeb au sujet du prix de l'action. La voix a conclu en disant que nous ne pouvions pas aller au-delà de vingt et un dollars.

J'ai répondu, impassible : « Non. Nous en voulons vingt-deux. »

Nous avons entendu les voix murmurer. Ils ont proposé le chiffre de vingt et un dollars et cinquante cents. La voix forte a dit : « J'ai bien peur que ce soit notre dernière offre. »

Hayes a regardé le haut-parleur puis m'a regardé, dubitatif.

Un silence assourdissant a suivi. Nous avons entendu des respirations bruyantes, des petits bruits secs et des grincements. Des papiers ont été feuilletés. J'ai fermé les yeux et j'ai laissé ce bruit blanc déferler sur moi. J'ai repensé à toutes les négociations importantes de ma vie jusqu'à ce jour.

« Papa, tu te souviens de l'Idée Folle que j'avais eue à Stanford… ? »

« Messieurs, je représente Blue Ribbon Sports de Portland, Oregon. »

« En réalité, Dot, je suis amoureux de Penny. Et ce sentiment est partagé. Nous nous voyons bien faire notre vie ensemble. »

En colère, la voix forte a dit : « Je suis désolé. On va devoir vous rappeler plus tard. »

Fin de l'appel.

Nous nous sommes assis, silencieux. J'ai pris de longues et profondes inspirations. Le visage de l'employé était en train de se décomposer.

Cinq minutes ont passé.

Puis quinze.

Des gouttes de transpiration perlaient sur le front et dans le cou de Hayes.

Le téléphone a sonné. L'employé nous a regardés afin de vérifier que nous étions prêts. Nous lui avons fait un signe de tête. Il a appuyé sur le bouton du haut-parleur.

La voix forte a dit : « Gentlemen, c'est d'accord. Nous enverrons l'info au marché vendredi. »

Je suis rentré à la maison. Je me rappelle que les garçons jouaient dehors. Penny était dans la cuisine.

« Comment s'est passée ta journée ? m'a-t-elle demandé.

– Hmm. Ça va.

– Bien.

– Nous avons le prix que nous voulions.

– Évidemment, a-t-elle dit en souriant.

Je suis allé courir un bon moment.

Puis j'ai pris une douche très chaude, j'ai dîné rapidement et suis allé border les garçons et leur raconter une histoire.

C'était en 1773. Les soldats Matt et Travis se battaient sous les ordres du Général Washington. Ils avaient froid, ils étaient fatigués, ils avaient faim et leurs uniformes étaient en lambeaux. Ils s'étaient établis à Valley Forge, en Pennsylvanie, pour l'hiver. Ils dormaient dans des cabanes, coincés entre deux montages : le Mount Joy et le Mount Misery. Des vents très froids soufflaient entre les montagnes du matin au soir. La nourriture se faisait rare. Seul un tiers des hommes avaient des chaussures.

Lorsqu'ils marchaient dehors, les soldats laissaient des empreintes de pas rouges de sang dans la neige. Des milliers moururent. Mais Matt et Travis ont tenu bon.

Finalement, le printemps est arrivé. Les troupes avaient appris que les Britanniques avaient battu en retraite et que les Français allaient venir en aide aux insurgés. Les soldats Matt et Travis ont su qu'à partir de ce moment, ils pourraient survivre à tout.

Bonne nuit, les garçons.

J'ai éteint la lumière et suis allé m'asseoir devant la télé avec Penny. Nous ne regardions pas vraiment : elle lisait un livre et je faisais des calculs dans ma tête.

J'étais en train de me dire qu'au même moment, la semaine d'après, Bowerman pèserait 9 millions de dollars.

Cale, 6,6 millions de dollars.

Woodell, Johnson, Hayes et Strasser, 6 millions chacun.

Des chiffres délirants. Des chiffres qui n'avaient aucun sens. Je ne m'étais jamais rendu compte que les chiffres pouvaient signifier autant et si peu à la fois.

« On va se coucher ? » m'a demandé Penny.

J'ai fait oui de la tête.

J'ai fait le tour de la maison, éteint les lumières, vérifié que les portes étaient bien fermées avant de rejoindre Penny. Je suis resté éveillé dans le noir un bon moment. Ce n'était pas fini, loin de là, ce n'était que la première partie. Un nouveau chapitre allait s'ouvrir.

J'ai essayé de nommer mes sentiments.

Je ne ressentais ni joie, ni soulagement. Je ressentais plutôt… du regret ?

J'ai pensé : « Bon Dieu, oui. Du regret. »

Parce que j'aurais sincèrement aimé tout reprendre à zéro.

J'ai dormi quelques heures. Il faisait froid et il pleuvait quand je me suis réveillé. Je suis allé à la fenêtre. De la pluie gouttait depuis les branches des arbres. Il n'y avait que de la brume et du brouillard. Le monde était le même que la veille, il était comme il avait toujours été. Rien n'avait changé, et encore moins moi-même. Et pourtant, mon patrimoine valait désormais 178 millions de dollars.

J'ai pris une douche, avalé mon petit-déjeuner et suis parti au travail. Je suis arrivé au bureau avant tout le monde.

LA NUIT

Nous aimons aller voir des films. Nous avons toujours aimé cela. Mais ce soir, nous sommes confrontés à un dilemme. Nous avons déjà vu tous les films violents, les préférés de Penny, et nous devons nous aventurer au-delà de notre zone de confort et essayer quelque chose de différent. Pourquoi pas une comédie ?

Je feuillette le journal. « Pourquoi ne pas aller voir *The Bucket List*[25] au Century ? Avec Jack Nicholson et Morgan Freeman ? »

Penny fronce les sourcils.

Nous sommes en plein pendant les fêtes de Noël 2007.

En réalité, *The Bucket List* est tout sauf une comédie. C'est un film sur la mort. Deux hommes, Nicholson et Freeman, malades du cancer en phase terminale, décident de passer leurs derniers jours à

25 Une *Bucket list* est une liste des choses à faire avant de mourir. Le titre français du film est *Sans plus attendre*.

faire les choses les plus folles qu'ils ont toujours voulu faire, et de vivre à fond avant de mourir. La première heure du film est pourtant très sérieuse.

Il existe des parallèles étranges entre ce film et ma vie. D'abord, Nicholson me fait toujours penser à *Vol au-dessus d'un nid de coucou*, et donc à Kesey, ce qui me renvoie au temps où j'étais étudiant à l'Université de l'Oregon. Ensuite, l'une des choses en haut de la liste des choses à faire avant de mourir du personnage de Nicholson est « voir l'Himalaya », ce qui me transporte au Népal.

Et puis le personnage de Nicholson emploie un assistant personnel – une sorte de fils adoptif – prénommé Matthew, qui ressemble d'ailleurs un peu à mon fils.

À la fin du film, quand les lumières se rallument, Penny et moi sommes soulagés de nous lever et de retrouver la lumière de la vraie vie.

Le cinéma dans lequel nous nous trouvons est un énorme complexe de seize salles au cœur de Cathedral City, en bordure de Palm Springs. C'est là que nous passons désormais la plus grande partie de l'hiver, loin des pluies froides de l'Oregon. En sortant par le hall, alors que nos yeux se réhabituent à la lumière du jour, nous croisons deux visages familiers. Nous ne réussissons pas à les remettre sur le coup. Nous avons encore Nicholson et Freeman en tête. Mais ces visages nous paraissent tout aussi familiers, eux aussi sont célèbres. Après quelques instants, nous nous rendons compte qu'il s'agit de Bill et Warren. Gates et Buffett.

Nous allons à leur rencontre.

Aucun de ces deux hommes n'est ce qu'on pourrait appeler un ami proche mais nous nous sommes déjà rencontrés à plusieurs reprises, lors d'événements de charité et de conférences. Nous avons des causes communes, des centres d'intérêt convergents et quelques connaissances mutuelles. Je lance : « Sympa de vous voir ici ! » avant d'avoir envie de rentrer sous terre, en me demandant si j'ai bien prononcé ces mots. Je me demande comment je peux être encore timide et maladroit en présence de célébrités.

L'un des deux répond : « Je pensais justement à toi. »

Nous nous serrons la main et parlons essentiellement de Palm Springs. « Cet endroit est charmant, n'est-ce pas ? » « C'est merveilleux de pouvoir échapper au froid, non ? » Nous parlons business, sport et famille. J'entends quelqu'un derrière nous murmurer : « Hé, regarde, il y a Buffett et Gates. C'est qui, l'autre type ? »

Je souris.

Je ne peux pas m'empêcher de faire le calcul dans ma tête. À ce moment précis, mon patrimoine est de 10 milliards de dollars et chacun de ces deux hommes dispose de cinq ou six fois plus. « *Conduis-moi de l'irréel au réel.* »

Penny leur demande s'ils ont apprécié le film. Ils répondent tous les deux que oui, en regardant leurs chaussures, même s'ils l'ont trouvé un peu déprimant. J'ai envie de leur demander ce qu'il y a sur leur liste de choses à faire avant de mourir mais je m'abstiens. Gates et Buffett semblent avoir fait tout ce qu'ils voulaient dans leurs vies. Je me dis qu'ils ne doivent pas avoir ce genre de listes.

Et moi, j'en ai une ?

* * *

Une fois à la maison, Penny se remet à son canevas et je me verse un verre de vin. Je sors mon carnet de notes et regarde ma liste de choses à faire demain. Et pour la première fois depuis longtemps… il n'y a rien.

Nous regardons le journal de 23 heures à la télé mais mon esprit est loin, très loin. Il dérive, il flotte, il voyage à travers le temps. Un sentiment familier m'habite depuis peu. Je passe de longues parties de la journée à repenser à mon enfance. Pour je ne sais quelle raison, je pense beaucoup à mon grand-père, Bump Knight. Il n'avait rien, vraiment rien. Et il avait pourtant réussi à économiser petit à petit pour s'acheter une Model T toute neuve, avec laquelle il avait emmené sa femme et ses cinq enfants de Winnebago, dans le Minnesota, jusqu'au Colorado puis jusque dans l'Oregon. Il m'a confié un jour qu'il ne s'était pas ennuyé à passer le permis de conduire, il était juste monté dans la voiture et avait mis le contact. En descendant les Rockies dans ce tas de ferraille rugissant, il n'a pas arrêté de gronder : « Waouh ! Waouh ! Nom de Dieu ! » J'ai entendu cette histoire tellement de fois, de sa bouche, comme de celle de mes oncles, tantes et cousins, que j'ai l'impression de l'avoir vécue moi-même.

Plus tard, Bump a acheté un pick-up et il adorait mettre ses petits-enfants à l'arrière pour les emmener en ballade. Il s'arrêtait toujours à la boulangerie Sutherlin pour nous acheter une douzaine de donuts glacés – à chacun.

Je n'ai qu'à regarder le ciel bleu ou n'importe quel plafond blanc et je me vois avec les pieds nus pendant de la plateforme de son pick-up, sentant le vent frais sur mon visage, en train de lécher le glaçage de donuts tout chauds. Est-ce que j'aurais pris autant de risques, est-ce que j'aurais autant osé, est-ce que j'aurais autant été sur le fil du rasoir, oscillant entre sécurité et catastrophe, sans ce sentiment fondateur, sans cette sensation de bonheur et de liberté ? Je ne crois pas.

J'ai quitté mon poste de PDG de Nike après quarante ans dans l'entreprise. Je pense avoir laissé la société entre de bonnes mains et j'espère l'avoir laissée en bon état. Le chiffre d'affaires lors de ma dernière année, 2006, était de 16 milliards de dollars (celui d'Adidas était de 10 milliards, mais quelle importance ?). Nos chaussures et nos vêtements sont disponibles dans 5 000 magasins à travers le monde. 10 000 employés travaillent pour nous, dont 700 rien que pour notre filiale chinoise implantée à Shangai (et la Chine, notre deuxième plus gros marché, est désormais notre principal producteur de chaussures. Il semble que le premier voyage un peu fou que nous y avons fait ait porté ses fruits).

Les 5 000 employés du siège mondial de Beaverton sont logés sur un campus universitaire idyllique, de quatre-vingts hectares d'étendues boisées, parcourus par des ruisseaux et parsemés de terrains de sport. Les bâtiments ont été baptisés du nom des hommes et des femmes qui nous ont offert leurs noms et leurs soutiens mais aussi bien plus que cela. Joan Benoit Samuelson, Ken Griffey Jr., Mia Hamm, Tiger Woods, Dan Fouts, Jerry Rice, Steve Prefontaine – tous ont aussi contribué à définir notre identité.

En tant que président du conseil d'administration, je me rends à mon bureau presque tous les jours et quand je passe devant tous ces bâtiments, je vois bien plus que de simples bâtiments, je vois des temples. Je pense souvent à ce voyage décisif que j'ai fait quand j'avais vingt-quatre ans. Je me revois sur les hauteurs d'Athènes, en train d'admirer le Parthénon, et je ressens toujours cette sensation du temps qui se replie sur lui-même.

Au milieu des bâtiments du campus, le long des chemins, on peut voir des bannières immenses avec les photos de super athlètes en plein effort. Ils sont les légendes, les géants et les titans qui ont fait de Nike bien plus qu'une marque.

Jordan.

Kobe.

Tiger.

Encore une fois, je ne peux pas m'empêcher de penser à mon voyage autour du monde.

Le Jourdain (« Jordan river » en anglais).

La ville mystique de Kobe au Japon.

Le premier entretien chez Onitsuka, suppliant ses responsables de m'accorder le droit de vendre des Tigers…

Est-ce que tout cela peut être une coïncidence ?

Je pense aux innombrables bureaux Nike partout dans le monde. Pour chacun d'eux, quel que soit le pays, le numéro de téléphone se termine par 6453, ce qui correspond aux touches du cadran téléphonique pour écrire Nike. Mais, par pur hasard, ce chiffre correspond, lorsqu'on le lit de droite à gauche, au meilleur temps de Pre sur le mile : 3 minutes, 54 secondes et 6 dixièmes. Je dis « par pur hasard » mais était-ce bien le hasard ? Puis-je m'autoriser à penser que certaines coïncidences sont plus que des coïncidences ? Serai-je pardonné pour avoir pensé, ou espéré, que l'univers ou un quelconque démon intérieur m'a poussé à faire ce que j'ai fait en me le chuchotant à l'oreille ? Ou qu'il a joué avec moi ? Est-ce forcément un hasard de la géographie si les plus vieilles chaussures découvertes à ce jour sont une paire de sandales de 8 000 ans… récupérées dans une cave de l'Oregon ? Est-ce forcément un hasard si ces sandales ont été découvertes en 1938, l'année de ma naissance ?

Je ressens toujours une excitation, une poussée d'adrénaline, quand j'arrive en voiture à l'intersection des deux rues principales du campus, chacune baptisée du nom de l'un des pères fondateurs de Nike. Toute la journée, chaque jour, l'agent de sécurité à la porte principale indique aux visiteurs les mêmes directions : « Prenez l'allée Bowerman tout droit jusqu'au chemin Hayes… » J'aime aussi parcourir les jardins japonais Nissho Iwai, une sorte d'oasis au centre du campus. D'une certaine manière, notre campus est une carte de l'histoire et de la croissance de Nike. On peut aussi voir cela comme le théâtre de ma vie ou encore comme l'expression vivante de ce qui est peut-être la plus forte des émotions humaines après l'amour : la gratitude.

Les plus jeunes des employés de Nike semblent en faire preuve. Ils s'intéressent vivement aux noms des rues et des bâtiments, et à notre passé. Comme Matthew me suppliant de lui lire une histoire avant d'aller au lit, ils réclament que nous leur racontions nos vieilles histoires. La salle de conférence est pleine à craquer à chaque fois que Woodell et Johnson nous rendent visite. Nos employés ont même créé un groupe de discussion, un think tank informel, pour préserver notre sens de l'innovation originel. Ils s'appellent eux-mêmes The Spirit of 72, ce qui remplit mon cœur de joie.

Mais ces jeunes gens ne sont pas les seuls à célébrer notre histoire. Je me souviens notamment de ce jour de juillet 2005. En plein milieu d'un événement, je ne sais plus lequel, LeBron James a demandé à me dire un mot en privé.

« Phil, je peux te voir un moment ?

– Bien sûr.

– Quand j'ai signé avec toi, je ne connaissais pas vraiment l'histoire de Nike. Alors, je me suis renseigné.

– Ah ?

– Tu es le fondateur.

– Eh bien, oui, le cofondateur. Cela surprend beaucoup de gens.

– Et Nike est né en 1972.

– Né ? Oui. On peut dire ça.

– Bon. Je suis allé voir mon bijoutier et je lui ai demandé une Rolex de 1972. »

Il m'a tendu une montre. Il y avait fait graver : « *Merci de m'avoir donné ma chance.* »

Comme à mon habitude, je n'ai rien dit. Je ne savais pas quoi dire. Il ne s'agissait pas de chance dans son cas car c'était quasiment gagné d'avance pour lui. Mais il avait raison sur un point : savoir donner leur chance aux gens, je crois que tout a été question de cela.

Je reviens dans la cuisine pour me verser un autre verre de vin. En retournant vers mon fauteuil inclinable, je regarde un moment Penny travailler à son canevas et des images se mettent à défiler dans ma tête de plus en plus vite.

Je revois Pete Sampras écraser chacun de ses adversaires lors de l'un de ses Wimbledon victorieux. Après le point de la victoire, il a lancé sa raquette dans les gradins – à moi ! (En réalité, Pete l'a lancée trop fort et elle a heurté l'homme qui était derrière moi, qui a porté plainte, évidemment !)

Je revois le grand rival de Pete, Andre Agassi, remporter l'US Open en étant non classé, et venir en pleurs dans mon box après le coup de la victoire : « Nous l'avons fait, Phil ! » Nous ?

Je souris en revoyant Tiger mettre son dernier putt à Augusta – ou était-ce St Andrews ? Il m'a serré dans ses bras pendant de longues secondes.

Je repasse en boucle dans ma tête les nombreux moments que j'ai passés en privé avec lui, Bo Jackson ou Michael Jordan. Je me souviens d'une fois où je logeais dans la maison de Michael à Chicago : j'avais décroché le téléphone à côté du lit de la chambre d'amis et j'ai été stupéfait d'entendre une voix de l'autre côté du fil. « Comment puis-je vous aider ? » C'était le room service. Un véritable room service disponible à toute heure du jour et de la nuit et auquel il était possible de demander tout et n'importe quoi.

J'ai reposé le combiné téléphonique, bouche bée.

Ils sont tous comme des fils ou des frères – bref, de la famille. Pas moins que cela. Quand le père de Tiger, Earl, est décédé, il y avait moins de cent personnes présentes dans l'église du Kansas où étaient organisées ses funérailles et j'ai eu l'honneur d'en faire partie. Quand le père de Jordan a été assassiné, j'ai pris le premier avion pour la

Caroline du Nord afin d'assister à l'enterrement et j'ai été choqué de voir que l'on m'avait réservé une place au premier rang.

Tout cela me ramène évidemment à Matthew.

Je repense à sa longue et difficile quête de sens et d'identité. À sa quête d'un père absent. Sa quête m'a souvent fait penser à la mienne, bien que Matthew n'ait ni eu ma chance ni reçu autant d'attention. Il n'a pas non plus vécu l'insécurité que j'ai connue. Si seulement il l'avait connue…

Matthew se cherchait. Il avait laissé tomber l'université. Il a voulu apprendre la vie par lui-même, n'était jamais d'accord, voulait sans cesse s'enfuir. Rien ne lui convenait.

Et puis, en 2000, il a semblé prendre à cœur son rôle de mari, de père et de philanthrope. Il s'était engagé dans l'association Mi Casa, Su Casa, qui construisait un orphelinat au Salvador. Lors d'un de ses voyages là-bas, après quelques jours de travail, Matthew avait pris du temps pour lui et était allé avec deux amis au lac Ilopango, un lac très profond, pour y faire de la plongée.

Je ne sais pourquoi mais Matthew avait décidé de voir jusqu'à quelle profondeur il pouvait aller. Il a décidé de prendre un risque que même son père accro aux risques n'aurait jamais pris.

Ça s'est mal passé. À quarante-cinq mètres de profondeur, mon fils a perdu connaissance. Si je devais penser aux derniers moments de Matthew, se débattant pour trouver de l'air, je crois que mon imagination pourrait s'approcher de ce qu'il a dû éprouver. Après les milliers de kilomètres que j'ai parcourus en tant que coureur, je connais cette sensation de la lutte pour la bouffée d'oxygène suivante. Mais je ne veux plus laisser mon imagination s'aventurer sur ce terrain.

J'ai parlé aux deux amis qui étaient avec lui. J'ai lu tout ce que j'ai pu trouver sur les accidents de plongée. J'ai notamment appris que lorsque les choses se passent mal, les plongeurs ressentent souvent quelque chose appelé « l'effet Martini » : ils pensent que tout va bien, et même mieux que bien. Ils se sentent euphoriques. J'essaie de me convaincre que c'est ce qui a dû arriver à Matthew car il a retiré l'embout du détendeur lors de ses dernières secondes. Je préfère croire à ce scénario d'euphorie et me dire que mon fils n'a pas souffert. Je préfère croire que mon fils était heureux car je ne pourrais pas continuer à vivre sans.

Penny et moi étions au cinéma lorsque nous avons appris la nouvelle. Nous étions allés à la séance de 17 heures de *Shrek 2*. Au milieu du film, nous avons vu Travis debout dans le couloir. Nous n'avons pas compris ce qu'il faisait là. Il nous a chuchoté dans l'obscurité : « Vous devez venir avec moi. »

Nous avons emprunté le couloir, sommes sortis de la salle, passant ainsi de l'obscurité à la lumière. Travis nous a dit : « J'ai reçu un coup de fil du Salvador… » Penny s'est écroulée. Travis l'a aidée à se relever. Il a serré sa mère contre lui et je me suis éloigné en titubant, en pleurant toutes les larmes de mon corps. Je me souviens de sept mots étranges qui me sont venus spontanément et que je me suis répété encore et encore dans ma tête, comme un fragment de poème : *So this is the way it ends* (« C'est donc comme ça que ça se termine »).

Le lendemain matin, la nouvelle était partout. Internet, la radio, les journaux, la télévision : tous hurlaient les faits bruts de décoffrage. Penny et moi avons fermé les volets, les portes et nous nous sommes isolés. Notre nièce Britney avait emménagé avec nous et aujourd'hui, je pense qu'elle nous a sauvé la vie.

Tous les athlètes Nike ont écrit, envoyé un e-mail ou téléphoné. Tous sans exception. Tiger a été le premier. Il a appelé à 7 h 30. Je n'oublierai jamais. Gare à celui qui tiendra des paroles désobligeantes sur Tiger en ma présence.

Alberto Salazar, le coureur à l'esprit de compétition surdéveloppé ayant remporté trois marathons de New York de suite en Nike, a également été l'un des premiers à appeler. Je l'aimerai toujours pour de nombreuses raisons mais par-dessus tout pour cette manifestation d'amitié.

Aujourd'hui, Salazar est entraîneur et il a récemment amené quelques-uns de ses coureurs à Beaverton. Lors d'une séance d'entraînement légère, au milieu de notre terrain Ronaldo, Alberto s'est subitement effondré au sol, cherchant désespérément de l'air. Il faisait une crise cardiaque. Son arrêt cardiaque a duré quatorze minutes, jusqu'à ce qu'une équipe médicale le réanime et l'emmène à l'hôpital St. Vincent. Je connais bien cet hôpital. Mon fils Travis y est né et ma mère y est morte, vingt-sept ans après mon père. Lors de ses six derniers mois, j'ai réussi à emmener mon père dans un long voyage, pour savoir une fois pour toutes s'il était fier de moi et pour lui montrer que j'étais fier de lui. Nous avons fait le tour du monde, nous avons vu des Nike dans tous les pays que nous avons visités et il y avait des étoiles dans ses yeux à la vue de chaque *swoosh*. La douleur de son hostilité vis-à-vis de mon Idée Folle était loin derrière, même si ce souvenir reste vivace dans ma mémoire.

C'est toute l'histoire des pères et des fils depuis l'aube de l'humanité. Lors d'un Masters, Arnold Palmer m'avait confié : « Mon père a tout fait pour me décourager de devenir golfeur professionnel. » Je lui ai répondu : « Ne m'en parle pas. »

En allant rendre visite à Alberto et en entrant dans le hall de l'hôpital St. Vincent, j'ai été envahi par la vision de mes deux parents. Je pouvais les sentir à mon bras, je pouvais entendre leurs voix. Leur relation était tendue, je crois. Mais, comme pour les icebergs, la majeure partie était sous la surface. Dans leur maison de Claybourne Street, la tension était cachée et le calme et la raison ont presque toujours prévalu, notamment en raison de leur amour pour nous. Il n'y avait pas de démonstration d'affection, ni verbale ni physique, mais cet amour a toujours été présent. Mes sœurs et moi avons grandi en sachant que nos parents nous aimaient, aussi différents qu'ils étaient. C'est ce qui est resté pour nous, ce qu'ils ont réussi de mieux.

Je suis entré dans le service de cardiologie. Je n'ai pas tenu compte de l'écriteau « Entrée interdite » et j'ai trouvé la chambre d'Alberto au bout du couloir. Il a soulevé la tête de son oreiller et a réussi à esquisser un sourire qui trahissait sa douleur. Je lui ai tapoté le bras et nous avons discuté un bon moment. À un instant donné, j'ai senti qu'il faiblissait. Je lui ai donc dit : « On se revoit bientôt. » Il a saisi ma main et m'a dit : « S'il m'arrive quelque chose, promets-moi de t'occuper de Galen. »

Il parlait de l'athlète qu'il entraînait à l'époque et qu'il considérait comme son fils.

Je ne comprenais que trop bien ce lien si particulier qui unit les athlètes et leurs entraîneurs.

« Bien sûr. Bien sûr, je te le promets. »

Je suis sorti de la salle, remarquant à peine les machines qui bipaient, les infirmières qui riaient et les patients qui gémissaient dans le couloir. J'ai pensé à la phrase « *It's just business* », mais il ne s'agit jamais vraiment que de business. Cela ne sera jamais le cas et si cela le devient, cela signifiera que le business ne vaut plus grand-chose.

« C'est l'heure d'aller au lit, me dit Penny en rangeant son canevas.

– Oui, j'arrive dans une minute. »

Je ne cesse de penser à une réplique de *The Bucket List* : « On peut mesurer ce que l'on vaut en voyant qui essaie de se mesurer à soi. » Je ne me rappelle plus si cette réplique est de Freeman ou de Nicholson. Mais elle est très vraie. Elle me ramène à Tokyo, dans les bureaux de Nissho. J'y ai effectué une visite il y a peu. Le téléphone a sonné. La réceptionniste japonaise m'a passé le combiné en disant que l'appel était pour moi. « Pour moi ? » C'était Michael Johnson, trois fois médaille d'or aux Jeux olympiques, qui était détenteur des records du monde du 200 et du 400 mètres. Michael avait réussi tous ses exploits avec nos chaussures. Il se trouvait aussi à Tokyo et il avait entendu dire que j'y étais. « Tu veux qu'on dîne ensemble ? » m'a-t-il demandé.

J'ai été flatté. Mais je lui ai dit que je ne pouvais pas, car Nissho organisait une réception en mon honneur. Je l'y ai invité. Quelques heures plus tard, nous étions assis à même le sol, devant une table recouverte de *shabu-shabu*, à enchaîner les verres de saké. Nous avons ri, nous avons trinqué, et un courant particulier est passé entre nous. Le même courant qui passe entre la plupart des athlètes avec lesquels je travaille et moi. Un moment d'échange, de camaraderie, de connexion. C'est bref, mais cela se produit toujours et je sais que ça fait partie des choses que je cherchais quand je suis parti faire le tour du monde en 1962.

Pour se connaître, il faut réussir à s'oublier. Mi casa, su casa.

L'unité – d'une manière ou d'une autre, c'est ce que toutes les personnes que j'ai rencontrées recherchaient.

Je pense à ceux qui ne sont plus de ce monde. Bowerman nous a quittés lors du réveillon de Noël 1999, à Fossil. Il était revenu dans sa ville, comme nous nous en doutions. Il possédait encore sa maison sur la montagne surplombant le campus, mais il avait décidé de la quitter pour s'installer à Fossil avec madame Bowerman. Il avait besoin de se retrouver là où tout avait commencé – en a-t-il parlé un jour ? Ou est-ce moi qui l'imagine penser ?

Je me rappelle que nous avons organisé une compétition à Pullman contre l'Université de Washington lors de ma deuxième année universitaire. Bowerman avait demandé au chauffeur de bus de passer par Fossil pour nous montrer la ville. J'ai immédiatement pensé à ce détour sentimental quand j'ai appris qu'il s'était couché sur son lit et ne s'était jamais réveillé.

C'est Jaqua qui m'a appelé. J'étais en train de lire le journal. Le sapin de Noël clignotait sans arrêt (on se souvient de détails particulièrement étranges dans de tels moments). J'ai eu le plus grand mal à dire : « Je te rappelle » et je suis monté dans ma chambre. J'ai éteint toutes les lumières. Les yeux fermés, j'ai pensé à un million de moments différents, et notamment notre déjeuner au Cosmopolitan Hotel.

« *Deal* ?

– *Deal*. »

Une heure s'est écoulée avant je puisse redescendre les escaliers. À un moment, cette nuit-là, j'ai arrêté les Kleenex et j'ai directement disposé une serviette sur mes épaules.

Strasser est décédé subitement lui aussi. D'une crise cardiaque, en 1993. Il était très jeune, ce fut une tragédie, d'autant plus que c'était arrivé après une dispute. Strasser avait contribué à faire signer Jordan, à développer la marque Jordan et à l'associer aux semelles de Rudy. Air Jordan a transformé Nike et nous a amenés au niveau supérieur, et à celui d'encore après. Mais ça a aussi transformé Strasser. Il a cru qu'il ne pouvait plus recevoir d'ordres de personne, ni même de moi. Surtout de moi. Nous nous sommes disputés bien trop souvent, et il a quitté le navire.

Cela aurait pu aller s'il s'était contenté de partir. Mais il est parti travailler pour Adidas. Je l'ai vécu comme une trahison intolérable. Je ne le lui ai jamais pardonné. (Bien que j'aie – avec beaucoup de bonheur et de fierté – récemment recruté sa fille, Avery. À vingt-deux ans, elle travaille dans le département événementiel, où elle donne entière satisfaction. C'est une grande joie de voir son nom au sein de la direction de l'entreprise.) J'aurais aimé que Strasser et moi nous réconciliions avant qu'il meure, mais je ne sais pas si cela aurait été possible. Nous étions tous les deux nés pour la compétition et peu doués pour le pardon. Pour nous deux, la trahison était comme de la kryptonite ultra-puissante.

Je ressens le même sentiment de trahison quand Nike se trouve sous le feu des critiques en ce qui concerne les conditions de travail dans nos usines à l'étranger – et notamment ce qui a été appelé la controverse des « *sweatshops* » (usines à sueur).

Lorsque les journalistes ont affirmé qu'une usine était problématique, ils ont toujours omis de dire à quel point les conditions étaient meilleures que le jour où nous sommes arrivés. Ils n'ont jamais fait mention de tout le travail que nous avions effectué avec nos partenaires pour améliorer les conditions de travail, pour rendre les usines plus sûres et plus propres. Ils n'ont jamais dit que ces usines n'étaient pas les nôtres et que nous n'en étions que les locataires, parmi d'autres. Ils ont tout simplement fait le maximum pour trouver un ouvrier se plaignant de son univers de travail et l'ont utilisé pour nous diaboliser, en sachant que notre nom assurerait un maximum de publicité.

Bien sûr, ma gestion de cette crise n'a fait qu'empirer les choses. En colère et blessé, j'ai souvent réagi avec arrogance, exubérance et colère. Je savais que d'une façon ou d'une autre, ma réaction était contre-productive, mais je n'arrivais pas à me contrôler. C'est tout simplement difficile de rester d'humeur égale quand on se réveille un jour et qu'on voit son portrait être brûlé à l'extérieur de son magasin, dans sa ville natale, alors que l'on a créé des emplois, que l'on a aidé des pays pauvres à se développer et que l'on a aidé des athlètes à atteindre l'excellence.

L'entreprise a réagi de la même façon que moi. Avec émotion. Tout le monde était sous le choc.

Lors de nombreuses nuits, les lumières restaient allumées toute la nuit à Beaverton car des conversations enflammées se tenaient dans les bureaux et les salles de réunion. Nous savions qu'une bonne partie des critiques était injuste, que Nike était un symbole, un bouc émissaire bien plus qu'un vrai coupable, mais tout cela était hors sujet. Nous devions nous rendre à l'évidence : nous pouvions mieux faire. Nous nous sommes donc promis de mieux faire.

Nous avons dit au reste du monde : « Regardez, nous allons rendre nos usines exemplaires. »

Et c'est ce que nous avons fait. Sur les dix ans qui ont suivi ce scandale et les révélations scabreuses, nous avons saisi l'opportunité de réinventer totalement l'entreprise.

Par exemple, l'une des pires choses de l'industrie de la chaussure est la « salle caoutchouc », où sont assemblées les semelles et les empeignes. Les émanations y sont toxiques, agressives et peuvent être à l'origine de cancers. Nous avons donc inventé un agent liant à base d'eau ne produisant pas de fumées, ce qui éliminait par conséquent 97 % des agents cancérigènes de l'air. Nous avons ensuite fait part de tous les détails de cette innovation à nos concurrents et à quiconque était intéressé.

Presque tous nos concurrents ont mis en application notre innovation.

C'est l'un des très nombreux exemples.

Nous sommes passés du statut de cible des activistes à celui d'acteur majeur dans le mouvement d'amélioration des procédés industriels. Aujourd'hui, les usines fabricant nos produits sont parmi les meilleures du monde. Un officiel des Nations unies a dit récemment que Nike était la référence par rapport à laquelle son institution évaluait les usines textiles.

Quelque temps après l'affaire des « *sweatshops* », nous avons lancé le Girl Effect, une opération de grande ampleur pour lutter contre la pauvreté dans les régions les plus défavorisées du monde. Avec les Nations unies et d'autres partenaires privés et publics, le Girl Effect investit des dizaines de millions de dollars dans une campagne globale et intelligente pour éduquer et soutenir les petites filles. Des économistes et des sociologues rapportent que les petites filles sont les individus les plus vulnérables économiquement et médicalement dans de nombreuses sociétés. Les aider, c'est aider tout le monde. En tentant d'abolir le mariage des enfants en Éthiopie, de construire des lieux sûrs pour les adolescentes au Nigéria ou de lancer un magazine et une émission de radio d'éducation pour les jeunes Rwandaises, le Girl Effect change des millions de vies. Pour moi, les meilleurs moments de la semaine, du mois et même de l'année sont lorsque je reçois les rapports pleins d'espoir des personnes sur le terrain pour défendre ce programme.

Je ferais n'importe quoi pour revenir en arrière, pour prendre des décisions différentes, faire en sorte que cette affaire des « *sweatshops* » n'ait jamais lieu. Mais cette crise nous a poussés à un changement radical, que ce soit chez Nike ou chez les autres. Je suis reconnaissant pour cela.

Il y aura évidemment toujours la question des salaires. Le salaire d'un employé du tiers-monde peut paraître incroyablement bas pour des Américains, je peux le comprendre. Mais nous devons opérer dans les limites et le cadre de chacun des pays, de chacune des économies. On ne peut pas payer ce que nous avons envie de payer. Il est arrivé, dans un pays dont je tairai le nom, que nous soyons convoqués par l'administration pour nous entendre demander de mettre un terme à notre démarche d'augmentation des salaires. Pour le gouvernement en question, notre démarche allait créer trop de ruptures dans le système économique du pays. Ils ont insisté en disant qu'il était impossible qu'un ouvrier de la chaussure gagne plus qu'un médecin.

Le changement ne se produit jamais aussi rapidement que ce que l'on souhaiterait.

Je repense constamment à la pauvreté que j'ai vue quand j'ai fait le tour du monde dans les années 1960. À l'époque, je savais que la seule réponse à un tel fléau était les emplois peu qualifiés. C'est nécessaire pour amorcer un changement. Je n'ai pas formulé cette théorie tout seul. Je l'ai entendue de chaque professeur d'économie que j'ai rencontré dans mon parcours, à l'Université de l'Oregon comme à Stanford, et tout ce que j'ai vu et lu par la suite l'a corroborée. Le commerce international est toujours, vraiment toujours, bénéfique pour les deux nations qui échangent. Une autre chose que j'ai souvent entendue de la part de ces mêmes professeurs est cette vieille phrase : « Lorsque les biens ne peuvent pas franchir les frontières, les soldats le font. » Même si je suis connu pour avoir répété que le business était une guerre sans balles, c'est en réalité un merveilleux rempart contre la guerre. Le commerce constitue le chemin vers la coexistence et la coopération. La paix se nourrit de la prospérité. C'est la raison pour laquelle, hanté que j'étais par la guerre du Vietnam, j'ai toujours dit que nous aurions un jour une usine à Saïgon ou dans les environs.

En 1997, nous en avions quatre.

Cela m'a rendu très fier. Quand j'ai appris que nous allions être honorés et célébrés par le gouvernement vietnamien comme l'un des cinq générateurs de devises les plus importants du pays, je me suis dit qu'une visite s'imposait. Que d'émotions durant ce voyage ! J'ai pris conscience de la profondeur de mon horreur pour la guerre du Vietnam en y retournant vingt-cinq ans après la fin de celle-ci, et en scrrant la main de nos anciens ennemis. À un moment donné, mes hôtes m'ont gentiment demandé ce qu'ils pouvaient faire pour moi, ce qui pourrait rendre mon voyage encore plus spécial et mémorable. J'ai eu une boule dans la gorge. Je leur ai dit que je ne voulais pas qu'ils se donnent autant de mal pour moi.

Mais ils ont insisté.

« Bon, d'accord. J'aimerais rencontrer le Général V. Nguyên Giáp », un homme de quatre-vingt-six ans qui était le MacArthur vietnamien, l'homme qui avait vaincu les Japonais, les Français, les Américains et les Chinois.

Mes hôtes sont restés interloqués. Ils se sont levés lentement, se sont excusés et isolés dans un coin dans la pièce, conversant entre eux en vietnamien.

Ils sont revenus vers moi cinq minutes après. Ils m'ont dit que cela serait possible le lendemain. Pendant une heure.

J'ai effectué une révérence appuyée. Puis j'ai compté les minutes jusqu'à cette rencontre.

La première chose qui m'a frappée chez le Général Giáp quand il est entré dans la pièce a été sa taille. Ce guerrier brillant, ce géant de l'histoire, ce stratège de génie qui avait organisé l'offensive du Têt et qui était à l'origine du creusement de kilomètres de tunnels souterrains m'arrivait à peine aux épaules. Il faisait peut-être un mètre soixante.

De surcroît, il était très humble. Pas de pipe en maïs droite.

Je me souviens qu'il portait un costume sombre semblable au mien. Il a souri en réponse à mon sourire – timide et peu assuré. Mais il y avait une intensité en lui. J'ai déjà vu ce type de confiance éclatante chez les grands entraîneurs et les grands leaders du monde des affaires, dans l'élite de l'élite. Je n'ai jamais vu cela quand je me suis regardé dans le miroir.

Il savait que j'avais des questions et il a attendu que je les lui pose.

J'ai simplement dit : « Comment avez-vous fait tout cela ? »

Je crois avoir vu trembler le coin de sa bouche. Était-ce un sourire ? Il a réfléchi pendant quelques instants, avant de dire : « J'ai été professeur dans la jungle. »

Les souvenirs asiatiques me ramènent vers Nissho. Que serions-nous devenus sans elle ? Et sans son ancien PDG, Masuro Hayami ? J'ai fait sa connaissance bien après l'ouverture du capital de Nike. Nous étions faits pour nous entendre : j'étais son client le plus rentable mais j'apprenais également énormément de lui. Il était peut-être l'homme le plus sage que j'aie rencontré. Une grande tranquillité se dégageait de sa sagesse.

Je me nourrissais de cette tranquillité.

Lors d'un de mes séjours à Tokyo dans les années 1980, Hayami m'a invité pour le week-end dans sa maison de bord de mer près de Atami, la Riviera japonaise. Nous avons quitté Tokyo en train tard le vendredi et avons bu un cognac sur le trajet. Nous étions à la péninsule d'Izu en une heure. Nous avons dîné dans un restaurant merveilleux, joué au golf le lendemain matin et il a organisé un barbecue japonais dans son jardin le soir. Nous avons refait le monde, trouvant la réponse à tous les problèmes. En fait, je trouvais les problèmes et Hayami les résolvait.

Lors de l'un de mes voyages, nous avons terminé la soirée dans le jacuzzi de Hayami. Je me souviens parfaitement du son de l'océan caressant le rivage, de l'odeur du vent qui traversait les arbres – des milliers d'arbres côtiers, dont beaucoup n'existent pas dans l'Oregon. Je me souviens des corbeaux qui croassaient au loin alors que nous discutions de l'infini. Notre conversation est devenue plus terre à terre quand je me suis plaint de mes affaires. Malgré l'ouverture de capital, nous connaissions encore de nombreuses difficultés. « Nous avons beaucoup d'opportunités mais nous avons énormément de mal à trouver des managers capables de les saisir. » Monsieur Hayami avait fait un signe de tête.

« Tu vois ces bambous, là-bas ?

– Oui.

– L'année prochaine… quand tu reviendras… ils feront trente centimètres de plus. »

Mon regard est resté fixé sur les bambous. J'avais compris l'idée.

Lorsque je suis rentré dans l'Oregon, j'ai essayé autant que j'ai pu de développer et de faire progresser l'équipe de direction avec davantage de patience et de douceur, avec une attention accrue sur la formation et la planification à long terme. J'ai essayé d'avoir une vision plus large, plus étendue dans le temps. Cela a fonctionné. C'est ce que j'ai raconté à Hayami lors de notre rencontre suivante. Il s'est contenté de faire un signe de tête, *hai*, et de regarder au loin.

Il y a presque trois décennies, Harvard et Stanford ont décidé de prendre Nike comme sujet d'étude et ont partagé leurs recherches avec d'autres universités, ce qui m'a donné de nombreuses occasions de prendre part à des discussions académiques un peu partout dans le monde et de continuer à apprendre. Je suis toujours très heureux de me promener sur les campus. C'est toujours très vivifiant car les étudiants sont bien plus intelligents et bien plus compétents qu'à mon époque. Cela étant dit, ils sont aussi bien plus pessimistes. Il leur arrive de poser des questions pleines de désarroi : « Où vont les États-Unis ? Où va le monde ? Y a-t-il encore des entrepreneurs de nos jours ? Sommes-nous condamnés à léguer une société moins bonne à nos enfants ? »

Dans ces cas-là, je leur parle du Japon dévasté que j'ai vu en 1962. Je leur parle de ces ruines qui ont malgré tout donné naissance à des sages comme Hayami, Ito et Sumeragi. Je leur parle de toutes les ressources, qu'elles soient naturelles ou humaines, dont dispose le monde, de tous les moyens que nous avons pour résoudre les crises. Je dis aux étudiants que tout ce que devons faire est étudier et travailler aussi dur que possible.

Dit autrement : nous devons être des professeurs dans la jungle.

J'éteins les lumières, je monte me coucher. Allongée avec un livre à côté d'elle, Penny s'est assoupie. Cette alchimie que nous avions éprouvée depuis le premier jour lors de mon cours de comptabilité pour débutants, ne nous a jamais quittés. Nos conflits ont toujours porté d'une façon ou d'une autre sur l'équilibre entre famille et travail. Lors de nos moments les plus difficiles, nous avons réussi à imiter les athlètes que j'admire tant : nous nous sommes accrochés et sommes allés de l'avant. Nous avons surmonté les épreuves.

Je me glisse sous les couvertures, tout doucement, afin de ne pas la réveiller, et me mets à repenser aux autres qui ont surmonté les épreuves. Hayes vit dans une ferme de quarante-cinq hectares dans la Tualatin Valley, avec une collection ridicule de bulldozers et d'autres gros engins (il est particulièrement fier de son John Deere JD-450C, un bulldozer jaune aussi gros qu'une chambre à coucher). Ses problèmes de santé ne l'empêchent pas de faire des tours de bulldozer de façon frénétique. Woodell vit avec sa femme dans l'Oregon. Il a piloté son propre avion pendant des années, faisant ainsi un doigt d'honneur à ceux qui le pensaient incapable à cause de son handicap (l'un des principaux avantages de se déplacer avec son propre avion était qu'il n'avait plus à craindre qu'une compagnie aérienne perde son fauteuil roulant).

Il est l'un des meilleurs conteurs d'histoires que nous ayons eus chez Nike. Je préfère naturellement celle qui concerne le jour de l'ouverture de capital. Il a fait asseoir ses parents et leur a annoncé la nouvelle. « Qu'est-ce que ça veut dire ? » ont-ils demandé à voix basse, « Ça veut dire que le prêt de huit mille dollars que vous avez fait à Phil vaut 1,6 million de dollars aujourd'hui. » Ils se sont regardés avant de regarder Woodell à nouveau. Sa mère a dit : « Je ne comprends pas. »

« *Si l'on ne peut pas croire en l'entreprise où travaille son fils, en quoi peut-on croire ?* »

Lorsqu'il a quitté Nike, Woodell est devenu le responsable des transports de Portland. Un homme immobilisé gérant tous les aéroports et les transports maritimes : une belle leçon de vie. Il est également l'actionnaire majoritaire et le directeur d'une microbrasserie marchant très bien. Il a toujours aimé faire ses propres bières.

Mais, quand il vient dîner à la maison, il me dit que sa plus grande fierté est son fils Dan, actuellement à l'université.

Le vieux « rival » de Woodell, Johnson, vit au beau milieu d'un poème de Robert Frost, quelque part dans les étendues sauvages du New Hampshire. Il y a transformé une vieille grange en manoir cinq étoiles, qu'il a baptisé La Forteresse de la Solitude. Dcux fois divorcé, il a rempli les lieux à ras bord de dizaines de chaises de lecture et de milliers de livres, qu'il répertorie dans un gigantesque catalogue. Chaque livre a son propre numéro et sa propre fiche où sont indiqués le nom de l'auteur, la date de publication, un résumé détaillé et sa localisation précise dans la forteresse. D'innombrables dindons sauvages et tamias gambadent dans la ferme de Johnson. Il a attribué un nom à la plupart d'entre eux et les connaît si bien qu'il est capable de dire quand l'un est en retard dans son hibernation. Plus loin, niché dans un champ de hautes herbes et d'érables, Johnson a construit une deuxième grange, une grange sacrée, qu'il a peinte, laquée, meublée et remplie avec le trop-plein de sa bibliothèque personnelle et des palettes de livres d'occasion qu'il achète lors des ventes réalisées par des bibliothèques. Il laisse ce lieu éclairé et libre d'accès vingt-quatre heures sur vingt-quatre pour tous ceux qui ont besoin d'un endroit pour lire et réfléchir.

C'est l'employé à temps plein n° 1 de Nike.

J'ai entendu dire qu'il y avait en Europe des T-shirts sur lesquels il est écrit : « Où est Jeff Johnson ? », un peu comme la fameuse première phrase « Qui est John Galt ? » du roman *La Grève* de Ayn Rand. La réponse est : exactement où il doit être.

Lorsque nous avons commencé à gagner beaucoup d'argent, nous avons tous changé d'une façon ou d'une autre. Mais pas beaucoup et pas longtemps, car aucun de nous n'a jamais été mû par l'argent. Mais c'est l'essence de l'argent : qu'on en ait ou pas, qu'on en veuille ou pas, qu'on l'aime ou pas, il tend à définir la façon dont nous vivons. Notre tâche d'être humain est de faire en sorte qu'il ne prenne pas trop d'importance.

J'ai acheté une Porsche. J'ai essayé d'acheter les Los Angeles Clippers et me suis retrouvé impliqué dans une bataille judiciaire avec Donald Sterling.

Je porte des lunettes de soleil partout, à l'intérieur comme à l'extérieur. Il existe une photo de moi avec un gigantesque chapeau de cowboy – j'ignore où, quand et pourquoi. Cela m'a rendu malade et m'a poussé à réagir. Penny non plus n'a pas été épargnée. Ayant souffert d'insécurité financière durant son enfance, elle surcompensait en se promenant toujours avec des milliers de dollars dans son sac à main. Elle achetait par centaines des produits de base comme des rouleaux de papier toilette.

Il n'a pas fallu longtemps pour que les choses reviennent à la normale. Maintenant, quand Penny et moi pensons à l'argent, c'est pour concentrer nos efforts sur quelques causes qui nous tiennent à cœur. Nous faisons don de 100 millions de dollars par an et presque tout notre patrimoine sera reversé à des œuvres caritatives après notre mort.

En ce moment, nous sommes en plein dans la construction d'une salle de basket dernier cri à l'Université de l'Oregon, le Matthew Knight Arena. Le logo au centre du terrain sera une porte *torii*. « *Du profane vers le sacré...* » Nous sommes également en train de terminer la construction d'une nouvelle salle de sport, que nous prévoyons de dédier à nos mères, Dot et Lota. On pourra lire sur une plaque à l'entrée : « Parce que nos mères sont nos premiers entraîneurs. »

Qui peut dire ce qui se serait passé si ma mère n'avait pas rejeté la proposition du podologue de m'opérer de ma verrue, qui m'aurait éloigné des pistes d'athlétisme pendant une saison entière ? Ou si elle ne m'avait pas fait prendre concience que je pouvais courir vite ? Ou si elle ne m'avait pas acheté cette première paire de Limber Up, en remettant mon père à sa place ?

Je pense à elle à chaque fois que je retourne à Eugene et que je me promène sur le campus. À chaque fois que je passe par Hayward Field, je repense aux courses qu'elle aussi a eues à courir. Je repense aux nombreuses courses que chacun de nous a eues à courir. Je m'appuie contre la barrière, je regarde la piste et j'écoute le vent souffler en pensant à Bowerman et sa cravate s'envolant dans les airs. Je pense à Pre, paix à son âme. De l'autre côté de la rue, on peut voir la fac de droit William Knight. Un bâtiment à l'allure très sérieuse. Personne n'y fait jamais l'idiot.

Je n'arrive pas à dormir. Je n'arrête pas de penser à ce fichu film, *The Bucket List*. Allongé dans le noir, je me demande encore et encore ce qu'il y a sur ma liste.

Les pyramides ? C'est fait.

L'Himalaya ? C'est fait.

Le Gange ? C'est fait.

Je n'aurais donc plus rien à faire ?

Je réfléchis aux dernières choses que je veux faire avant de disparaître. Aider quelques universités à changer le monde. Aider à trouver un remède contre le cancer. Je crois que c'est à peu près tout…

Ce pourrait être une bonne idée de raconter l'histoire de Nike. Beaucoup de gens ont raconté cette histoire, ou ont essayé de le faire, mais ne connaissaient que la moitié des faits et surtout, ne connaissaient pas l'état d'esprit qui nous animait. Mes centaines – voire mes milliers – de mauvaises décisions pourraient m'amener à le regretter. Je suis celui qui a dit que Magic Johnson était « un joueur sans vrai poste, qui n'y arriverait jamais en NBA. » Je suis celui qui a dit que Ryan Leaf serait un meilleur quarterback que Peyton Manning.

Des déclarations ridicules a posteriori. Il y a des regrets plus profonds, comme celui de ne pas avoir appelé Hiraku Iwano ou de ne pas avoir renouvelé Bo Jackson en 1996. Il y a aussi l'histoire de Joe Paterno[26].

Il y a aussi le fait de ne pas avoir été un manager suffisamment bon pour éviter des licenciements. C'est arrivé trois fois en dix ans – pour un total de 1 500 personnes. Ça me hante encore.

Bien sûr, il y a le regret de ne pas avoir passé plus de temps avec mes fils. Ça aurait peut-être pu me permettre de déchiffrer le code de Matthew Knight.

Seigneur, comme j'aimerais pouvoir revivre toute cette aventure. Sans aller jusque-là, j'aimerais partager cette expérience, avec ses hauts et ses bas, pour que de jeunes hommes et femmes traversant

---

26 Ancien grand entraîneur universitaire de football américain, il est renvoyé de Penn State University en 2011 à la suite d'un scandale sexuel.

les mêmes épreuves puissent y trouver de l'inspiration ou du réconfort. Ou qu'ils soient avertis de certains dangers. Cela pourrait encourager un jeune entrepreneur, un athlète, un peintre ou un romancier.

Finalement, tout est question de volonté et de rêve.

Il serait fabuleux de pouvoir leur éviter certains découragements typiques. J'aimerais pouvoir leur dire de s'arrêter un moment, de prendre le temps de réfléchir sérieusement à comment ils veulent utiliser leur temps, et avec qui ils veulent passer les quarante années qui suivront. J'aimerais dire aux hommes et aux femmes d'environ vingt-cinq ans de ne pas se contenter d'un job, d'une profession ou même d'une carrière. J'aimerais leur dire de chercher leur vocation, même s'ils n'ont pas forcément l'idée de ce que cela peut vouloir dire. Lorsque l'on suit sa vocation, la fatigue devient plus facile à supporter, les déceptions sont un carburant et les réussites ont une saveur exceptionnelle.

J'aimerais prévenir les meilleurs d'entre eux, les iconoclastes, les innovateurs et les rebelles, qu'il y aura toujours une cible dans leur dos. Meilleurs ils sont, plus large est la cible. Il ne s'agit pas de mon opinion, mais d'une loi de la nature.

J'aimerais leur rappeler que l'Amérique n'est pas l'eldorado des entrepreneurs que les gens pensent. La libre entreprise irrite toujours les gens négatifs, qui vivent pour bloquer les autres, pour leur compliquer la vie et pour dire « non, désolé ».

Ça sera toujours comme cela. Les entrepreneurs ont toujours été désarmés et en minorité. Ils ont toujours dû se battre et ce combat n'a cessé de se compliquer. L'Amérique devient moins entrepreneuriale. Récemment, une étude de la Harvard Business School a classé les pays en fonction de leur esprit d'entrepreneur. Les États-Unis se trouvent derrière le Pérou.

Que dire de ceux qui pressent les entrepreneurs de ne jamais abandonner ? Ce sont des charlatans. Parfois, il faut savoir abandonner. Parfois, trouver le bon moment d'abandonner et d'essayer quelque chose d'autre traduit une certaine forme de génie. Abandonner ne veut pas dire s'arrêter. Il ne faut jamais s'arrêter.

La chance joue un grand rôle. Oui, j'aimerais reconnaître publiquement le pouvoir de la chance. Tout comme il arrive que des athlètes ou des poètes aient de la chance, il arrive que les entreprises aient de la chance. Travailler dur est indispensable, disposer d'une bonne équipe est essentiel, la réflexion et la détermination sont cruciales, mais il est possible que ce soit la chance qui décide du résultat. Certains appellent cela autrement : *Tao*, *Logos*, *Jñna*, *Dharma*, Esprit ou encore Dieu.

Disons les choses simplement : plus dur on travaille, plus clément sera le *Tao*. Et puisque personne n'a réussi à définir le *Tao* de façon satisfaisante, j'essaie désormais d'aller régulièrement à la messe. Voici ce que je dirais à mon prochain : « Il faut que tu aies foi en toi, mais il faut aussi que tu aies foi en la foi. Pas la foi telle que les autres la définissent. La foi telle que tu la définis toi-même. La foi telle que tu la définis dans ton cœur. »

Sous quel format vais-je pouvoir dire tout cela ? Des mémoires ? Non, je ne peux pas imaginer que tout cela puisse entrer dans un récit unifié. Peut-être un roman. Ou un discours. Ou une série de discours. Peut-être juste une lettre à mes petits-enfants.

Je regarde tout autour de moi dans l'obscurité. Il y aurait peut-être quelque chose sur ma liste des choses à faire avant de mourir, après tout ?

Une autre Idée Folle.

Mon cerveau se met soudainement à tourner à plein régime. Je pense aux personnes que je dois appeler, aux choses que je dois lire. Il faudra que j'en parle à Woodell. Je devrais voir si nous avons encore des copies des lettres de Johnson. Il y en avait tellement ! Quelque part dans la maison de mes parents, où vit actuellement ma sœur Joanne, il doit y avoir une boîte avec les diapositives de mon tour du monde. Il y a tant à faire. Il y a tant à apprendre. Il y a tellement de choses que j'ignore sur ma propre vie.

Maintenant, il m'est vraiment impossible de dormir. Je me lève, j'attrape un carnet de notes sur mon bureau. Je vais dans le salon et je m'assois dans mon siège inclinable.

Un immense sentiment de tranquillité m'envahit.

Je regarde la lune par la fenêtre, cette même lune qui avait inspiré les anciens maîtres zen et les rendait imperturbables. C'est dans ce calme et à la lumière de cette lune que je commence à faire

une liste.

REMERCIEMENTS

J'ai été très endetté une bonne partie de ma vie. Quand j'étais un jeune entrepreneur, je suis devenu très familier avec l'idée d'aller me coucher chaque nuit et de me réveiller chaque matin en sachant que je devais à un certain nombre de gens une somme d'argent bien supérieure à celle que je pouvais rembourser.

Cependant, rien ne m'a rendu plus redevable que l'écriture de ce livre. Ma gratitude est sans bornes.

Chez Nike, je voudrais remercier mon assistante, Lisa McKillips, pour avoir tout – vraiment tout – fait parfaitement, avec entrain et un grand sourire ; mes vieux amis Jeff Johnson et Bob Woodell pour m'avoir fait me souvenir du passé et pour avoir été aussi patients quand mes souvenirs étaient différents des leurs ; l'historien Scott Reames pour avoir passé au crible les mythes et n'en avoir retenu que des faits indiscutables ; et Maria Eitel pour son expertise sur les sujets les plus importants.

Évidemment, mes plus vifs remerciements vont aux 68 000 employés de Nike à travers le monde, pour leurs efforts quotidiens et leur dévouement, sans lesquels il n'y aurait ni livre, ni auteur. Sans eux, il n'y aurait rien.

À Stanford, j'aimerais remercier le professeur talentueux et génialement fou Adam Johnson pour m'avoir montré ce qu'était un écrivain et pour être mon ami ; Abraham Verghese, qui apprend aux autres comme il écrit – tranquillement, sans effort – et les nombreux étudiants que j'ai rencontrés quand j'étais assis au fond de la salle lors des cours d'écriture – chacun d'entre eux m'a donné de l'inspiration avec sa passion de la langue et de l'art.

À Scribner, merci à la légendaire Nan Graham pour son soutien indéfectible ; à Brian Belfiglio, Roz Lippel, Susan Moldow, et Carolyn Reidy pour leur enthousiasme vivifiant ; à Kathleen Rizzo pour avoir fait avancer le projet tout en gardant toujours son calme ; par-dessus tout merci à mon éditrice extrêmement douée Shannon Welch, qui m'a donné la confiance dont j'avais besoin quand j'en avais besoin. La petite note d'encouragement et de sagesse qu'elle m'a transmise assez vite a été décisive.

Dans le désordre, merci aux nombreux copains et collègues qui ont été si généreux de leur temps, leur talent et leurs conseils, dont mon super agent Bob Barnett, l'extraordinaire poétesse Eavan Boland, l'écrivain des courts Andre Agassi et l'artiste des chiffres Del Hayes.

Un merci tout particulier au romancier / journaliste sportif / autobiographe / muse / ami J. R. Moehringer, dont la générosité, l'humour et les inimitables talents de conteur ont tant apporté aux nombreuses versions successives de ce livre.

Enfin, je voudrais remercier toute ma famille mais en particulier mon fils Travis, dont le soutien et l'amitié ont beaucoup compté – et comptent encore – pour moi. Et aussi un immense merci, du fond du cœur, à ma Penelope que j'ai tant fait attendre. Elle a attendu quand j'étais en déplacement et quand je ne savais plus où j'en étais. Elle m'a attendu tous les soirs quand je rentrais à la maison – souvent tard, le dîner était froid – et elle a attendu encore ces dernières années quand j'ai vécu à nouveau tout cela à haute voix et dans ma tête, alors qu'il y avait des pans entiers d'histoire qu'elle n'avait pas envie de vivre à nouveau. Elle a attendu dès le début, il y a cinquante ans, et aujourd'hui, je peux lui tendre ces pages et lui dire à propos d'elles, de Nike et de tout le reste : « Penny, je n'aurais pas pu faire ça sans toi. »